AF Detective

NAWIEDZONY HOTEL

WILKIE COLLINS

NAWIEDZONY HOTEL

Tłumaczył
Jerzy Łoziński

ZYSK I S-KA
WYDAWNICTWO

Tytuł oryginału
The Haunted Hotel & Other Stories

Copyright © 2015 for the Polish translation
by Zysk i S-ka Wydawnictwo s.j., Poznań

Ilustracja na okładce
Maciej Szajkowski

Projekt graficzny okładki
Tobiasz Zysk

Wydanie I w tej edycji

ISBN 978-83-7785-658-1

NAWIEDZONY HOTEL
Tajemnice dzisiejszej Wenecji

CZĘŚĆ I

ROZDZIAŁ 1

W roku 1860 lekarska sława działającego w Londynie doktora Wybrowa sięgnęła szczytów. Z godnych zaufania źródeł płynęły informacje, że jego honoraria sięgają maksimum tego, co współcześnie można zyskać dzięki praktyce medycznej.

Pewnego wieczoru, kiedy sezon londyński miał się ku końcowi, doktor zasiadł do obiadu po szczególnie męczącym przedpołudniu spędzonym w gabinecie, a przed mającymi wypełnić resztę dnia wizytami w znakomitych domach pacjentów, gdy kamerdyner oznajmił, że chciałaby się z Wybrowem zobaczyć pewna dama.

— Kto to taki? — spytał lekarz. — Jakaś nowa pacjentka?

— Tak, sir.

— Nowych nie przyjmuję poza wyznaczonymi godzinami. Proszę jej podać terminy i niech sobie idzie.

— Tak właśnie zrobiłem, sir.

— I?

— Nie chce odejść.

— Nie chce odejść? — powtórzył z uśmiechem Wybrow, który miał swoiste poczucie humoru, zaś absurdalny aspekt tej sytuacji nieco go rozbawił. — Czy ta natarczywa dama się przedstawiła?

— Nie, sir. Nie chciała podać nazwiska, natomiast oznajmiła, że zajmie panu najwyżej pięć minut, a rzecz jest zbyt poważna, by czekać do jutra. Zasiadła w gabinecie; co do mnie, nie mam pomysłu na to, jak się jej pozbyć.

Doktor Wybrow zastanawiał się przez moment. Znajomość kobiet — w profesjonalnym sensie — czerpał z ponad trzydziestu lat praktyki; poznał ich bardzo wiele, a przede wszystkim te, które nic nie wiedzą o wartości czasu, nigdy zaś nie omieszkają skryć się za tarczami przywilejów swojej płci. Zerknięcie na zegarek powiedziało mu, że już wkrótce musi rozpocząć obchód oczekujących go pacjentów, dlatego też zdecydował się na jedyne rozsądne w tej sytuacji rozwiązanie. Mówiąc inaczej, postanowił uciec.

— Czy powóz czeka pod drzwiami? — upewnił się Wybrow.

— Tak, sir.

— Świetnie. Bez najmniejszego szmeru otwórzcie mi frontowe drzwi, dama zaś na pewien czas niech sobie weźmie w posiadanie mój gabinet. Kiedy już zmęczy się czekaniem, sami wiecie, co jej powiedzieć. Gdyby zaczęła się dopytywać, kiedy wrócę, proszę ją poinformować, że kolację zjem w klubie, a wieczór spędzę w teatrze. A teraz, Thomasie, ostrożnie! Jeśli skrzypnie wam but, jestem zgubiony.

Doktor bezgłośnie wyszedł na korytarz, za nim zaś na koniuszkach palców sunął kamerdyner.

Czy dama żywiła jakieś podejrzenia? Skrzypnął but Thomasa? Była obdarzona niezwykle czujnym słuchem? Jakkolwiek brzmi wytłumaczenie, nie ulega wątpliwości, co się stało. Dokładnie w chwili, gdy Wybrow mijał swój gabinet, jego drzwi się otworzyły, a w progu stanęła dama, której dłoń spoczęła na ramieniu lekarza.

— Nie pozwolę panu odejść, sir, zanim mnie pan nie wysłucha.

Głos był cichy i stanowczy, akcent — cudzoziemski. Palce zamknęły się na barku doktora lekko, lecz nieustępliwie.

Jeżeli postąpił zgodnie z żądaniem damy, to nie z powodu jej wymowy czy zachowania. W drodze do powozu zatrzymał go milczący wyraz jej twarzy. Niczym urzeczony znieruchomiał na widok kontrastu między trupio bladą cerą a pełnymi życia i światła, metalicznie lśniącymi, wielkimi czarnymi oczyma. Pod nimi nos, usta, broda miały subtelny i delikatny wykrój, który częściej widuje się u kobiet innej narodowości niż angielska. Była bez wątpienia urodziwa, a jedyne jej wady to widmowa kompleksja oraz — chociaż to mniej było ostentacyjne — brak jakiejkolwiek delikatności we wzroku. Niezależnie od zaskoczenia zrodziła też w doktorze poczucie, które najlepiej można by nazwać profesjonalną ciekawością. Nie mógł wykluczyć, że to przypadek zupełnie nowy w całej jego praktyce. „Zdaje się — pomyślał — że warto jej jednak poświęcić chwilkę".

Natychmiast dostrzegłszy, że zrobiła na Wybrowie niejakie wrażenie, obróciła się na pięcie i weszła do gabinetu.

Doktor podążył za nią i zamknął drzwi. Wskazał jej znajdujący się pod oknem fotel dla pacjentów. Tego letniego popołudnia nawet londyńskie słońce było oślepiająco jasne; światło spowiło ją całą. Oczy z orlą nieustępliwością nie cofnęły się przed nim, a bladość gładkiej skóry stała się bardziej przerażająca niż kiedykolwiek przedtem. Po raz pierwszy od wielu lat Wybrow poczuł, jak w obecności pacjenta jego puls rośnie.

Skupiła zatem na sobie jego uwagę, wydawało się jednak, o dziwo, że nie ma mu nic do powiedzenia — zupełnie jakby znienacka opanowała ją zdumiewająca apatia. Zmuszony przemówić jako pierwszy, lekarz konwencjonalnie zapytał, w czym może pomóc gościowi.

Brzmienie jego głosu jakby ją rozbudziło. Dalej wpatrzona w światło, rzekła ostro:

— Muszę zadać panu bolesne pytanie.

— Jakież to?

Kobieta powoli przeniosła wzrok z okna na twarz Wybrowa i bez śladu jakiegokolwiek wzruszenia „bolesne pytanie" zamknęła w słowach:

— Jeśli pan łaskaw, chciałabym się dowiedzieć, czy grozi mi szaleństwo?

Niektórzy poczuliby się rozbawieni, niektórzy zaalarmowani, natomiast doktor Wybrow poczuł tylko smak rozczarowania. I to ma być ów rzadki przypadek, którego spodziewał się na podstawie spiesznego oglądu? Miałaby pacjentka być po prostu hipochondryczką, której schorzenie polegało na kłopotach żołądkowych, a nieszczęście na słabiutkim umyśle?

— Czemu zgłasza się pani do mnie? — spytał opryskliwie. — Czemu nie pójdzie pani do kogoś, kto specjalizuje się w chorobach umysłu?

Odpowiedź miała już gotową.

— Nie chcę takiego lekarza z tej właśnie przyczyny, że jest specjalistą, a jako taki ma fatalny zwyczaj oceniania każdego wedle zawodowych miarek. Wybrałam pana, gdyż mój przypadek wykracza poza wszystkie miarki, a także dlatego, iż cieszy się pan sławą człowieka, który szuka w chorobach tajemnic. Czy ta odpowiedź panu wystarczy?

Był bardziej niż zadowolony, ostatecznie pierwsze jego wrażenie okazało się słuszne, a na dodatek dobrze się orientowała w jego sytuacji zawodowej. Sławę i fortunę zyskała mu umiejętność (w której nikt nie potrafił mu dorównać) wykrywania chorób na podstawie bardzo odległych ich symptomów.

— Jestem do pani dyspozycji — odrzekł. — Spróbujmy, może uda mi się stwierdzić, jak się rzecz ma z panią.

Zaczął stawiać rutynowe pytania. Szybko padały proste odpowiedzi, które nie pozwalały na żadną inną konkluzję prócz tej, że dziwna dama jest w znakomitym zdrowiu cielesnym i duchowym. Nieusatysfakcjonowany wywiadem, następnie zbadał najważniejsze organy, lecz ani ręka, ani stetoskop nie były w stanie wykryć żadnych nieprawidłowości. Z cierpliwością i oddaniem swej sztuce — co wyróżniało go już w czasach studenckich — poddawał ją kolejnym testom, których efekt był nieustannie ten sam. Nie tylko nic nie wskazywało na żadne schorzenie mózgu, lecz także nie było najmniejszych nawet oznak zakłóceń w systemie nerwowym.

— Nic u pani nie znajduję — oznajmił na koniec. — Nie jestem nawet w stanie wyjaśnić, skąd u pani taka bladość. Po prostu nie wiem.

— Moja cera to żadna zagadka — odrzekła lekko zniecierpliwiona. — Jakiś czas temu ledwie uniknęłam otrucia i odtąd nigdy już nie osiągnęłam dawnej kompleksji, a skórę zawsze miałam tak delikatną, że nawet jak się maluję, wywołuje to pieczenie. Ale to nieważne. Oczekiwałam od pana jednoznacznej opinii. Wierzyłam w pana, ale mnie pan zawiódł. — Zwiesiła głowę na piersi. — A więc to koniec — powiedziała z goryczą do siebie.

Powodowany współczuciem, a może bardziej urażoną dumą zawodową, Wybrow rzekł:

— Koniec może wyglądać inaczej, jeżeli tylko zechce mi pani pomóc.

W jej oczach znowu pojawiły się skry.

— Czy mógłby pan wyrazić się jaśniej? W jaki sposób mam panu pomóc?

— Mówiąc zupełnie jasno, madame, zjawiła się pani u mnie jak kompletna zagadka, oczekując, że bez żadnego wspomagania sztuka medyczna udzieli właściwej odpowiedzi. Medycyna może wiele, ale nie może wszystkiego. Podejrzewam na przykład, że musiało się wydarzyć coś zupełnie niezwiązanego z pani stanem fizycznym, co kazało się pani bać o samą siebie, bo przecież inaczej nie zjawiłaby się pani u mnie. Mam rację?

Klasnęła w dłonie.

— Tak, to prawda — odrzekła z ożywieniem. — Znowu zaczynam w pana wierzyć.

— To dobrze. Nie może jednak pani spodziewać się po mnie, że odgadnę duchową przyczynę niepokoju. Jednoznacznie stwierdzam, że nie ma żadnych cielesnych powodów do lęku, i nic więcej nie mogę zrobić, jeśli nie będzie pani chciała mi zaufać.

Wstała i przeszła się po gabinecie.

— A gdybym panu powiedziała? — rzekła z namysłem. — Ale nie mogłabym wymienić żadnych nazwisk.

— Nazwiska zupełnie nie są mi potrzebne. Chcę tylko faktów.

— Fakty się nie liczą — odparła. — Mogę się podzielić tylko swymi impresjami, a gdy je pan usłyszy, może mnie pan uznać za śmieszną wariatkę. Mniejsza z tym. Zrobię, co potrafię, by zaspokoić pańską ciekawość; zacznę od faktów, których pan sobie życzy, ale może mi pan wierzyć, nie na wiele się one panu zdadzą.

Usiadła. W prostych słowach zaczęła rozwijać najdziwniejsze i najbardziej nieprawdopodobne wyznanie, jakie kiedykolwiek dotarło do uszu Wybrowa.

ROZDZIAŁ 2

— Pierwszy fakt brzmi zatem tak — zaczęła — że jestem wdową. Drugi, że zamierzam ponownie wyjść za mąż.

Urwała i uśmiechnęła się jakby do jakiejś swojej myśli. Doktorowi Wybrowowi uśmiech nie przypadł do gustu — było w nim coś smutnego, a zarazem okrutnego. Pojawiał się powoli, a znikł natychmiast. Nie był pewien, czy dobrze zrobił, działając pod wpływem pierwszego wrażenia. Z niejakim żalem pomyślał o czekających nań zwykłych pacjentach, z ich łatwymi do rozpoznania chorobami.

Kobieta ciągnęła.

— Z moim przyszłym małżeństwem wiąże się pewien kłopotliwy szczegół. Dżentelmen, którego żoną mam zostać, w chwili kiedy mnie poznał za granicą, był zaręczony z pewną inną damą, związaną z nim dalekimi więzami krwi, więc należącą do szeroko rozumianej rodziny. Nieumyślnie pozbawiłam ją ukochanego i zniszczyłam jej oczekiwania. Powiadam „nieumyślnie", gdyż najpierw przyjęłam jego oświadczyny, zanim powiedział mi o wszystkim. Prawdę wyznał mi, gdyśmy się ponownie spotkali w Anglii, gdzie bez wątpienia istniało niebezpieczeństwo, że dowiem się o romansie mego obecnego narzeczonego. Byłam naturalnie oburzona, ale on miał gotowe usprawiedliwienie: pokazał mi list owej damy, w którym zwalniała go ze złożonego słowa. Nigdy dotąd nie czytałam nic bardziej dumnego i szlachetnego. Zapłakałam nad nim, ja, która nie potrafiłam uronić łzy nad własnym losem. Gdyby ów list zawierał chociażby cień szansy, że jego odbiorca zostanie rozgrzeszony, z pewnością nie zgodziłabym się zostać jego żoną. Jednak jego stanowczość — wyrażona bez gniewu, bez wyrzutów, ze szczerymi życzeniami powodzenia — ta stanowczość zatem, powtarzam, nie zostawiała mu żadnej nadziei. Odwołał się do mojego współczucia, powołał na swoją miłość do mnie. Zna pan kobiety. Także i ja miewam miękkie serce, powiedziałam więc: dobrze, zgadzam się. Za tydzień (drżę na samą myśl o tym) ma się odbyć ślub.

Dama istotnie zadrżała; musiała przerwać, aby się opanować na tyle, by mogła kontynuować. Doktor, który oczekiwał następnych faktów, pomyślał, że będzie może skazany na długą opowieść, rzekł więc:

— Proszę mi wybaczyć, że przypomnę, iż czekają na mnie złożeni dolegliwościami pacjenci. Im szybciej dojdzie pani do sedna sprawy, tym lepiej dla nich i dla mnie.

I znowu na wargach kobiety pojawił się uśmiech jednocześnie smutny i okrutny.

— Wszystko, co dotychczas powiedziałam, prowadzi do sedna. Już za chwilę sam się pan o tym przekona. Wczoraj — jak pan widzi, nie musi się pan lękać długiej opowieści — nie dalej niż wczoraj

16

byłam jedną z osób zaproszonych na taką waszą angielską wieczerzę. Zupełnie nieznana mi dama zjawiła się późno, kiedy już wstaliśmy od stołu i przeszliśmy do bawialni. Trzeba trafu, iż usiadła obok mnie, zostałyśmy sobie przedstawione. Ja znałam ją z nazwiska, a ona mnie. To właśnie ją pozbawiłam narzeczonego, to ona napisała ów szlachetny list. Niech pan posłucha! Był pan zniecierpliwiony, nie dostrzegając w tym, co dotąd mówiłam, niczego interesującego. Chciałam, żeby pan wiedział, iż nie żywiłam żadnej wrogości wobec tej kobiety. Podziwiałam ją, współczułam jej, a zarazem niczego nie miałam do wyrzucenia sobie. Jak pan zaraz zobaczy, to bardzo ważna kwestia. Co do niej, cała sprawa została jej przedstawiona w ten sposób — mam prawo sądzić — iż wiedziała, że nie ma o co mnie obwinić. A teraz, skoro wie pan to wszystko, niech mi pan wyjaśni, jeśli pan potrafi, dlaczego, kiedy wstając, napotkałam wzrok owej damy, poczułam się zmrożona od stóp do głów, a potem po raz pierwszy w życiu ogarnął mnie dreszcz przeraźliwej trwogi.

Doktor poczuł wreszcie zainteresowanie.

— Czy było w wyglądzie tej damy coś osobliwego?

— Absolutnie nic! — brzmiała żarliwa odpowiedź. — Zaraz ją panu opiszę. Zwykła angielska dama: jasnoniebieskie zimne oczy, piękna różowa cera, niezwykle uprzejma w zachowaniu, duże, skłonne do uśmiechu usta, odrobinę zbyt pulchne policzki i broda. Tyle i nic więcej. Była naturalnie ciekawa widoku kobiety, której dano przed nią pierwszeństwo, i pojawiło się, owszem, pewne zdziwienie, że rywalka nie jest bardziej ekscytująca i piękna od niej, ale wszystko to w granicach dobrego tonu trwało ledwie kilka chwil — jak to oceniłam. Powiadam „jak to oceniłam", gdyż owa straszliwa pasja, która zalśniła w jej wzroku, zachwiała moim zaufaniem do własnego osądu. Gdybym znajdowała się blisko drzwi, wybiegłabym z tego domu, tak mnie przeraziła. W tej natomiast sytuacji nie byłam w stanie ustać na nogach i osunęłam się na fotel. Sparaliżowana strachem wpatrywałam się w te spokojne niebieskie oczy, które teraz patrzyły na mnie z delikatnym zdziwieniem. Powiedzieć, że urzekły mnie jak wzrok węża, to właściwie nie powiedzieć nic. Czułam w nich jej duszę zaglądającą w moją duszę, ale zaglądającą, jeśli to możliwe, w sposób nieświadomy dla jej przytomnego „ja". Zwierzam się panu z mojego wrażenia w całej jego przeraźliwości i szaleńczości. Tej kobiecie jest przeznaczone (chociaż sama o tym nie wie) stać się w moim życiu geniuszem zła. Jej niewinne spojrzenie dojrzało we mnie złe skłonności, których sama nie byłam świadoma do chwili, gdy poruszyły się pod tym wzrokiem. Jeśli w dalszym życiu popełnię jakiś błąd, może nawet posunę się do zbrodni, ona weźmie na mnie pomstę, aczkolwiek bez świadomego w tej mierze postanowienia, tego jestem pewna. W niemożliwym do opisania momencie poczułam to wszystko i mniemam, że dało się to dostrzec na mojej twarzy, czym ona musiała się poczuć poruszona, gdyż odezwała się życzliwie:

— Chyba gorąco tutaj jest zbyt wielkie dla pani; czy mogę zaproponować moje sole trzeźwiące?

Pamiętam tylko te uprzejme słowa, gdyż już w następnej chwili zemdlałam. Kiedy odzyskałam przytomność, wszyscy goście już się rozeszli, a przy mnie była jedynie pani domu. W pierwszej chwili nie mogłam wydobyć z siebie nawet słowa; wróciła mi świadomość, ale z nią owo przeraźliwe poczucie, które przed chwilą usiłowałam opisać. Gdy wreszcie odzyskałam mowę, poprosiłam ją, aby powiedziała mi wszystko, co wie, o kobiecie, której rywalką nieumyślnie się stałam. Widzi pan, żywiłam słabiutką nadzieję, że może wcale nie ma takiego dobrego charakteru, że może ów pełen godności list był w istocie podszyty hipokryzją, mówiąc krótko, że w istocie mnie nienawidziła, a tylko sprytnie to ukrywała. Otóż nie! Dama ta od dzieciństwa była przyjaciółką pani domu, która właściwie traktowała ją jak siostrę i żywiła przekonanie, iż jest ona tak dobra, niewinna i niezdolna do jakiejkolwiek nienawiści, jak gdyby była prawdziwą świętą. Tak oto rozpadła się moja ostatnia nadzieja, że to, co poczułam, stanowiło swego rodzaju przestrogę w zetknięciu z prawdziwym wrogiem. Była jeszcze jedna rzecz, którą mogłam zrobić, i nie cofnęłam się przed nią. Udałam się do człowieka, którego mam poślubić, i poprosiłam, aby zwolnił mnie ze złożonego mu przyrzeczenia. Odmówił, na co powiedziałam, że w takim razie sama zerwę zaręczyny. W odpowiedzi pokazał mi listy od swego rodzeństwa — sióstr, braci — i od przyjaciół, listy namawiające go do tego, aby się raz jeszcze zastanowił, zanim pojmie mnie za żonę, a pełne zupełnie kłamliwych informacji o moich wybrykach w Paryżu, Wiedniu i Londynie. „Jeśli nie wyjdzie pani za mnie — powiedział — przyzna pani, że to wszystko prawda, że boi się pani wejść w towarzystwo jako moja małżonka". I cóż miałam na to odpowiedzieć? Nie sposób było z nim polemizować, miał rację: gdybym obstawała przy swojej odmowie, bez reszty zrujnowałabym swoją reputację. Zgodziłam się zatem na ślub, ustaliliśmy termin i zostawiłam narzeczonego samego. Minęła noc i oto zjawiam się tutaj w głębokim przekonaniu, że ta niewinna kobieta jest skazana na to, aby mieć fatalny wpływ na moje życie. Zjawiam się ze swoim pytaniem u jedynego człowieka, który może na nie odpowiedzieć. Zatem po raz ostatni, sir: czy jestem demonem, który zobaczył anioła zemsty? Czy tylko biedną niewiastą zwiedzioną przez twory rozwichrzonego umysłu?

Doktor Wybrow powstał, zdecydowany zakończyć rozmowę.

To, co usłyszał, zrobiło na nim silne, przejmujące wrażenie. Im dłużej słuchał pacjentki, tym silniejsze miał poczucie, że musi być niegodziwa. Na próżno usiłował wzbudzić w sobie współczucie dla niej jako osoby o bardzo rozbudowanej wyobraźni, świadomej drzemiących w każdym z nas skłonności do zła i z rozmysłem usiłującej otworzyć swe serce na oddziaływanie lepszej części jej natury. Próbował — ale bez skutku. Instynkt zdawał mu się podpowiadać: „Strzeż się, by jej nie uwierzyć".

— No cóż, swoją opinię już pani przedstawiłem. Nauka medyczna, którą znam, nie pozwala znaleźć u pani żadnych oznak umysłowego rozchwiania ani też jego zapowiedzi. Jeśli chodzi o wrażenie, którym zechciała się pani ze mną podzielić, powiedzieć mogę tylko tyle, że, jak się zdaje, bardziej wymaga ono porady duchowej niż medycznej. O jednym wszakże chciałem zapewnić: wszystko, co pani powiedziała w tym pokoju, nie wydostanie się poza jego ściany. Zachowam tylko dla siebie pani wyznanie.

Z posępną rezygnacją kobieta wysłuchała go do końca.

— To już wszystko? — zapytała.

— Tak, to wszystko.

Położyła na stole małą kopertę z pieniędzmi.

— Dziękuję panu, to pańskie honorarium.

Z tymi słowami powstała. Czarne oczy wpatrywały się przed siebie z wyrazem tak głębokiej i tak straszliwej desperacji, że lekarz, nie mogąc znieść widoku tej udręki, odwrócił głowę. Znienacka poczuł wstręt do samej myśli o tym, że miałby od swego gościa wziąć cokolwiek — nie tylko pieniądze, lecz także jakikolwiek przedmiot, którego dotknęła. Nie spoglądając na niewiastę, powiedział:

— Proszę to zabrać. Nie chcę za pani wizytę żadnego wynagrodzenia.

Nawet go nie usłyszała. Nadal wpatrzona w przestrzeń, wolno powiedziała do siebie:

— Niech zatem się wszystko dopełni. Rezygnuję z walki, poddaję się.

Pociągnął za dzwonek i odprowadził ją do holu. Jednak w chwili gdy kamerdyner zamykał drzwi za kobietą, lekarza dźgnął nagły impuls ciekawości, zupełnie niepodobny do niego, a zarazem nieodparty. Czerwieniąc się jak uczniak, powiedział:

— Idźcie za nią i ustalcie, jak się nazywa.

Służący spojrzał na swego pana tak, jakby nie dowierzał własnym uszom, napotkawszy jednak jego nieruchome spojrzenie, wiedział, co to znaczy. Chwycił kapelusz i wybiegł na ulicę.

Wybrow tymczasem wrócił do gabinetu. Nagle poczuł jakiś dreszcz obrzydzenia. Czy ta kobieta mogła posiać w domu jakieś zarazki zła, które dosięgły już jego samego? Co to za czort kazał mu się tak poniżyć w oczach kamerdynera? Postąpił wręcz nikczemnie, każąc uczciwemu człowiekowi, który od lat służył jego rodzinie, zamienić się w szpiega! Sama ta myśl tak go kolnęła, że wybiegł do holu i otworzył drzwi wyjściowe. Kamerdyner już zniknął, nie sposób więc go było przywołać z powrotem. Wybrow miał na szczęście gdzie umknąć przed wzgardą wobec siebie: tę możliwość zapewniała mu praca. Wsiadł do powozu i ruszył do swoich chorych.

Jeśli zdarzyła się okazja, kiedy słynny lekarz mógł nadwątlić swoją reputację, było tak tego właśnie dnia. Nigdy wcześniej nie zrobił tak złego wrażenia na klientach, nigdy wcześniej nie odkładał na jutro recept, które trzeba było wypisać dzisiaj, ani opinii, które należało wygłosić natychmiast. Wracał do domu wcześniej niż zwykle i bardzo z siebie niezadowolony.

Kamerdyner był już w domu. Doktor Wybrow wstydził się go wypytywać, ale tamten zdał raport niepytany.

— Dama, która pana odwiedziła, to hrabina Claudia Naronne. Mieszka...

Nie słuchając dalszych szczegółów, lekarz krótkim skinieniem głowy potwierdził, że dosłyszał nazwisko, i wszedł do gabinetu. Honorarium, którego nie chciał przyjąć, dalej leżało na stole. Włożył je do dużej koperty, zaadresował: „Datek na ubogich" i wezwawszy kamerdynera, kazał mu nazajutrz zanieść to do najbliższego sądu pokoju. Służący zadał zwykłe pytanie:

— Czy kolację zje pan dziś w domu, sir?

Wybrow po chwili wahania odpowiedział:

— Nie, zjem w klubie.

Najłatwiejsza do uciszenia z moralnych sił człowieka nazywa się „sumienie". W jednej sytuacji jest najostrzejszym, najbardziej nieprzejednanym sędzią człowieka, w drugiej pozostaje z nim w jak najlepszej, przyjaznej i zgodnej komitywie. Kiedy doktor

Wybrow po raz drugi wychodził z domu, nie zamierzał nawet ukrywać przed sobą, że w tej chwili kwestią najbardziej go interesującą było to, co też w świecie mówi się o hrabinie Naronne.

ROZDZIAŁ 3

Był czas, kiedy w poszukiwaniu plotek szukało się towarzystwa dam. Czasy się zmieniły. Dzisiaj wiedziony taką potrzebą człowiek udaje się do palarni w swoim klubie.

Doktor Wybrow zapalił cygaro i rozejrzał się po członkach klubu; było ich wprawdzie sporo, ale rozmowy nie nabrały jeszcze wigoru. Niewinne pytanie lekarza, czy ktoś słyszał może o hrabinie Naronne, podziałało jak stymulant. Z niemal wszystkich ust wyrwał się okrzyk zdumienia, jakby pytanie należało do najbardziej absurdalnych na świecie. Każdy, kto miał odrobinę wiedzy o wielkim świecie, musiał znać hrabinę Naronne. Zgodnie oceniono, że niewiasta o kredowobiałej cerze i lśniących oczach cieszy się na kontynencie jak najgorszą reputacją.

Następnie przyszła pora na szczegóły, a kolejni mówiący dorzucali następne elementy do rosnącego stosu wątpliwości. Nie wiadomo, czy rzeczywiście pochodzi z dalmatyńskiej arystokracji, jak utrzymuje. Nie wiadomo, czy faktycznie zawarła ślub z hrabią, za wdowę po którym się podaje. Nie wiadomo, czy z mężczyzną, który towarzyszył jej w wojażach jako jej brat Rivar, faktycznie łączyły ją więzy krwi. Ów rzekomy brat był świetnie znany we wszystkich kasynach europejskich. Półgłosem sączone informacje mówiły o tym, iż rzekoma siostra rzekomego brata ledwie uniknęła w Wiedniu procesu o truciciel- stwo, że w Mediolanie uważano ją za austriackiego szpiega, że jej „apartament" w Paryżu policja zde- maskowała jako przybytek hazardu i że jej obecne pojawienie się w Anglii było prostą konsekwencją owej demaskacji. I tylko jeden człowiek z całego obecnego w palarni zgromadzenia ujął się za tak powszechnie potępianą osobą, oznajmiając, że jest to opinia stronnicza i okrutnie zniekształcona. Ponie- waż jednak był to prawnik, toteż zgodnie uznano, że przemawia przez niego tylko zawodowa chęć zajęcia innego stanowiska niż wszyscy. Szyderczo zapytano, co sądzi o okolicznościach towarzyszących małżeń- stwu hrabiny, na co odrzekł w charakterystyczny dla siebie sposób, że są to okoliczności dobrze świadczą- ce o obu stronach, zaś przyszłego małżonka można było hrabinie tylko pozazdrościć.

Co usłyszawszy, doktor Wybrow dał asumpt do kolejnego ataku zdumienia, gdy spytał o nazwisko dżentelmena, za którego miałaby wyjść hrabina.

Zebrani w palarni klubowi przyjaciele zgodnie uznali, że sławetny lekarz musi być drugim Ripem van Winklem, który właśnie się zbudził po dwudzie- stoletnim śnie. Nic tu po tłumaczeniach, że oddany swojej sztuce Wybrow nie miał czasu na to, by wy- słuchiwać plotek podczas przyjęć i balów. Bowiem ktoś, kto nie wiedział, że hrabina Naronne najpierw pożyczyła w Hamburgu pieniądze od — ni mniej, ni więcej — lorda Montbarry'ego, a potem tak go omotała, iż ten zaproponował jej małżeństwo, musiał najpewniej w ogóle nie słyszeć o jego lordowskiej mości. Młodsi członkowie klubu, aby dodać żartowi wigoru, posłali lokaja po almanach Burke'a i na użytek Wybrowa odczytali zapis poświęcony rzeczonemu arystokracie, co okraszali własnymi dodatkami.

— „Herbert John Westwick, pierwszy baron Montbarry, Montbarry, King's County, Irlandia. Tytuł szlachecki otrzymał w nagrodę za znakomitą służbę wojskową w Indiach. Urodzony w roku 1812". A więc, panie doktorze, obecnie to czterdziestoośmiolatek. „Kawaler". Ale już za tydzień, panie doktorze, będzie żonaty z tą uroczą osobą, o której była mowa. „Ewentualny spadkobierca, młodszy brat jego lordowskiej mości, Stephen Robert, poślubił najmłodszą córkę wielebnego Silasa Mardena, rektora Runnigate, Ellę, z którego to związku urodziły się trzy córki. Dwaj najmłodsi bracia, Francis i Henry, są kawalerami. Siostry jego lordowskiej mości to lady Barville, zamężna z baronetem sir Theodorem Barville'em, oraz Anne, wdowa po wielmożnym Peterze Norburym z Norbury Cross". Niech pan pamięta, panie doktorze, te relacje rodzinne: trzech braci lorda — Stephen, Francis i Henry — oraz dwie siostry: lady Barville i pani Norbury. Nikt z tej piątki nie będzie obecny na ślubie, a każde z nich wykorzystałoby najmniejszą choćby szansę, aby do niego nie dopuścić, gdyby im tylko hrabina Naronne taką dała. Oprócz tych urażonych członków rodziny, których wymienia almanach, mamy jeszcze ową młodą damę...

W różnych miejscach sali rozległy się protesty.

— Nie, niczym sobie nie zasłużyła na to, by wymieniać jej nazwisko, więcej, wobec tej bezwstydnej prowokacji zachowała się z niezwykłą godnością. Trudno zrozumieć, co powoduje Montbarrym: albo zwariował, albo jest doszczętnym głupcem.

Z tej to przyczyny nazwisko niegdysiejszej narzeczonej jego lordowskiej mości nie zostało głośno wymienione, natomiast sąsiad Wybrowa nie widział powodu, dla którego nie miałby wyjawić, iż dama porzucona przez Montbarry'ego nazywa się Agnes Lockwood. Tymczasem zbiorowo została sformułowana opinia, że skoro rywalka hrabiny była od niej urodziwsza, a na dodatek o kilka lat młodsza, to nawet jeśli się zgodzić, iż mężczyźni w relacjach z niewiastami codziennie dopuszczają się dziwacznych postępków, to jednak w przypadku Montbarry'ego chodzić musiało o jakąś monstrualną wręcz niepoczytalność. Opinia była tak zbiorowa, że również prawnik się od niej nie zdystansował. Nikt z zebranych nie chciał nawet pamiętać o niezliczonych przypadkach, gdy nieodparte wrażenie na płci przeciwnej czyniły kobiety nawet niepretendujące do miana pięknych. Warto może nadmienić, że najgłośniej wydziwiali nad matrymonialną decyzją lorda ci właśnie członkowie klubu, których hrabina bez trudu by zafascynowała pomimo skaz na swej reputacji, gdyby uznała, że warto temu poświęcić choćby chwilkę.

Podczas gdy nadal osoba hrabiny Naronne była głównym tematem konwersacji, do palarni wkroczył mężczyzna, którego widok natychmiast uciął wszystkie rozmowy. Sąsiad półgłosem mruknął do Wybrowa:

— Oto i brat lorda, Henry Westwick.

Nowo przybyły powiódł wzrokiem po obecnych, a potem na jego ustach pojawił się gorzki uśmiech.

— Rozmawiacie, panowie, o moim bracie. Nic, nie musicie się przy mnie krępować, gdyż nikt z was nie gardzi nim bardziej ode mnie. Zatem, proszę, nie przerywajcie sobie.

Niemniej tylko jeden z obecnych posłuchał mówiącego, a był to prawnik, który wcześniej wystąpił w obronie hrabiny.

— Byłem osamotniony w swojej opinii — powiedział — i nie boję się jej powtórzyć przed nikim. Uważam, że hrabina Naronne jest traktowana bardzo niesprawiedliwie. Dlaczego nie mogłaby być żoną Montbarry'ego? Czy ktoś mówi na serio, że ona tylko z wyrachowania chce wyjść za lorda?

Brat lorda spojrzał ostro na prawnika i rzekł stanowczo:

— Ja!

Bezwzględność tego oświadczenia zrobiła wrażenie na wielu osobach, ale prawnik nie zamierzał ustępować.

— Proszę powiedzieć, czy nie mam racji, mówiąc, że lordowskie dochody z nawiązką pozwalają mu na utrzymanie obecnego statusu, ale niemal w całości pochodzą z posiadłości irlandzkich, których kolejność dziedziczenia jest ściśle określona? — Henry Westwick w milczeniu przytaknął. — Z tego, co wiem, w razie śmierci jego lordowskiej mości wdowa po nim może liczyć jedynie na rentę w wysokości co najwyżej czterystu funtów rocznie. Wszystkie inne składowe jego dochodów albo umierają wraz z nim, albo przechodzą na bezpośredniego spadkobiercę. Czterysta funtów to nie tak wiele.

— Bo też wcale nie chodzi o czterysta funtów — odrzekł najmłodszy z Montbarrych. — Mój brat ubezpieczył swoje życie na dziesięć tysięcy funtów, a polisa uwzględnia tylko hrabinę.

Informacja ta spowodowała znaczne poruszenie. Mężczyźni spoglądali po sobie, a przez salę szmerem przemknęły słowa: „Dziesięć tysięcy funtów". Prawnik podjął ostatnią, rozpaczliwą próbę obrony swego stanowiska.

— A czy można wiedzieć, kto ustalał warunki małżeństwa? Bo nie sądzę, aby była to sama hrabina?

Na ustach Henry'ego Westwicka pojawił się grymas.

— Zrobił to brat hrabiny, więc wychodzi na to samo.

Nic już nie było do dodania, przynajmniej w obecności lordowskiego brata. Rozmowy potoczyły się innymi torami, a lekarz wrócił do domu.

Nie wygasło jednak jego zainteresowanie hrabiną Naronne. Kiedy nie miał innych zajęć, niekiedy się zastanawiał, czy rodzinie lorda Montbarry'ego udało się ostatecznie nie dopuścić do małżeństwa, a ku swemu zdziwieniu czuł także rosnącą ochotę, aby na własne oczy ujrzeć tak urzeczonego kobietą mężczyznę. Każdego dnia zaglądał do klubu, aby posłuchać, czy są jakieś nowiny, o żadnych jednak nie wiedziano. Ponieważ oboje byli katolikami, więc ślub miał się odbyć w Spanish Place. Tylko tyle udało się ustalić doktorowi Wybrowowi.

W dniu ślubu, po niezbyt zażartej walce z samym sobą, lekarz zrezygnował ze swych pacjentów oraz ich gwinei i wśliznął się niepostrzeżenie do świątyni, aby obserwować ceremonię. Przez całe późniejsze życie złościł się na każdego, kto mu przypomniał, co zrobił tego dnia.

Ślub był zupełnie prywatny. Przed wejściem do kościoła stał brougham; w środku było trochę osób, głównie kobiet z niższych klas, ale Wybrow dostrzegł też kilku znajomych z klubu, najpewniej jak i on ściągniętych tutaj przez ciekawość. Naprzeciw ołtarza stały tylko cztery osoby — młoda para i dwoje świadków: jakaś starsza kobieta, która mogła być znajomą hrabiny lub jej służącą, oraz mężczyzna, którym bez wątpienia był baron Rivar. I świadkowie, i panna młoda mieli na sobie normalne dzienne stroje. Jeśli chodzi o lorda Montbarry'ego, był mężczyzną w średnim wieku o wojskowej posturze, ale nie dało się dostrzec niczego niezwykłego w jego twarzy i sylwetce. Z kolei baron Rivar był równie konwencjonalnym reprezentantem innego typu męskiego. Takie starannie przystrzyżone wąsiki, oczy o śmiałym spojrzeniu, lekko sfalowane włosy i wysoko noszoną głowę setkami widzi się na paryskich bulwarach. Jedyną może rzecz zwracającą uwagę stanowił brak jakiegokolwiek podobieństwa między nim a siostrą. Także i ksiądz był pokornym, skromnym starowiną, który z rezygnacją wykonał wszystkie powinności, przy każdym zgięciu kolan wyraźnie doświadczając kłopotów reumatycznych. Hrabina, jedyna osoba ściągająca uwagę, raz tylko, na samym początku ceremonii, uniosła welon na dłuższą chwilę, a żaden szczegół jej ubioru nie skłaniał do ponownego spojrzenia. Po zewnętrznym wyglądzie sądząc, nigdy nie było ślubu mniej interesującego i romantycznego. Doktor Wybrow co jakiś czas zerkał na drzwi albo na galerię, niejasno oczekując, że pojawi się jakaś protestująca osoba, która znając pewien straszliwy sekret, jest w stanie położyć kres ceremonii. Nic jednak takiego się nie wydarzyło, przebiegu ślubu nie zakłócił żaden niezwykły, dramatyczny wypadek. Połączeni ślubnym węzłem oboje małżonkowie wraz ze świadkami znikli na zapleczu świątyni, aby podpisać wymagane dokumenty, mimo to lekarz nadal czekał, piastując skrytą nadzieję, że jednak nastąpi jeszcze coś godnego uwagi.

Po jakimś czasie nowożeńcy wyszli z zakrystii

i ruszyli nawą do wyjścia. Kiedy się zbliżali, Wybrow się cofnął, jednak ku jego konfuzji i zdziwieniu hrabina go zauważyła. Usłyszał, jak mówi do męża: „Chwileczkę, widzę tam znajomego". Lord Montbarry skłonił się tylko i przystanął. Podeszła do Wybrowa, chwyciła go za ręce i mocno je uścisnęła. Nawet poprzez welon zobaczył wpijające się w niego czarne oczy. „Jak pan widzi, zmierzam ku końcowi". Wyszeptawszy te dziwne słowa, powróciła do męża. Zanim Wybrow otrząsnął się i zdołał ruszyć za młodą parą, ta siedziała już w ruszającym powozie.

Na zewnątrz kościoła stało kilku członków klubu, którzy podobnie jak Wybrow zjawili się na ceremonii z ciekawości. W jakiejś odległości od nich stał samotnie brat hrabiny, który najwyraźniej chciał w świetle dnia zobaczyć człowieka, przy którym zatrzymała się siostra. Na doktorze spoczął śmiały wzrok, w którym na moment zamigotała niecierpliwość, ale już po chwili zgasła; baron dwornie się uśmiechnął, uchylił kapelusza przed znajomym siostry i się oddalił.

Na stopniach kościoła rozpoczął się tymczasem klubowy sąd. Zaczęło się od barona. „Co za wstrętny łajdak!". Następnie przyszła pora na lorda. „Czy to prawda, że zechce zabrać tę ladacznicę do Irlandii?". „No nie! Nie może spojrzeć w oczy swojej rodzinie, swoim dzierżawcom. Przecież oni wszyscy wiedzą o Agnes Lockwood". „To dokąd się zatem udaje?". „Do Szkocji". „A co ona na to?". „Tylko na dwa tygodnie, potem wracają do Londynu i wyjeżdżają na kontynent". „Czyżby nie mieli już więcej zjawić się w Anglii?". „Kto to wie? Widzieliście, jak spojrzała na Montbarry'ego, kiedy na samym początku uniosła welon? Ja na jego miejscu uciekałbym jak strzała. A pan widział, doktorze?".

Wybrow jednak, dość już usłyszawszy, pomny na swoich pacjentów, wzorem barona Rivara odwrócił się i odszedł bez słowa.

„Jak pan widzi, zmierzam ku końcowi", powtarzał pod nosem. Cóż to za koniec?

ROZDZIAŁ 4

W dzień ślubu Agnes Lockwood siedziała w buduarze swego londyńskiego mieszkania i paliła listy, które niegdyś pisał do niej lord Montbarry.

Opisując doktorowi Wybrowowi swoją rywalkę, hrabina Naronne słowem nawet nie wspomniała o najbardziej może wyrazistej cesze Agnes: naturalnym wyrazie dobroci i czystości, który natychmiast rzucał się w oczy każdemu nieuprzedzonemu obserwatorowi. Wyglądała o wiele lat młodziej, niż w istocie miała. Przy jej gładkiej cerze i manierach przepojonych skromnością samo się nasuwało, by traktować ją jak osobę bardzo młodą, chociaż miała już pod trzydziestkę. Mieszkała z wierną służącą, towarzyszącą jej od dzieciństwa, a niewielki dochód starczał ledwie na utrzymanie ich obu. Bez wyrazu smutku na twarzy z rozwagą rwała listy na pół i wrzucała do płonącego na kominku niewielkiego ognia. Na swe nieszczęście należała do osób, które zbyt głęboko przeżywają, aby ulgę mogły im przynieść łzy. Podarła już ostatnią porcję i na chwilę zawahała się przed ciśnięciem jej w niszczycielskie płomienie, kiedy weszła służąca i spytała, czy przyjmie „panicza Henry'ego" — mając na myśli najmłodszego z braci Westwicków, tego, który w klubowej palarni publicznie dał wyraz pogardy dla brata.

Wiele czasu minęło od chwili, gdy Henry Westwick wyznał jej swą miłość, na co odrzekła, że jej
serce należy do jego najstarszego brata. Stłumił rozczarowanie i odtąd odnosili się do siebie jak dalecy
kuzyni i przyjaciele. Nigdy dotąd myśl o nim nie ko-
jarzyła się Agnes z ambarasującymi wspomnieniami, ale wizja zobaczenia się z nim tego właśnie dnia,
gdy ślub jego brata z inną kobietą do reszty dopełnił
zdrady wobec niej, miała dla Agnes w sobie coś odpychającego. Służąca (która pamiętała jeszcze ich
oboje w kołyskach) w milczeniu przypatrywała się
jej z wahaniem, ponieważ jednak sympatyzowała
z młodym paniczem, powiedziała łagodnie:

— Powiada, że wyjeżdża, moja droga, i przyszedł
się tylko pożegnać.

To proste zdanie wywarło zamierzony efekt
i Agnes zdecydowała się przyjąć gościa.

Wszedł do pokoju tak raptownie, że przydybał ją
na wrzucaniu w ogień resztki listów jego starszego
brata. W pośpiechu przemówiła pierwsza.

— Tak raptem wyjeżdża pan z Londynu, Henry.
W interesach czy dla przyjemności?

Zamiast odpowiedzi wskazał na dopalające się
skrawki papieru i ciemny popiół, który osiadł na
brzegu kominka.

— Pali pani listy?

— Tak.

— Jego listy?

— Tak.

Delikatnie sięgnął po jej dłoń.

— Nie miałem pojęcia, że przychodzę w chwili, kiedy zależy pani na samotności, Agnes. Zobaczę się z panią po powrocie.

Z lekkim uśmiechem wskazała mu fotel.

— Znamy się od dzieciństwa — powiedziała. — Czemuż w pańskiej obecności miałabym odczuwać nierozsądną dumę? Czemu miałabym trzymać przed panem jakieś sekrety? Już jakiś czas temu odesłałam pańskiemu bratu wszystkie jego prezenty. Powiedziano mi, że to nie wystarczy, że powinnam zniszczyć wszystko, co mi go przypomina, a więc spalić wszystkie jego listy. Tak też zrobiłam, ale nawiedziła mnie wątpliwość przed ich końcową partią. Nie, nie dlatego, że to już był ostatek, ale ponieważ było tam między innymi to. — Otworzyła dłoń i pokazała przewiązany złotą wstążką pukiel włosów Montbarry'ego. — No cóż, niech i to dołączy do reszty.

Cisnęła włosy w ogień. Przez chwilę stała plecami do Henry'ego wpatrzona w kominek, podczas gdy on usiadł na wskazanym mu fotelu, z przedziwnie niespójnym wyrazem twarzy: w oczach miał łzy, podczas gdy brwi były gniewnie zmarszczone.

— Do diabła z nim! — mruknął.

Agnes zebrała się na odwagę i spojrzała Henry'emu prosto w oczy.

— Może pan powiedzieć, czemu pan wyjeżdża?

— Straciłem całą życiową pasję, Agnes. Potrzebna mi jakaś zmiana.

Zwlekała z odpowiedzią. Z wyrazu jego twarzy wyczytała, że formułując odpowiedź, myślał o niej. Była mu wdzięczna, ale myślała nie o nim, lecz nadal o tym, który ją porzucił. Znowu odwróciła się do ognia.

— Czy to prawda — spytała — że dzisiaj wzięli ślub?

Odpowiedział tylko jednym bezwzględnym słowem:

— Tak.

— Był pan w kościele?

Tonem pełnym oburzonego zdziwienia odrzekł:

— W kościele? Już prędzej poszedłbym do... — Urwał, a potem ciągnął ściszonym głosem: — Nie rozmawiałem z nim, nawet go nie widziałem od czasu, kiedy potraktował panią jak łajdak i głupiec, pokazując, kim naprawdę jest. — Odwróciła się i spojrzała na Henry'ego w milczeniu. Przeprosił, ale nadal pełen był gniewu. — Nawet na tym świecie niektórzy muszą odpokutować za swoje czyny. Będzie gorzko żałował dnia, w którym poślubił tę kobietę.

Agnes usiadła obok Henry'ego i lekko zdziwiona zajrzała mu w oczy.

— Czy to rozsądne: żywić żal do brata tylko dlatego, że dał innej kobiecie pierwszeństwo przede mną? — spytała.

Henry omal nie poderwał się z fotela.

— Myślę, że jesteś ostatnią osobą na świecie, która powinna występować w obronie hrabiny.

— A czemu to? — odparła Agnes. — Ja nie mam

jej nic do zarzucenia. Spotkałyśmy się tylko jeden raz; wydawała się wtedy skrępowana i zdenerwowana, w ogóle robiła wrażenie osoby bardzo chorej. Zresztą nie było to tylko wrażenie; z powodu panującego w pokoju gorąca zemdlała. Czemu nie oddać jej sprawiedliwości? Wiemy, że nie miała wobec mnie żadnych złowrogich zamiarów, nic nie wiedziała o moich zaręczynach...

Henry przerwał jej niecierpliwym gestem.

— Można przesadzić także w wyrozumiałości i wielkoduszności! — rzekł z pasją. — Nie mogę tego znieść, gdy okazuje pani taką cierpliwość po tym, jak potraktowano panią w sposób tak okrutny! Najlepiej będzie, gdy zapomni pani o nich obojgu, Agnes, a ja jestem gotów zrobić wszystko, aby pani w tym pomóc.

Agnes lekko dotknęła jego ramienia.

— Henry, jest pan bardzo miły dla mnie, ale nie całkiem mnie pan rozumie. Kiedy pan wszedł tutaj, zupełnie inaczej niż pan myślałam o sobie i swojej sytuacji. Zastanawiałam się, czy takie uczucie jak moja miłość do pańskiego brata, która bez reszty wypełniła moje serce, wydobywając to, co we mnie najlepsze i najprawdziwsze, może tak odejść, jakby nigdy nie istniało. Zniszczyłam wszystkie widzialne i namacalne rzeczy, które mnie z nim wiązały, na tym świecie już go więcej nie ujrzę, czy to jednak znaczy, że nic więcej nas nie łączy? Czy teraz dobre i złe przypadki w jego życiu będą mi tak obojętne, jakbyśmy się nigdy nie spotkali i nigdy nie kochali? Co pan o tym sądzi, Henry? Bo mnie trudno w to uwierzyć.

— Jeżeli myśli pani o pomście, na jaką zasłużył — odparł surowo Henry Westwick — skłonny byłbym się z panią zgodzić.

Zanim Agnes zdążyła odpowiedzieć, w drzwiach stanęła służąca, anonsując kolejnego gościa.

— Proszę mi wybaczyć, że ośmielam się przeszkadzać, ale pani Ferrari chciałaby się dowiedzieć, kiedy będzie mogła zamienić z panią kilka słów.

Agnes żywo spojrzała na Westwicka.

— Pamięta pan, jak mniemam, Emily Bidwell, przed laty moją ulubioną uczennicę w wiejskiej szkole, a potem przez pewien czas pokojówkę, nieprawdaż? Odeszła ode mnie, by poślubić włoskiego kuriera nazwiskiem Ferrari, ale chyba nie najlepiej układało się jej w małżeństwie. Będzie pan miał coś przeciw temu, że poświęcę jej teraz kilka minut?

Henry powstał, zbierając się do odejścia.

— Z chęcią spotkam Emily innym razem, ale teraz nie chciałbym paniom przeszkadzać, a poza tym lepiej, bym sobie poszedł. Nie bardzo panuję nad sobą; gdybym został dłużej, mógłbym powiedzieć słowa, które... lepiej, by teraz nie padły. Dziś w nocy przekroczę Kanał i zobaczę, co zmieni te kilka tygodni przybywania w innych miejscach. — Przytrzymał dłoń Agnes. — Czy jest coś, co mógłbym dla pani zrobić? — spytał z powagą w głosie. Podziękowała i spró-

bowała oswobodzić dłoń, ale na próżno. — Niechże Bóg panią błogosławi! — powiedział Henry ze
wzrokiem wbitym w ziemię, a twarz mu na przemian
to czerwieniała, to bladła.

Znała tak dobrze jego serce, jak znał je on sam; za
bardzo była wzruszona, aby coś powiedzieć. Uniósł
jej rękę do ust, gorąco ucałował i nie spoglądając na
Agnes, wyszedł z pokoju.

Służąca, która pamiętała, jak bez sukcesów rywa-
lizował z bratem o względy jej pani, odprowadziła
go do schodów i szepnęła na pożegnanie, ożywiana
zdroworozsądkową mądrością, właściwą ludziom
z niższych warstw:

— Niech pan nie upada na duchu, paniczu Henry.
Po powrocie niech pan spróbuje raz jeszcze.

Zostawszy w pokoju sama, Agnes rozejrzała się
po nim, usiłując pozbierać myśli. Stanęła przed małą
akwarelą; był to jej dziecięcy portret, który kazała
sporządzić matka. „O ile bylibyśmy szczęśliwsi —
pomyślała — gdybyśmy nigdy nie dorośleli".

Weszła żona kuriera — chuda, melancholijna osoba z białymi rzęsami, która z szacunkiem się ukłoniła. Co jakiś czas wstrząsał nią chroniczny kaszel.
Agnes z sympatią się z nią przywitała.

— Witaj, Emily, co mogę dla ciebie zrobić?

Odpowiedź gościa była zaskakująca.

— Aż boję się pani powiedzieć, pani Agnes!

— Chodzi o coś aż tak wielkiego? No nic, siadaj
i opowiedz mi, jak tam u ciebie, a prośba może sama
się pojawi. Jak mąż cię traktuje?

Zielone oczy Emily natychmiast napełniły się łzami. Pokręciła głową i rzekła z rezygnacją:

— Na nic konkretnego nie mogę się uskarżać, proszę pani, ale coś mi się zdaje, że nie troszczy on się ani o mnie, ani o dom, jakby go wszystko męczyło. Sama już nie wiem, ale może lepiej by się stało, proszę pani, gdyby na chwilę pojechał gdzieś w podróż, bo wszak i pieniądze by z tego były, których jakby trochę brakło. — Przetarła oczy chustką i westchnęła z jeszcze większą rezygnacją.

— Czegoś chyba nie rozumiem — powiedziała Agnes. — Zdawało mi się, iż wynajęto twojego męża, żeby kilku bogatym damom towarzyszył w podróży do Szwajcarii i Włoch.

— Straszny pech, proszę pani. Jedna z tych dam zachorowała, a inne nie chciały jechać bez niej. Owszem, zapłaciły mu za miesiąc, ale miał być najęty na całą jesień i zimę, więc liczyło się na dużo więcej.

— To rzeczywiście przykre, Emily. No ale może zaraz nadarzy się inna szansa.

— Nie jego teraz kolejka w biurze kurierskim, proszę pani. Jak mu dali tę pracę na jesień i zimę, to dalej zaraz byli inni, bez żadnej pracy. Gdyby ktoś go prywatnie polecił...

Zawiesiła znacząco głos, Agnes w lot ją zaś zrozumiała.

— Chcesz, żebym wypisała mu rekomendację, tak? Czemuś od razu tego nie powiedziała?

Twarz Emily spłonęła rumieńcem.

— To byłaby dla niego taka ogromna szansa! — powiedziała nieśmiało. — Od pewnej osoby przyszło właśnie zlecenie dla dobrego kuriera (i to na całe pół roku, proszę pani!), ale na innych teraz pora, sekretarz poleci kogo innego. Gdyby jednak mój mąż do swoich papierów dołączył jakieś przychylne słowo do tej osoby od kogoś z towarzystwa, mówią, mogłoby to zmienić sytuację. Taka opinia wiele znaczy, proszę pani.

Znowu westchnęła i zapatrzyła się w dywan, jakby miała powód wstydzić się tego, co powiedziała Agnes poczuła lekką irytację, czując, iż Emily coś jeszcze chowa w zanadrzu.

— Chodzi o kogoś, kogo znam? Kto to taki?

Emily chlipnęła.

— Aż się wstydzę powiedzieć, proszę pani.

Agnes po raz pierwszy podniosła głos.

— To jakiś nonsens, Emily. Albo mi powiesz, o kogo chodzi, albo w ogóle przestańmy o tym mówić. Sama decyduj!

Emily zacisnęła ręce na chusteczce, a potem wyrzuciła z siebie dwa słowa, jakby to były zabójcze kule:

— Lord Montbarry!

Agnes poderwała się i spojrzała na dawną służącą z miną, której tamta nigdy u niej nie widziała.

— Bardzo się na tobie zawiodłam — powiedziała wolno, dobitnie akcentując słowa. — Powinnaś dobrze wiedzieć, że w obecnej sytuacji niepodobna, bym w jakikolwiek sposób kontaktowała się z lordem Montbarrym. Przykro mi, że zbyt wysoko ceniłam delikatność twych uczuć.

Emily powstała i zgarbiona przemknęła do drzwi, ale w progu jeszcze powiedziała:

— Bardzo panią przepraszam, bardzo. Nie jestem aż tak zła, jak pani myśli, ale... Ale przepraszam.

Znajdowała się już za drzwiami, kiedy Agnes zawołała ją z powrotem. Było coś w przeprosinach tej kobiety, co ją poruszyło.

— Wejdź jeszcze na chwilę — rzekła. — Szkoda, byśmy się tak rozstawały. Powiedz wyraźnie, czego ode mnie oczekujesz?

Emily starczyło rozsądku, by sprawę przedstawić wprost.

— Mój mąż wyśle podanie do lorda Montbarry'ego w Szkocji, a sprawa tylko w tym, coby mógł napomknąć, że jego żona zna panią od dziecka, a pani krzynkę się interesuje tym, jak jest z naszą rodziną. O to chciałam prosić, ale teraz już rozumiem, że to zły pomysł, za który żałuję.

Czy jednak naprawdę powinna żałować i się wstydzić? Agnes stanęły w oczach sceny z przeszłości oraz obecna sytuacja Emily i jej męża.

— Może nie jest to aż taka wielka przysługa — powiedziała pod wpływem współczucia, którego głos zawsze był w niej silny — tyle że nie jestem pewna, czy powinnam zezwolić na pojawienie się mojego nazwiska w liście twego męża. Powtórz mi dokładnie, co zamierza napisać.

Emily spełniła polecenie, a potem rzuciła sugestię charakterystyczną dla osób, które niezbyt biegle władają piórem:

— A jakby, proszę pani, pani sama to zobaczyła spisane?

Pomysł był trochę dziecinny, lecz Agnes się spodobał.

— No tak, skoro mam udzielić zezwolenia, to powinnam wiedzieć na co.

Szybko nakreśliła formułkę: „Odważam się wspomnieć, że moja żona zna od dzieciństwa jaśnie pannę Agnes Lockwood, która interesuje się dalszymi jej losami". Zdanie to w niczym nie sugerowało, że Agnes zgodziła się na nie czy że w ogóle o nim cokolwiek wiedziała. Chwilę jeszcze zmagała się ze sobą, ale potem wręczyła kartkę Emily, mówiąc:

— Zgadzam się tylko pod tym warunkiem, że twój mąż dokładnie to przepisze i niczego nie zmieni.

Emily była nie tylko wdzięczna, lecz także głęboko wzruszona, lecz Agnes kazała jej czym prędzej się zbierać.

— Idź już, bo się jeszcze rozmyślę.

Słysząc taka groźbę, Emily, rzecz jasna, natychmiast znikła.

„Czy już nic więcej nas nie łączy? Czy teraz dobre i złe przypadki w jego życiu będą mi tak obojętne, jakbyśmy się nigdy nie spotkali i nigdy nie kochali?". Agnes spojrzała na stojący na kominku zegar. Nie minęło jeszcze dziesięć minut od chwili, gdy te pytania spłynęły z jej ust. Poczuła się niemal zaszokowana tym, że tak szybko i w tak prosty sposób otrzymała na nie odpowiedź. Poczta, która pomknie do Szkocji, raz jeszcze przypomni Montbarry'emu o istnieniu Agnes, co się wyrazi w jego wyborze kuriera.

Dwa dni później nadszedł liścik z wdzięcznymi, ale trochę nieporadnymi podziękowaniami. Emily informowała, że Ferrari został zatrudniony na sześć miesięcy jako kurier lorda Montbarry'ego.

CZĘŚĆ II

ROZDZIAŁ 5

Państwo Montbarry nie pobyli nawet tygodnia w Szkocji, gdy nieoczekiwanie powrócili do Londynu. Jej lordowska mość nie była na tyle zachwycona tamtejszymi górami i jeziorami, by chciała dłużej pośród nich przebywać, a nagabywana o przyczynę, odrzekła z rzymską zwięzłością: „Widziałam już Szwajcarię".

Przez cały następny tydzień nikt nie wiedział o ich przyjeździe, aż wreszcie pewnego dnia służąca niezwykle podniecona wróciła z zakupów, na które wysłała ją Agnes. Mijała właśnie drzwi znanego dentysty, kiedy wyszedł z nich nie kto inny jak lord Montbarry. Poczciwa ta kobieta ze złośliwą satysfakcją opisała, jak marnie wyglądał.

— Policzki mu się zapadły, pani moja najdroższa, a broda posiwiała. Mam nadzieję, że dał mu ten dentyst do wiwatu.

Wiedząc, jak wierna pomocnica znienawidziła człowieka, który porzucił jej panią, Agnes rozsądnie założyła, że musi być w tym obrazie wiele przesady. Przede wszystkim poczuła jednak nerwowy niepokój. Skoro lord Montbarry przebywał w Londynie, jakże mogła za dnia wychodzić na ulicę? Przecież teraz i jej było łatwo znienacka się na niego natknąć. Następne dwa dni pozostawała w domu, sama się wstydząc swego niegodnego zachowania. Trzeciego dnia rubryki towarzyskie w czasopismach doniosły, że lordostwo Montbarry wyjechali do Paryża, aby stamtąd udać się do Włoch.

Tego samego dnia pani Ferrari odwiedziła Agnes i poinformowała, że mąż pożegnał ją z małżeńską czułością, gdyż najwyraźniej perspektywa wyjazdu za granicę bardzo dobrze nań podziałała. Podróżnym towarzyszyła jeszcze jedna osoba, pokojówka lady Montbarry, osoba milcząca i nietowarzyska, jak usłyszała Emily. Baron Rivar, brat lady Montbarry, był już na kontynencie, uzgodniwszy wcześniej z siostrą, że z nią i jej mężem spotka się w Rzymie.

W życiu Agnes jeden nudny tydzień następował po drugim. Bardzo dzielnie znosiła swą sytuację: spotykała się ze znajomymi, a wolne chwile poświęcała na lekturę i rysunek, pamiętając o nieustannym poddawaniu umysłowi jakiegoś zajęcia, tak aby melancholijnie nie powracał do przeszłości. Niewiele jednak dała jej ta roztropna zapobiegliwość, gdyż środki, których się imała, były za słabe, aby zrównoważyć głęboką ranę, odniesioną z racji zbyt głębokiej miłości. Osoby, które się z nią stykały w codziennych okolicznościach, zwiedzione zewnętrzną gładkością i akuratnością jej manier, powtarzały: „Panna

Lockwood najwyraźniej uporała się już z zawodem, który ją spotkał". Jednak dawna przyjaciółka szkolna, która odwiedziła ją podczas krótkiego pobytu w Londynie, była niezwykle poruszona zmianą, jaką dostrzegła. Była to pani Westwick, żona tego brata lorda Montbarry'ego, którego w almanachu wskazano jako ewentualnego spadkobiercę. On sam był w Ameryce, doglądając swoich kopalń. Pani Westwick nastawała, aby Agnes pojechała z nią do rodzinnej posiadłości w Irlandii.

— Niechże pani się zgodzi, dotrzyma mi pani towarzystwa pod nieobecność męża. Nasze trzy córeczki będą zachwycone, mając nową kompankę do zabawy, będzie jeszcze guwernantka, ale z góry ręczę, że się pani spodoba. Niechże się pani spakuje, a ja jutro w drodze na pociąg zajrzę tu po panią.

Tak gorące zaproszenie Agnes mogła tylko zaakceptować i następne trzy miesiące spędziła pod przyjaznym dachem. Kiedy odjeżdżała, dziewczęta wieszały się na niej ze łzami, a najmłodsza chciała zabrać się z nią do Londynu. Pół żartem, pół serio Agnes rzuciła: „Jeśli kiedyś straci pani guwernantkę, to niech pani zatrzyma miejsce dla mnie". Pani Westwick zaśmiała się, ale dziewczynki potraktowały te słowa serio i obiecały, że natychmiast Agnes powiadomią.

Dokładnie tego dnia, kiedy panna Lockwood wróciła do Londynu, natychmiast pojawiła się w jej myślach przeszłość, o której tak bardzo chciała zapomnieć. Kiedy już wymieniły pierwsze powitania, stara służąca (która pod nieobecność pani czuwała nad domem) przekazała jej zaskakującą wiadomość, uzyskaną od żony kuriera.

— Przybiegła tu, moja droga, ta mała Ferrari i nic tylko pyta, kiedy wracasz. Jej mąż bez słowa pożegnania zostawił lorda Montbarry'ego i nikt nie wie, co się z nim stało.

Agnes popatrzyła na swoją wiekową pomocnicę z niedowierzaniem.

— Jesteś pewna tego, co mówisz?

Służąca nie miała najmniejszych wątpliwości.

— Na miłość boską, przecież to wiadomość z biura kurierskiego na Golden Square, od sekretarza, panno Agnes, od samego sekretarza!

Słysząc to, Agnes poczuła się zaniepokojona i zdziwiona. Ponieważ było późne popołudnie, kazała przekazać pani Ferrari informację, że już wróciła.

Po niecałej godzinie żona kuriera przybiegła tak wzburzona, że nie bardzo nad sobą panowała. Kiedy poskładało się jej niespójne wypowiedzi, w sumie potwierdzały informację przekazaną przez służącą.

W miarę regularnie Emily otrzymywała wiadomości od męża z Paryża, Rzymu i Wenecji; kiedy się urwały, napisała do niego dwukrotnie, ale nie dostała żadnej odpowiedzi. Zaniepokojona udała się do biura na Golden Square, aby spytać, czy czegoś nie wiedzą. Poranną pocztą dotarł do sekretarza od kuriera weneckiego list, który zawierał zdumiewające wieści o Ferrarim. Żonie pozwolono zrobić kopię, którą wręczyła teraz Agnes.

Nadawca informował, że właśnie dotarł do Wenecji. Ponieważ wcześniej dowiedział się, iż Ferrari wraz z lordostwem Montbarry mieszka w wynajętym przez nich pałacu, więc, zaprzyjaźniony z nim, poszedł go odwiedzić. Ponieważ nikt nie odpowiedział na dzwonek do drzwi wychodzących na kanał, poszedł na tyły budynku, a tam w drzwiach jakby specjalnie na niego czekała blada kobieta, którą okazała się sama lady Montbarry.

Spytała po włosku, czego chce; odrzekł, że jeśli to możliwe, chciałby porozmawiać ze swoim przyjacielem, Ferrarim. Nie wahając się ani chwili, oznajmiła, że Ferrari bez żadnych wyjaśnień opuścił pałac, nie podając nawet adresu, na który należałoby przesłać należną mu miesięczną pensję. Zaskoczony kurier zaczął się dopytywać, czy może doszło do jakiejś kłótni z Ferrarim. „Wedle mojej wiedzy — odpowiedziała — nie. Jestem lady Montbarry i mogę was zapewnić, że Ferrari był przez rodzinę traktowany jak najlepiej. Podobnie jak wy, my także jesteśmy zdumieni jego nieobecnością. Gdybyście się czegoś o nim dowiedzieli, niezwłocznie nas powiadomcie, żebyśmy przynajmniej mogli zapłacić to, co mu jesteśmy winni”.

Zadawszy jeszcze dwa pytania, o datę i porę dnia, kiedy Ferrari zniknął, kurier się oddalił.

Podjął bezzwłocznie dalsze poszukiwania Ferrariego, ale bez skutku. Nikt go nie widział, z nikim, zdaje się, nie nawiązał bliższych kontaktów. O lordzie i jego małżonce krążyły tylko mniej czy bardziej mgliste pogłoski. Na przykład że jeszcze przed rozpłynięciem się Ferrariego odeszła angielska pokojówka lady Montbarry, gdyż chciała pozostać ze swymi krewnymi w kraju, ale ekshrabina nie szukała żadnego zastępstwa na jej miejsce. Że jego lordowska mość był bardzo kruchego zdrowia i żył w odosobnieniu, nie przyjmując nikogo, nawet swoich rodaków. Kurier dotarł do jakiejś dość tępej staruszki, która sprzątała w pałacu, stawiając się tam z rana, a odchodząc wieczorem. Nigdy nie widziała Ferrariego, ba, nie zobaczyła nawet lorda, który pozostawał w swoim gabinecie. Stale zajmowała się nim żona, „dama strasznie troskliwa i dobra". Na ile stara sprzątaczka zdołała się zorientować, nie było w domu żadnej innej służby. Posiłki dostarczano z restauracji, gdyż milord bardzo nie lubił obcych. Jego szwagier — jak oznajmiła „strasznie troskliwa i dobra" siostra — większość czasu spędzał gdzieś w głębi pałacu, pochłonięty eksperymentami chemicznymi, których ubocznym efektem były czasami roznoszące się po domu nieprzyjemne zapachy. Do lorda wezwano w końcu lekarza, Włocha, który od dawna prowadził w Wenecji praktykę. Ów ceniony specjalista chorób wewnętrznych oznajmił, że on także nie widział Ferrariego w pałacu, dokąd zresztą go wezwano (o czym świadczyła księga zapisów) nazajutrz po jego zniknięciu. Doktor rozpoznał schorzenie lorda Montbarry'ego jako bronchit — mało niepokojący, aczkolwiek atak był dość ostry; w późniejszej rozmowie z lady Montbarry lekarz uzgodnił, że w przypadku dalszych kłopotów zostanie wezwany inny medyk. „Wprost nie potrafię znaleźć słów pochwały, jeśli chodzi o opiekę, jaką i w dzień, i w nocy moja pani otaczała jego lordowską mość".

Kurierowi niczego więcej nie udało się ustalić w sprawie Ferrariego. Policja podjęła poszukiwania zaginionego i tylko już z nią mogła wiązać jakiekolwiek nadzieje jego żona, która teraz z niepokojem spoglądała na Agnes Lockwood.

— No i co pani o tym wszystkim myśli, jaśnie pani? — zapytała. — Co mi pani radzi zrobić?

Agnes miała trudności z odpowiedzią, gdyż niełatwo jej było słuchać słów Emily i czytać pokazany przez nią list. Wzmianki o chorobie lorda i o jego izolacji tylko podrażniły dawne rany. Mówiąc szczerze, o wiele mniej ją interesował los Ferrariego niż chorujący w Wenecji Montbarry.

— Nie wiem, co ci na to powiedzieć — odrzekła wreszcie, rozkładając ręce. — W takich sprawach nie mam najmniejszego doświadczenia.

— A może coś by to pomogło, proszę pani, jakby pani przeczytała jego listy do mnie? Są tylko trzy, więc dużo czasu to nie zabierze.

Agnes wzięła listy i szybko je przeczytała.

Napisane zostały suchym tonem, jedynymi bardziej czułymi słowami były konwencjonalne zwroty w nagłówku — „Droga Emily" — i w podpisie — „Twój wierny...". Pierwszy list nie przedstawiał lorda Montbarry'ego w nazbyt korzystnym świetle.

Jutro opuszczamy Paryż. Niezbyt przepadam za milordem. Jest dumny, zimny i — między nami mówiąc — bardzo niechętnie rozstaje się z pieniędzmi. Musiałem się wykłócać o takie drobiazgi jak kilka centymów w rachunku za hotel. Dwa razy posłyszałem nawet ostre uwagi wymieniane między małżonkami, gdyż lady pozwoliła sobie na nabycie kilku rzeczy w paryskich sklepach. „Nie stać mnie na to, musisz się trzymać naszych ustaleń". Mam wrażenie, że nie usłyszała tego po raz pierwszy. O wiele bardziej lubię żonę lorda od niego samego. Ma ona przyjemne zagraniczne maniery. Mnie traktuje jak normalnego, podobnego do niej człowieka.

Drugi list był adresowany z Rzymu.

Kaprysy jego lordowskiej mości sprawiają, że ciągle jesteśmy w drodze. Nie może usiedzieć na miejscu, przypuszczam, że to jakiś duchowy niepokój, niemiłe wspomnienia; parę razy podejrzewałem, że kiedy lady nie ma w pobliżu, on zaczytuje się w jakichś starych listach. Mieliśmy się zatrzymać w Genui, ale milord nieustannie nas poganiał, to samo we Florencji. Wreszcie w Rzymie pani zażądała chwili postoju. Tutaj spotkaliśmy jej brata; od służącej milady usłyszałem, że doszło do kłótni między nim a milordem. Poszło o pieniądze, które chciał pożyczyć baron, na co jego lordowska mość zareagował tak gniewnie, że milady musiała interweniować, ale na koniec podali sobie ręce.

Trzeci i ostatni list wysłany został z Wenecji.

I znowu te lordowskie oszczędności! Zamiast się zatrzymać w porządnym hotelu, wynajął jakiś stary, wilgotny, zmurszały, walący się pałac! Co z tego, że pani wszędzie nastaje na jak najlepsze pokoje, kiedy na dwa miesiące pałac okazał się tańszy. Milord chciał nawet na dłużej, bo, jak powiedział, Wenecja dobrze wpływa na jego nerwy, ale jakiś obcokrajowiec chce tu zrobić remont i urządzić hotel. Baron ciągle jest z nami i znowu dochodzi do kłótni o pieniądze. Nie lubię barona, a milady nie jest dla mnie już tak miła jak wcześniej, zanim przyłączył się do nas jej brat. Lord jest bardzo punktualny, jeśli chodzi o płacenie; nienawidzi rozstawać się z pieniędzmi, ale kiedy już coś obieca, sprawa zdaje się pewna. Ja swoje dostaję zawsze punktualnie na koniec miesiąca, ale dokładnie, ani lira więcej, chociaż robię wiele takich rzeczy, które wykraczają poza obowiązki kuriera. To doprawdy paradne, że imć pan baron usiłował się zapoży-

czyć nawet u mnie. Jest nałogowym graczem; za pierwszym razem, kiedy służąca milady mi o tym powiedziała, nie chciałem uwierzyć, ale dość się od tego czasu naoglądałem, żeby wiedzieć, iż ma rację. Widziałem też inne rzeczy, ale... Dość powiedzieć, że nie zwiększyły mojego szacunku do milady i jej brata. Służąca powiada, że poprosi o zwolnienie. To porządna brytyjska niewiasta i nie jest jej tak łatwo pogodzić się z różnymi sprawami jak mnie. Strasznie nudno tutaj żyjemy. Ani my nikogo nie odwiedzamy, ani nikt do nas nie przychodzi, żadnego konsula albo choćby bankiera. Milord, jeśli w ogóle wychodzi, to tylko sam i pod wieczór. W domu zamyka się ze swoimi książkami i próbuje jak najmniej widzieć swoją żonę i jej brata. Obawiam się, że wszystko tu zmierza do jakiegoś kryzysu. Jeśli tylko coś wzbudzi lordowskie podejrzenia, konsekwencje mogą być okropne. Czcigodny Montbarry, kiedy go rozdrażnić, może się posunąć do wszystkiego! Płaci mi jednak dobrze, więc nie stać mnie na odejście — co ma uczynić służąca pani.

Agnes zwróciła listy — tak wyraźnie sugerujące, że człowieka, który ją opuścił, już teraz dosięgła kara za jego zauroczenie — z poczuciem wstydu i przygnębienia. Wcale nie polepszało to jej sytuacji jako doradczyni, na której opinię niecierpliwie czekała zrozpaczona Emily. Powiedziała kilka konwencjonalnych słów, żeby ją uspokoić, i dodała:

— Myślę jednak, że powinnyśmy się skontaktować z kimś, kto ma większe od nas doświadczenie
w takich sprawach. Może napiszę do mojego prawnika (przyjaciela, a zarazem człowieka godnego
zaufania), aby przyszedł jutro, kiedy zakończy swe
urzędowanie?

Emily z wielką ochotą i wdzięcznością przystała
na tę propozycję. Ustaliły godzinę spotkania nazajutrz, po czym żona kuriera wyszła, zostawiając listy
pod opieką Agnes.

Ta — znużona cieleśnie i duchowo — położyła
się na sofie, aby odpocząć i pozbierać myśli; troskliwa służąca pospieszyła zaś z filiżanką odświeżanej
herbaty. Dla Anges prawdziwą ulgą była możliwość
spokojnej rozmowy o najróżniejszych ploteczkach.
Nagle rozległo się głośne stukanie do drzwi
wejściowych, szybkie, ciężkie kroki zatupotały po
schodach i do saloniku wpadła jak oszalała żona
kuriera.

— Nie żyje! — krzyknęła od progu. — Zamordo-
wali go!

Nic więcej nie mogąc z siebie wydusić, biedaczka
padła na kolana przy sofie, kurczowo trzymając coś
w dłoniach, a potem osunęła się na podłogę nieprzy-
tomna.

Na znak Agnes służąca otworzyła okno, a potem
nachyliła się nad zemdloną.

— A to co takiego?! — zawołała. — Zmięła tu jakiś
list, spojrzyj na to sama, kochanie.

Na otwartej kopercie ktoś, najwyraźniej kreśląc słowa nie swoim pismem, napisał „Dla pani Ferrari". Na znaczku była wenecka pieczątka. W środku znajdowała się złożona kartka, a w niej mniejsza koperta.

Na papierze, tym samym podrobionym stylem, wypisano tylko jedną linijkę:

„Na pocieszenie po stracie małżonka".

Z mniejszej koperty Agnes wydobyła tysiącfuntowy banknot Banku Anglii.

ROZDZIAŁ 6

Następnego dnia o wskazanej godzinie zjawił się wieczorem pan Troy, przyjaciel i radca prawny Agnes Lockwood.

Pani Ferrari, nadal przekonana o śmierci męża, zdołała przynajmniej otrząsnąć się na tyle, że była obecna przy tym spotkaniu. Agnes uważnie się wszystkiemu przysłuchiwała, gdy Emily przekazała prawnikowi wszystkie skąpe informacje, jakie posiadała na temat zniknięcia męża, a następnie wręczyła zawierzone jej listy. Pan Troy najpierw przeczytał trzy listy wysłane przez Ferrariego do małżonki, następnie list sporządzony przez jego zaniepokojonego znajomego kuriera, później zaś ową jedną jedyną linijkę, która towarzyszyła niezwykłemu tysiącfuntowemu darowi.

Pan Troy, który ostatnio zasłynął jako reprezentant w przypadku okradzionej lady Lydiard — znanym jako „sprawa pieniędzy Milady" — cieszył się uznaniem jako człowiek nie tylko wszechstronnie oczytany i doświadczony w swojej dziedzinie, lecz także sporo wiedzący o najlepszym towarzystwie w kraju i za granicą. Był wnikliwym, obdarzonym subtelnym poczuciem humoru obserwatorem charakterów, a do ludzi odnosił się z wyrozumiałością, której nie stłumiła jego profesjonalna wiedza o niedostatkach ich natury. Jednak mimo tych niewątpliwych zalet problemem pozostaje to, czy był on najlepszym z doradców, z których w zaistniałej sytuacji mogła skorzystać Agnes. Poczciwa pani Ferrari miała liczne domowe zalety, należała jednak do niewiast zupełnie przeciętnych, a pan Troy był najpewniej ostatnim człowiekiem na świecie, który mógłby wzbudzić jej sympatię, gdyż stanowił jawne zaprzeczenie przeciętności.

— Wygląda nader niezdrowo, biedaczysko — oświadczył na sam początek prawnik, mając na względzie panią Ferrari, a zrobił to tak bezceremonialnie, jakby w ogóle jej nie było w pokoju.

— Ale przecież przeżyła straszliwy wstrząs! — żachnęła się Agnes.

Pan Troy obrócił się i raz jeszcze zmierzył panią Ferrari spojrzeniem, na jakie zasługuje ofiara szoku. Z roztargnieniem postukał palcami w blat stołu i wreszcie zwrócił się bezpośrednio do żony kuriera:

— Dobra kobieto, nie wierzycie chyba naprawdę, że wasz mąż nie żyje?

Pani Ferrari, słysząc słowa „nie żyje", schowała twarz w chusteczce i zza niej wykrztusiła:

— Zamordowany!

— Dlaczego? I przez kogo? — bezzwłocznie zapytał pan Troy.

Pani Ferrari miała trudności z odpowiedzią.

— Czytał pan jego listy, sir... — Chlipnęła. — Mnie się widzi, że odkrył...

Na tym urwała, zatem Troy indagował dalej:

— Co takiego odkrył?

Istnieją granice ludzkiej cierpliwości, nawet cierpliwości zdruzgotanej wdowy. Chłodne pytanie zirytowało panią Ferrari na tyle, że nareszcie powiedziała coś wprost:

— Jak to co? Lady Montbarry i tego jej barona! — wyrzuciła z siebie gwałtownie. — Taki on jej brat jak ja sama. Zorientował się ten mój nieszczęśnik, co to za rozpustnicy. To dlatego zwolniła się jej służąca. Zrobiłby to samo mój biedaczek, to żyłby dalej. Ale Jak nie zrobił, to go zabili. A zabili, żeby czasem nie doszła wieść do lordowskich uszu.

W takich to ostrych słowach pani Ferrari wypowiedziała swoją opinię o całej sprawie. Natomiast pan Troy, nadal nie ujawniając własnego zdania, przytakiwał jej z ironicznym uśmiechem na ustach.

— No cóż, mocno powiedziane, pani Ferrari. Stanowcze poglądy, zdecydowane konkluzje; gdyby była pani mężczyzną, nieźle by sobie pani radziła jako prawnik. Na razie jednak musimy uporać się z pewnymi nieścisłościami. Na przykład: któż to mógł pani przysłać list, wkładając do niego pieniądze? Sądzi pani, że tych dwoje, jak to pani ujęła, „rozpustników" sięgnęłoby głęboko do kieszeni i obdarzyło panią tysiącem funtów? Jeśli nie oni, to kto? Widzę na znaczku stempel „Wenecja". Ma pani w tym interesującym mieście jakichś przyjaciół, o tak wielkim sercu i zasobnym portfelu, którzy dopuszczeni do sekretu, skłonni by byli anonimowo tak panią pocieszyć?

Czując zdecydowaną trudność w odpowiedzi na to pytanie, pani Ferrari poczuła pierwsze dźgnięcie nienawiści do pana Troya.

— Nic ja pana nie rozumiem, sir, ale nie jest to dobra sprawa, żeby sobie dworować.

Agnes poczuła, że czas już na jej interwencję. Przysunęła fotel odrobinę do swego prawnika i przyjaciela.

— A jakie, pana zdaniem, jest najprawdopodobniejsze wyjaśnienie? — spytała.

— Moja odpowiedź najprawdopodobniej urazi panią Ferrari — odrzekł Troy.

— Mnie tam nic nie urazi! — wykrzyknęła pani Ferrari, teraz już nie skrywając swej nienawiści do prawnika, co słysząc, ten rozparł się w fotelu.

— No to cóż — rzekł dobrodusznie. — Zatem wyłóżmy kawę na ławę. Otóż nie zamierzam, pani Ferrari, kwestionować pani oceny tego, co się działo w pałacu. Przemawiają za tym listy pani męża, a także niebagatelny fakt, że służąca lady Montbarry opuściła swoją panią. Przyjmijmy zatem, że lord Montbarry padł ofiarą swojej łatwowierności, że pan Ferrari się w tym zorientował i że winni mieli podstawy do obaw, iż nie tylko zdemaskuje ich przed jego lordowską mością, lecz także będzie głównym świadkiem, gdyby sprawa miała stanąć na wokandzie sądowej. A teraz uwaga! Zakładając to wszystko, dochodzę do zupełnie innych konkluzji niż pani. Otóż mieszkając wraz z tą trójką, pani małżonek znajduje się w bardzo niefortunnej sytuacji. Co zatem robi? Gdyby nie ów banknot i dołączona do niego notka, przypuściłbym, że roztropnie spróbowałby się wycofać z tego zaułka i sekretnie uciec. Pieniądze każą coś skorygować w tym przypuszczeniu. Mniemam otóż, że trzyma się z dala od głównej sceny, atoli ktoś mu za to płaci, a ów spoczywający na stole nader niebagatelny banknot to zapłata za jego nieobecność, wypłacona żonie przez osobę, która jest temu winna.

W załzawionych oczach pani Ferrari pojawiły się nagle skry, a jej poszarzała twarz pokryła się ognistym rumieńcem.

— Łgarstwo! — zawołała. — Jak panu nie wstyd wygadywać takie rzeczy o moim chłopie!

— Tak przypuszczałem, że poczuje się pani urażona — przypomniał Troy.

Agnes poczuła, że znowu musi wkroczyć, aby nie dopuścić do zwady. W uspokajającym geście ścisnęła rękę oburzonej małżonki, zarazem prosząc prawnika, żeby miarkował się nieco w ostrości opinii o Ferrarim. Nie skończyła jeszcze, kiedy zjawiła się służąca z wizytówką na tacy. Gościem okazał się Henry Westwick, który dołączył złowrogi dopisek: „Przynoszę złe wiadomości. Będę wdzięczny, jeśli zejdzie Pani do mnie". Agnes natychmiast się poderwała i wyszła.

Zostawszy sam na sam z panią Ferrari, pan Troy pozwolił nareszcie dojść do głosu swej wyrozumiałości i spróbował jakoś uładzić żonę kuriera.

— Jako osoba o dobrym sercu ma pani rację bez wątpienia, kiedy się pani buntuje przeciw każdemu podejrzeniu rzuconemu na pani małżonka. Wyznam nawet, że bardzo szanuję to, jak gorąco pani występuje w jego obronie, musi pani jednak wziąć pod uwagę, że w tak poważnych sprawach nie mogę ukrywać tego, co myślę. Jest chyba oczywiste, że nie chciałem pani dotknąć, skoro pani i pani małżonek jesteście mi zupełnie obcy. Tysiąc funtów to wielka suma pieniędzy, więc trudno byłoby mieć za złe ubogiej osobie, gdyby skusiła się i w zamian za nią tyle tylko zrobiła, by się nie pokazywać na widoku. Mnie interesuje jedynie ustalenie prawdy, a jeśli tylko da mi pani trochę czasu, z pewnością okaże się, iż nie ma co rozpaczać z powodu braku chwilowego kontaktu z mężem.

Żona Ferrariego słuchała uważnie, ale niezbyt przestronny jej umysł tak dokumentnie wypełniła nieprzychylna ocena Troya, że nie pozostało w nim miejsca na skorygowanie pierwszego wrażenia.

— Bardzom zobowiązana, sir — mruknęła tylko, ale znacznie więcej mówiły jej oczy, które w swoim języku dodały: „I gadaj sobie, sir, ile chcesz, a ja ci do grobowej deski nie zapomnę tego, co powiedziałeś, sir".

Pan Troy się poddał. Demonstracyjnie obrócił fotel i z rękami w kieszeniach zapatrzył się w okno.

Po dłuższej chwili ciszy rozległ się dźwięk otwierania drzwi.

Troy spiesznie przysunął się do stołu, oczekując,

że zobaczy Agnes, tymczasem ku jego zdumieniu w progu zamiast niej stanął zupełnie mu obcy dżentelmen w kwiecie wieku, z wyrazem bólu i zakłopotania na twarzy. Na widok Troya skłonił się z powagą.

— Spadł na mnie obowiązek przekazania pannie Agnes Lockwood wiadomości tak przygnębiającej, że musiała się oddalić do swej garderoby, prosząc mnie zarazem, abym w jej imieniu złożył przeprosiny oraz nieodzowne wyjaśnienie.

Co powiedziawszy, przybysz zwrócił się do Emily i uprzejmie wyciągnął ku niej rękę.

— Trochę czasu minęło od chwili, gdy widzieliśmy się po raz ostatni, Emily — rzekł — i boję się, że już zupełnie zapomniałaś dawnego „panicza Henry'ego".

Otrząsnąwszy się z konfuzji, Emily zakrzyknęła, że oczywiście wcale nie zapomniała, chciała się jednak dowiedzieć, czy może się na coś przydać panience Agnes.

— Jest przy niej służąca — odrzekł Henry — i lepiej jej teraz nie nękać. — Obrócił się do Troya.

— Proszę mi wybaczyć roztargnienie, sir. Henry Westwick, najmłodszy brat świętej pamięci lorda Montbarry'ego.

— Lord Montbarry nie żyje! — wykrzyknął pan Troy.

— Mój brat zmarł w Wenecji zeszłego wieczoru. Oto informujący o tym telegram.

Henry Westwick podał prawnikowi depeszę, która brzmiała:

Lady Montbarry, Wenecja, do Stephena Roberta Westwicka, Newbury's Hotel, Londyn. Przyjazd zbędny, lord Montbarry dziś wieczorem o 8.40 zmarł na bronchit. Szczegóły listownie.

Troy zmarszczył brwi.

— Czy spodziewali się państwo takiej wiadomości? — zapytał Troy.

— Nie mogę powiedzieć, iż była dla nas kompletnym zaskoczeniem — odrzekł Henry. — Mój brat Stephen, który jest teraz głową rodziny, trzy dni temu otrzymał telegram donoszący o tym, że znowu pojawiły się niepokojące symptomy i dlatego wezwano drugiego lekarza. Odpowiedział, że natychmiast wyrusza z Irlandii do Londynu, aby stamtąd jechać do Wenecji, dlatego też wszystkie dalsze wiadomości kazał adresować na hotel. Drugi telegram powiadał, że lord Montbarry jest nieprzytomny, a kiedy na chwilę odzyskuje świadomość, nikogo nie poznaje. Sugerowano, żeby mój brat nie opuszczał Londynu i czekał na kolejne informacje. Trzeci telegram trzyma pan w ręku. To na razie wszystko, co wiem.

Spojrzawszy przypadkiem na żonę kuriera, Troy był zdumiony wyrazem przerażenia na jej twarzy.

— Pani Ferrari, słyszała pani, co właśnie przekazał mi pan Westwick?

— Każdziuteńkie słowo, sir.

— Chce pani o coś zapytać?

— Nie, sir.

— Ale wydaje się pani skrajnie wzburzona —

nastawał prawnik. — Czy to dalej w związku z pani mężem?

— Nigdy ja już go więcej nie zobaczę, sir. Wie pan, że od początku takem myślała. A teraz to już pewna jestem na amen.

— Jest pani pewna po tym, co pani usłyszała?

— Tak, sir.

— Może to pani wyjaśnić?

— Nie, sir. Tak po prostu czuję i nie ma co tu wyjaśniać.

— Ach, tak pani czuje! — powtórzył Troy, przeciągając ostatnie słowo, by jawna była jego współczująca wzgarda. — Kiedy już dochodzi do uczuć, dobra kobieto... — Nie kończąc zdania, wstał, by się pożegnać z Westwickiem. Cała sprawa intrygowała go coraz bardziej, ale nie chciał tego okazać pani Ferrari. — Proszę przyjąć wyrazy współczucia, sir. Dobranoc.

Kiedy drzwi za prawnikiem się zamknęły, Henry Westwick zwrócił się do pani Ferrari.

— Od panny Lockwood słyszałem, Emily, o twoim kłopocie. Czy mogę w czymś pomóc?

— Nie, sir, dziękuję. Po tym wszystkim najlepiej mi chyba zabrać się teraz do domu. Wpadnę jutro, żeby zobaczyć, czy mogę się na coś przydać panience. Okropnie mi jej szkoda.

Ukłoniła się nisko i bezszelestnie wyszła, najwyraźniej mając jak najgorsze przeczucia, jeśli chodzi o los męża.

Henry Westwick rozejrzał się po niewielkim saloniku. Nic już tu nie miał do roboty, a jednak zwlekał z odejściem. Trzymały go jak na uwięzi wszystkie te rzeczy Agnes, porozrzucane po całym pokoju. Oto jej fotel, a obok odłożona na stolik robótka. Na lekkich sztalugach przy oknie ledwie rozpoczęty rysunek. Na sofie czytana przez nią książka, założona malutkim piórnikiem. Przesuwał wzrokiem po rzeczach przypominających mu kobietę, którą kochał, dotykał ich i cofał się z westchnieniem. Jakże nadal była daleka, niedosiężna! „Nigdy go nie zapomni — myślał, sięgając po kapelusz, aby odejść. — Nikogo z nas jego śmierć nie poruszyła tak głęboko jak jej. Marny człowiek, którego mimo wszystko tak pokochała!".

Na ulicy, ledwie zamknął za sobą drzwi wyjściowe, zaczepił go natarczywy znajomy, którego widok był mu w tym momencie bardzo niemiły.

— Smutna wiadomość, panie Westwick, kondolencje. Śmierć brata, raczej niespodziewana, nieprawdaż? W klubie nikt nie wiedział, że ma kłopot z płucami. Ubezpieczenie nie będzie się tu czegoś doszukiwać?

Henry zmarszczył czoło; dotąd nie przyszła mu do głowy myśl o wykupionym przez brata ubezpieczeniu na życie. Towarzystwo po prostu musi zapłacić, czego niby ma się doszukiwać. Śmierć na bronchit rozpoznany przez dwóch lekarzy, co tu może budzić jakiekolwiek podejrzenia?

— Niepotrzebnie mi pan o tym przypominał! — rzucił z irytacją.

— Ano tak! — rzekł tamten. — Myśli pan, że pieniądze po prostu otrzyma wdowa? Też mi się tak wydaje.

Rozdział 7

Kilka dni później towarzystwa ubezpieczeniowe (w liczbie dwóch) otrzymały od adwokata lady Montbarry oficjalne zawiadomienie o śmierci jego lordowskiej mości. W każdym z nich lord Montbarry ubezpieczył swoje życie na pięć tysięcy funtów, w każdym wpłacając tylko roczną składkę. W takiej sytuacji obaj dyrektorzy uznali za stosowne dokładniej przyjrzeć się sprawie. W obu instytucjach zostali wezwani eksperci medyczni, którzy opiniowali wniosek lorda o ubezpieczenie, a efekt tych narad wywołał niejakie zainteresowanie w kręgach zbliżonych do biznesu ubezpieczeniowego. Otóż oba towarzystwa, nie odżegnując się całkowicie od wypłacenia należnej sumy, uzależniły je jednak od wyroku komisji, którą wspólnie delegowały do Wenecji, „aby otrzymać dokładniejsze informacje".

Poinformowany o wszystkim pan Troy przekazał informację Agnes, dołączając do tego swoją sugestię.

Z tego, co wiem, jest pani znajomą lady Barville, najstarszej siostry zmarłego lorda Montbarry'ego. Adwokaci wynajęci przez jej męża zostali też zatrudnieni przez jedno z towarzystw ubezpieczeniowych. W raporcie komisji mogą się znaleźć jakieś szczegóły dotyczące zaginięcia Ferrariego. Nikt postronny nie będzie miał dostępu do takiego dokumentu, niemniej siostra zmarłego jest dostatecznie bliską krewną, aby nie uważać jej za osobę postronną. Jeśli sir Theodore Barville zajmie takie stanowisko, to nawet gdy jego żona nie będzie mogła sama zapoznać się z raportem, prawnicy będą musieli udzielić jej odpowiedzi na konkretne pytania. Proszę mi dać znać, jaka jest pani opinia w tej sprawie.

Odpowiedź nadeszła zwrotną pocztą. Agnes nie zamierzała skorzystać z sugestii pana Troya.

Jakkolwiek niewinna wydawała się moja wcześniejsza ingerencja, jej efekty były tak opłakane, że teraz nawet nie chcę się tknąć sprawy Ferrarich. Gdybym nie pozwoliła temu nieszczęśnikowi wspomnieć mojego nazwiska, śp. lord Montbarry by go nie zatrudnił, a jego żona nie byłaby wystawiona na dramatyczne niepokoje, których teraz doświadcza. Nawet gdyby wspomniane przez pana sprawozdanie znalazło się w moich rękach, i tak bym do niego nie zerknęła; dość już usłyszałam o tym, co działo się w owym weneckim pałacu. Zupełnie inna sprawa, gdyby pani Ferrari, korzystając z pana pomocy, zdecydowała się zwrócić do lady Barville, ale i w tym przypadku zdecydowanie muszę nalegać na to, aby nie zostało w tym kontekście wspomniane moje nazwisko. Mam nadzieję, że zechce mnie pan zrozumieć, panie Troy! Nieszczęśliwa, być może nieroztropna — ale jestem tylko kobietą i nie można ode mnie zbyt wiele oczekiwać.

W takiej sytuacji prawnik uznał, że trzeba spróbować ustalić obecny adres angielskiej służącej lady Montbarry. Znakomita ta sugestia miała tylko jedną wadę: za jej realizację trzeba było zapłacić, a pieniędzy nie było. Pani Ferrari kuliła się na samą myśl o tym, że miałaby wykorzystać banknot tysiącfuntowy. Został złożony w sejfie bankowym, a ilekroć o nim wspomniano w jej obecności, wstrząsała się i melodramatycznie wykrzykiwała: „Pieniądze splamione krwią mego męża!".

W takich okolicznościach próby rozwiązania zagadki, jaką było zniknięcie Ferrariego, zostały na jakiś czas zawieszone.

Był ostatni miesiąc roku 1860. Komisja śledcza już działała, rozpocząwszy swoją pracę szóstego grudnia. Dziesiątego mijał termin, do którego lord Montbarry wynajął pałac. Towarzystwa ubezpieczeniowe otrzymały informację, iż prawnicy wdowy radzili jej, aby bez zwłoki wyjechała do Londynu. Sądzono, iż będzie jej towarzyszył baron Rivar, ale w Anglii pozostanie jedynie wtedy, kiedy zdecydowanie będzie się tego domagała jego siostra. Baron, „znany ze swych zainteresowań chemicznych", dowiedział się właśnie o jakichś sensacyjnych odkryciach dokonanych w Stanach Zjednoczonych i osobiście chciał się zapoznać z tymi nowościami.

Te zebrane przez pana Troya informacje zostały przekazane pani Ferrari, której ponure podejrzenia co do losu męża sprawiły, że stała się częstym, a nawet nazbyt częstym gościem w kancelarii prawnika. Emily usiłowała o wszystkim powiadomić swoją opiekunkę, Agnes jednak za nic nie chciała słuchać i wręcz zabroniła wspominać w jej towarzystwie o wdowie po lordzie Montbarrym, skoro ten nie należał już do żyjących.

— Emily, masz do pomocy pana Troya — oświadczyła — a jeśli potrzebne są jakieś pieniądze, to jak tylko będzie to w granicach moich możliwości, z chęcią ci pomogę. W zamian proszę, abyś mnie nie dręczyła teraz, gdy staram się nie dopuszczać do siebie wspomnień... — tu głos jej się załamał i na jakąś chwilę przerwała, aby się opanować — ...wspomnień jeszcze boleśniejszych od chwili śmierci lorda Montbarry'ego. Proszę, pomóż mi odzyskać spokój ducha, jeśli to tylko możliwe, a o całej sprawie wspomnij znowu jedynie wtedy, kiedy szczęśliwie odnajdzie się twój mąż.

Następna ważna informacja dotarła do pana Troya trzynastego grudnia. Komisja zakończyła swoje dochodzenie i tego właśnie dnia jej raport wpłynął do towarzystwa ubezpieczeniowego.

ROZDZIAŁ 8

Czternastego grudnia prezesi obu towarzystw i ich prawni doradcy spotkali się za zamkniętymi drzwiami, gdyż tylko w warunkach takiej poufności członkowie komisji zgodzili się odczytać swój raport. A oto jego tekst.

Mamy zaszczyt poinformować naszych zleceniodawców, że do Wenecji przybyliśmy szóstego grudnia. Jeszcze tego samego dnia udaliśmy się do wynajętego przez lorda Montbarry'ego pałacu, w którym złożony chorobą ostatecznie zmarł.

W sposób bardzo uprzejmy zostaliśmy przyjęci przez brata lady Montbarry, barona Rivara, który poinformował nas, że jego siostra była jedyną osobą doglądającą lorda w trakcie jego choroby. „Z racji zmęczenia i zdruzgotania tym, co się stało, nie jest w stanie panów przywitać osobiście, lecz poprosiła o to mnie — oznajmił. — Proszę zatem bez żadnej krępacji powiedzieć mi, co mogę dla panów uczynić w imieniu mej siostry".

Zgodnie z otrzymanymi instrukcjami poinformowaliśmy, że śmierć i pogrzeb lorda Montbarry'ego za granicą zmuszają nas do otrzymania bardziej wyczerpujących, niż to jest możliwe na piśmie, informacji dotyczących przebiegu jego choroby i jej okoliczności. Wyjaśniliśmy też, że jak przewiduje prawo, wypłata sumy odszkodowania nastąpi za jakiś czas, co zaś się tyczy naszych prac, postaramy się je przeprowadzić tak, aby jak najmniej urazić uczucia wdowy, a także jak najmniej zakłócić spokój innych członków rodziny zamieszkałych w pałacu. Baron odparł na to, że on jest jedynym obecnym członkiem rodziny lady Montbarry, a cały pałac stoi do naszej dyspozycji. Od samego początku do samego końca dżentelmen ów zachowywał się wzorowo, zawsze gotów nieść nam wszelką pomoc, jakiej tylko mogliśmy sobie zazyczyć.

Tegoż jeszcze dnia obejrzeliśmy cały budynek z wyjątkiem prywatnych pomieszczeń lady Montbarry. Dużych rozmiarów budowla była dość skąpo umeblowana. Pierwsze i częściowo drugie piętro były zamieszkane przez lorda Montbarry'ego i osoby mu towarzyszące. W rogu pałacu obejrzeliśmy sypialnię, w której zmarł jego lordowska mość, oraz przylegające do niej niewielkie pomieszczenie, wykorzystywane przezeń jako gabinet. Zaraz obok był duży hol, do którego drzwi lord stale trzymał zamknięte, gdyż, jak nam wyjaśniono, nie chciał, aby ktokolwiek przeszkadzał mu w studiach. Po drugiej stronie holu znajdowały się sypialnia zajmowana przez lady Montbarry oraz garderoba, w której spała służąca, zanim wyjechała do Anglii. Na parterze były też jadalnia i pokoje gościnne wychodzące na duży przedpokój, z którego wielkie schody prowadziły na górne kondygnacje. Na drugim piętrze były zajęte tylko salonik i sypialnia, z których korzystał baron Rivar, oraz w jakiejś odległości od nich sypialnia kuriera Ferrariego. Pomieszczenia na trzecim piętrze i w suterenie pozostawały zupełnie niewykończone i bardzo zaniedbane. Spytaliśmy, czy jest coś do zobaczenia w suterenie, na co bezzwłocznie nam odpowiedziano, że piwnice — które swobodnie, jeśli tylko chcemy, możemy obejrzeć. Zeszliśmy na dół, aby żadnej części pałacu nie zostawić niezbadanej. Piwnice te, naszym zdaniem, w dawnych wiekach mogły być wykorzystywane jako lochy. Powietrze i skąpe światło docierały tam jedynie poprzez dwa kominy o skomplikowanym kształcie, które wychodziły na tylny dziedziniec pałacu, a których otwory były przegrodzone żelaznymi kratami. Dostęp do piwnicznych schodów zamykała ciężka klapa w tylnym holu, która, jak się okazało, była otwarta. Do sutereny sprowadził nas sam baron. Na naszą uwagę, że sytuacja mogłaby się stać niebezpieczna, gdyby klapa zamknęła się za nami, baron odrzekł ze śmiechem: „Nie denerwujcie się, panowie, proszę. Jest tam odpowiednie zabezpieczenie. We własnym interesie musiałem o to zadbać, ledwie tylko znaleźliśmy się w pałacu. Najbardziej pasjonują mnie eksperymenty chemiczne, a moją wenecką pracownię ulokowałem właśnie tutaj".

Te słowa wyjaśniały bijący z piwnic dziwny zapach, który zwrócił naszą uwagę natychmiast, gdy się w nich znaleźliśmy. Można go jakoś określić, wskazując na jego dwoistą naturę: zrazu nawet aromatyczny, ale potem nader drażniący powonienie. Same za siebie mówiły palniki i probówki barona, podobnie jak kilka opakowań chemikaliów, z wyraźnie wyeksponowanym na nich nazwiskiem i adresem dostawcy. „Nie jest to najprzyjemniejsze miejsce na laboratorium — brzmiał komentarz barona Rivara — ale zadecydowała o tym moja siostra. Nie znosi ostrych zapachów, na dodatek boi się nieoczekiwanych eksplozji, więc kazała mi przenieść się z moimi eksperymentami pod ziemię, tak by niczego nie czuła ani nie słyszała". Wyciągnął dłonie i dopiero teraz spostrzegliśmy, że nawet w domu nosił rękawiczki. „Niezależnie jednak od ostrożności, wypadki zawsze mogą się zdarzyć. Próbując nowej mieszaniny, mocno się poparzyłem i skóra dopiero dochodzi do siebie".

Wspominamy o tych mało znaczących incydentach, aby pokazać, że w swych poczynaniach nie napotykaliśmy żadnych utrudnień. Zostaliśmy nawet wpuszczeni do prywatnych pomieszczeń lady Montbarry, kiedy wyszła na spacer. Wydane nam instrukcje podkreślały konieczność zbadania pokojów jego lordowskiej mości, gdyż w sytuacji jego trzymania się na uboczu przez cały czas pobytu w Wenecji oraz oddalenia się dwojga jedynych służących można było oczekiwać, iż znajdzie się tam coś wyjaśniającego naturę jego śmierci. Nie znaleźliśmy jednak nic na poparcie tych przypuszczeń.

Nietowarzyski tryb życia lorda został poruszony w rozmowie z bankierem i konsulem — jedynymi osobami z zewnątrz, które się z nim kontaktowały. Raz odwiedził bank, aby otrzymać pieniądze na podstawie okazanego listu kredytowego, ale zaproszenie bankiera, aby odwiedził go w domu, odrzucił, tłumacząc się złym stanem zdrowia. Jeszcze wyraźniej sprawa jest przedstawiona w liściku, w którym lord Montbarry tłumaczy konsulowi po jego wizycie w pałacu, dlaczego nie może mu się zrewanżować. Pozawalamy sobie załączyć kopię.

Wiele lat spędzonych w Indiach nadwerężyło moją konstytucję fizyczną. W efekcie przestałem się udzielać towarzysko, a cały swój czas poświęcam na studiowanie literatury orientalnej. Powietrze włoskie bardziej mi służy niż angielskie, inaczej w ogóle nie ruszałbym się z domu. Proszę zaakceptować te przeprosiny badacza i inwalidy. Moje aktywne życie już się zakończyło.

List ten wystarczająco, jak się wydaje, tłumaczy odosobnienie jego lordowskiej mości, my jednak nie poniechaliśmy badań idących w innych kierunkach — ale nie wykryliśmy niczego podejrzanego.

Jeśli chodzi o służącą lady Montbarry, widzieliśmy jej pokwitowanie otrzymanego wynagrodzenia, na którym kobieta ta stwierdza wyraźnie, że ponieważ zdecydowanie nie podoba jej się kontynent, chce wrócić do kraju. Takie sytuacje często się zdarzają, gdy angielska służba zabierana jest do obcych krajów. Lady poinformowała nas, że nie starała się o nową pokojówkę, gdyż lord chronicznie wręcz nie znosił w swoim otoczeniu obcych, w sytuacji gdy nie czuł się najlepiej.

Natomiast o wiele dziwniejsze jest zniknięcie kuriera Ferrariego, czego nie potrafili wyjaśnić ani lady Montbarry, ani jej brat, a bardzo usilne nasze starania nie rzuciły najmniejszego światła na ten wypadek; nie wskazywały też na jakikolwiek bezpośredni czy chociażby pośredni związek z badaną przez nas sprawą. Posunęliśmy się nawet do przeszukania zostawionej przez Ferrariego walizy. Znaleźliśmy w niej tylko wierzchnie ubrania i bieliznę, nigdzie jednak, w żadnej kieszeni, nie było pieniędzy ani chociażby skrawka papieru. Waliza jest w posiadaniu policji.

Mieliśmy też okazję porozmawiać na osobności ze starszą kobietą, która sprzątała pomieszczenia zajmowane przez lady Montbarry i jej brata. Zarekomendował ją w tej funkcji właściciel restauracji, który przez cały czas zajmowania pałacu dostarczał do niego posiłki. Jest to niewiasta z pewnością prawa, natomiast ograniczenia intelektualne nie czynią z niej dobrego świadka. Wypytywaliśmy ją cierpliwie i delikatnie, a ona odpowiadała bardzo chętnie, cóż jednak z tego, skoro w niczym to się nie przyczyniło do wyjaśnienia zleconej nam sprawy.

Drugiego dnia naszych prac mieliśmy zaszczyt porozmawiać z samą lady Montbarry. Wyglądała na poważnie wycieńczoną i niezdrową i chyba nie bardzo wiedziała, czego od niej chcemy. Baron Rivar, który nas przedstawił, wyjaśnił charakter naszej wizyty w Wenecji, zarazem zapewniając siostrę, że chodzi o sprawę najzupełniej formalną. Zrobiwszy to wszystko, dyskretnie opuścił pokój.

Pytania postawione przez nas lady Montbarry dotyczyły, rzecz jasna, przede wszystkim choroby lorda. Odpowiadająca była wprawdzie bardzo zdenerwowana, niemniej to, co usłyszeliśmy, pozwala naszkicować taki oto przebieg wypadków.

Lord Montbarry już od jakiegoś czasu czuł się nie najlepiej, był zdenerwowany i rozdrażniony. Wieczorem trzynastego listopada zaczął się uskarżać na doskwierające mu zimno, spędził niespokojną noc i nazajutrz pozostał w łóżku. Jego małżonka chciała wezwać medyka, na co lord się obruszył, mówiąc, że w tak błahych sprawach jak przeziębienie sam może być sobie lekarzem. Na jego życzenie przygotowano mu gorący napój cytrynowy, który miał wywołać poty. Ponieważ służąca lady Montbarry już się oddaliła, kupno cytryn trzeba było zlecić kurierowi Ferrariemu, gdyż do posług nie było już nikogo innego. Napój osobiście przygotowała lady Montbarry, rzeczywiście spowodował poty, po czym lord miał kilka godzin spokojnego snu. Z rana czternastego listopada lady Montbarry chciała skorzystać z pomocy Ferrariego, ale ten nie zjawił się na dzwonek. W tej sytuacji baron Rivar przeszukał pałac i jego okolice, ale bez skutku — i od tego czasu nie widziano już Ferrariego ani nie natrafiono na jego ślad.

W nocy z czternastego na piętnastego listopada lorda znowu nawiedziła gorączka, co mogło być spowodowane zdenerwowaniem z powodu zaskakującego zniknięcia Ferrariego. Nie udało się tego ukryć, gdyż lord kilkakrotnie przyzywał kuriera, chcąc, aby trochę odciążył jego żonę i szwagra.

Piętnastego listopada (tego dnia zjawiła się stara sprzątaczka) lord uskarżał się na ból gardła i ucisk w piersi. Tego dnia i następnego lady Montbarry oraz jej brat nalegali na lorda, aby zgodził się na wizytę lekarza, ciągle jednak spotykali się ze sprzeciwami. „Nie chcę widzieć nikogo obcego — powtarzał lord. — Z lekarzem czy bez niego, gorączka i tak potoczy się swoim torem". Siedemnastego listopada stan chorego pogorszył się tak bardzo, iż rodzeństwo zdecydowało się wezwać doktora, nie zważając na opinię lorda. Z polecenia konsula baron Rivar zwrócił się do znanego w Wenecji doktora Bruna, za którym dodatkowo przemawiało to, że przebywając przez kilka lat w Anglii, zapoznał się z brytyjską praktyką medyczną.

Wszystkie powyższe informacje o chorobie lorda Montbarry'ego oparliśmy na słowach jego małżonki. Dalej przytaczamy raport doktora Bruna.

Z księgi moich wizyt wynika, że po raz pierwszy zobaczyłem Anglika lorda Montbarry'ego 17 listopada; chory miał ostry atak bronchitu. Z racji jego niezgody na konsultację lekarską utracono sporo cennego czasu. Najogólniej rzec ujmując, pacjent był w bardzo niestabilnym stanie; rozchwianie systemu nerwowego wyrażało się w niekonsekwentnym zachowaniu: kiedy przemówiłem do niego po angielsku, odpowiedział po włosku, kiedy przeszedłem na włoski, on zaczął mówić po angielsku. Nie miało to zresztą większego znaczenia, gdyż choroba posunęła się już tak daleko, że pacjent był w stanie za jednym razem wyrzucić z siebie tylko kilka słów, a i to bardzo słabym głosem. Bezzwłocznie przepisałem nieodzowne medykamenty — do niniejszego raportu dołączam przetłumaczone na angielski kopie recept, które niech same przemówią za siebie.

Przez następne trzy dni pozostawałem w stałym kontakcie z chorym, którego stan polepszał się powoli, ale nieustannie, dlatego też z czystym sumieniem mogłem zapewnić lady Montbarry, że jej mężowi nie grozi bezpośrednie niebezpieczeństwo. Muszę tu podkreślić, iż z takim poświęceniem troszczyła się o niego, że daremnie usiłowałem ją nakłonić, aby przystała na pomoc wykwalifikowanej pielęgniarki. Nie zgadzała się, mówiąc, że dzień i noc będzie czuwać przy łóżku chorego. Jeśli już owa dzielna kobieta musiała ułożyć się na spoczynek, zastępował ją brat. Nadmienię przy okazji, że ten zrobił na mnie bardzo dobre wrażenie, gdy w kilku wolnych chwilach wdałem się z nim w rozmowę. Bardzo interesował się chemią, chciał mi pokazać jakieś swoje eksperymenty, których dokonywał w okropnych podziemiach pałacowych, ja jednak odmówiłem, gdyż dość miałem chemii wiążącej się z medykamentami — to jednak baron przyjął z humorem.

Niemniej wracam do głównej sprawy, a więc choroby lorda Montbarry'ego.

Wszystko wyglądało całkiem dobrze aż do dwudziestego listopada. Byłem zupełnie nieprzygotowany na raptowną zmianę, którą stwierdziłem, zjawiwszy się u pacjenta rankiem dwudziestego pierwszego. Stan zdrowia mego podopiecznego pogorszył się, i to bardzo poważnie. Przy dokładniejszym zbadaniu stwierdziłem symptomy zapalenia płuc. Lord Montbarry oddychał z trudnością, męczył go uporczywy kaszel. Ustaliłem, że wszystkie lekarstwa były podawane regularnie i w zaleconych przeze mnie dawkach oraz że chory nie był wystawiony na raptowne zmiany temperatury. Było mi bardzo przykro, że nie mogę uśmierzyć niepokojów lady Montbarry; absolutnie zgodziłem się z nią, gdy zasugerowała, żeby poprosić o opinię innego lekarza. Z naciskiem powiedziała, że koszty nie grają żadnej roli, natomiast trzeba zapewnić pomoc najlepszego włoskiego specjalisty. Z tym szczęśliwie nie było problemów, skądinąd bowiem wiedziałem, że słynny Torello jest akurat w swej rodzimej Padwie. Przez specjalnego posłańca udało mi się doprowadzić do tego, iż ów znakomity lekarz już wieczorem 21 listopada obejrzał pacjenta, potwierdzając moje rozpoznanie: lord Montbarry miał silne zapalenie płuc i jego życie znalazło się w niebezpieczeństwie. Kiedy zapoznałem Torella z zaordynowaną przeze mnie terapią, zaaprobował ją, poczynił cenne uwagi, jeśli chodzi o opiekę nad chorym, a na usilną prośbę lady Montbarry zgodził się odroczyć powrót do Padwy do następnego ranka.

Obaj w nocy doglądaliśmy chorego, stwierdzając niestety, że choroba się rozwija, zupełnie nie reagując na podjęte przez nas środki zaradcze. Z rana doktor Torello zdecydował się wracać. „Na nic więcej się nie przydam — rzekł do mnie. — Temu nieszczęśnikowi nic już nie pomoże i powinien o tym wiedzieć". W dzień tak oględnie, jak tylko potrafiłem, powiadomiłem milorda, że jego czas już nadszedł. Ponieważ poinformowano mnie, że ważne racje przemawiają za tym, abym szczegółowo opisał, jak wyglądała ta rozmowa między nami, przychylam się do tego żądania.

Informację o zbliżającej się śmierci lord Montbarry przyjął spokojnie, ale też z wyraźną niewiarą. Kazał mi się nachylić i wyszeptał mi do ucha: „Czy jest pan pewien?". Nie było czasu na ceregiele: „Jak najbardziej", odparłem. Przez chwilę zbierał oddech, a potem szepnął znowu: „Proszę sięgnąć pod moją poduszkę". Znalazłem tam list, ostemplowany i ofrankowany, gotów do wysłania. Jego ostatnie słowa były ledwie słyszalne: „Niech pan wyśle". Odrzekłem, że oczywiście to zrobię, i faktycznie własnoręcznie wysłałem list, który był adresowany do pani Ferrari w Londynie. Nazwisko zapamiętałem z racji jego włoskiego brzmienia, natomiast adresu niestety nie pamiętam.

Ostatecznie lord Montbarry zmarł na asphyxia.

Kiedy rano powiadomiłem go o tym, iż wysłałem list,
w jego oczach dostrzegłem zrozumienie, ale był to już
ostatni poryw świadomości. Przy następnej mojej wizy-
cie był pogrążony w całkowitej apatii, pozbawiony czu-
cia, a podtrzymywany tylko przez stymulanty. Zmarł
wieczorem 25 listopada, nie odzyskawszy świadomości.
Przyczyna śmierci wydaje się tak oczywista, że ab-
surdalne — proszę mi wybaczyć to sformułowanie —
byłoby pytanie o nią. To, że był nią bronchit przecho-
dzący w zapalenie płuc, jest tak niewątpliwe jak to, iż
dwa razy dwa daje cztery. Do swojego sprawozdania
dołączam też opinię doktora Torella, gdyż, jak mnie
poinformowano, trzeba uśmierzyć niepokoje jakichś
angielskich urzędów, w których było ubezpieczone
życie jego lordowskiej mości. Jestem przekonany, że
zakładał je ów niewierny święty, o którym mówi Pi-
smo, a który miał na imię Tomasz.

Na tym się kończy raport doktora Bruna.

Powracając na chwilę do pytań, jakie postawi-
liśmy lady Montbarry, nie udzieliła nam żadnej informacji na temat listu wysłanego przez doktora na
prośbę lorda Montbarry'ego. Kiedy został napisany?
Co zawierał? Dlaczego trzymano go w sekrecie przed
lady Montbarry i jej bratem? Dlaczego został skie-
rowany do żony kuriera? Na te pytania nie byliśmy
w stanie uzyskać żadnej odpowiedzi. Niepodobna
nawet powiedzieć, że sprawa jest podejrzana, gdyż
podejrzenie zakłada pewnego typu przypuszczenie,

a w kwestii listu wydobytego spod poduszki lorda nie ma nawet tego. Być może rozmowa z panią Ferrari pozwoliłaby wyjaśnić tę zagadkę. Miejsce jej pobytu w Londynie da się łatwo ustalić we włoskim biurze kurierskim przy Golden Square.

Jest to właściwe miejsce, byśmy spróbowali wyciągnąć konkluzje z naszych weneckich poszukiwań.

Wydaje się, że główne pytanie, które stanęło przed dyrekcją i na które odpowiedź nam ona zleciła, brzmi: czy ujawniono jakiekolwiek okoliczności, rzucające choć cień wątpliwości na śmierć lorda Montbarry'ego? Bez dwóch zdań pewne elementy są zaskakujące, jak na przykład zniknięcie Ferrariego, od pewnego momentu nieobecność w domu jakiejkolwiek służby czy tajemniczy list, który lord kazał wysłać doktorowi. Nie rozporządzamy jednak żadnym dowodem na to, że którykolwiek z tych czynników wiąże się w jakikolwiek sposób z jedyną nas interesującą sprawą, a mianowicie śmiercią lorda Montbarry'ego. W sytuacji braku takiego dowodu i w obliczu jednoznacznego stwierdzenia dwóch uznanych lekarzy trudno zakwestionować stwierdzenie, że lord Montbarry zmarł śmiercią naturalną. Czujemy się więc zmuszeni do stwierdzenia, że nie istnieją ważne powody, by odmówić wypłacenia sumy, na którą było ubezpieczone życie lorda Montbarry'ego.

Powyższe stwierdzenie zostanie wysłane jutrzejszą pocztą, dziesiątego grudnia; oczekując na ewentualne dalsze instrukcje, kreślimy się z szacunkiem...

ROZDZIAŁ 9

— A teraz, dobra kobieto, cokolwiek macie do powiedzenia, wyrzućcie to z siebie natychmiast. Nie chcę wprawdzie szczególnie pani poganiać, ale to są godziny mojej pracy, a ja muszę się jeszcze dziś zająć sprawami innych osób.

Zwracając się do pani Ferrari ze swą normalną, nieco protekcjonalną dobrodusznością, pan Troy podkreślił upływ czasu, znacząco spoglądając na stojący na biurku zegar, a potem patrząc pytająco na klientkę.

— Jest nowina, sir, w sprawie tego tysiąca funtów — oznajmiła pani Ferrari. — Bo już wiem, kto mi je wysłał.

Troy drgnął zdumiony.

— To rzeczywiście nowina, co się zowie! — powiedział. — Kto zatem wysłał pani list?

— Lord Montbarry, sir.

Pana Troya niełatwo było zaskoczyć, tymczasem enuncjacja pani Ferrari wytrąciła go zupełnie z równowagi. Na chwilę stracił dech w piersiach.

— Nonsens — odezwał się, kiedy wreszcie doszedł do siebie. — To musi być jakaś pomyłka.

— Żadna tam pomyłka, sir — zdecydowanie powiedziała pani Ferrari. — Dwóch do mnie dziś przyszło takich panów z ubezpieczeń, żeby ten list sobie obejrzeć. Strasznie oni byli zadziwieni, a już najbardziej, jak się dowiedzieli o tej bankonocie. Tyle że oni wiedzieli, kto to wysłał. Lekarz lordowskiej mości, ten z Wenecji, wysłał go, bo mu lord kazał. Jak mnie pan nie wierzy, niech się pan sam ich spyta. Tacy byli grzeczni, że spytali, czemu, na mój rozum, napisał do mnie jego lordowska mość i jeszcze pieniądze przysłał. No to ja im prosto rzekłam, że jak dla mnie to była taka lordowska grzeczność.

— Lordowska grzeczność? — powtórzył kompletnie zdetonowany Troy.

— A pewnie, sir! Jak wszystkie z Montbarrych, znał mnie lord jeszcze z czasów, jak chodziłam do szkoły w tej, no, Irlandii. Gdyby tylko on mógł, wybroniłby jak nic mojego męża, ale że był bezradny w rękach milady i barona, jedyna grzeczna rzecz, jaką jeszcze mógł zrobić jako szlachetny człowiek, to zaopatrzyć mnie w moim wdowieństwie.

— Bardzo piękne wyjaśnienie! — zawołał pan Troy. — A co o nim powiedzieli owi goście z ubezpieczenia?

— Spytali, czy mam jakiś dowód na to, że mój mąż nie żyje.

— I co pani na to odpowiedziała?

— Mam coś lepszego niż dowód, ja im na to, mam swoje najgłębsze przekonanie.

— Co, naturalnie, zupełnie im wystarczyło?

— Nawet się słówkiem o tym nie zająknęli, sir. Popatrzyli tylko po sobie i się ze mną pożegnali.

— No cóż, pani Ferrari, jeśli nie ma pani dla mnie więcej niezwykłych nowin, także i ja się z panią pożegnam. Odnotuję sobie pani informację, bardzo osobliwą, trzeba stwierdzić, ale w sytuacji braku dowodu nie mogę zrobić niczego więcej.

— Jak żeś tak pan zawzięty na ten dowód, dam ja go panu — oznajmiła z wielką godnością w głosie panie Ferrari. — Trza mi tylko wiedzieć: zgodne to z prawem czy nie. Pewnikiem widział pan, sir, w tych różnych modnych gazetach, że stanęłaci lady Montbarry w Newbury's Hotel. Więc pójdę ja tam i ją zobaczę.

— Do diaska! A może mi pani wyjaśnić, w jakim celu?

Pani Ferrari odrzekła tajemniczym szeptem:

— W takim to celu, żeby ją złapać w pułapkę. Nie podam jej mego nazwiska, a tylko że mam do niej interes. I w pierwszych słowach powiem jej tyle: „Przychodzę, milady, oznajmić, że otrzymałam pieniądze, co to miały być dla wdowy po Ferrarim". Co, dziwi się pan, panie Troy, sir? Przecież i pana, sir, mało co to z nóg nie zwaliło, tak? I słucha pan teraz: każdy dowód znajdę na jej wrednej twarzy, niech jej się tylko odrobinkę ona odmieni, niech jej na chwilkę powieka ciut opadnie, zaraz ja to zauważę. I to jedno tylko chcę wiedzieć: zgodne z prawem czy nie?

— Czegoś takiego prawo nie zabrania — z powagą zapewnił Troy — czy jednak zgodzi się na to lady Lockwood, to już zupełnie inna sprawa. Ale czy na pewno nie braknie pani odwagi, pani Ferrari, aby przeprowadzić taki wyrafinowany plan? Panna Lockwood opisała mi panią jako osobę nerwową i skromną, a moje obserwacje, jeśli wolno mi się na nich oprzeć, potwierdzają tę opinię.

— Jakby pan tak, sir, nie siedział tylko w Londynie, mógłbyś pan zobaczyć, jak się czasami owca rzuca na psa. Nie chcę ja mówić, że odważna ze mnie kobieta, bo jest zupełnie odwrotnie, ale jak tak stanę przed tą nikczemnicą i pomyślę o moim zabitym mężu, to gdy z nas dwóch będzie jedna przestraszona, to jedno panu rzeknę: na pewno nie ja. I zaraz tam idę, sir, a pan się dowiesz, jaki był koniec. A teraz do widzenia panu.

Z tymi śmiałymi słowami na ustach żona kuriera ogarnęła się i opuściła kancelarię Troya. Na jego ustach igrał uśmiech, ale nie rozbawienia, tylko współczucia.

„Poczciwina — myślał. — Jeśli chociażby połowa tego, co słyszałem o lady Montbarry, jest prawdziwa, marne są perspektywy pani Ferrari i jej pułapki. Bardzom ciekaw, jak się to wszystko zakończy".

Całe doświadczenie pana Troya nie pozwoliło mu przewidzieć, jak się to wszystko zakończy.

ROZDZIAŁ 10

Pani Ferrari tymczasem trzymała się ściśle swojego postanowienia i od pana Troya udała się wprost do hotelu Newbury's.

Lady Montbarry była sama w swoim apartamencie, ale personel hotelu nie chciał jej przeszkadzać, skoro nowo przybyła nie chciała podać nazwiska. Sprawa była nadal dywagowana, gdy przez hol przechodziła nowa służąca milady. Była Francuzką, a zapoznana z naturą problemu, rozstrzygnęła go po francusku: szybko, prosto i racjonalnie.

— Wygląd madame nie budzi żadnych podejrzeń, a przyczyny niepodawania nazwiska mogą okazać się przekonujące dla milady. Tak czy owak, skoro nie było wyraźnych zaleceń, zabraniających wprowadzania nieznajomych dam, więc cała sprawa rozgrywa się wyłącznie między madame a milady. Czy madame zatem zechciałaby podążyć na górę?

Pomimo całego zdecydowania pani Ferrari serce łomotało jej tak, jakby miało wyskoczyć z piersi, kiedy w ślad za przewodniczką wkroczyła do przedpokoju, ta zaś zapukała do drzwi. Jest rzeczą godną uwagi, że właśnie osoby o bardzo wrażliwych nerwach są w stanie zmusić się (jakimś spazmatycznym wysiłkiem woli) do czynów wymagających niezwykłej odwagi. Z wnętrza odezwał się niski, posępny głos: „Proszę". Służąca otworzyła drzwi i oznajmiła: „Dama w interesach do pani, milady" i nie czekając na odpowiedź, cofnęła się. W króciutkiej chwili, którą zajęła ta scena, skromna, mała pani Ferrari opanowała swe roztrzęsione serce i przeszła przez próg. A chociaż świadoma była wilgotnych dłoni, suchych warg i płonącej głowy, to jednak stając przed obliczem wdowy po lordzie Montbarrym, wydawała się równie opanowana jak sama milady.

Ciągle trwało jeszcze przedpołudnie, ale w pokoju było ciemno z racji zaciągniętych kotar. Lady Montbarry siedziała plecami do okna, jakby przeszkadzało jej nawet stłumione światło dzienne. Od pamiętnego dnia, kiedy ujrzał ją w swoim gabinecie doktor Wybrow, jej wygląd o wiele się pogorszył. Uroda zgasła, twarz to były w tej chwili tylko skóra i kości; kontrast między kredową cerą a lśniącymi czarnymi oczyma zdawał się większy niż kiedykolwiek. Odziana w żałobną czerń, od której odbijała białość wdowiego czepca, z giętkością pantery ułożona na zielonej sofie, z leniwą ciekawością przeciągnęła spojrzeniem po intruzie, a potem skierowała wzrok na ręczny wachlarz, którym odgradzała twarz od kominka.

— Nie znam pani — powiedziała. — Czego pani ode mnie chce?

Pani Ferrari próbowała odpowiedzieć. Jej pierwszy atak odwagi już się wyczerpał. Śmiałe słowa, które chciała wypowiedzieć, żywo wibrowały w jej umyśle, ale zamierały na wargach.

Trwała cisza. Lady Montbarry raz jeszcze zmierzyła spojrzeniem swego milczącego gościa.

— Głucha pani jest? — spytała. Dalej cisza. Lady Montbarry spokojnie zerknęła na wachlarz i zadała następne pytanie: — Chce pani pieniędzy?

„Pieniądze". To słowo stało się bodźcem dla zamierającego ducha żony kuriera. Odnalazła w sobie śmiałość, podobnie jak głos.

— Niech pani spojrzy na mnie z łaski swojej! — rzekła w nagłym przypływie odwagi.

Lady Montbarry spojrzała po raz trzeci. Z ust pani Ferrari spłynęły zaś fatalne słowa:

— Przychodzę, milady, oznajmić, że otrzymałam pieniądze, co to miały być dla wdowy po Ferrarim.

Błyszczące oczy lady Montbarry z wyraźną uwagą spoczęły na kobiecie, która wygłosiła zaskakujące słowa. Na jej śmiertelnie nieruchomej twarzy nie pojawił się najmniejszy nawet ślad stropienia czy alarmu ani najlżejszego nawet zainteresowania. Wachlarz w jej dłoni nie drgnął nawet na ułamek milimetra. Została poddana egzaminowi, który nie przyniósł oczekiwanych efektów.

Kolejna chwila ciszy. Lady Montbarry się zamyśliła. Na jej wąskich wargach pojawił się na chwilę i natychmiast zgasł uśmiech zarazem smutny i okrutny. Uniosła wachlarz i wskazała fotel w najdalszym kącie pokoju.

— Niech pani zechce usiąść tam.

Pani Ferrari, przygnieciona poczuciem klęski,

niewiedząca, co dalej mówić czy robić, mechanicznie posłuchała. Lady Montbarry powstała po raz pierwszy i z nieskrywaną ciekawością przyjrzała się marszowi pani Ferrari, po czym znowu zajęła dawną pozę.

— Nie — mruknęła do siebie. — Idzie prosto, nie jest pijana. Pozostaje zatem to tylko, iż zwariowała.

Powiedziała to na tyle głośno, że urażona pani Ferrari odrzekła natychmiast:

— Nie jestem bardziej pijana ani szalona od pani.

— Nie? — powtórzyła lady Montbarry. — A zatem jest pani po prostu arogantką? Zauważyłam, że ignorancki angielski umysł potrafi być nader arogancki tam, gdzie chodzi o nieograniczoną angielską swobodę. Nas, obcokrajowców, bardzo to uderza, kiedy się z wami zadajemy. Oczywiście nie mogę w rewanżu być arogancka wobec pani. Nie bardzo wiem, co pani powiedzieć. Moja służąca okazała się nieroztropna, tak łatwo dopuszczając panią do moich pokojów; najpewniej zwiódł ją pani uspokajający wygląd. Zastanawia mnie, kim też może pani być. Wspomniała pani nazwisko kuriera, który opuścił nas w bardzo dziwnych okolicznościach. Czyżbyście przypadkiem byli małżeństwem? Jest pani jego żoną? I wie pani, gdzie on teraz jest?

Tym razem żadne ograniczenia nie mogły powstrzymać oburzenia pani Ferrari. Podbiegła do sofy i niczego się nie lękając, zawołała rozsierdzona:

— Jestem wdową po nim i dobrze pani o tym wie,

niegodziwa kobieto! Jakaż to była fatalna godzina, gdy panna Lockwood zarekomendowała mego męża jego lordowskiej mości jako kuriera, bo...

Nie zdołała dokończyć, gdyż lady Montbarry zerwała się z sofy z rączością kocicy, chwyciła panią Ferrari za ramiona i potrząsnęła nią — z siłą i gwałtownością osoby ogarniętej szałem.

— Łżesz, łżesz, łżesz! — Po trzecim okrzyku w desperackim geście wyrzuciła ręce w górę. — Jezus Maria! — zawołała. — Czy to możliwe, że to przez nią trafił do nas ten kurier?! — Błyskawicznym ruchem rzuciła się za panią Ferrari, nie pozwalając jej uciec. — Zostań, ty wariatko, masz zostać i odpowiedzieć na wszystkie moje pytania! Jeśli zaczniesz się wydzierać, przysięgam, że zaduszę cię własnymi rękami! Siadaj, mówię. Nie masz się czego bać. Łajdaczko, to ja się boję, boję się tak, że zaraz zacznę odchodzić od zmysłów. Wyznaj, że kłamałaś, kiedy przed chwilą powołałaś się na pannę Lockwood! Nie, nic nie mów, nawet gdybyś przysięgła, nie uwierzę ci, nie uwierzę nikomu prócz samej panny Lockwood. Gdzie ona mieszka? Powiedz mi to, a potem możesz się wynosić, ty jadowita żmijo!

Pani Ferrari się zawahała. Lady Montbarry w złowrogim geście uniosła ręce, a jej palce zakończone długimi, żółtobiałymi paznokciami zakrzywiły się niby szpony, więc przerażona małżonka kuriera podała adres. Lady Montbarry pogardliwym gestem wskazała drzwi, jednak natychmiast zmieniła zdanie.

— Nie, nie. Od razu do niej pognasz, a wtedy nie zgodzi się mnie przyjąć. Muszę sama iść tam zaraz, a ty mi będziesz towarzyszyć. Ale tylko pod dom, ani kroku dalej. Siedź tutaj, zadzwonię na służącą. Obróć się plecami do drzwi, ma nie widzieć twego tchórzliwego oblicza.

Montbarry pociągnęła za dzwonek i wnet pojawiła się służąca.

— Natychmiast płaszcz i kapelusz!

Zażądane przedmioty bezzwłocznie zostały dostarczone z sypialni.

— Zanim policzę do dziesięciu, pod drzwiami ma stać dorożka!

Służąca znikła, a lady Montbarry przejrzała się w lustrze i znowu z kocią zręcznością obróciła się do pani Ferrari.

— Wyglądam jak na pół już umarła, czyż nie? — powiedziała z ponurą ironią. — Proszę mi podać rękę.

Ujęła dłoń pani Ferrari i wyprowadziła ją z pokoju.

— Nie musisz się niczego obawiać, jak długo będziesz mnie słuchać — szepnęła jej na schodach. — Zostawisz mnie pod drzwiami panny Lockwood i więcej już się nie zobaczymy.

W holu czekała na nie właścicielka hotelu. Lady Montbarry dwornie przedstawiła swoją towarzyszkę.

— Moja dobra przyjaciółka, pani Ferrari. Bardzo się cieszę z naszego spotkania. — Właścicielka odprowadziła je do drzwi, pod którymi czekała już dorożka. — Niech pani wsiada pierwsza — zwróciła się do Ferrari — i poda woźnicy adres.

Ruszyły. Chwiejny humor lady Montbarry znów się odmienił. Z żałosnym jękiem opadła na siedzenie i zatopiona w posępnych myślach, tak niepomna kobiety, którą podporządkowała swej żelaznej woli, jakby w ogóle nie siedziała koło niej, milczała aż do chwili, gdy zajechały pod dom, który zamieszkiwała panna Lockwood. W tym momencie rzuciła się do działania. Otworzyła drzwi dorożki i zamknęła je przed panią Ferrari, zanim woźnica zdążył się ruszyć z kozła.

— Proszę odwieźć tę panią półtora kilometra w kierunku jej domu — poleciła i zapłaciła należność, a już w kilka sekund później kołatała do drzwi domu. — Czy zastałam pannę Lockwood?

— Tak, ma'am.

Kiedy drzwi się zamknęły za lady Montbarry, woźnica zwrócił się do pani Ferrari:

— Dokąd teraz, ma'am?

Zapytana przyłożyła rękę do czoła, próbując zebrać myśli. Czy miała zostawić swoją dobrodziejkę na łasce lady Montbarry? Ciągle jeszcze zastanawiała się nad tym, co począć, kiedy dżentelmen, który zmierzał w kierunku drzwi panny Lockwood, spojrzał przelotnie na dorożkę i zobaczył jej pasażerkę.

— Wy też chcecie do panny Agnes? — zapytał.

Był to Henry Westwick. Na jego widok pani Ferrari z wdzięcznością klasnęła w ręce.

— Tak, tak, niech pan wchodzi, sir! — zawołała. — Niech pan zaraz wchodzi. Ta straszna kobieta jest u panny Agnes. Musi pan jej bronić!

— Jaka znowu kobieta? — zapytał Henry. Odpowiedź odebrała mu dech w piersiach. Osłupiały wpatrywał się w twarz pani Ferrari, gdy ta wyrzuciła z siebie znienawidzone nazwisko: „Lady Montbarry", a potem syknął: — Muszę to zobaczyć!

Zastukał do drzwi i również został wpuszczony.

Rozdział 11

— Lady Montbarry, proszę pani!

Agnes pisała właśnie list, gdy służąca zaskoczyła ją zapowiedzią. W pierwszym odruchu chciała odprawić intruzkę, tyle że lady Montbarry następowała służącej na pięty i zanim Agnes zdążyła cokolwiek powiedzieć, wkroczyła już do pokoju.

— Muszę panią przeprosić za mój najazd, panno Lockwood. Muszę pani zadać pytanie, na które odpowiedź ogromnie mnie interesuje, a tylko pani może jej udzielić.

Tymi słowami, cichym, niepewnym głosem, z ciemnymi oczyma wbitymi w stropieniu w ziemię, lady Montbarry rozpoczęła rozmowę.

Agnes w milczeniu wskazała miejsce w fotelu. W tej chwili nie była w stanie nic zrobić. Kiedy zjawiła się przed nią postać odziana na czarno, w głowie stanęło jej wszystko, co czytała o tajemnym, ponurym życiu w weneckim pałacu, o melancholijnej śmierci lorda i jego pochówku na obczyźnie, o tajemniczym zniknięciu Ferrariego. Zaskakujący postępek lady Montbarry dołożył nowy problem do i tak już mnogich trosk i niepokojów Agnes. Oto awanturnica, która pozostawiła swe ślady w całej Europie — Furia, która w hotelu wprawiła panią Ferrari w stan skrajnego przerażenia — w jakiś niepojęty sposób zamieniła się w stropioną, niepokaźną osobę. Od chwili gdy stanęła w pokoju, lady Montbarry ani razu jeszcze nie spojrzała na Agnes. Podszedłszy do wskazanego jej fotela, zawahała się, chwyciła za oparcie i na chwilę zastygła nieruchomo.

— Proszę mi dać chwilę, żebym doszła do siebie — powiedziała niemal szeptem, a gdy tak stała przed Agnes z głową zwieszoną na piersi, wydawała się skruszoną zbrodniarką przed obliczem bezlitosnej sędzi.

Cisza, która potem nastała, zrodziła się z obecnej po obu stronach trwogi, a przerwał ją dopiero ponowny dźwięk drzwi, w których stanął Henry Westwick.

Na chwilę zatrzymał wzrok na lady Montbarry, skłonił się z formalną grzecznością, a potem minął ją w milczeniu. Na widok szwagra kobieta odzyskała dawny wigor. Zwiotczała figura wyprężyła się, jasny wzrok hardo wytrzymał spojrzenie Westwicka; na ukłon odpowiedziała z lodowatą pogardą.

Henry podszedł do Agnes.

— Czy lady Montbarry jest tu na pani zaproszenie? — zapytał półgłosem.

— Nie.

— Chce pani ją widzieć?

— Jej widok i obecność sprawiają mi ból.

Westwick odwrócił się i zmierzył spojrzeniem szwagierkę.

— Słyszała pani? — zapytał zimno.

— Słyszałam — odparła z jeszcze większym chłodem w głosie.

— Pani wizyta, mówiąc najoględniej, wypadła w niewłaściwym momencie.

— Pańska ingerencja jest, mówiąc najoględniej, niestosowna.

Po tej ripoście lady Montbarry podeszła do Agnes. Wydawało się, że dzięki obecności Henry'ego zyskała nie tylko wigor, lecz także otuchę.

— Proszę pozwolić, że zadam pani jedno pytanie, panno Lockwood — rzekła z uprzedzającą grzecznością. — Nie powinno ono być jakoś szczególnie ambarasujące. Kiedy kurier Ferrari zwrócił się do mojego zmarłego męża z prośbą o zatrudnienie, czy... — Tutaj jednak załamała się stanowczość mówiącej, gdyż osunęła się na najbliższy fotel i dopiero po chwili zapanowała nad sobą na tyle, aby kontynuować: — Czy zezwoliła pani Ferrariemu, aby użył pani nazwiska, wpływając w ten sposób na decyzję jego lordowskiej mości?

Agnes nie odpowiedziała z charakterystyczną dla niej prostotą. Stropił ją fakt, że ta właśnie kobieta wspomniała w jej obecności o Montbarrym.

— Znam żonę Ferrariego od wielu lat — rzekła — nie ma więc chyba nic dziwnego w tym, że inte...

Lady Montbarry przerwała jej gwałtownym ruchem dłoni.

— Panno Lockwood, niechże pani nie traci czasu, rozwodząc się nad jego żoną. Proszę mi wprost odpowiedzieć na moje pytanie!

— Ja na nie odpowiem — szeptem zaproponował Henry. — Zrobię to w bardzo prosty sposób.

Agnes odmówiła gestem ręki. Bezceremonialna ingerencja lady Montbarry przywróciła jej pewność siebie. Odpowiedziała zwięźle, bardzo pewnym głosem:

— Kiedy Ferrari pisał do świętej pamięci lorda Montbarry'ego, z pewnością wymienił moje nazwisko.

Nawet teraz w swej niewinności nie dostrzegła przyczyny, dla której przybyła zadała swoje pytanie. Lady Montbarry wyczerpała zasoby swej cierpliwości. Poderwała się z fotela i zdecydowanym krokiem podeszła do Agnes.

— Czy Ferrari użył pani nazwiska za pani wiedzą i przyzwoleniem? — spytała. — Całe moje pytanie na tym się zasadza. Na miłość boską, niech mi pani odpowie: tak czy nie?

— Tak!

Jedno to słowo podziałało na lady Montbarry jak cios. Płomienny wigor ożywiający jej twarz jeszcze chwilę przedtem nagle zupełnie wygasł i zostawił ją jak skamieniałą. Zastygła tak doskonale nieruchoma, że dwie obserwujące ją osoby dostrzegały tylko delikatny ruch wdechów i wydechów.

— No to już — odezwał się grubiańsko Westwick.

— Ma pani swoją odpowiedź.

Zwróciła się do niego powoli.

— Otrzymałam wyrok — rzekła, cedząc słowa, po czym skierowała się ku drzwiom.

Ku zaskoczeniu Henry'ego powstrzymała ją Agnes.

— Niech pani zaczeka chwilę, lady Montbarry. Ja także chciałabym panią o coś zapytać. Wspomniała pani Ferrariego. Chcę z nim porozmawiać.

Lady Montbarry pochyliła głowę w milczeniu. Drżącymi rękami wydobyła chusteczkę, aby otrzeć czoło. Na ten widok Agnes cofnęła się o krok.

— Czy to bolesny dla pani temat? — spytała.

Nie odzywając się, lady Montbarry pokazała jej gestem, żeby kontynuowała. Henry zbliżył się, uważnie wpatrzony w swoją szwagierkę.

— W Anglii nie natrafiono na żaden ślad Ferrariego — ciągnęła Agnes. — Ma pani o nim jakieś wiadomości? A jeśli tak, to czy z litości dla jego żony podzieli się pani nimi ze mną?

Na wargach lady Montbarry znienacka położył się uśmiech zarazem smutny i okrutny.

— A czemuż to właśnie mnie zapytuje pani o zaginionego kuriera? — spytała. — Kiedy przyjdzie czas na to, panno Lockwood, dowie się pani, co się z nim stało.

Agnes się wzdrygnęła.

— Nie rozumiem pani. Jak to: „dowiem się"? Ktoś mi powie?

— Tak, ktoś pani powie.

Henry nie mógł już zachować milczenia.

— Czy tym kimś może się okazać pani sama? — zapytał z szyderczą grzecznością.

— Kto wie, może ma pan rację, panie Westwick — odrzekła z nieskrywaną pogardą. — Któregoś dnia być może to ja oznajmię pannie Lockwood, co stało się z Ferrarim, jeśli...

Nieruchomo wpatrzyła się w Agnes.

— Jeśli co? — ponaglił ją Henry.

— Jeśli panna Lockwood zmusi mnie do tego.

Agnes słuchała jej z niedowierzaniem.

— Ja miałabym panią zmusić? — powtórzyła. — Jak mogłabym to uczynić? Pani wola miałaby być słabsza od mojej?

— A czy nie wie pani — odparła lady Montbarry — że świeca spala ćmę, kiedy ta wleci w płomień? Słyszała może pani o fascynacji przerażeniem? Właśnie ta fascynacja popycha mnie ku pani. Nie mam prawa pani odwiedzać, nie chcę pani odwiedzać, jest pani moim wrogiem. Po raz pierwszy w życiu na przekór swej woli podporządkowuję się swojemu wrogowi. Przecież sama pani widzi. Każe mi pani czekać i czekam, a przysięgam, że kiedy tu stoję, strach przed panią obezwładnia mnie. Niech pani nie da rozpalić w sobie ciekawości czy współczucia. Niechże pani weźmie przykład z pana Westwicka, niech pani będzie jak on brutalna i nieczuła, ale niech mnie pani już zwolni. Niech pani każe mi iść.

Prosta i szczera natura pozwoliła Agnes znaleźć tylko jedno rozsądne wyjaśnienie tego wybuchu.

— Myli się pani, uważając mnie za swego wroga — odparła. — Nawet jeśli skrzywdziła mnie pani, ofiarowując swą rękę lordowi Montbarry'emu, przecież zrobiła to pani nieświadomie. Jeszcze za jego życia pani wybaczyłam. Teraz, gdy go już nie ma, wybaczam pani jeszcze swobodniej.

Henry słuchał tych słów z mieszaniną podziwu i oburzenia.

— Proszę więcej nie mówić! — zawołał. — Jest pani o wiele za dobra; ona na to zupełnie nie zasługuje!

Lady Montbarry jakby wcale nie usłyszała tego okrzyku. Wydawało się, że proste słowa Agnes całkowicie przykuły uwagę owej niewiasty o tak zmiennych nastrojach. Kiedy ich słuchała, jej twarz pogrążała się w głębokim, posępnym smutku. Gdy przemówiła, jej głos zmienił się wyraźnie; przepełniała go rezygnacja wyzbyta jakiejkolwiek nadziei.

— Jest pani dobrą i niewinną istotą, cóż znaczy pani dobrotliwe wybaczenie? Czymże są pani malutkie występki w porównaniu z tymi, których się wymaga ode mnie? Nie chcę bynajmniej pani straszyć, ja tylko boleję nad sobą. Czy wie pani, jak to jest, kiedy wyraźnie czuje pani nadciągającą katastrofę, a jednak ma pani nadzieję, że przeczucie się nie spełni? Gdy spotkałam panią po raz pierwszy, jeszcze przed moim ślubem, i po raz pierwszy poczułam pani oddziaływanie na mnie, żywiłam jeszcze taką nadzieję. Była to wynędzniała nadzieja, która wegetowała we mnie aż po dziś dzień, ale pani swoją odpowiedzią o Ferrarim zabiła ją doszczętnie.

Agnes nie posiadała się ze zdumienia.

— Ja zabiłam pani nadzieję? A cóż wiąże zezwolenie, jakiego udzieliłam Ferrariemu, aby w swoim liście do lorda Montbarry'ego użył mego nazwiska, ze wszystkimi tymi dziwnymi i strasznymi rzeczami, o których mi teraz pani mówi?

— Bliski już jest czas, panno Lockwood, kiedy sama to pani odkryje. Na razie zaś postaram się możliwie w najprostszych słowach, na jakie mnie stać, wyjaśnić pani, na czym polega moja trwoga z panią związana. Tego dnia, kiedy odebrałam pani wybrańca i zatrułam pani życie, stała się pani — o czym jestem święcie przekonana — narzędziem pomsty za wszystkie grzechy, jakie dotąd popełniłam. Bo też niemało się wydarzyło przed dniem dzisiejszym! Była osoba, dawno, która bez swej wiedzy przyspieszyła dojrzewanie zła w innej. Pani już tego dokonała — a nawet więcej. Ale ciągle jeszcze musi mnie pani podprowadzić do dnia ujawnienia i dnia kary, który jest mi pisany. Spotkamy się jeszcze, tutaj w Anglii lub w Wenecji, gdzie zmarł mój mąż, i będzie to nasze ostatnie spotkanie.

Pomimo swego rozsądku i naturalnej niechęci do wszystkich zabobonów Agnes była pod wielkim wrażeniem straszliwej powagi, z jaką zostały wypowiedziane te słowa. Z pobladłą twarzą zwróciła się do Henry'ego:

— Czy pan to rozumie?

— Trudno jej nie zrozumieć — orzekł z pogardą

w głosie. — Wie, co się stało z Ferrarim, ale wiedzę tę skrywa w chmurze nonsensów, gdyż nie śmie powiedzieć prawdy. Niechże już sobie idzie!

Gdyby pod jakimś fotelem zawarczał pies, lady Montbarry zwróciłaby na to większą uwagę niż na słowa Westwicka. Spoglądając w oczy Agnes, powiedziała:

— Niech pani poradzi żonie kuriera, aby poczekała jeszcze trochę. W pewnej chwili dowie się pani, co stało się z jej mężem, i poinformuje ją o tym. Proszę się nie lękać. Nie będzie to związane dla pani z żadnym zagrożeniem. Połączy nas znowu jakiś drobiazg, coś równie bagatelnego, ośmielę się powiedzieć, jak zatrudnienie Ferrariego. Jakiego pan użył określenia, mister Westwick? „Nonsensy", tak? Ale niechże będzie pan wyrozumiały dla kobiet: wszystkie mówimy nonsensy. Do widzenia, panno Lockwood.

Otworzyła drzwi tak gwałtownie, jakby się bała, że po raz kolejny zostanie zatrzymana, i wyszła.

ROZDZIAŁ 12

— Sądzi pan, że to wariatka? — zapytała Agnes.

— Sądzę, że po prostu jest nikczemna. Fałszywa, pełna uprzedzeń, bezgranicznie okrutna, ale nie szalona.

— Wystraszyła mnie. Wstyd mi, ale tak było.

Henry z wahaniem patrzył przez chwilę na Agnes, a potem usiadł koło niej na sofie.

— Bardzo się o panią lękam, ale być może szczęśliwy to traf, który sprawił, że odwiedziłem panią... Gdyby nie to, naprawdę nie wiadomo, co ta nikczemna kobieta mogłaby powiedzieć czy zrobić. Wiedzie pani życie samotne, bez żadnej ochrony. Od dawna myślę o tym z niepokojem, ale teraz, po tym, co się dzisiaj stało, trzeba to koniecznie zmienić. Nie, nie, tylko proszę mi nie przypominać, że ma pani tę swoją starą służącą. Jest zbyt wiekowa, poza tym dla osoby o pani pozycji nie jest to właściwe towarzystwo, gdy chodzi o obronę. Proszę mnie źle nie zrozumieć, Agnes, mówię to tylko z racji mojego ogromnego do pani przywiązania. — Urwał i ujął dłoń panny Lockwood, która bez przekonania przez chwilę usiłowała ją uwolnić, ale szybko z tego zrezygnowała.

— Czy nadejdzie kiedyś dzień — ciągnął błagalnym tonem — gdy moim stanie się przywilej zadbania o pani bezpieczeństwo? Gdy aż po koniec moich dni stanie się pani dumą i radością mojego życia? — Lekko uścisnął jej dłoń, ale ze wzrokiem skierowanym w bok nic nie odrzekła i tylko jej twarz na przemian czerwieniła się i bladła. — Czyżbym zrządzeniem nieżyczliwego losu panią obraził?

W odpowiedzi ledwie szepnęła:

— Nie.

— Ale zasmuciłem panią?

— Kazał mi pan pomyśleć o smutnych minionych dniach.

Nie mówiąc nic więcej, po raz wtóry spróbowała wyciągnąć dłoń z jego uścisku, na co nie pozwolił, natomiast uniósł rękę Agnes do ust.

— Czy nie jestem w stanie sprawić, aby zaczęła pani myśleć o innych dniach... radośniejszych dniach, które przyjdą? Albo, skoro już musi pani myśleć o przeszłości, czy nie mogłaby pani wspomnieć dni, kiedy po raz pierwszy panią pokochałem?

Słysząc to pytanie, głęboko westchnęła.

— Błagam, Henry, niech się pan nade mną zlituje. Proszę zamilknąć.

Na jej policzki powrócił rumieniec; tkwiąca w dłoni Henry'ego Westwicka ręka drżała. Ze spuszczonymi oczyma i gwałtownie unoszącymi się piersiami wyglądała uroczo. W tej chwili oddałby wszystkie skarby świata, żeby tylko móc ją objąć i pocałować. Jakiś tajemny prąd, który z jego ręki przechodził do jej dłoni, informował ją, o czym myśli Henry. Zdecydowanie wyciągnęła dłoń i spojrzała mu prosto w oczy. Milczała, pozwoliła mówić samym oczom. Bez gniewu, bez oburzenia ostrzegały go, by dzisiaj już bardziej na nią nie napierał.

— Proszę mi zatem powiedzieć tylko — rzekł, powstając z sofy — czy mi pani wybacza?

— Tak — powiedziała cicho. — Wybaczam.

— Czy nie poniżyłem się w pani oczach, Agnes?

— Poniżyć się? Co też panu przychodzi do głowy!

— Czy mam już iść?

Teraz ona wstała z sofy i zanim odpowiedziała, podeszła do biurka. Na pulpicie leżał otwarty list, od którego oderwało ją wejście lady Montbarry. Spojrzała na kartkę, potem na Henry'ego, aż wreszcie na jej twarzy pojawił się uśmiech, który urzekał każdego.

— Niech pan chwilkę zostanie. Muszę coś panu jeszcze powiedzieć, ale nie bardzo wiem, jak to zrobić. Może najlepiej, żebym zostawiła to panu samemu. Mówił pan o moim samotnym, niechronionym życiu. Nie jest szczęśliwe, ale zasłużyłam sobie na to, Henry. — Patrzyła na niego z wyrazem kontentacji w oczach, który go zaskoczył. — Niech pan sobie wyobrazi, że uprzedziłam pański pomysł. Jeśli tylko zgodzą się na to pański brat Stephen i jego żona, już rychło w moim życiu dokona się wielka zmiana.

Podeszła do biurka, wyjęła z szuflady list i podała go Henry'emu. Wziął go, ale jakiś niejasny lęk kazał mu milczeć. Niemożliwe przecież, żeby owa zmiana, o której powiedziała przed chwilą Agnes, wiązała się z zamążpójściem, a przecież nie śmiał otworzyć listu. Ich spojrzenia się spotkały, Agnes znów się uśmiechnęła.

— Niech pan spojrzy na adres. Powinien pan może znać ten charakter pisma, ale nie sądzę, żeby tak było.

Na kopercie widniały duże, niewprawnie nakreślone litery; najpewniej adres wypisała dziecięca ręka. Szybko otworzył kopertę.

Droga Ciociu Agnes! Nasza opiekunka wyjeżdża; dostała spadek i będzie teraz miała własny dom. Zjadłyśmy za jej zdrowie tort i dostałyśmy nawet trochę wina. Mówiłaś, że się nami zajmiesz, jakby nie było już pani Julien. My chcemy tylko Ciebie, ale mama nic o tym nie wie, więc przyjedź jak najszybciej, żeby nie znalazła kogoś innego. To wszystko piszę ja, Lucy. Clara i Blanche też by chciały, ale są za małe i nic tylko robią kleksy".

Czując na sobie zdziwione spojrzenie Henry'ego, Agnes wyjaśniła:

— To pańska najstarsza bratanica. Dzieciaki zaczęły nazywać mnie ciocią, kiedy na jesieni odwiedziłam ich w Irlandii. Nie odstępowały mnie na krok, to trzy najbardziej urocze dziewczynki, jakie kiedykolwiek widziałam. To prawda, że w żartach zaproponowałam w przeddzień wyjazdu, iż w razie potrzeby mogłabym zostać ich guwernantką, gdyby tego chciały. Kiedy pan wszedł, właśnie pisałam list z propozycją do ich matki.

— Niemożliwe! — odruchowo wykrzyknął Henry, ale kiedy w ślad za gestem Agnes przeczytał rozpoczęty list, natychmiast zrozumiał, że wszystko było mówione zupełnie serio: rzeczywiście chciała w domu jego brata zaopiekować się bratanicami. Dopiero po chwili udało mu się coś powiedzieć. — Oni nie uwierzą, że naprawdę ma pani taki zamiar.

— A czemu to? — łagodnie spytała Agnes.

— Jest pani daleką kuzynką Stephena i najlepszą przyjaciółką jego żony, a mojej bratowej.

— Czy może być lepsza rekomendacja, by powierzyli mi swoje córki?

— Ale przecież pani... Oni... To absurd! Pani nie wolno zarabiać na życie jako nauczycielka, przecież nie może się pani im wysługiwać!

— Czemu wydaje się to panu absurdalne? Dziewczynki za mną przepadają, z ich matką łączy mnie głęboka przyjaźń, ich ojciec wielokrotnie okazywał mi swój szacunek. Nadaję się na to miejsce; musiałabym zupełnie zapomnieć wszystko, czego mnie uczono, gdyby się okazało, że nie jestem w stanie zatroszczyć się o edukację młodych osób, z których najstarsza ma jedenaście lat. A co do mojej pozycji... Czy nie zdarza się, że guwernantkami są osoby o takiej samej pozycji jak ich pracodawcy? Poza tym nie jesteśmy wcale sobie równi. Nie mylę się chyba, że Stephen odziedziczy po swym zmarłym bracie tytuł lordowski? Proszę mi nie odpowiadać, nie zamierzam się teraz z panem spierać o to, czy godzi mi się zostać opiekunką pańskich bratanic, czy nie. Poczekajmy najpierw na odpowiedź. Zgadzam się z pana opinią: tak, wiodę samotny żywot, samotny, a na dodatek bez pożytku. Z wielką ochotą uczyniłabym swoje życie bardziej użytecznym, a jeśli na dodatek mogę to zrobić w rodzinie, w której przebywać będę z wielką ochotą... Naprawdę wszystko dobrze rozważyłam, nim zasiadłam do pisania tego listu, a jeśli pan wątpi co do tego, jak może brzmieć odpowiedź pańskiego brata i bratowej, to ośmielę się mniemać, że nie zna ich pan tak dobrze jak ja.

Henry w milczeniu skinął głową, chociaż wcale nie wydawał się przekonany.

Był człowiekiem nieufnie odnoszącym się do zbyt gwałtownych zmian w rytmie codziennych spraw — a tak właśnie jawiła mu się zmiana, którą zamierzała dokonać Agnes. Co więcej, obawiał się, że jeśli intensywnie zajmie umysł innymi sprawami, mniej chętne ucho może nadstawić jego propozycjom, kiedy znowu odważy się je poczynić. Słowa o żywocie samotnym i bez pożytku mówiły, iż jej serce pozostawało niezajęte, a więc można było o nie walczyć. Kiedy jednak rozgoszczą się w nim jego bratanice... Chmura wątpliwości zaciemniała jego nadzieje. Dość wiedział o kobietach, by owe sobkowskie niepewności zachować tylko dla siebie. Z niewiastami takimi jak Agnes najrozsądniejsza i najbardziej obiecująca była polityka cierpliwości. Gdyby nieroztropnym posunięciem uraził jej rozbudowaną wrażliwość, wszystkie jego szanse byłyby stracone. Dlatego też uznał, że w tej chwili najlepiej będzie zmienić temat.

— List mojej bratanicy ma pewien uboczny efekt, którego nie mogła była przewidzieć. Przypomniał mi o jednej z głównych przyczyn, dla których chciałem panią dzisiaj odwiedzić.

Agnes spojrzała na niego z zainteresowaniem.

— A co takiego było w liście Lucy?

— Nie tylko jej guwernantka miała szczęście otrzymać spadek — odrzekł Henry. — Czy jest w domu pani służąca?

— Czyżby pan sugerował, że i ona dostała spadek?

— Otrzymała sto funtów. Niech ją pani wezwie, a ja tymczasem pokażę pani list.

Wyjął z kieszeni plik listów i zaczął je przeglądać, podczas gdy Agnes pociągnęła za dzwonek. Kiedy wróciła, spostrzegła list z drukowanym napisem. Był to prospekt spółki z ograniczoną odpowiedzialnością: „Hotel Pałacowy, Wenecja". Dwa te słowa — „pałac" i „Wenecja" — natychmiast przypomniały jej nieprzyjemną wizytę lady Montbarry.

— Co to takiego? — zapytała, wskazując nagłówek.

Henry rzucił okiem i powrócił do listów, mówiąc:

— Bardzo obiecująca inwestycja. Dobrze zarządzany duży hotel to zyskowny interes. Tak się akurat składa, że znam przyszłego dyrektora, a ponieważ mam do niego wielkie zaufanie, więc zostałem jednym z udziałowców.

— A skąd nazwa „Pałacowy"? — indagowała Agnes.

Henry spojrzał na nią przeciągle.

— Tak, to ten dom wynajął mój świętej pamięci brat, a teraz spółka zamieni go w hotel.

Agnes odwróciła się w milczeniu, poszła w najdalszy kąt pokoju i tam osunęła się na fotel. Henry ją rozczarował. Oczywiście wiedziała, że jako najmłodszy syn musi wykorzystywać najróżniejsze możliwości, aby pomnożyć swoje dochody, a korzystne inwestycje do nich należały. Ale chociaż było to może nierozsądne, to jednak miała mu za złe, iż zamierzał zarabiać na budynku, w którym dokonał swoich dni jego najstarszy brat. Ponieważ jednak Henry'emu osobliwe wydawało się łączenie sentymentów z biznesem, to mimo iż wyczuł zmianę w zachowaniu Agnes, beznamiętnie wydobył poszukiwany list — właśnie w tej samej chwili, gdy do pokoju weszła służąca. Zerknął na Agnes, sądząc, że ta powie coś pierwsza. Ona jednak nawet nie podniosła oczu, słysząc, jak otwierają się drzwi, więc to on musiał wyjaśnić, z jakiej przyczyny wezwano służącą.

— Chciałem panią powiadomić, iż w spadku otrzymała pani sto funtów.

Wiekowa kobieta przez chwilę przetrawiała tę wiadomość, a potem spytała:

— A kto to daje mi takie pieniądze, paniczu Henry?

— Mój świętej pamięci brat, lord Montbarry. — Agnes natychmiast podniosła głowę na te słowa. — W testamencie zapisał sumy wszystkim żyjącym jeszcze służącym rodziny. Proszę, oto list jego prawnika, który upoważnia panią do tego, aby się pani zgłosiła po odbiór pieniędzy.

Wdzięczność należy do cnót najrzadszych we wszystkich klasach społecznych, a zwłaszcza tej, z której pochodziła służąca. Wielkoduszny zapis w testamencie w niczym nie zmienił opinii o mężczyźnie, który porzucił jej ukochaną panią.

— Ciekawe, kto też przypomniał jego lordowskiej mości o służbie? — rzekła z przekąsem. — Sam to nigdy o nas nie pomyślał.

Agnes nagle ożyła. Natura, która nie znosi monotonii, nawet w najłagodniejszym charakterze kobiecym umieszcza zasoby gwałtownych uczuć. W efekcie nawet Agnes w pewnych sytuacjach potrafiła wpadać w złość. Teraz nie mogła znieść tego, jak służąca oceniła charakter Montbarry'ego.

— Nawet jeśli nie wstydzisz się swoich odczuć, powinnaś się wstydzić przynajmniej tego, co powiedziałaś — wybuchła. — Jak możesz być tak niewdzięczna?! Niech pan wszystko z nią omówi, Henry, ja nie chcę w tym uczestniczyć.

Najwyraźniej poruszona tym, że także Henry stracił w jej oczach, wyszła zdecydowanym krokiem z pokoju.

Otrzymana reprymenda bardziej zdziwiła służącą, niż przygnębiła. Kiedy drzwi zamknęły się za panną Lockwood, spojrzała znacząco na Henry'ego.

— Jak człowiek jest młody, to i uparty. Panna Agnes nie da złego słowa powiedzieć na jego lordowską mość, nawet gdy ją oszukał. Odumarł ją wprawdzie, ale jaka jest dalej słodka! Jakże się złości, gdy tylko coś nie tak się o nim powie! No nic, z czasem wszystko mija. Niech pan jej tylko nie wypuści, paniczu Henry, tyle ja powiem!

— Nie chciała was obrazić! — zapewnił Henry.

— Obrazić? — powtórzyła służąca. — Mnie? Kochaniutka ona jest dla mnie, nawet jak się wścieka, zaraz mi się przypomina, gdy była dziewczynką. Pójdę ja powiedzieć jej „Dobranoc", zaraz mi powie: „Nie chowaj do mnie żalu, tak mi się powiedziało". A te pieniądze, paniczu Henry? Byłabym młodsza, tobym wydała na stroje i ozdoby, ale za stara jużem na to. No i co mam począć z tym spadkiem, jak go już dostanę?

— Zainwestujcie — poradził Henry. — Wpłacicie i co roku będziecie dostawać godziwy procent, jak wam się poszczęści.

— A jaki? — zaciekawiła się służąca.

— Sto funtów w państwowych obligacjach to jakieś trzy, góra cztery funty rocznie.

Służąca pokręciła głową.

— Rocznie trzy, cztery? To nie dla mnie, ja chcę więcej! Zrozum mnie, paniczu Henry. Nie troszczę się ja jakoś strasznie o te pieniądze, nie lubiłam tego, co mi je zapisał, i nie ukrywam tego, choć był pańskim bratem. Gdyby całe te pieniądze jutro przepadły, serce by mi nie pękło, nie zbiedniałabym od tego, bo i czasu niewiele już przede mną i mało potrzebuję. Gadają ludzie, że pan, paniczu Henry, wiesz, w czym pieniądze lokować, więc weź je włóż gdzieś, gdzie dadzą więcej. Wóz albo przewóz, jak to się mówi, a tamte, jak to pan je nazywasz, olbigacje...

Nie dokończyła zdania i tylko lekceważąco wzruszyła ramionami.

Henry wręczył jej prospekt Hotelu Pałacowego, kręcąc zarazem głową.

— Dziwna z was doprawdy osoba — rzekł z nutą podziwu w głosie. — No to proszę, macie tu swój „wóz albo przewóz", ale w niczym nie możecie się zdradzić przed panną Agnes. Nie wiem, czyby się jej to podobało, że w tym wam pomagam.

Służąca nałożyła okulary i zaczęła czytać: „Sześć procent gwarantowane, a Dyrekcja ma podstawy przypuszczać, że z czasem akcjonariusze mogą liczyć na dziesięć procent, a nawet więcej". Odłożyła prospekt i zawołała:

— Tak, tak, paniczu Henry, niech mnie pan weźmie do tego, a potem wszystkim swoim przyjaciołom niech pan mówi, że to najlepszy hotel na świecie!

W taki to sposób, za przykładem Henry'ego Westwicka, także długoletnia służąca rodziny zainteresowała się budynkiem, w którym zmarł lord Montbarry.

Minęły trzy dni, zanim Henry mógł znowu odwiedzić pannę Lockwood, a wszelkie chmury, jakie się między nimi pojawiły, zupełnie się w tym czasie rozpłynęły, Agnes zaś przyjęła go w lepszym niż dotąd nastroju. Otrzymała już odpowiedź na list wysłany do Stephena Westwicka i jego żony: jej propozycję przyjęto z radością, ale z jedną modyfikacją. Miała odwiedzić Westwicków na miesiąc, a jeśli potem się okaże, że odpowiada jej uczenie dziewczynek, wtedy miała pozostać jako guwernantka, ciotka i kuzynka w jednej osobie — a na ile? Tego nie przesądzano, robiąc tylko jedno zastrzeżenie: że oczywiście zrezygnuje ze swej funkcji w przypadku zamążpójścia.

— Widzi pan, miałam rację — zwróciła się do Henry'ego, który jednak ciągle był pełen niedowierzania.

— Więc naprawdę chce pani tam jechać?

— W przyszłym tygodniu.

— Kiedy w takim razie znowu panią zobaczę?

— Kiedy pan zechce. Przecież dobrze pan wie, jak chętnie jest widziany w domu brata. — Wyciągnęła rękę. — Proszę mi wybaczyć, ale muszę się wziąć do pakowania.

Henry chciał ją ucałować w policzek na pożegnanie, ale łagodnie się uchyliła.

— Przecież jesteśmy kuzynami — przypomniał.

— Tak, ale...

Henry spuścił wzrok; był właściwie zadowolony.

Skoro nie chciała podkreślać dalekiego związku krwi, to może... Może nie wykluczała innego, bliższego...

W następny poniedziałek Agnes Lockwood opuściła Londyn i wyruszyła w drogę do Irlandii. Miało się okazać, iż będzie ona tylko postojem w wyprawie, która ostatecznie prowadziła do pałacu w Wenecji.

CZĘŚĆ III

ROZDZIAŁ 13

Wiosną roku 1861 Agnes ulokowała się w wiejskiej rezydencji jej dwojga przyjaciół, którzy po bezpotomnej śmierci najstarszego przedstawiciela rodu odziedziczyli tytuły lorda i lady Montbarrych. Nie rozstała się ze swą dawną służącą; w irlandzkiej posiadłości znalazło się miejsce odpowiednie dla jej wieku. Bardzo zadowolona z nowego miejsca, pierwszą półroczną dywidendę, jaką otrzymała z Hotelu Pałacowego, z charakterystyczną dla niej wielkodusznością przeznaczyła na prezenty dla dzieci.

Na początku tego roku dyrekcje towarzystw ubezpieczeniowych pogodziły się z sytuacją i wypłaciły dziesięć tysięcy funtów. Bezpośrednio po tym wdowa po pierwszym lordzie Montbarrym (nosząca teraz tytuł „dowager lady Montbarry"*) wyjechała w towarzystwie barona Rivara do Stanów Zjednoczonych. Jak poinformowano w rubrykach naukowych czasopism,

---

* Dowager — określenie wdowy, która przejmuje po małżonku tytuł i majątek — przyp. tłum.

baron chciał się zapoznać z obecnym stanem amerykańskiej chemii eksperymentalnej. Jego siostra na pytania znajomych odpowiadała, iż wyjeżdżając, ma nadzieję na to, że zmiana scenerii przytłumi chociaż odrobinę ból po poniesionej stracie. Dowiedziawszy się o tym od wizytującego brata Henry'ego Westwicka, Agnes poczuła lekką ulgę. „Teraz, gdy legł między nami Atlantyk — powiedziała — nic mi już chyba nie grozi ze strony tej straszliwej kobiety".

Nie minął nawet tydzień od chwili, gdy wypowiedziano te słowa, a pewne zdarzenie raz jeszcze przypomniało Agnes o „straszliwej kobiecie".

Był to dzień, kiedy obowiązki wzywały Henry'ego do Londynu. Rankiem postanowił raz jeszcze ponowić swe zabiegi wobec Agnes, ale jak słusznie przewidywał, niewinną przeszkodą stały się dziewczynki. Z drugiej jednak strony zyskał sobie sojuszniczkę w osobie bratowej. „Cierpliwości — usłyszał od obecnej lady Montbarry — a ja spróbuję wykorzystać to, jak ważne są dla niej moje córki. Jeśli uda im się ją przekonać do tego, by życzliwie cię wysłuchała, twoje szanse ogromnie wzrosną".

Obie damy odprowadziły na stację Henry'ego i kilkoro innych wyjeżdżających gości, a zaraz po powrocie kamerdyner oznajmił, że pani Rolland prosi o chwilę rozmowy z lady Montbarry. Ta spojrzała na Agnes.

— Z nią właśnie kontaktował się adwokat, kiedy usiłował ustalić, co stało się z zaginionym kurierem.

— Masz na myśli tę angielską służącą, która towarzyszyła lady Montbarry w podróży do Wenecji?

— Moja droga! Nie zgadzam się, byś tę osobę obdarzała tytułem, który teraz mnie przysługuje. Dla Stephena i dla mnie znowu jest tą, którą była przed tym nieszczęsnym ślubem. Ja jestem lady Montbarry, a ona jest hrabiną. Jeśli tego będziemy się trzymać, nie dojdzie do nieporozumień. Trzeba ci wiedzieć, że pani Rolland pracowała u mnie, zanim została służącą hrabiny, i bardzo dobrze się sprawowała, ale miała jedną wadę, z powodu której musiałam ją oddalić: cała reszta służby skarżyła się na jej ponury charakter. Chcesz być obecna przy rozmowie?

Agnes zaakceptowała propozycję, mając słabą nadzieję, iż dowie się czegoś, co będzie mogła przekazać żonie kuriera. Pani Ferrari pogodziła się z już z tym, że mąż zaginął bez śladu. Ubierała się w żałobne wdowie szaty, a zarabiała dzięki pracy, o którą wystarała się jej niezmożona w swej zapobiegliwości Agnes. Ostatnią więc szansą dowiedzenia się czegoś o losie Ferrariego była rozmowa z jego dawną współpracowniczką. Ożywiana mglistymi przewidywaniami Agnes udała się zatem w ślad za przyjaciółką do pokoju, w którym czekała na rozmowę pani Rolland.

Wysoka, chuda kobieta w jesieni swego życia, z zapadłymi oczyma i siwymi włosami, z trudem podniosła się z fotela i skłoniła przed wchodzącymi. Widać było jej uczciwość i prawość, ale jawne też były niedostatki charakteru. Krzaczaste brwi, głos niski i poważny, surowe gesty, zupełna nieobecność miękkości w jej postaci kobiecej — rodziły wrażenie kontaktu z cnotą w jej najmniej pociągającej formie. Ci, którzy widzieli ją po raz pierwszy, dziwili się, iż nie jest mężczyzną.

— Jak też się miewacie, pani Rolland?

— Tak dobrze, jak to możebne w tym wieku, milady.

— Czy mogę wam w czymś pomóc?

— Byłabym bardzo wdzięczna, gdyby zechciała pani słówkiem za mną przemówić. Mogłabym dostać pracę u złożonej niemocą damy, która zamierza się tu przeprowadzić.

— Ach tak, słyszałam o tym. Pani Carbury, ponoć z bardzo piękną siostrzenicą. Ale wy, Rolland, byłyście na służbie u mnie jakiś czas temu, więc pani Carbury z pewnością wolałaby rekomendację od waszej ostatniej pracodawczyni.

— Wyjaśniłam jej dokładnie, że moja pracodawczyni — której tytułu nie wymienię w przytomności wielmożnej pani — wyjechała z Anglii do Ameryki. Pani Carbury wie, że rozstałam się z nią z własnej woli, wie też, co mnie do tego skłoniło, i pochwala moją decyzję. Jakieś ciepłe słowo od wielmożnej pani ani chybi sprawi mi tę pracę.

— Z tym nie będzie żadnych trudności, Rolland. W tej sytuacji z chęcią udzielę wam referencji. Pani Carbury zastanie mnie w domu jutro o drugiej po południu.

— Tyle że nie czuje się ona na wychodzenie z domu. Jeśli wielmożna pani nic nie będzie miała przeciw temu, w jej miejsce zjawi się siostrzenica, panna Haldane, żeby się o mnie wywiedzieć.

— Oczywiście, że nie mam nic przeciw temu, z prawdziwą przyjemnością przyjmę siostrzenicę pani Carbury. Ale zaczekajcie jeszcze chwilę, Rolland. To jest panna Lockwood, daleka kuzynka mojego męża, a moja bliska przyjaciółka. Chciałaby zadać wam kilka pytań o tego kuriera, który był na służbie u zmarłego lorda Montbarry'ego.

Pani Rolland zmarszczyła brwi, najwyraźniej niezbyt chętna nowemu tematowi rozmowy.

— Niech mu ziemia lekką będzie, milady — powiedziała tylko.

— Czyżbyście nie słyszeli, co się stało w Wenecji? — wtrąciła Agnes. — Ferrari w tajemnicy opuścił pałac i od tego czasu nikt go już nie widział.

Pani Rolland tak ścisnęła powieki, jakby chciała odegnać jakiś zdecydowanie nieprzyjemny obraz kuriera.

— Żaden uczynek pana Ferrariego nie byłby w stanie mnie zadziwić — odrzekła niemal basem.

— To niezbyt przyjazne dla niego słowa — zauważyła Agnes.

Pani Rolland otworzyła powieki i rzekła stanowczo:

— Jeśli wypowiadam o kimś surowe słowa, mam swoje powody. Pan Ferrari, panno Lockwood, zachował się wobec mnie tak, jak nigdy ani przedtem, ani potem nie odważył się żaden mężczyzna.

— A co takiego zrobił?

W głosie pani Rolland pobrzmiewała zgroza:

— Pozwolił sobie na nieprzystojne gesty. — Lady Montbarry gwałtownie się odwróciła, w chusteczce tłumiąc nagły atak śmiechu, a pani Rolland ciągnęła niezrażona: — Kiedy zaś nastawałam na przeprosiny, miał czelność odpowiedzieć, że w pałacu jest nudno, a on chciał się trochę zabawić.

— Obawiam się, że nie rozumiecie mnie właściwie. Nie interesuje mnie charakter Ferrariego. Wiecie, że był żonaty?

— Współczuję jego żonie — odrzekła pani Rolland.

— Nosi po nim żałobę — poinformowała Agnes.

— Powinna Bogu dziękować, że ją od niego uwolnił.

Agnes nie ustępowała.

— Znam Ferrari od dzieciństwa i bardzo chciałabym jej pomóc. Czy podczas pobytu w Wenecji zauważyłyście może coś, co wyjaśniałoby tajemnicze zniknięcie jej męża? Na przykład, jak się do niego odnosili pan i pani?

— Z panią był na takiej stopie — odrzekła z wyraźnym oburzeniem zapytana — że w każdym uczciwym angielskim służącym krew musiała się burzyć. Tak go zachęcała, żeby mówił jej o swoich sprawach (jak mu się układa w małżeństwie, czy potrzeba mu pieniędzy), jakby byli zupełnie sobie równi.

— A pan? — nastawała Agnes. — Jak do Ferrariego odnosił się świętej pamięci lord Montbarry?

— Milord zwykł był zamykać się ze swoimi książkami i troskami. — W głosie pani Rolland nietrudno było posłyszeć szacunek dla zmarłego. — Ferrariemu zależało tylko na tym, żeby na czas dostawać pieniądze. „Jakby było mnie na to stać, odszedłbym i ja, ale mnie nie stać", takie były ostatnie słowa, jakie do mnie wyrzekł tego ranka, kiedy opuszczałam pałac. Nic na to nie odpowiedziałam, bo po tym, co zaszło, nie byłam z panem Ferrarim na rozmownej stopie.

— Nic zatem nie przychodzi wam do głowy, co mogłoby rzucić światło na tę zagadkę?

— Nic — odparła Rolland, niekryjąca zadowolenia z tego, że w tej kwestii może tylko zawieść pytającą.

— Był w Wenecji jeszcze ktoś z rodziny — nie ustawała Agnes, chcąc zgłębić kwestię do końca, skoro miała okazję. — Baron Rivar.

Pani Rolland podniosła dużą dłoń w rdzawoczarnej rękawiczce, najwyraźniej odżegnując się od podejmowania tego tematu.

— Czy nie wie pani, panno Lockwood, że zwolniłam się z powodu tego, co zoba...

Agnes nie dała jej dokończyć.

— Interesuje mnie tylko to, czy jakieś słowa bądź gesty barona Rivara mogą tłumaczyć osobliwe zachowanie Ferrariego.

— Żadne ze znanych mi — stanowczo odrzekła

pani Rolland. — Baron i pan Ferrari (nie będę ukrywać, że z trudem przychodzi mi takie go tytułowanie) byli, na ile mogę osądzić, warci jeden drugiego; jednemu i drugiemu tak samo obce były wszelkie zasady przystojności. Jestem porządną kobietą i dam pani tylko jeden przykład. Raptem na dzień przed wyjazdem, kiedy szłam korytarzem, z uchylonych drzwi pokoju doleciały mnie słowa barona: „Ferrari, potrzebuję tysiąca funtów. Co byś zrobił za taką sumę?". A on na to: „Wszystko, sir, byle mnie tylko nie złapali". A potem obaj wybuchli śmiechem. Nic więcej nie słyszałam, a pani niech sama osądzi, panno Lockwood.

Agnes zastanawiała się przez chwilę. Tysiąc funtów; tyle właśnie wysłano pani Ferrari w anonimowym liście. Czy wiązało się to jakoś z podsłuchaną rozmową między baronem a Ferrarim? Nie było sensu dalej wypytywać panią Rolland; jasne wydawało się to, że nie doda już nic więcej, co mogłoby dalej rozjaśnić tajemniczą sprawę. Trzeba ją było odprawić; jeszcze jeden wysiłek, by ustalić coś w sprawie zaginionego, i jeszcze jeden bez efektu.

Wieczorem na kolacji zebrała się cała rodzina; z gości pozostał siostrzeniec lorda Montbarry'ego, najstarszy syn lady Barville. Lady Montbarry nie mogła się powstrzymać, by nie powtórzyć opowieści o pierwszym (i ostatnim) ataku na cnotę pani Rolland, przy czym w sposób bardzo udatny komicznie naśladowała jej tubalny, oburzony głos. Nagabnięta przez męża, jaka przyczyna spowodowała obecność dawnej służącej, lady Montbarry wspomniała o spodziewanej wizycie panny Haldane. Arthur Barville, dotychczas milczący i wycofany w siebie, w nagłym przypływie entuzjazmu włączył się do rozmowy.

— Panna Haldane to najbardziej czarująca dziewczyna w całej Irlandii! Mignęła mi wczoraj za murem, kiedy obok nich przejeżdżałem. O której ma być jutro? Przed drugą? Niby przez przypadek zajrzę do salonu. Umieram z chęci, żeby mnie jej przedstawiono.

Agnes była stropiona tym entuzjazmem.

— Czyżby zdążył się pan już zakochać w pannie Haldane?

— To nie jest temat do żartów — odparł poważnie Arthur. — Przez cały dzień kręciłem się koło muru ogrodowego w nadziei, że znowu ją zobaczę. Od panny Haldane zależy, czy będę najszczęśliwszym, czy też najbardziej zrozpaczonym człowiekiem na świecie.

— Jak możesz wygadywać takie nonsensy? — ofuknęła go ciotka.

Zgoda, mówił niemądrze, a przecież — chociaż Agnes, rzecz jasna, tego nie wiedziała — w swej niewinności prowadził jej kroki ku Wenecji.

Rozdział 14

Im bliżej było lata, tym bardziej wenecki pałac przekształcał się w nowoczesny hotel. Wychodzący na kanał palladiański fronton roztropnie pozostawiono bez żadnych zmian, natomiast wewnątrz niepodobna było nie przebudować większości pomieszczeń, przede wszystkim jeśli chodzi o ich rozmiary i rozmieszczenie. Gigantyczne „salony" podzielono na „apartamenty", każdy mieszczący po trzy lub cztery pokoje. Szerokie korytarze na piętrze okazały się na tyle rozległe, że dało się w nich wykroić dwa rzędy niewielkich sypialń, przeznaczonych dla personelu i uboższych gości. Zachowano tylko solidne parkiety i estetycznie rzeźbione sufity. Te ostatnie, których reliefy świetnie się zachowały, wymagały jedynie odświeżenia oraz poprawy złoceń tu i tam, aby natychmiast stały się ozdobą hotelowych pomieszczeń. Owa szeroko zakrojona rekonstrukcja nie objęła wszelako skraju jednego skrzydła, i to na obu kondygnacjach; architekt był zdania, że pokoje mają odpowiednią wielkość i są tak dobrze ozdobione, że najlepiej pozostawić je bez zmiany. Potem się okazało, że te właśnie pomieszczenia zajmowali lord Montbarry (na parterze) i baron Rivar (na piętrze). Pokój, w którym zmarł lord Montbarry, pozostał sypialnią i występował teraz jako „numer 14", natomiast znajdujący się nad nim pokój ongiś barona Rivara był w spisie hotelowym oznaczony jako „numer 38". Z odświeżonymi ornamentami na ścianach i sufitach, a także współczesnymi, mniej ociężałymi niż dawne meblami (łóżkami, fotelami, stołami), oba pokoje natychmiast wysforowały się na czoło jako najbardziej atrakcyjne i wygodne w całym hotelu. Zapuszczony niegdyś i niezbyt pociągający parter pałacu był teraz nie do poznania — ze swymi olśniewającymi jadalniami, salonami, pokojami bilardowymi i palarniami. Nawet podobne do lochów podziemia, teraz oświetlone i wentylowane zgodnie z najnowszymi rozwiązaniami, jak za dotknięciem magicznej różdżki zamieniły się w kuchnie, służbówki, chłodnie oraz komory na wino, godne sławy największego hotelu we Włoszech, jakim był siedemnaście lat temu.

Trzeba odnotować, że przenosząc się z letniej Wenecji do letniej Irlandii, pani Rolland została służącą u zniedołężniałej pani Carbury, a pierwszą wizytę nadobnej panny Haldane w rezydencji Montbarrych można skwitować stwierdzeniem, że niczym żeński Cezar — przybyła, zobaczyła i zwyciężyła.

Panie zachwalały ją z nie mniejszym entuzjazmem niż Arthur Barville, lord Montbarry oświadczył, że to jedyna znana mu piękna kobieta, która nie jest świadoma swej atrakcyjności. Stara służąca miała wrażenie, iż dziewczyna jakby zeszła z obrazu i do pełni doskonałości potrzebowała tylko złoconej ramy. Z kolei panna Haldane wróciła z odwiedzin oczarowana swymi nowymi znajomymi. Jeszcze tego samego dnia po południu zajechał Arthur Barville z owocami i kwiatami dla pani Carbury i z pytaniem, czy czuje się na tyle dobrze, aby nazajutrz mogła przyjąć wizytę lordostwa Montbarrych i panny Lockwood. Pani Carbury, którą unieruchomiła choroba kręgosłupa, była jak dotąd skazana na swoją siostrzenicę, jeśli chodzi o jedną z tych nielicznych przyjemności, które były jej jeszcze dostępne, a mianowicie słuchania lektury najnowszych powieści. Dowiedziawszy się o tym, Arthur niezwłocznie zaofiarował się, że może co jakiś czas wyręczać w tym zadaniu pannę Haldane. Ponieważ zaś miał na dodatek talent do mechanicznych rozwiązań, więc udoskonalił sofę pani Carbury, a także usprawnił sposób przemieszczania jej z sypialni do salonu, co w sumie złagodziło jej cierpienia i przydało życiu lekkiego kolorytu. Tak przysłużywszy się ciotce, a mając też niewątpliwe osobiste zalety, Arthur gwałtownie zyskał w oczach siostrzenicy. Nie trzeba chyba nadmieniać, iż aczkolwiek sam Arthur ostrożnie temat ten omijał — przynajmniej w słowach — ona sama dobrze wiedziała, że jest w niej zakochany, natomiast nie była aż tak pewna swoich uczuć. Ponieważ jednak inwalidka bardziej niż ktokolwiek inny mogła się skupić na obserwacji, to zauważyła, że w towarzystwie Arthura panna Haldane staje się o wiele bardziej ożywiona niż wtedy, kiedy emablowali ją inni zalotnicy. Wyciągając z tego konkluzję, pani Carbury w interesie

Arthura postanowiła wystawić swą siostrzenicę na próbę.

— Zupełnie nie wiem, co pocznę — rzekła pewnego dnia — kiedy Arthur pojedzie.

Panna Haldane natychmiast oderwała wzrok od szydełkowania.

— Toż to niemożliwe, żeby nas opuścił! — wykrzyknęła.

— Moja droga, przecież i tak już został w domu wuja miesiąc dłużej, niż wcześniej zamierzał. Jestem pewna, że rodzice spodziewają się go rychło w domu.

Na to panna Haldane odpowiedziała propozycją, która musiała wynikać z faktu, iż jej ocena sytuacji była wyraźnie zabarwiona emocjami.

— A dlaczego nie mieliby się z nim zobaczyć u lorda Montbarry'ego? — zapytała. — Posiadłość sir Theodore'a jest odległa tylko o pięćdziesiąt kilometrów, a lady Barville to siostra lorda. Przecież nie trzeba tu żadnych ceregieli.

— Mogą mieć inne zobowiązania — zauważyła pani Carbury.

— Ale o tym, ciotko, przecież nic nie wiemy. A gdybyśmy tak spytały Arthura?

— A gdybyś tak ty spytała?

Panna Haldane powróciła do szydełka. Zrobiła to wprawdzie szybko, ale ciotka zdążyła dojrzeć wyraz jej twarzy — a ta ją zdradziła.

Kiedy Arthur zjawił się następnego dnia, pani Carbury zamieniła z nim kilka słów pod nieobecność siostrzenicy, która była w tym czasie w ogrodzie. Ostatnia z najnowszych powieści leżała zaniedbana na stole, a Arthur Barville podążył w ślad za panną Haldane do ogrodu. Nazajutrz napisał do domu, do listu dołączając zdjęcie siostrzenicy pani Carbury. Nie upłynął tydzień, a sir Theodore i lady Barville odwiedzili rezydencję lordostwa Montbarrych i wyrobili sobie zdanie na temat wierności portretu fotograficznego. Oni sami pobrali się w młodym wieku i, o dziwo, nie sądzili, by należało innym odradzać takie rozwiązanie. Skoro kwestia wieku nie stanowiła problemu, żadne już przeszkody nie stawały na drodze pączkującej miłości. Panna Haldane była jedynaczką i miała odziedziczyć znaczną fortunę. Arthur radził sobie nieźle na uniwersytecie, ale nie aż tak dobrze, aby jego rezygnacja ze studiów była katastrofą dla uczelni; syn sir Theodore'a przyszłość materialną miał zabezpieczoną. Miał dwadzieścia dwa lata, panna Haldane — osiemnaście. Nie było żadnego rozsądnego powodu, aby kazać zakochanym czekać, a także żadnej dobrej racji, aby ślub odroczyć dłużej niż do pierwszego tygodnia września. Siostra pani Carbury na ochotnika zgłosiła się, iż zastąpi siostrzenicę na czas, gdy nowożeńcy oddalą się w sławetną podróż poślubną. Na zakończenie miesiąca miodowego młoda para miała powrócić do Irlandii i rozlokować się w przestronnym i wygodnym domostwie pani Carbury.

Wszystkich tych ustaleń dokonano na początku

kwietnia; mniej więcej w tym samym czasie robiono ostatnie poprawki w weneckim pałacu. Pokoje osuszono parą, wypełniono brzuchate piwnice, dyrektor zebrał imponujące grono wykwalifikowanego personelu i po całej Europie rozesłano wieść, że nowy hotel otwiera swe podwoje w październiku.

ROZDZIAŁ 15

(Panna Agnes Lockwood do pani Ferrari)

Droga Emily!

Obiecałam poinformować Cię o ślubie pana Arthura Barville'a z panną Haldane. Odbył się dziesięć dni temu, ponieważ jednak w czasie nieobecności gospodarzy w domu wiele na mnie spadło obowiązków, dopiero dzisiaj mogłam zasiąść do listu.

Z uwagi na chorobę pani Carbury, ciotki lady Agnes, zaproszenia ślubne rozesłano tylko do najbliższych członków rodziny z obu stron. Ze strony pana młodego poza lordostwem Montbarry byli obecni sir Theodore i lady Barville, pani Norbury (może pamiętasz, że to druga siostra jego lordowskiej mości), a także panowie Francis i Henry Westwickowie. Trzy dziewczynki i ja wystąpiłyśmy jako druhny, a dołączyły do nas jeszcze dwie kuzynki panny młodej, bardzo miłe i układne osoby. Byłyśmy ubrane na biało z zielonym trymowaniem na cześć Irlandii, wszystkie miałyśmy piękne złote bransoletki, ofiarowane nam przez pana młodego. Kiedy do wymienionych wyżej osób dołączysz starszych członków rodziny pani Carbury oraz starą służbę z obu domów, która miała okazję wypić zdrowie nowożeńców w najdalszym rogu pokoju, bę-

dziesz miała kompletną listę uczestników weselnego śniadania.

Pogoda była piękna, a ceremonia udała się wspaniale (włącznie z muzyką). Jeśli chodzi o pannę młodą, żadne słowa nie opiszą ani tego, jak pięknie wyglądała, ani wdzięku, z jakim przeszła przez całą uroczystość. Wszyscy byli przy śniadaniu bardzo radośni, a mowy wypadły w sumie zupełnie dobrze. Najlepszą — jako ostatni — wygłosił pan Henry Westwick. Na koniec zrobił bardzo fortunną sugestię, która spowodowała nieoczekiwaną zmianę w moim tutejszym życiu.

Jeżeli dobrze pamiętam, użył takich słów: „Co do jednego wszyscy się zgadzamy: szkoda, że zbliża się czas rozstania, i radzi wszyscy spotkamy się znowu. Bo przecież czemu nie? Mamy jesień, większość z nas nie wykorzystała jeszcze do końca wakacji, co byście zatem państwo powiedzieli, gdybyśmy — wszyscy ci, którym nie przeszkodzą inne zobowiązania — dla kolejnego uczczenia miodowego miesiąca przyłączyli się do naszej młodej pary, zanim zakończy swoją wyprawę? Jak wiemy, państwo młodzi będą jechać do Włoch przez Niemcy i Tyrol. Proponuję, byśmy na miesiąc zostawili ich samych sobie, potem jednak spotkali się z nimi na północy Włoch, powiedzmy: w Wenecji".

Propozycja spotkała się z głośnym aplauzem, który przerodził się w głośne śmiechy — za sprawą nie kogo innego jak mojej starej służącej. Ledwie pan Westwick wymówił nazwę „Wenecja", zaraz zrobił się ruch pośród służby w kącie pokoju, a rychło usłyszałam podniesiony głos mojej dawnej piastunki: „Tak, szanowni panowie i szanowne panie, zapraszamy do naszego hotelu! Już dały nam nasze pieniądze sześć procent, a jak tam zjedziecie i zamawiać będziecie, co najlepsze, jak nic ścieknie nam do kieszeni i dziesięć procent. Sam panicz Henry przyzna!".

Panu Westwickowi, w ten natarczywy sposób wywołanemu do głosu, nie pozostawało nic innego, jak przyznać, że stał się udziałowcem spółki hotelowej w Wenecji i że jakąś sumę (nie sądzę, by nazbyt wielką) służącej zainwestował w ten interes. Słysząc to, wszyscy zebrani wznieśli żartobliwy toast: „Za powodzenie hotelu służącej i szybki wzrost dywidendy!".

Starczyło jednak, że rozmowa powróciła do ważniejszych aspektów proponowanego spotkania w Wenecji, by ukazały się problemy, związane, rzecz jasna, z tym, że wielu z obecnych przyjęło już jesienne zaproszenia. Tylko dwoje członków rodziny pani Carbury było w stanie przyjąć zaproszenie; po naszej stronie znalazło się ich więcej. Pan Henry Westwick oznajmił, że wyprzedzając wszystkich, zbada poziom usług w Hotelu Pałacowym już w dniu jego otwarcia. Od razu zgodzili się mu towarzyszyć pani Norbury i pan Francis Westwick, po krótkich namowach także lordostwo Montbarry zdecydowali się towarzyszyć im do Paryża, gdyż jego lordowskiej mości brakło czasu na podróż aż do Wenecji. Przed pięcioma dniami wyjechali, aby spotkać w Londynie współtowarzyszy podróży, a ja zostałam z moimi drogimi dziewczynkami. *Oczywiście bardzo prosiły, aby mogły towarzyszyć tacie i mamie, ci jednak uznali, że lepiej nie zakłócać toku edukacji dzieci i nie wystawiać ich (zwłaszcza dwóch najmłodszych córek) na znoje podróży.*

Dziś rano otrzymałam od panny młodej bardzo miły list, wysłany z Kolonii; trudno sobie wręcz wyobrazić, z jaką naturalnością i swobodą pisze o swojej radości. Powiada się w Irlandii, że niektórzy są urodzonymi szczęściarzami, a ja do takich ludzi zaliczam Arthura Barville'a.

Mam nadzieję, ze w następnym liście doniesiesz mi, że lepiej się czujesz na duchu i ciele, jak również że odpowiada Ci Twoja nowa posada. Z niekłamaną przyjaźnią kreślę się

A.L.

Agnes właśnie adresowała świeżo ukończony list, kiedy najstarsza z jej podopiecznych wbiegła z zaskakującą informacją, że właśnie przyjechał z Paryża jeden z lokajów lorda Montbarry'ego. Natychmiast pospieszyła do holu, bojąc się, że usłyszy o jakimś nieszczęściu. Zanim zdążyła cokolwiek powiedzieć, sam wyraz jej twarzy zdradził, jaka jest niespokojna.

— Nie, nie, wielmożna pani, nic się nie stało — zapewnił ją mężczyzna. — Mój pan i moja pani tak bardzo dobrze się czują, że chcą, aby pani i panienki do nich dołączyły.

Z tymi słowami wręczył jej list od lady Montbarry.

Droga Agnes!

Taka jestem zachwycona cudowną odmianą w mo- im życiu — przypomnę, że ostatni raz byłam na kon- tynencie sześć lat temu — że użyłam całej perswazji, na jaką mnie stać, aby nakłonić męża na podróż do Wenecji. I wyobraź sobie, że mi się udało! Udał się wła- śnie do swojego pokoju, aby sporządzić listy z przepro- sinami i jak najszybciej wysłać je do Londynu. Obyś i Ty, kiedy przyjdzie na Ciebie czas, także trafiła na dobrego męża! Jednej już tylko rzeczy mi brakuje do pełni szczęścia, a mianowicie żeby mieć koło siebie Ciebie i córki. Lordowi brakuje ich tak samo jak mnie, tyle że nie daje tego po sobie poznać. Nie musisz się o nic martwić. Louis doręczy Ci ten list najszybciej, jak to możliwe, a potem zatroszczy się o wszystkie szcze- góły podróży do Paryża. Przekaż ode mnie tysiące po- całunków dziewczynkom i nie pozwól im wykręcać się od nauki. Zbierajcie się niezwłocznie, a ja Twoim widokiem będę bardziej uszczęśliwiona niż kiedykol- wiek dotąd.

Twoja oddana przyjaciółka,

Adela Montbarry.

Agnes złożyła list i na kilka minut poszła do swo- jego pokoju, aby ochłonąć.

Pierwsze i naturalne odczucie zaskoczenia i rado- ści z wyjazdu do Wenecji szybko zostało stłumione przez wrażenie o wiele mniej przyjemne. Kiedy wal- czyła o odzyskanie równowagi, znienacka przypomniały się jej słowa dowager lady Montbarry: „Spotkamy się jeszcze, tutaj w Anglii lub w Wenecji, gdzie zmarł mój mąż, i będzie to nasze ostatnie spotkanie".

Był to zaskakujący zbieg okoliczności, że ciąg wydarzeń ponieść miał Agnes do Wenecji, tak ja zapowiadały to zaskakujące słowa. Czy ta tajemnicza kobieta o dzikich, czarnych oczach wciąż była o tysiące kilometrów dalej w Ameryce? Czy także i ją ciąg wydarzeń niósł ku Wenecji? Agnes nerwowo poprawiła się w fotelu, zawstydzona tym, że mogą ją niepokoić takie przesądne myśli.

Zadzwoniła po kamerdynera i kazała przyprowadzić dziewczynki, aby mogła im powiedzieć o zbliżającej się podróży. Wszystkich sił użyła teraz do tego, aby okiełznać żywiołową radość podopiecznych, a potem zabrać się do pakowania, precz od siebie gnając wszystkie zabobonne podejrzenia i obawy. Pracowała tak intensywnie, jak potrafi tylko kobieta, gdy weźmie się do czegoś z pasją. Jeszcze tego samego dnia podróżni znaleźli się w Dublinie, skąd mieli statek do Anglii. Po następnych dwóch dniach byli już w Paryżu razem z lordem Montbarrym i jego żoną.

CZĘŚĆ IV

Rozdział 16

Agnes dotarła wraz z dziewczynkami do Paryża dwudziestego września. Pani Norbury i jej brat Francis już wyruszyli do Italii, chociaż dopiero za trzy tygodnie hotel miał otworzyć podwoje.

Za to, że tak spiesznie wyjechali, odpowiedzialny był Francis Westwick.

Podobnie jak młodszy brat Henry, sam musiał zadbać o swoje dochody, korzystając z pomysłowości i przedsiębiorczości, tyle że on działał w sferze sztuki. Pierwsze pieniądze, zarobione na wydawaniu popołudniówki, zainwestował w londyński teatr, który szybko zyskał sobie stałą i hojną publiczność. Zastanawiając się nad tym, czym ją zaskoczyć w zimowym sezonie, Francis zdecydował się postawić na balet, tak jednak, by efekty taneczne połączyć z dramatycznymi. Dlatego też wyszukiwał teraz na kontynencie najlepszych, obdarzonych czarem osobistym tancerzy. Dowiedziawszy się od zagranicznych korespondentów o dwóch wspaniałych występach baletmistrzyń — jednej w Mediolanie, drugiej we

Florencji — chciał przed spotkaniem z młodą parą odwiedzić oba miasta, aby na własne oczy przekonać się o zaletach tancerek. Ponieważ jego owdowiała siostra miała przyjaciół we Florencji, rada zgodziła się mu towarzyszyć, natomiast państwo Montbarry postanowili zostać w Paryżu do czasu, gdy będzie już pora ruszać do Wenecji. Tutaj zastał ich Henry, gdy przyjechał z Londynu, zmierzając na otwarcie hotelu.

Na przekór radom lady Montbarry Henry zdecydował się ponowić swoje awanse wobec Agnes, ale doprawdy trudno mu było znaleźć gorszą do tego okazję. Uciechy Paryża (tak dla niej niepojęte jak dla całego jej otoczenia) ogromnie ją przygnębiały. Nie nękała jej żadna choroba, posłusznie uczestniczyła we wszystkich rozrywkach, jakie oferowała przyjezdnym pomysłowość najbardziej rozdokazywanego narodu świata, nic jednak nie było w stanie jej rozbawić; niezmiennie czuła tylko przygnębienie i znużenie. W takim stanie ciała i ducha nie potrafiła na niewczesne zaloty Henry'ego odpowiadać przychylnie czy choćby znosić ich z cierpliwością.

— Czy ciągle musi mi pan przypominać o ranie, którą mi zadano? — żachnęła się przy którejś z kolejnych okazji. — Naprawdę musi ją pan jątrzyć?

Henry zwrócił się o radę do lorda Montbarry'ego.

— Wydawało mi się, że czegoś już się dowiedziałem o kobietach — rzekł — tymczasem Agnes kompletnie mnie zaskakuje. Rok już minął od śmierci naszego brata, a ona tak gorąco go ciągle wspomina, jakby do końca życia pozostał jej wierny.

— To najbardziej szlachetna kobieta, jaką kiedykolwiek widziałem — odparł lord. — Jeśli tylko będziesz o tym pamiętał, łatwiej ją zrozumiesz. Czy ktoś taki jak Agnes może ofiarować swoją miłość bądź jej odmówić w zależności od przypadkowych okoliczności? Ponieważ pewien mężczyzna był jej niegodny, czy przestał przez to być człowiekiem, którego wybrała? Nie zasłużył na to wprawdzie, ale była jego najprawdziwszym i najlepszym przyjacielem, a teraz pozostaje najprawdziwszym i najlepszym przyjacielem jego wspomnienia. Jeżeli naprawdę ją kochasz, poczekaj. I zaufaj dwóm twoim najlepszym przyjaciołom: czasowi i mnie. Ruszaj jutro do Wenecji, a kiedy będziesz żegnał się z Agnes, zachowuj się uprzejmie i nienagannie, w niczym nie nawiązując do wcześniejszych rozmów. Oto moja rada, ale ty musisz zdecydować, czy uznasz ją za najlepszą.

Henry roztropnie posłuchał brata, Agnes zaś zrobiła wszystko, aby pożegnanie odbyło się gładko i bez zgrzytów. Kiedy zatrzymał się w progu, żeby spojrzeć na nią po raz ostatni, odwróciła się, skrywając twarz. Zastanawiał się, czy to dobry znak, co potwierdziła odprowadzająca go do wyjścia lady Montbarry.

— Oczywiście! Napisz, jak tylko staniesz w Wenecji. My będziemy tu czekać na list od Arthura i jego żony, aby do nich dostosować nasz wyjazd do Włoch.

Minął tydzień, nie nadszedł żaden list od Henry'ego, natomiast kilka dni później dostarczono telegram z — o dziwo — Mediolanu, a nie mniej zaskakująca była jego treść:

OPUŚCIŁEM HOTEL. WRÓCĘ NA PRZYJAZD BARVILLE'ÓW. OBECNY ADRES: ALBERGO REALE, MEDIOLAN.

Cóż to za nieoczekiwane zdarzenie sprawiło, że Henry, stawiający Wenecję na czele wszystkich miast europejskich i mający przygotować wszystko na przyjazd rodziny, zmienił plany? I czemu stwierdził tylko fakty, nawet słówkiem ich nie skomentowawszy? Cóż, ruszajmy jego śladem, a odpowiedź znajdziemy w Wenecji.

ROZDZIAŁ 17

Hotel Pałacowy, który ściągnął przede wszystkim Brytyjczyków i Amerykanów, początek swej działalności uczcił wielkim bankietem, ten zaś rozpoczął się od długiego szeregu uroczystych i podniosłych wystąpień.

Henry Westwick był nieco spóźniony, tak że w hotelu stanął dopiero w chwili, gdy przyszedł czas na kawę i cygara. Oceniając splendor sal na parterze oraz luksusowe i komfortowe wykończenie sypialń, także i on zaczynał skłaniać się do nadziei wiernej służącej, iż dywidenda może sięgnąć dziesięciu procent. Pewne było, że początki są bardziej niż obiecujące. Umiejętna reklama takie wzbudziła zainteresowanie — głównie za granicą — że w dniu inauguracji wszystkie pokoje były wynajęte, Henry'emu zaś udało się dostać jedną z mniejszych sypialń tylko dzięki temu, że dżentelmen, który ją wynajął, w ostatniej chwili odwołał rezerwację. Bardzo zadowolony z tego rozwiązania, chciał już udać się spać, kiedy inny niespodziewany wypadek zmienił jego plany na noc, a także zapewnił mu inny, lepszy pokój.

Gdy kierował się bowiem ku schodom, jeszcze na parterze usłyszał podniesiony głos z wyraźnym akcentem z Nowej Anglii, który gniewnie protestował przeciw restrykcjom nakładanym na obywateli Stanów Zjednoczonych — polegającym na skazywaniu ich na pokój pozbawiony gazu.

Amerykanie są nie tylko najbardziej gościnnym narodem na kuli ziemskiej, lecz także — w określonych warunkach — narodem najbardziej cierpliwym i zrównoważonym. Są jednak również istotami ludzkimi, więc także ich cierpliwość ma swoje granice, które, jak się właśnie okazało, są wyznaczane przez stan oświetlenia pokoju. Amerykański podróżny nie był w stanie uwierzyć, że w świeżo ukończonej sypialni musi się posiłkować starodawnym świecznikiem, gdyż nie ma mowy o świetle gazowym. Na próżno dyrektor zachwalał urok świeżo odnowionych i pozłoconych zdobień na ścianach i suficie, dodając zarazem, że gaz w kilka miesięcy musiałby je zniszczyć. Rozgniewany klient nie zamierzał z tym polemizować, natomiast z mocą oświadczył, iż w ogóle mu nie zależy na zdobieniach — ani antycznych, ani współczesnych. Sypialnia z oświetleniem gazowym była czymś, do czego nawykł, czego się domagał i co musiał otrzymać, jeżeli miał pozostać w Hotelu Pałacowym. Nie chcąc stracić gościa, dyrektor oznajmił, że w takim razie musi się dowiedzieć, czy któryś z dżentelmenów zajmujących pokoje mniej strojnie wykończone, ale za to mające oświetlenie gazowe, zgodzi się na zamianę. Ponieważ Henry był właśnie jednym z tych dżentelmenów i nie miał nic przeciwko zamieszkaniu w większej sypialni, natychmiast zadeklarował swoją gotowość, w odpowiedzi na co Amerykanin z zapałem uścisnął mu dłoń.

— Na pierwszy rzut oka widać, sir, że jest pan osobą ceniącą kulturę, więc będzie pan zachwycony dekoracjami.

Zmierzając do pokoju, Henry zerknął na klucz. Sypialnia numer 14.

Zmęczony i senny oczekiwał, rzecz jasna, że zaśnie natychmiast, zwłaszcza iż najczęściej równie dobrze spał w domu, co poza nim. Tymczasem nie wiadomo czemu oczekiwania zupełnie się nie spełniły. Wszystko sprzyjało dobremu snu: wygodne, szerokie łóżko, świetnie przewietrzony pokój, cudowny nocny spokój Wenecji. Tymczasem trudne do wyjaśnienia przygnębienie i niepokój sprawiły, że Henry nawet nie zmrużył oka, a ledwie hotel się rozbudził, zszedł do kawiarni i zamówił wczesne śniadanie. Tymczasem, gdy mu je dostarczono, głód znienacka gdzieś znikł. Wspaniały omlet, świetnie wysmażony kotlet, świeżutkie pieczywo — wszystko odesłał nietknięte. I to kto — on, który nigdy dotąd nie uskarżał się na brak apetytu i z zapałem pałaszował smakołyki najróżniejszych kuchni!

Był ładny, pogodny dzień. Wezwał gondolę i kazał się zawieźć na Lido. Ledwie znalazł się w lagunie, poczuł się zupełnie innym człowiekiem. Nie minęło jeszcze dziesięć minut od opuszczenia hotelu, a on już smacznie chrapał w gondoli. Zbudził się, gdy dobili do Lido. Przeszedł na drugą stronę wyspy i odświeżył się poranną kąpielą w Adriatyku. O tej porze znalazł tylko jakąś marną restaurację, ale ponieważ apetyt powrócił ze zdwojoną siłą, więc niczym głodomór zjadł wszystko, co mu podano. Kiedy teraz o tym myślał, wprost nie mógł uwierzyć, że odesłał do kuchni wyśmienite hotelowe śniadanie, nie uszczknąwszy z niego nawet kęsa!

Wrócił do Wenecji i resztę dnia spędził w galeriach malarskich i kościołach. O szóstej gondola powiozła go do hotelu, on zaś wprost już nie mógł się doczekać chwili, gdy zasiądzie do stołu z przygodnymi znajomymi, z którymi wcześniej umówił się na kolację.

Wszyscy goście zgodnie uznali, iż kolacja była znakomita, ale znalazł się jeden wyjątek. Henry nie posiadał się ze zdumienia, skonstatowawszy, że apetytu, który czuł jeszcze, gdy wchodził do hotelu, nie doniósł do jadalni. Owszem, napił się trochę wina, ale przełknąć nie mógł niczego.

— Czy coś panu dolega? — zaniepokoili się współbiesiadnicy, ale Henry mógł na to odpowiedzieć tylko wzruszeniem ramion.

— Nie mam pojęcia.

Nieubłaganie zbliżała się noc; musiał swą wygodną i piękną sypialnię wystawić na nową próbę, ale jej efekt był taki sam jak poprzednio: znowu przeczołgał się przez bezsenną noc. I raz jeszcze, gdy chciał zasiąść do śniadania, okazało się, że nie jest w stanie niczego tknąć!

Tego zdumiewającego doświadczenia nie mógł pominąć milczeniem. W salonie podzielił się nim ze swymi znajomymi, a trzeba trafu, iż słyszał to dyrektor hotelu, który poczuł się dotknięty niewypowiedzianą sugestią, iż za fatalne noce Henry'ego odpowiedzialna jest sypialnia numer 14. Głośno i stanowczo poprosił wszystkich obecnych, aby na własne oczy stwierdzili, czy można mieć jakiekolwiek pretensje do pokoju, a zwłaszcza zależało mu na opinii siwowłosego dżentelmena.

— Będę bardzo wdzięczny doktorowi Bruno, najbardziej cenionemu spośród weneckich lekarzy, jeżeli wyrazi swą światłą opinię, czy mogą być jakieś niezdrowe wyziewy w pomieszczeniu zajmowanym przez pana Westwicka.

Znalazłszy się w pokoju numer 14, lekarz rozejrzał się po nim z zainteresowaniem, które nie uszło uwagi innych obecnych.

— Byłem już tu kiedyś, ale z dość nieprzyjemnej okazji. Pałac nie był jeszcze wówczas hotelem, a mnie wezwano do angielskiego szlachcica, który niestety zmarł w tym pokoju.

Ktoś z boku spytał o nazwisko zmarłego. Doktor Bruno, któremu nawet nie przyszło do głowy, że mówi w obecności brata denata, odrzekł:

— Lord Montbarry.

Usłyszawszy to, Henry bez słowa opuścił pokój.

Obce mu były wszelkie przesądy i zabobony, niemniej poczuł, że teraz nic go już nie zmusi do pozostania w tym hotelu. Co więcej, postanowił w ogóle wyjechać z Wenecji, zwłaszcza że gdyby w Hotelu Pałacowym poprosił o inny pokój, dyrektor poczułby się z pewnością głęboko dotknięty. Z kolei przeniesienie się do innego hotelu oznaczałoby dezaprobatę dla przedsięwzięcia, którego materialnym powodzeniem sam był wszak zainteresowany. Zostawiwszy wiadomość Arthurowi Barville'owi, w której napisał tylko tyle, że chce obejrzeć włoskie jeziora, a wysłana do hotelu w Mediolanie informacja natychmiast ściągnie go do Wenecji, udał się po południu ma stację. W Padwie, gdzie się zatrzymał, zjadł kolację ze smakiem i spał nie mniej smacznie.

Nazajutrz zupełnie niezwiązane z Montbarrymi małżeństwo wracające do Anglii stanęło w Hotelu Pałacowym i otrzymało numer 14. Dyrektor, nadal poruszony podejrzeniami rzuconymi na ten pokój, z rana wypytał gości, jak im się spało, i z prawdziwą radością usłyszał, że Brytyjczycy postanowili spędzić w Wenecji dzień dłużej, niż planowali, tylko z powodu satysfakcji, jaką dał im pobyt w hotelu.

— Z niczym takim nie spotkaliśmy się jeszcze we Włoszech — zapewnili. — Może pan być pewien, że zareklamujemy Pałacowy wśród naszych przyjaciół.

W dniu, w którym numer 14 znowu się zwolnił, do hotelu przybyła angielska dama, podróżująca w towarzystwie służącej. Obejrzawszy pokój, natychmiast kazała się w nim zameldować.

Była to pani Norbury. W Mediolanie rozstała się

z Francisem Westwickiem, zaprzątniętym rozmowami z występującą w La Scali tancerką, którą chciał nakłonić do występów w swoim teatrze. Pani Norbury zaś przypuszczała, że nowożeńcy Barville'owie mogli już dotrzeć do Wenecji. Ponieważ bardziej chciała zobaczyć młodą parę, niż czekać na efekt przeciągających się rokowań, więc oznajmiła, że najlepiej, aby mogła w Wenecji osobiście przeprosić w imieniu brata, jeśli sprawy teatralne nie pozwolą mu zjawić się punktualnie na uczczenie zakończenia miesiąca miodowego.

Przeżycia pani Norbury w pokoju numer 14 były inne niż brata. Zasnęła szybko i łatwo, ale natychmiast zaczęły ją dręczyć sny, w których główne role odgrywał jej zmarły brat, dawny lord Montbarry. Widziała go głodującego w okropnym więzieniu, gonionego przez zamachowców i ginącego od ciosów ich sztyletów, leżącego na gorejącym łożu, na którym pochłaniały go płomienie, wypijającego truciznę i konającego w cierpieniach. Ta kumulująca się groza sprawiła, że zbudziwszy się o świecie, bała się znowu zasypiać. Z całej rodziny to ona miała najlepsze kontakty z Herbertem, gdyż druga siostra i bracia nieustannie się z nim kłócili. Ba, nawet matka powtarzała, że ze wszystkich dzieci najmniej lubi najstarszego syna. Teraz rozdygotana na przekór swemu rozsądkowi pani Norbury siedziała w fotelu przy oknie i zapatrzona we wschód słońca, myślała o nękających ją snach.

Musiała znaleźć jakąś wymówkę, kiedy o zwykłej porze zjawiła się służąca i przestraszyła się jej wyglądem. Ponieważ była bardzo zabobonną sensatką, nierozsądne wydawało się mówienie jej prawdy, więc pani Norbury oznajmiła, że źle spała z powodu rozmiarów łóżka — co zdziwiło służącą, gdyż wiedziała ona, że w domu pani korzysta ze znacznie mniejszego mebla. Powiadomiony o wszystkim w trakcie dnia dyrektor poinformował, że może zaoferować tylko sypialnię numer 38, położoną dokładnie nad pokojem, który klientka chciała opuścić. Pani Norbury przystała na propozycję, drugą noc miała zatem spędzić w pomieszczeniu ongiś zajmowanym przez barona Rivara.

I znowu zasnęła, ledwie przytknęła głowę do poduszki, znowu też nawiedziły ją okropne sny, i to w tej samej kolejności. Mając już od wczoraj roztrzęsione nerwy, tym razem nie dotrwała do świtu i w środku nocy wybiegła w szlafroku na korytarz. Zaniepokojony hałasami portier spotkał ją w połowie schodów, ona zaś rozpaczliwie przywarła do niego, powtarzając, że nie może zostać sama. Ten, złożywszy wszystko na karb znanej ekscentryczności Anglików, zajrzał do księgi hotelowej i poprowadził damę do pokoju zajmowanego przez jej służącą, która nie tylko nie spała, lecz nawet nie zdążyła się jeszcze rozebrać i z osobliwym spokojem powitała panią Norbury. Ta, kiedy zostały same, tym razem niczego już nie ukrywała, natomiast zaskoczyła ją odpowiedź służącej.

154

— Dzisiaj wieczorem podczas kolacji dla służby zaczęłam się rozpytywać o hotel. Lokaj jednego z dżentelmenów słyszał, że zanim pałac zamieniono na hotel, ostatnim lokatorem był świętej pamięci lord Montbarry. Umarł w pokoju, który pani zajmowała poprzedniej nocy, ma'am, a dzisiaj spała pani dokładnie piętro wyżej. Nic nie mówiłam, żeby jaśnie pani nie straszyć, ale sama, jak pani widzi, nie gasiłam światła i siedziałam nad Biblią. Po mojemu, to nikt z pani rodziny nie będzie dobrze czuł się w tym domu.

— Co chcecie przez to powiedzieć?

— No więc tak, ma'am. Kiedy był tutaj pan Henry Westwick (wiem to od tego samego lokaja), także zamieszkał w pokoju, w którym umarł jego brat, no ale nic o tym nie wiedział, a tu przez dwie noce nawet oka nie zmrużył. Bez żadnego powodu (lokaj słyszał, jak mówił to jednemu dżentelmenowi w kawiarni) strasznie był słaby i wymęczony. Mało tego, gdy nadszedł już dzień, jak długo siedział pod tym dachem, niczego nie był w stanie przełknąć. Może się pani ze mnie śmiać, ale nawet i służąca może coś wymyślić. No więc jak dla mnie coś się milordowi stało w tym domu, w którym mu się zmarło. Jego duch się tu błąka i będzie się błąkać, jak długo tego nie wypowie, a czują go wszyscy, co są mu bliscy. I kto wie, czy go nie zobaczą. Dlatego błagam, niech pani tutaj ani trochę więcej nie zostanie. Ja na pewno za wszystkie pieniądze świata nie zostanę tutaj jeszcze jednej nocy.

155

W tej przynajmniej kwestii pani Norbury natychmiast uspokoiła swoją służącą.

— O tym nie ma mowy, możesz być pewna. Pojedziemy do Mediolanu, gdyż muszę o wszystkim opowiedzieć bratu.

Z konieczności musiało upłynąć kilka godzin, zanim pierwszym pociągiem, który odjeżdżał wczesnym przedpołudniem, opuściły Wenecję.

Wcześniej pani Norbury pozwoliła służącej w zaufaniu powiedzieć o wszystkim znajomemu lokajowi, który nie omieszkał przekazać informacji swoim kolegom, którzy postąpili w ten sam sposób. Nie trzeba było długo czekać, aby historia dotarła do uszu dyrektora, który bezzwłocznie się zorientował, że renoma hotelu jest zagrożona. Delikatnie wypytawszy angielskich gości, zorientował się, że daleko do tego, aby Henry Westwick i pani Norbury byli jedynymi krewnymi zmarłego lorda Montbarry'ego, można więc było mieć obawy, że także inni będą się tu zjawiać — dlatego profilaktycznie postanowił zmylić tropy. Przyśrubowane do drzwi numery pokojów były wypisane niebieską emalią na białej porcelanie. Dyrektor zamówił nową płytę z napisem „13A", a kiedy pokój się zwolnił, nie wynajmował go do chwili, aż na drzwiach rozparł się nowy numer, natomiast czternastkę przeniósł na drzwi swojego, znajdującego się na piętrze pokoju. Nigdy nie miał on być udostępniany gościom, toteż na liście możli-

wych do wynajęcia w Hotelu Pałacowym pomieszczeń w ogóle nie było numeru 14.

Kiedy całemu personelowi pod groźbą natychmiastowego zwolnienia zabronił wspominać komukol-
wiek z gości czy ich służby o zmianach w numeracji
pokojów, uznał, że wywiązał się ze swych obowiązków. „Teraz — pomyślał triumfalnie — niechże sobie przyjeżdża i cała rodzina. Hotel jest gotów na jej
powitanie".

ROZDZIAŁ 18

Nie skończył się jeszcze tydzień, a dyrektor znowu miał do czynienia z Montbarrymi. Depesza z Mediolanu doniosła, że nazajutrz zjawi się w Wenecji pan Francis Westwick i będzie bardzo zobowiązany, jeśli zostanie dlań zarezerwowany numer 14 na pierwszym piętrze.

Dyrektor wpadł w zadumę, zanim podjął decyzję.

W dzień przyjazdu Francisa Westwicka przenumerowany pokój będzie jeszcze zajmowany przez francuskiego dżentelmena, który jednak nazajutrz miał go opuścić. Czy będzie rozsądne umieszczenie tam wtedy Anglika? Jeśli niczego nie podejrzewając, spędzi noc spokojnie i wygodnie w pokoju „13A", po czym powie to przy świadkach następnego ranka — czyż w ten sposób nie zostanie zdjęte odium z Hotelu Pałacowego, i to zdjęte przez członka rodziny, która to odium rzuciła? Po krótkim namyśle zdecydował się na eksperyment i wydał odpowiednie rozporządzenia.

Następnego dnia przyjechał Francis Westwick w znakomitym humorze.

Udało mu się podpisać umowę z jedną z najpopularniejszych włoskich tancerek, a opiekę nad panią Norbury przekazał bratu Henry'emu. Teraz zaś wiele sobie obiecywał po sprawdzeniu owych osobliwych efektów, o których dowiedział się od rodziny. Wysłuchawszy brata i siostry, natychmiast oznajmił, że udaje się do Wenecji w interesie swojego teatru, opowieść bowiem podsunęła mu nie tylko pomysł na spirytualistyczny dramat, lecz także i znakomity tytuł: *Nawiedzony hotel*. Ach, rozwiesić plakaty po całym Londynie, czerwone, wysokie na metr osiemdziesiąt litery na czarnym tle — a publiczność będzie się pchała do teatru drzwiami i oknami!

Francis został przyjęty przez dyrektora z najwyższym uszanowaniem, ale już na samym początku czekało go rozczarowanie.

— To jakaś pomyłka, sir. Na pierwszym piętrze nie mamy numeru 14, natomiast jest taki na drugim, tyle że od dnia otwarcia hotelu to ja zajmuję ten pokój. Pozwolę sobie wyrazić przypuszczenie, że może panu chodzić o numer 13A. Jest doprawdy uroczy, ale wolny będzie dopiero jutro. Natomiast dzisiejszą noc musiałby pan jeszcze spędzić w innej sypialni.

Człowieka zawodowo zajmującego się teatrem bardzo trudno jest nabrać na jakieś inscenizacje, dlatego też Francis nie potraktował słów dyrektora poważnie, a mówiąc bardziej dosadnie: uznał je za kłamstwo.

Jeszcze przed godziną wieczerzy udał się do restauracji, aby nie zwracając niczyjej uwagi, wypytać kelnera. Na podstawie jego odpowiedzi doszedł do wniosku, że pokój 13A jest w istocie tym, który brat i siostra opisali mu jako 14. To stwierdziwszy, poprosił o listę gości i z prawdziwą radością stwierdził, że obecnie mieszka w 13A dobrze mu znany osobiście właściciel teatru paryskiego, monsieur Balledar. Czy jest obecnie w hotelu? Nie, wyszedł, ale z pewnością wróci na kolację. Gdy ta się kończyła, Francis wszedł do jadalni, a widząc go, paryski kolega poderwał się od stolika i wybiegł mu na spotkanie z otwartymi ramionami.

— Ach, jakież wspaniałe spotkanie — zawołał Balledar. — Przejdźmy na cygaro do mojego apartamentu, bo muszę pana wypytać, jak też panu poszło z ową baletnicą z Mediolanu.

W taki to prosty sposób Francis zyskał możliwość porównania wnętrza apartamentu z opisem, który usłyszał w Mediolanie, ale Francuz przystanął zaraz za progiem jadalni.

— Lada chwila nadejdzie mój scenograf, który rozgląda się tutaj za materiałami. Na pewno z radością także pana posłucha. Każę portierowi, żeby go skierował do mojego pokoju. — Balledar wręczył Francisowi klucz. — Pokój 13A, piętro na końcu korytarza.

Francis wszedł do apartamentu sam. Natychmiast rozejrzał się za dekoracjami na ścianach i suficie; całkowicie zgadzały się z tym, czego oczekiwał na podstawie opisów. Ledwie jednak to zarejestrował, poczuł bowiem ku swemu zdziwieniu, że musi przede wszystkim zająć się samym sobą. Zorientował się, że w pokoju unosi się przedziwny, kompletnie mu nieznany zapach. Nie był prosty, lecz jakby złożony z dwóch połączonych, ale i wyraźnie oddzielonych wyziewów. Na ową miksturę składały się czynnik słabszy, jakoś niemile aromatyczny, i silniejszy, tak odrażający, że nie mogąc go znieść, Francis rzucił się do okna, gwałtownie je otworzył i wystawił głowę na zewnątrz.

W tejże chwili w drzwiach stanął z zapalonym już cygarem w ręku francuski gospodarz i aż podskoczył na widok, który wstrząsnąłby każdym jego rodakiem: otwarte na oścież okno!

— Wy, Anglicy, macie wprost bzika na punkcie świeżego powietrza! — zawołał. — Przecież zamarzniemy na śmierć!

Francis odwrócił się od okna i spytał zdumiony:

— Naprawdę nie czuje pan tego zaduchu?

— Zaduch? — powtórzył Francuz. — Czuję tylko całkiem miły zapach mego cygara. Niech pan też się poczęstuje. I, na miłość boską, niechże pan zamknie to okno.

Francis gestem odrzucił zaproszenie.

— Przepraszam — wybełkotał — ale niech pan sam zamknie okno. Słabo mi, kręci mi się w głowie, muszę wyjść.

Zakrył twarz chustką i pospieszył do drzwi. Balledar udał się za nim, tak zdetonowany, że nie skorzystał nawet z okazji do tego, aby odciąć dopływ złowrogo świeżego powietrza.

— Aż tak pana dusi? — zapytał zdumiony.

— Okropnie! — wykrztusił Francis przez chusteczkę. — Nigdy w życiu nie wąchałem niczego bardziej obrzydliwego!

Rozległo się pukanie do drzwi i w progu stanął scenograf. Dyrektor teatru natychmiast go spytał, czy czuje jakiś niezwykły zapach.

— Owszem, pańskie cygaro. Będę wdzięczny, jeśli mnie pan poczęstuje.

— Zaraz, chwileczkę. Czuje pan jeszcze jakiś zapach poza moim cygarem, coś obrzydliwego, odpychającego, czego nigdy jeszcze pan nie wąchał?

Zapytany był najwyraźniej zaskoczony natarczywością pytania.

— Bardzo piękny pokój, żadnych nieprzyjemnych zapachów.

Mówiąc to, scenograf patrzył z niedowierzaniem na Francisa Westwicka, który przepchnął się obok niego i teraz z korytarza z wyraźnym wstrętem patrzył na wnętrze apartamentu 13A. Balledar podszedł do swego angielskiego kolegi i przypatrywał mu się z niepokojem.

— Niechże pan zważy — powiedział — na to, że jest tu nas dwóch, każdy obdarzony zdrowym zmysłem zapachu, a żaden nie czuje niczego niezwykłego. Dobrze, jeśli to panu nie wystarczy, proszę bardzo. — Wskazał dwie angielskie dziewczynki bawiące się na korytarzu. — Drzwi do mnie są szeroko otwarte, a przecież sam pan wie, jak szybko roznosi się zapach. Odwołam się do nieskażonych zmysłów tych dziewczynek w ich ojczystym języku. — Balledar przeszedł na angielski: — Posłuchajcie mnie, panienki, czy czujecie jakąś nieprzyjemną woń? — Obie dziewczynki wybuchły śmiechem i zdecydowanie kręcąc głowami, odkrzyknęły: „Nie!". — A zatem, mister Westwick — kontynuował paryżanin — wniosek wydaje się chyba jasny? Jeśli jest coś w nieporządku, to tylko z pańskim zmysłem powonienia, dlatego sugerowałbym, aby się pan skontaktował z lekarzem.

To powiedziawszy, monsieur Balledar powrócił do swego pokoju i z okrzykiem ulgi zamknął nareszcie okno. Francis tymczasem zbiegł na dół i opuściwszy hotel, udał się w kierunku placu św. Marka. Nocne powietrze szybko go otrzeźwiło na tyle, aby mógł zapalić cygaro i zastanowić się nad tym, co zaszło.

ROZDZIAŁ 19

Omijając zatłoczone kolumnady, Francis z wolna przechadzał się po wolnej, zalanej księżycowym światłem przestrzeni.

Nigdy się wprawdzie nad tym przesadnie nie zastanawiał, ale był zdecydowanym materialistą, zgodnie więc z tą postawą usiłował znaleźć wyjaśnienie osobliwego efektu, jaki na niego — a także siostrę i brata — wywarło owo hotelowe pomieszczenie. „Może — myślał — bardziej, niż przypuszczałem, podlegam działaniu wyobraźni i to ona igra ze mną samym? A może ma rację mój francuski przyjaciel i coś cieleśnie jest ze mną nie w porządku? Nie czuję się chory, to pewne, ale nie zawsze jest to wiarygodne kryterium. Jedno jest pewne: dzisiaj mowy nie ma o spaniu w tym obrzydliwym pokoju, natomiast jutro zdecyduję, czy udać się do lekarza, czy też nie. Na razie widać również, iż hotel nie zainspiruje mnie teatralnie. Straszliwy smród wydzielany przez niewidocznego ducha to rozwiązanie zupełnie nowe, ale ma jedną zasadniczą wadę: gdybym chciał je wykorzystać na scenie, wypłoszę całą publiczność".

W chwili gdy dotarł do tej nader zdroworozsądkowej konkluzji, zdał sobie sprawę z tego, że intensywnie wpatruje się w niego kobieta, cała odziana na czarno. Gdy pochwyciła jego wzrok, zapytała:

— Czy słusznie przypuszczam, że mam do czynienia z panem Francisem Westwickiem?

— Istotnie tak się nazywam, madame. Czy mogę się dowiedzieć, z kim mam zaszczyt?

— Kiedyś już się spotkaliśmy — odparła niepewnie — gdy pański zmarły brat przedstawiał mnie swojej rodzinie. Naprawdę nie zapamiętał pan moich czarnych oczu i bladej cery?

Mówiąc to, uniosła welon i wystawiła twarz na światło księżyca.

Francis od jednego spojrzenia rozpoznał najbardziej znienawidzoną z kobiecych twarzy: była to wdowa po jego bracie Herbercie, poprzednim lordzie Montbarrym. Zmarszczył brwi, a ponieważ w licznych kontaktach z aktorkami nauczył się szorstkości w rozmowach z kobietami, teraz również nie troszczył się o układność.

— Tak, pamiętam panią — odrzekł nieprzyjaźnie.

— Byłem pewien, że jest pani w Ameryce.

To powiedziawszy, odwrócił się, aby odejść, podczas gdy ona, nie zważając na obcesowość, z jaką została potraktowana, powstrzymała go, chwytając za łokieć.

— Niech pan pozwoli, że będę panu towarzyszyła przez kilka minut. Muszę panu coś zakomunikować.

Podniósł rękę z cygarem.

— Ale palę w tej chwili.

— To mi nie przeszkodzi.

W tej sytuacji mógł już tylko albo posunąć się do najwyższego grubiaństwa, albo się podporządkować.

— Dobrze — burknął. — Co takiego ma mi pani do powiedzenia?

— Nie będę niczego owijać w bawełnę, panie Westwick. Otóż jestem w tej chwili zupełnie sama na świecie. Najpierw odszedł mój mąż, teraz dołączyła się do tego kolejna strata: w Ameryce odumarł mnie także mój brat, baron Rivar.

Wątpliwa reputacja barona i podejrzenia co do charakteru jego związków z hrabiną sprawiły, że Francis zapytał brutalnie:

— A co, zastrzelono go przy kartach?

— Nie dziwi mnie przesadnie to pytanie — odrzekła ze zjadliwą ironią — gdyż jak na lubującego się w wyścigach konnych Anglika przystało, pierwsze pańskie skojarzenia wiążą się z hazardem. Faktem też jest, że mój brat nie zmarł śmiercią naturalną, gdyż znalazł się w gronie ofiar zarazy szerzącej się w jednym z zachodnich miast, które na swoje nieszczęście odwiedziliśmy. Tragedia ta sprawiła, że Stany Zjednoczone stały się dla mnie nieznośne. Pierwszym możliwym statkiem opuściłam Amerykę, a był to francuski parowiec, który zawinął do Hawru. Potem udałam się na południe Francji, a stamtąd przeniosłam się do Wenecji.

„Co mnie to wszystko obchodzi?", myślał Francis, ponieważ jednak kobieta umilkła, najwyraźniej oczekując jakiegoś pytania, rzekł, ciągle głosem mało przyjaznym:

— Widzę, że przyjechała pani do Wenecji, tylko po co?

— Nie byłam w stanie się powstrzymać.

Francis wpatrzył się w nią z cynicznym zaintere-sowaniem.

— Cie-ka-we — wycedził. — A czemu to nie mog-ła się pani powstrzymać?

— Kobiety bardzo często działają pod wpływem impulsu — odrzekła. — Powiedzmy więc, że to on kazał mi przyjechać tutaj, tyle że jest to ostatnie miejsce na świecie, w którym chciałabym się znaleźć, gdyż łączą się z nim jak najgorsze skojarzenia. Gdyby to tylko ode mnie zależało, nigdy bym się tutaj nie zjawiła. Nienawidzę Wenecji, ale przecież, jak pan widzi, jestem tutaj. Spotkał już pan kiedyś kobietę równie niekonsekwentną? Jestem pewna, że nigdy. — Umilkła, wpatrzyła się we Francisa i znienacka zmieniła ton: — Kiedy jest tutaj spodziewana panna Agnes Lockwood?

Francisa niełatwo było wytrącić z równowagi, taki jednak był skutek nieoczekiwanego pytania.

— A skąd pani wie, że panna Lockwood wybiera się do Wenecji?! — wykrzyknął.

Zaśmiała się gorzko.

— Powiedzmy, że zgadłam.

Coś w tonie głosu kobiety — a może hardy wyraz jej oczu — jeszcze bardziej zirytowało Francisa, któ-ry zaczął podniesionym głosem:

— Lady Montbarry...

Przerwała mu jednak.

— Nie! Lady Montbarry to dzisiaj żona pańskie-

167

go brata Stephena, ani myślę dzielić ten sam tytuł z kimś innym. Proszę zwracać się do mnie tak, jak się nazywałam, zanim podjęłam fatalną decyzję, aby wyjść za pańskiego brata Herberta: hrabina Naronne.

— Hrabino Naronne! Jeśli narzuciła mi pani swoją obecność tylko po to, aby zamącić mi w głowie, to wybrała sobie pani złego człowieka. Niech pani zatem mówi wprost, a nie zagadkami, gdyż inaczej muszę panią pożegnać.

— Jeśli chodzi panu tylko o to, aby utrzymać w sekrecie przyjazd panny Lockwood, niech pan powie to wprost, panie Westwick.

Jeżeli chciała jeszcze bardziej wytrącić Francisa z równowagi, świetnie jej się to udało.

— Nonsens! — wykrzyknął. — Mój brat nie ma potrzeby ukrywania swoich planów! Tak, przyjedzie do Wenecji wraz z żoną i córkami, a także z panną Lockwood. Ale skoro jest pani tak dobrze poinformowana, to może pani wie, dlaczego panna Lockwood z nimi przyjedzie?

Hrabina Naronne nagle zamilkła i się zamyśliła. Stali w tej chwili przed Bazyliką św. Marka. Księżyc świecił dostatecznie jasno, aby wszystkie detale architektoniczne były widoczne w pełnej krasie.

— Nigdy jeszcze nie widziałam, żeby stary kościół tak pięknie wyglądał w księżycowym blasku — powiedziała hrabina bardziej do siebie niż do Francisa.

— Żegnaj, księżycowy święty Marku, nigdy już się nie zobaczymy. — Kiedy się odwracała, pochwyciła utkwione w niej spojrzenie Francisa. — Nie, nie wiem, dlaczego przyjeżdża panna Lockwood, natomiast wiem, że spotkamy się w Wenecji.

— Macie to panie umówione?

— Nie, to przeznaczenie — odrzekła ze zwieszoną głową i oczyma wbitymi w ziemię, co Francis skwitował wybuchem śmiechu. — Jeśli pan woli, może pan wzorem licznych głupców nazwać je przypadkiem.

— Trzeba powiedzieć — natychmiast podchwycił Francis — że przypadek dziwnych ima się chwytów, aby doprowadzić do tego spotkania. Umówiliśmy się, żc się spotkamy w Hotelu Pałacowym, ale jakoś nie widziałem na liście gości pani nazwiska. Czy przeznaczenie mogłoby czegoś nie dopatrzyć?

Gwałtownym ruchem spuściła na twarz woalkę.

— Przeznaczenie może to jeszcze sprawić — powiedziała wolno. — Hotel Pałacowy? — powtórzyła. — Stare piekło zamienione w nowy czyściec. To samo miejsce, Jezus Maria, to samo miejsce! — Nagle chwyciła Francisa za ramię. — Ale może panna Lockwood nie zjawi się z pozostałymi w hotelu? Jest pan pewien, że też tam będzie?

— Jak najbardziej! Czyż nie powiedziałem, że podróżuje z lordostwem Montbarry? Opiekuje się ich córeczkami. Tak, bez wątpienia powinna pani dołączyć do nas w hotelu!

Z tonu jej głosu nie był w stanie wywnioskować, co naprawdę myśli:

— Tak, istotnie muszę to zrobić.

Ponieważ hrabina nadal trzymała go za ramię, czuł, że cała dygocze. Powodowany prostym ludzkim współczuciem zapytał, czy jej zimno.

— Tak. Bardzo. I słabo mi.

— Bardzo zimno, w taką noc jak dzisiaj?

— Noc nie ma tym nic wspólnego, mister Westwick. Jak pan sądzi, co czuje skazany na szafocie, gdy kat zakłada mu stryczek na szyję? Zimno mu, omdlewa, tak sobie wyobrażam. Przepraszam za ponury przykład, ale tak to właśnie odbieram: przeznaczenie zakłada mi pętlę na szyję. — Rozejrzała się; stali obok znanej kawiarni U Floriana. — Niech mnie pan tam zaprowadzi. Muszę czymś się pobudzić. Bardzo tego potrzebuję, ale i dla pana będzie korzystne. Nie powiedziałam panu jeszcze tego, co chciałam, a jest to sprawa związana z pańskim teatrem.

Zastanawiając się, co też hrabina może wiedzieć o jego teatrze, Francis niechętnie poszedł z nią do kawiarni i znalazł spokojny kącik, gdzie mogli usiąść, nie zwracając uwagi.

— Słucham — powiedział z rezygnacją, podczas gdy hrabina, nie czekając na niego, sama złożyła zamówienie u kelnera.

— Maraskino i filiżankę herbaty.

I kelner, i Francis spojrzeli na nią zaskoczeni; połączenie maraskino i herbaty było dla nich nowością. Widząc to, hrabina kazała napełnić duży kubek lampką maraskino, a do reszty dopełnić herbatą z czajnika.

— Sama tego nie mogę zrobić, bo za bardzo drżą

mi ręce. — Natychmiast upiła duży haust mikstury, dopóki była ciepła. — Poncz z maraskino, chce pan może spróbować? Ten przepis zawdzięczam matce, która była związana z dworem waszej królowej Karoliny, gdy ta odwiedziła kontynent. To owa nieszczęsna monarchini wpadła na pomysł, by tak sporządzić poncz, ja zaś przejęłam przepis od matki, która podzielała gusta swojej pani. No ale przejdźmy do tego, co z pewnością pana najbardziej interesuje, mister Westwick, a więc do interesów. Z tego, co wiem, kieruje pan teatrem; czy interesowałaby pana nowa sztuka?

— Zawsze, jeśli tylko jest dobra.

— Za taką, jak rozumiem, gotów jest pan zapłacić.

— I to nawet hojnie, jeśli tylko widzę w tym pożytek dla siebie.

— Jeśli napiszę sztukę sceniczną, czy ją pan przeczyta?

Francis się zawahał.

— A czemu przyszedł pani do głowy taki pomysł, żeby pisać sztuki?

— Zawdzięczam to przypadkowi. Powiedziałam memu świętej pamięci bratu o ostatniej rozmowie, jaką odbyłam w Anglii z panną Lockwood. Samo to zdarzenie niezbyt go zainteresowało, w przeciwieństwie do mojej o nim opowieści. „Masz świetne wyczucie dramatyczne — powiedział — rozpisz to na dialog teatralny, rozwiń w sztukę, a możesz zarobić na tym niezłe pieniądze". Te słowa utkwiły mi w głowie.

Zdziwiony Francis zmarszczył czoło.

— Przecież chyba nie potrzebuje pani pieniędzy? — zawołał.

— Zawsze ich potrzebuję. Mam kosztowne gusta, tymczasem dostaję tylko te marne czterysta funtów rocznie; z innych pieniędzy zostało mi wszystkiego jakieś dwieście funtów.

Francis nie wierzył własnym uszom, wiedząc, że mówi ona o dziesięciu tysiącach funtów, jakie wypłaciły jej towarzystwa ubezpieczeniowe.

— Tylko dwieście funtów? — powtórzył. — A reszta?

Niefrasobliwie machnęła ręką.

— Rozeszła się.

— A baron Rivar?

W jej czarnych oczach zamigotał gniew.

— Moje sprawy osobiste nic pana nie interesują, mister Westwick. Złożyłam panu propozycję i jak na razie nie otrzymałam odpowiedzi. Niech pan nie odmawia bez zastanowienia. Proszę pamiętać, jak bogate życie mam za sobą. Uczestniczyłam w niezwykłych zdarzeniach, słyszałem osobliwe historie, wiele widziałam i wiele zapamiętałam. Jeśli tylko będę miała po temu okazję, znajdzie się w mojej głowie dość materiału na dramat. — Umilkła na chwilę i znowu podjęła urwany wątek. — Kiedy panna Lockwood jest spodziewana w Wenecji?

— A jaki to ma związek z pani ewentualną sztuką? Hrabina Naronne jakby miała kłopot z odpowiedzią, gdyż najpierw uzupełniła kubek, wypiła połowę jego zawartości i dopiero wtedy przemówiła.

— Bardzo ścisły. Proszę o odpowiedź.

— Panna Lockwood może się tu zjawić w ciągu tygodnia. A z tego, co wiem, raczej prędzej niż później.

— Świetnie. Jeśli za tydzień będę żyła i cieszyła się wolnością albo jeśli będę za tydzień w pełni władz umysłowych — proszę mi nie przerywać, wiem, co mówię — jako przykład tego, na co mnie stać, będę miała gotowy zarys sztuki. Raz jeszcze zatem pytam: przeczyta go pan?

— Z pewnością, hrabino, nie pojmuję jednak...

Uciszyła go gestem ręki i dopiła kubek z ponczem.

— Jestem chodzącą zagadką, a panu jest potrzebny klucz do jej rozwiązania. Oto on w największym skrócie. Idiotycznym przesądem, któremu ulega wiele osób, jest przekonanie, jakoby ludzie mieszkający w ciepłych klimatach byli obdarzeni szczególną wyobraźnią. Trudno o większy błąd, nigdzie nie spotka pan tak wielu ludzi niemających ani krzyny imaginacji jak we Włoszech, Hiszpanii, Grecji czy innych krajach południowych. Ich umysły są z natury zamknięte na wszystko, co ma w sobie element fantazji i duchowości. Rzecz jasna, na przestrzeni dziejów pojawia się między nimi to tu, to tam jakiś wielki geniusz, ale to tylko potwierdzający regułę wyjątek. Otóż ja, chociaż nie jestem wprawdzie geniuszem, należę do takich wyjątków. Na nieszczęście, bo dla mnie osobiście jest to nieszczęście, mam trochę tej wyobraźni, która jest częsta pośród was, Anglików, czy Niemców, natomiast niemal niespotykana u Włochów, Hiszpanów i tej całej reszty. I jaki tego efekt? Jak powiedziałam, to moje brzemię. Osaczają mnie straszliwe przeczucia i podejrzenia, w tej chwili mniej ważne jest to, na czym polegają, a znacznie ważniejsze, że biorą mnie całkowicie w swoją władzę; gnają mnie na morza i w głąb lądów, żyją we mnie i mnie dręczą, jak w tej chwili. Czemu się im nie opieram? Ha, właśnie że się opieram, niekiedy, jak teraz, wspomagam się chociażby porcją ponczu. Gdy nie jestem męczona mocami wyobraźni, posiłkuję się zdrowym rozsądkiem. W takich chwilach ożywają we mnie nadzieje, bywa, iż zaczynam podejrzewać, że to, co uważam za rzeczywistość, jest tylko iluzją; raz nawet udałam się w tej sprawie do angielskiego lekarza. Ale potem przychodzą chwile zgrozy i upiorów. Tak jest obecnie, a za tydzień będę już wiedzieć, czy przeznaczenie rozstrzygnęło o moim losie, czy też zależy on od moich decyzji. Gdyby miało się okazać to drugie, wtedy chciałabym ze swoich udręk uczynić materiał pisarski. Czy teraz lepiej mnie pan rozumie? Zatem, zgoda, panie Westwick? Bo jeśli tak, to chodźmy z tego gorącego wnętrza na chłodne powietrze na zewnątrz.

Wstali i wyszli z kawiarni. Francis w duchu uznał, że wynurzenia hrabiny trzeba uznać za efekt oddziaływania ponczu.

ROZDZIAŁ 20

— Czy zobaczymy się znowu? — spytała, wyciągając rękę na pożegnanie. — Jesteśmy umówieni w związku z moją ewentualną sztuką?

Francis się zawahał, pamiętając o nieprzyjemnym doświadczeniu w hotelowym pokoju.

— Sam jeszcze nie wiem, jak będzie z moim pobytem w Wenecji — powiedział. — Jeśli ma pani jeszcze coś do dodania o swoim dramatycznym pomyśle, to najlepiej, żeby zrobiła to pani teraz. O czym ma traktować ta sztuka? Ponieważ lepiej znam gusta angielskiej publiczności, więc mógłbym pani oszczędzić jałowych starań, gdyby dokonała pani złego wyboru.

— Mnie jest obojętne, o czym piszę. Jeśli ma pan już w tej chwili pomysł, niech mi pan podrzuci, a ja się zatroszczę o postacie i dialogi.

— Pani się zatroszczy o postacie i dialogi! — powtórzył Francis. — Bardzo śmiałe słowa jak na debiutantkę, nie wiem zatem, czy rozsądnie zrobię, proponując pani jeden z najtrudniejszych tematów, ale niech tam. A gdyby tak spróbowała pani, hrabino, zmierzyć się z Szekspirem i wprowadziła na scenę widmo? Ale historia ma być prawdziwa: dziać się tutaj, w tym mieście, którym oboje tak się interesujemy.

Chwyciła go za bark i spod kolumnady odciągnęła na środek placu, gdzie w tej chwili nikogo nie było.

— Pan wie coś jeszcze! — mówiła gorączkowo. — Teraz, gdy nikt nas nie słyszy, niech mi pan powie, na czym polega to moje szczególne zainteresowanie? Może się wreszcie dowiem, co mnie tutaj tak nieodparcie ściąga!

W podnieceniu gwałtownie potrząsała jego ramieniem, a on na moment się zawahał. Dotychczas traktował wszystko na poły żartobliwie, rozbawiony jej pewnością siebie, za którą podejrzewał i zarozumiałość, i ignorancję. Teraz jednak było w jej pasji coś takiego, co kazało mu spojrzeć na całą sprawę bardziej serio. Skoro wiedziała dobrze, co działo się w pałacu, zanim został on przekształcony w hotel, może potrafiłaby zasugerować jakieś wyjaśnienie osobliwych doświadczeń jego samego, brata i siostry. Ale nawet gdyby do tego nie doszło, to niewykluczone, iż tak mogłaby wykorzystać swoje przeżycia, że nasycone wyobraźnią, którą tak się szczyciła, mogłyby istotnie ułożyć się w fascynującą opowieść dramatyczną. Natychmiast dały o sobie znać jego teatralne pasje. „A jeśli jestem na tropie nowych *Korsykańskich braci**? W takiej sytuacji do kieszeni mogą mi napłynąć dziesiątki tysięcy funtów".

Taką wizją między innymi inspirowany, opowiedział Naronne dokładnie, co w Hotelu Pałacowym przydarzyło się jemu, a wcześniej bratu i siostrze.

---

* Opowiadanie Alexandre'a Dumasa, często wystawiane na scenie — przyp. tłum.

Nie pominął nawet ataku trwogi, jaki nawiedził służącą pani Norbury.

— Kiedy wszystko to oceniać racjonalnie — kończył — to bardzo smutna historia, ale chyba pani przyzna, że jest osobliwy dramatyzm w wątku ducha, uobecniającego się poprzez oddziaływanie na swych krewnych, którzy pojawiają się kolejno w fatalnym pokoju, aż wreszcie zjawi się ta osoba, której ujawni swą straszliwą prawdę. No cóż, hrabino, teraz widzę, nie będę ukrywał, że to znakomity materiał na pasjonującą sztukę.

Hrabina stała w milczeniu. Wpatrzył się w nią pytająco. Czy jego słowa zrobiły na niej jakieś wrażenie? Trwała teraz skamieniała jak wtedy, gdy od Agnes usłyszała odpowiedź na swoje pytanie o panią Ferrari: oczy nieruchome i nieobecne, twarz tak blada, jakby odpłynęła z niej cała krew. Sięgnął po jej dłoń: była zimna jak trotuar, na którym stali. Spytał, czy źle się czuje. Na jej twarzy nie drgnął nawet mięsień. Z równym powodzeniem mógłby przemawiać do rzeźby.

— Mam nadzieję — powiedział — że nie wzięła pani tej mojej opowieści na serio? — Wolno poruszyła wargami, jakby mówienie sprawiało jej trudność. — Głośniej, proszę. Nic nie słyszę.

Walczyła, aby dojść do siebie, aż w jej oczach pojawiło się słabe światełko. Jeszcze chwila, a rzekła półgłosem do siebie, zupełnie jakby mówiła przez sen:

— Ani przez chwilę nie myślałam o żadnych zaświatach. — Miała teraz w głowie pamiętną rozmowę z Agnes: wyznanie, które jej się wymknęło, ostrzeżenie, które rzuciła na koniec. Nic o tym niewiedzący Francis wpatrywał się wielce zaniepokojony. Ciągnęła bezbarwnym głosem, najwyraźniej idąc tylko za tokiem swoich myśli: — Powiedziałam, że o naszym spotkaniu zadecyduje jakiś banalny przypadek. Myliłam się, wcale nie banalny. Powiedziałam jej, że jeśli mnie zmusi, powiem jej, co się stało z Ferrarim. Ale czy może jeszcze ktoś inny na mnie oddziaływać? On? Kiedy go zobaczy, czy zobaczę także ja?

Zwiesiła głowę, ciężkie powieki odrobinę się przymknęły, z piersi dobyło się głębokie westchnienie. Francis mocniej ścisnął dłoń kobiety, aby się otrząsnęła.

— Niech pani wybaczy, hrabino, ale widać, że jest pani bardzo osłabiona. Dość już na dzisiaj rozmowy, odprowadzę panią do hotelu. Daleko stąd się pani zatrzymała?

Lekko ją pociągnął, a ona wzdrygnęła się jak zbudzona ze snu.

— Niedaleko — odparła. — Stary hotel nad laguną. Przepraszam, nie mogę zebrać myśli, zapomniałam, jak się nazywa.

— Może „Danieli"?

— Tak!

Wolno ją poprowadził. Bez słowa podążyła za nim na skraj Piazzetta, zatrzymała się jednak, kiedy zobaczyła lagunę w świetle księżyca. Francis odwrócił się w kierunku Riva degli Schiavoni, ale zatrzymało go pytanie, gdyż coś przypomniało się hrabinie.

— Zamierza pan nocować dziś w tamtym pokoju?

Francis odparł, że dziś zajmuje go inny gość, ale dyrektor obiecał mu lokum nazajutrz i skorzysta z tej propozycji.

— Nie — sprzeciwiła się. — Musi go pan odstąpić.

— Komu?

— Mnie.

Pokręcił głową z niedowierzaniem.

— Po tym wszystkim, co pani ode mnie usłyszała, chce pani tam spędzić jutrzejszy dzień?

— Muszę.

— Nie boi się pani?

— Boję się okropnie.

— Tak i ja przypuszczam po swoich wczorajszych doświadczeniach. Dlaczego chce pani zamieszkać w tym pokoju? Przecież nie musi pani tego robić.

— Wyjechawszy z Ameryki, nie musiałam udawać się do Wenecji — odrzekła — a przecież tu przyjechałam. Muszę wziąć ten pokój i pozostać w nim do... — Urwała. — Mniejsza z tym, to już pana nie interesuje.

Nie wiedząc, jak z nią rozmawiać, zmienił temat.

— Dzisiaj nic już nie zrobimy — powiedział. — Odwiedzę panią jutro rano i wtedy posłucham, jakie są pani zamierzenia.

Wprowadził ją do hotelu, pytając, czy zameldowała się pod swoim nazwiskiem. Pokręciła głową.

— Znano mnie tutaj jako hrabinę Naronne. Znano mnie tutaj jako żonę pańskiego brata. Tym razem chcę być w Wenecji incognito. Występuję tu pod normalnym angielskim nazwiskiem... — Urwała i zmarszczyła brwi. — Co się ze mną dzieje? — mruknęła. — Jedne rzeczy pamiętam, inne zapominam. Zapomniałam nazwę hotelu, teraz nie pamiętam tego nazwiska. — Pociągnęła Francisa do ściany hotelu, na której wisiała lista z nazwiskami gości. Chwilę szukała, a potem wskazała palcem: — Pani James, tak się tu nazywam. Niech pan pamięta jutro z rana. Głowę mam strasznie ciężką. Dobranoc.

Francis wolnym krokiem powrócił do hotelu, zastanawiając się, co przyniesie następny dzień. Tymczasem pod jego nieobecność doszło do nowych wydarzeń. Ledwie wkroczył do hotelu, natychmiast jeden z pracowników poprowadził go do gabinetu dyrektora. Tamten powitał go z poważną miną, sugerującą, że ma coś bardzo ważnego do przekazania. Oznajmił, iż z najwyższym żalem dowiedział się o zastrzeżeniach pana Westwicka co do jednego z pomieszczeń; w zupełnym zaufaniu powiedziano mu o bardzo negatywnej opinii dotyczącej zapachu w apartamencie na pierwszym piętrze, dlatego w tej sytuacji czuje się zmuszony do wycofania się z wcześniejszej obietnicy, że udostępni numer 13A panu Westwickowi.

Francis zareagował ostro, dość rozdrażniony tonem głosu dyrektora.

— Zatem mam opuścić pański hotel, czy tak?

Dyrektor wpadł w popłoch, że nie wyraził się dostatecznie jasno.

— Nie, przenigdy, sir! Zrobimy wszystko, żeby czuł się pan jak najlepiej w naszym hotelu! Niech pan wybaczy, jeśli któreś z moich słów mogło pana urazić; proszę pamiętać, jak wielką wagę ma dla mnie reputacja hotelu, dlatego też chciałbym pana jak najgoręcej prosić, aby nikomu pan nie mówił o tym, co stało się na piętrze. Mam już w tej sprawie przyrzeczenie obu francuskich dżentelmenów.

W tej sytuacji Francisowi nie pozostawało nic innego, jak przystać na prośbę dyrektora. „Tak oto kończą się szalone pomysły hrabiny — pomyślał. — Tym lepiej".

Nazajutrz wstał późno; gdy zaczął się rozpytywać o monsieur Balledara, dowiedział się, że obaj Francuzi wyjechali do Mediolanu. Kiedy przechodził przez hol do restauracji, uwagę jego zwrócił portier wypisujący na bagażach kredą numery pokojów, do których miały być dostarczone. Właśnie nachylał się nad sfatygowaną walizą, pełną nalepek transportowych, i kreślił na niej „13A". Spiesznie podszedł i na przyczepionej do rączki tabliczce przeczytał: „Mrs James". Natychmiast spytał o właścicielkę. Przybyła wczesnym rankiem, a teraz była w czytelni. Francis Westwick bezzwłocznie się tam udał. W kącie, zwrócona plecami do wejścia, siedziała z rękami splecionymi na piersiach hrabina Naronne. Kiedy zobaczyła go koło siebie, powiedziała, lekko tylko unosząc głowę:

— Tak, pomyślałam, że nie mam co czekać na pana, a im szybciej tu dotrę, tym pewniejsza będę, iż otrzymam ten pokój.

— Na długo pani go wynajęła?

— Powiedział pan, że panna Lockwood powinna zjawić się w Wenecji w ciągu tygodnia; więc na tyle się zameldowałam.

— Co panna Lockwood ma z tym wspólnego?

— Wszystko. Musi spędzić noc w tym pokoju. Kiedy będzie już tutaj, odstąpię jej go.

Francis zaczynał podejrzewać, jaki plan kiełkuje w głowie hrabiny, ale nie mógł w to uwierzyć.

— Czy to możliwe, żeby pani, wykształcona kobieta, żywiła taką samą przesądną opinię jak służąca mojej siostry? Ale nawet gdybym na chwilę zaczął myśleć w ten sposób, to co pani chce uzyskać? Jeśli moja siostra i mój brat niczego nie zobaczyli, jak może Agnes Lockwood dojść do czegoś, co im nie zostało ujawnione? Przecież z naszą rodziną łączą ją tylko bardzo, bardzo słabe więzy krwi.

— Bliższa jest sercu nieżyjącego lorda Montbarry-'ego niż ktokolwiek z was — odrzekła ozięble hrabina Naronne. — Aż do ostatniego dnia życia mój nieszczęsny mąż żałował tego, iż ją porzucił. Ona zobaczy to, czego nie widział nikt z was: ona zobaczy pokój.

Francis słuchał uważnie hrabiny, zupełnie jednak nie mógł zrozumieć, co nią powoduje — i nie zamierzał tego ukrywać.

— Nie pojmuję, jaki może pani mieć interes, żeby przeprowadzić ten niezwykły eksperyment.

— W moim interesie byłoby w ogóle go nie próbować! Uciekać jak najdalej z Wenecji i nigdy już nie zobaczyć na oczy nikogo z waszej rodziny!

— Więc czemu pani tak nie postąpi?

Zerwała się na równe nogi i dziko spojrzała na Francisa.

— Nie więcej wiem od pana, co mnie od tego powstrzymuje — wybuchła. — Jakaś wola potężniejsza od mojej popycha mnie do destrukcji, a ja nic na to nie mogę poradzić! — Raptownie usiadła i machnęła ręką. — Niech pan już idzie. Niech pan mnie zostawi z moimi myślami.

Francis posłusznie odszedł, teraz zupełnie już pewien, że hrabina zwariowała. Przez całą resztę dnia nie zobaczył jej znowu. Noc, na ile wiedział, upłynęła spokojnie. Rano wcześnie zjadł śniadanie, zdecydowany poczekać, aż zjawi się hrabina. Weszła spokojnie, cicho zamówiła śniadanie; była przygnębiona i zatopiona w swoich myślach jak przy poprzednim ich spotkaniu. Podszedł do jej stołu i spytał, co stało się w nocy.

— Nic — odparła lakonicznie.

— Spała pani tak dobrze jak zwykle?

— Prawie jak zwykle. Czytał pan już poranne listy? Kiedy przyjeżdża?

— Nie było żadnych listów. Naprawdę chce pani tu zostać? Czy doświadczenia ostatniej nocy nie zmieniły pani zamiaru?

— Ani trochę.

Kiedy spytała o Agnes, twarz jej na chwilę się ożywiła, ale ta odmiana szybko minęła. Mówiła — a potem zjadła śniadanie — jak osoba, która straciwszy wszelkie nadzieje i zainteresowania, wszystkie czynności życiowe wykonuje już tylko zupełnie mechanicznie.

Francis udał się na normalną pielgrzymkę turystyczną po świątyniach Tycjana i Tintoretta, a kiedy po kilku godzinach wrócił do hotelu, zastał czekający na niego list od brata Henry'ego, który wzywał go natychmiast do Mediolanu. Monsieur Balledar przyjechał właśnie z Wenecji i natychmiast zaczął namawiać znakomitą tancerkę, którą Francis zaangażował, żeby za wyższą gażę złamała zawartą umowę. Oprócz tego w liście znalazła się informacja, że lordostwo Montbarry, wraz z Agnes i córkami, zjadą do Wenecji za trzy dni. „Nic nie wiedzą o naszych przygodach w hotelu — pisał Henry — wysłali do dyrekcji depeszę, wyliczając, czego oczekują. Byłoby to jakoś absurdalnie zabobonne, gdybyśmy udzielali im ostrzeżeń, które by tylko odstraszyły damy i dzieci od najlepszego hotelu w Wenecji. Tym razem będziemy mieli silną grupę, zbyt silną dla duchów! Ja, rzecz jasna, także powitam ich, gdy przyjadą, i znowu spróbuję, co też może mnie czekać w „nawiedzonym Hotelu, jak go nazwałeś. Arthur Barville i małżonka zdążyli już osiągnąć Trydent; dwoje krewnych panny młodej chciałoby towarzyszyć nowożeńcom w drodze do Wenecji".

Oburzony, jak nietrudno się domyślić, postępowaniem swego paryskiego kolegi Francis zaczął się zbierać, aby jeszcze tego dnia wyjechać do Mediolanu. Wychodząc, zatrzymał się jeszcze przy recepcji, żeby się dowiedzieć, czy otrzymano już telegram od jego brata lorda. Okazało się, że telegram nie tylko dotarł, lecz także na jego podstawie przydzielono już odpowiednie pokoje. Ponieważ zjawił się dyrektor, Francis zwrócił się do niego z ironią:

— Sądziłem, że nie przyjmie już pan nikogo z mojej rodziny do swego pokoju.

Dyrektor, kłaniając się, odrzekł z szacunkiem:

— Numer 13A jest już wynajęty innej osobie, sir, ja zaś nie widzę powodu, dla którego miałbym odstręczać od swego hotelu chętnych klientów, jeśli tylko mogę ich przyjąć.

Usłyszawszy to, Francis pożegnał się bez żadnych już komentarzy, aczkolwiek dręczyła go nieodparta ciekawość, co też się stanie, kiedy Agnes znajdzie się w Hotelu Pałacowym — chociaż nawet przed samym sobą wstyd mu było się do tego przyznać. Ostatecznie „pani James" mu zaufała i nie chciał tego nadużywać.

Wieczorem trzeciego dnia lord Montbarry na czele całego podróżującego z nim towarzystwa punktualnie zjawił się w Hotelu Pałacowym.

„Pani James", która siedząc przy oknie, oczekiwała na ich przyjazd, zobaczyła lorda, jak pierwszy wysiadał z gondoli. Najpierw pomógł żonie, potem zaopiekował się trzema córkami, a na końcu podał rękę Agnes, gdy wynurzyła się z czarnej kabiny gondoli. Kiedy zmierzała ku wejściu do hotelu, obserwująca ją przez lornetkę teatralną hrabina Naronne widziała wyraźnie, jak się zatrzymuje i pobladła na twarzy ogarnia wzrokiem fronton budynku.

Rozdział 21

Lady i lorda Montbarrych przywitał kierownik recepcji, gdyż dyrektor musiał w interesach na kilka dni opuścić hotel.

Zarezerwowany dla nich na pierwszym piętrze trzypokojowy apartament złożony z dwóch połączonych sypialni, z których było przejście do salonu, goście chętnie zaaprobowali, natomiast zdecydowanie nie spodobało im się to, jak rozwiązano sprawę trzeciej sypialni, w której miały nocować — jak zwykły to robić w podróży — Agnes i najstarsza z dziewczynek. Ponieważ wszystkie inne numery na pierwszym piętrze były już wynajęte, musiano umieścić obie lokatorki na drugim piętrze. Lady Montbarry protestowała wprawdzie przeciw takiemu podziałowi, jednak wobec argumentu, że przecież niepodobna wyprosić gości z zajętych przez nich pokojów, mogła już tylko wyrazić żal i zapewnić pannę Lockwood, że oferowana sypialnia jest jedną z najlepszych w tej części hotelu.

Załatwiwszy już sprawy z kierownikiem recepcji, lady Montbarry zauważyła, że Agnes przez cały czas siedziała z boku, jakby jej w ogóle nie interesowała sprawa sypialni. Czyżby była chora? Nie, trochę tylko czuła się podenerwowana kolejową podróżą, ale to wszystko. Słysząc to, lord Montbarry zaproponował, aby wyszła z nim na półgodzinny spacer i zobaczyła, czy nie poczuje się lepiej, chłonąc chłodne wieczorne powietrze, na co Agnes chętnie przystała.

Skierowali się w kierunku placu świętego Marka, aby poczuć płynący od laguny powiew wiatru. Agnes była pierwszy raz w Wenecji, a wspaniałe miasto na wodzie zrobiło ogromne wrażenie na jej uczuciowej naturze.

Pół godziny zamieniło się w godzinę i może nawet potrwałoby więcej, gdyby lord Montbarry nie przypomniał swej towarzyszce, że czeka na nich kolacja. Kiedy wracali pod kolumnadą, żadne z nich nie zauważyło na środku placu damy w głębokiej żałobie. Ta aż się wzdrygnęła, rozpoznawszy Agnes kroczącą wraz z nowym lordem Montbarrym, chwilkę się wahała, a potem w bezpiecznej odległości poszła za nimi do hotelu.

Lady Montbarry powitała wracających rozradowana tym, co zdarzyło się w trakcie ich nieobecności. Od ich wyjścia nie upłynęło jeszcze dziesięciu minut, gdy wysłany z recepcji garçon przyniósł liścik odręcznie napisany przez damę zajmującą apartament znajdujący się naprzeciw tego, w którym zamieszkali lordostwo Montbarry. Dama ta, pani James, jak wynikało z podpisu, dowiedziała się od kierownika recepcji o rozczarowaniu, jakie spotkało lady Montbarry, a ponieważ podróżowała samotnie, nie sprawiało jej to wielkiej różnicy, jeśli noc spędzi w mniejszej sypialni na drugim piętrze — dlatego też proponowała zamianę z panną Lockwood, która mogła natychmiast rozgościć się w numerze 13A, gdyż dawna lokatorka kazała już wynieść stamtąd swoje bagaże.

— Natychmiast chciałam się zobaczyć z panią James — ciągnęła lady Montbarry — aby jej osobiście podziękować za niezwykłą uprzejmość, powiedziano mi jednak, że wyszła, nie zostawiając informacji, kiedy można się jej spodziewać z powrotem. W tej sytuacji poprosiłam o przekazanie jej listu, w którym dałam wyraz naszej wdzięczności, a także nadziei, iż jutro będę miała możliwość zrobić to bezpośrednio. Od razu tez kazałam, Agnes, przenieść wasze rzeczy na dół. Idź i zobacz sama, czy nie są to pokoje jeszcze lepsze od naszych!

Z tymi słowami lady Montbarry oddaliła się, aby szybko zrobić toaletę przed kolacją.

Nowe pokoje natychmiast wprawiły Agnes w znacznie lepszy humor. W salonie duże okno wychodziło na balkon, z którego rozpościerał się znakomity widok na plac. Dekoracje na ścianach i suficie były bardzo zręcznymi reprodukcjami watykańskich fresków Rafaela, wbudowana w ścianę szafa swobodnie zmieściłaby dwakroć więcej luźno powieszonych strojów, niż posiadała ich Agnes. Nieopodal wezgłowia łóżka była mała wnęka, zręcznie przekształcona w garderobę, z której prowadziło wyjście na wewnętrzne schody, zwykle używane przez służbę. Szybko zlustrowawszy pomieszczenia, Agnes przebrała się następnie do kolacji. Kiedy przechodziła do apartamentu lorda i lady Montbarrych, zatrzymała ją na korytarzu pokojówka, która poprosiła o klucz.

— Przygotuję wszystko na noc, wielmożna pani — powiedziała — a klucz pani odniosę.

Żadna z nich nie spostrzegła, że między prętami balustrady obserwuje je z drugiego piętra samotna postać, która przemieściła się tak, aby widzieć tylne schody. Gdy pojawiła się na nich pokojówka, która potrzebowała czegoś z pomieszczeń służbowych, dama (nie musimy chyba tłumaczyć, że była to hrabina Naronne) szybko pomknęła do głównych schodów, zbiegła nimi, weszła głównymi drzwiami do apartamentu 13A i schowała się w pustej części szafy. Pokojówka, wróciwszy, dokończyła sprzątanie, zamknęła od wewnątrz garderobę, potem główne drzwi — i zaniosła klucz Agnes.

Wszyscy zasiadali właśnie do spóźnionej kolacji, kiedy jedna z dziewczynek zauważyła, iż Agnes nie ma na ręku zegarka. Czyżby go zapomniała, przebierając się do wieczerzy? Agnes wstała, żeby natychmiast to sprawdzić, a lady Montbarry poradziła jej na odchodne, aby sprawdziła drzwi do garderoby, gdyż nigdy nie można wykluczyć, że zakradną się złodzieje. Agnes, tak jak przypuszczała, znalazła zegarek na toaletce, zanim jednak wyszła, zgodnie z sugestią sprawdziła, czy drzwi z garderoby na wewnętrzne schody są zabezpieczone, po czym zamknęła za sobą cały apartament.

Ledwie to zrobiła, hrabina, której zaczynało już być duszno w szafie, opuściła swoją kryjówkę. Znalazłszy się w garderobie, przyłożyła ucho do drzwi, aby się upewnić, że schody są puste, następnie otworzyła je, wymknęła się i cicho zamknęła za sobą, tak iż od wewnątrz wyglądały zupełnie jak wtedy, gdy Agnes je sprawdzała.

Wracający z Mediolanu Henry Westwick zastał rodzinę jeszcze przy kolacji. Kiedy w trakcie powitań przyszła kolej na Agnes Lockwood, ta poczuła, jak wibruje w niej czuła struna, reagując na radość, jaką bez wątpienia jej widok sprawił Henry'emu. Ich spojrzenia spotkały się tylko na moment, dobrze jednak wiedziała, że w tej króciutkiej chwili, na pół świadomie, pozwoliła mu nie tracić nadziei, o czym świadczył wyraz jego twarzy, pojaśniałej z nagła i odprężonej. Stropiona, ucieczki szukała w konwencjonalnych pytaniach o wrażenia, z jakimi opuszczał Mediolan.

Zasiadłszy do stołu, Henry z niejakim rozbawieniem opowiedział o trudnych zmaganiach Francisa, który musiał stawić czoło nader interesownej baletmistrzyni i bezwzględnemu monsieur Balledarowi, właścicielowi paryskiego teatru. Sprawy tak się skomplikowały, iż wkroczyć musiało prawo, które spór rozstrzygnęło na korzyść Francisa. Ten zaś, dumny ze zwycięstwa, musiał jednak natychmiast w sprawach swego teatru wyjechać do Londynu, a w podróży tej towarzyszyła mu siostra. Pani Norbury po dwóch okropnych nocach spędzonych w Hotelu Pałacowym nie zamierzała narażać się więcej na żadne takie przygody, więc uskarżając się na złe samopoczucie, prosiła, aby jej wybaczono, iż nie będzie uczestniczyć w rodzinnym zjeździe. W jej wieku podróże stawały się nużące, dlatego postanowiła skorzystać z okazji, że w drodze do Londynu będzie jej towarzyszył brat.

Czas płynął, przy stole toczyły się swobodne rodzinne rozmowy, wreszcie wieczór począł stawać się nocą, przyszła więc pora, by dzieci ułożyć spać.

Kiedy Agnes wstała, aby wyjść z najstarszą z córek, ze zdziwieniem spostrzegła, iż zachowanie Henry'ego raptownie się zmieniło. Spoważniał i zmarkotniał, a kiedy bratanica chciała mu życzyć dobrej nocy, zapytał:

— Marion, w jakiej części hotelu masz spać?

Dziewczynka odrzekła zaskoczona, iż „jak zwykle z ciocią Agnes".

Henry jednak, najwyraźniej nieusatysfakcjonowany, nastawał. Czy ich sypialnia jest oddzielona od reszty rodziny? Teraz do rozmowy włączyła się Agnes, informując, że dzięki życzliwości niejakiej pani James będą spały oddzielone tylko korytarzem od lorda i lady Montbarrych oraz ich dwóch młodszych córek. Henry nie indagował wprawdzie dalej, ale otwierał drzwi przed Agnes i Marion wyraźnie strapiony. Poczekał, aby zobaczyć, gdzie się kierują, a gdy zobaczył, że chodzi o fatalny narożny apartament, zawołał:

— Stephen, pozwól ze mną do palarni!

Gdy obaj bracia znaleźli się na osobności, Henry wyjaśnił, dlaczego tak go zaniepokoił rozkład sypialni. Francis dokładnie mu opowiedział o spotkaniu z hrabiną w Wenecji i jego okolicznościach, teraz więc Henry powtórzył wszystko bratu, nie pomijając żadnego szczegółu.

— Mówiąc szczerze, grzeczność tej damy jest dla mnie bardzo podejrzana. Czy bez niepokojenia jej całą tą opowieścią mógłbyś się upewnić, że Agnes dokładnie zamknie wszystkie drzwi?

Stephen odrzekł, że powodowana ogólną ostrożnością jego żona wspomniała już o konieczności baczenia na zamki pannie Lockwood, która i tak jest osobą na tyle przewidującą i roztropną, że z pewnością o wszystko się zatroszczy.

Podczas gdy obaj dżentelmeni rozmawiali w palarni, w pokojach związanych z tak licznymi już dziwnymi zdarzeniami doszło do kolejnej osobliwej sceny, tym razem z uczestnictwem najstarszej córki Montbarrych.

Marion jak zwykle przygotowała się do snu, niezbyt przyglądając się pomieszczeniu, w którym miała spędzić noc. Kiedy uklękła, aby zmówić pacierz, przypadkiem spojrzała na znajdującą się nad łóżkiem część sufitu. Natychmiast zerwała się na równe nogi i przerażona krzyknęła do Agnes, wskazując na brązową plamkę na białej powierzchni rzeźbionego sufitu:

— To krew! Ciociu, zabierz mnie stąd, ja tu nie mogę spać!

Widząc, że nie ma sensu dyskutować z dziewczyną, Agnes otuliła ją w swój szlafrok i przeprowadziła przez korytarz do matki. Tutaj obie robiły, co mogły, aby uspokoić rozdygotane dziecko, ale niewiele to dało, wrażenie bowiem okazało się zbyt świeże i mocne, aby perswazje mogły w czymś pomóc. Marion nie była w stanie wyjaśnić, dlaczego mała plamka wywołała u niej taką panikę; nie wiedziała, czemu jej pierwsze skojarzenie wiązało się z krwią, była jednak pewna, że umrze, jeśli jeszcze raz ją zobaczy. W tej sytuacji wydawało się, iż nie ma innego rozwiązania, jak tylko przygotować jej spanie obok dwóch młodszych sióstr.

Kiedy pół godziny później Marion spała już smacznie, przytulona do najmniejszej z dziewczynek, lady Montbarry podeszła wraz z Agnes obejrzeć plamę, która tak przeraziła jej córkę. Była zupełnie mała, ledwie zauważalna, spowodowana przez niedbałość malarza, a może wodę wylaną piętro wyżej.

— Zupełnie nie rozumiem, jak taki drobiazg mógł spowodować podobnie histeryczną reakcję mej córki — skwitowała całą sprawę matka.

— Może służąca opowiadała im jakieś straszne historie — zasugerowała Agnes. — Osoby takie nawet nie przypuszczają, jak łatwo jest rozbudzić dziecięcą wyobraźnię. Najlepiej jeśli ją jutro odpowiednio upomnisz.

Lady Montbarry rozejrzała się z admiracją po pokoju.

— Naprawdę piękny. Przypuszczam, iż ty nie masz nic przeciwko temu, żeby spać tutaj samotnie?

Agnes się roześmiała.

— Jestem już taka zmęczona, że jak tylko się pożegnamy, natychmiast położę się spać.

Lady Montbarry odwróciła się do drzwi, ale zauważyła jeszcze przed wyjściem:

— Widzę tu na stoliku twoją szkatułkę z biżuterią. Pamiętaj o zabezpieczeniu tylnych drzwi.

— Zrobiłam tak zaraz po tym, jak mi to poradziłaś. Czy mogę być w czymś jeszcze pomocna?

— Nie, nie, kochanie, dziękuję ci bardzo. Ja też czuję się już śpiąca, więc zaraz pójdę w twoje ślady. Dobranoc, Agnes, i życzę ci dobrych snów podczas pierwszej nocy w Wenecji.

Rozdział 22

Zamknąwszy drzwi na klucz i łańcuch po wyjściu lady Montbarry, Agnes przebrała się w szlafrok i zabrała się do rozpakowywania swoich ubrań. Gdy szykowała się wcześniej do kolacji, chwyciła pierwszą suknię, która leżała na wierzchu, a swój kostium podróżny rzuciła na łóżko. Teraz po raz pierwszy otworzyła szafę i w jej lewej części zaczęła rozwieszać swoje stroje, ale już po kilku minutach poczuła się zmęczona, postanowiła więc odłożyć porządki do rana. Uciążliwy południowy wiatr, który dął przez cały dzień, ciągle nie ustawał. Duszna atmosfera sprawiła, że Agnes narzuciła szal na głowę i ramiona, po czym wyszła na balkon.

Noc była ciemna i mglista; wszystko wyglądało na rozmyte, niewyraźne. Kanał w dole wydawał się ciemnym wąwozem; domy po drugiej stronie były tylko ciemnymi masami na tle bezgwiezdnego i bezksiężycowego nieba. Z daleka doleciał okrzyk pojedynczego gondoliera, który zbliżając się do skrzyżowania kanałów, chciał ostrzec przed ewentualną kolizją. Chlupot wioseł informował o nadciąganiu gondoli, które wiozły gości do hotelu. Jeśli jednak pominąć te pojedyncze odgłosy, nad całą Wenecją zawisła grobowa cisza.

Agnes oparła się o balustradę balkonu i wpatrywała w czarną pustkę. Jej myśli popłynęły do nieszczęśnika, który najpierw złamał dane jej słowo, a potem zmarł w tych pomieszczeniach. Od chwili kiedy znalazła się w Wenecji, coś się w niej zmieniło. Po raz pierwszy jej myślom o zmarłym lordzie towarzyszyło coś więcej niż litość i żal: a mianowicie poczucie krzywdy, jaka ją spotkała. Nagle o dniach upokorzenia zaczęła myśleć z taką zaciekłością i gniewem jak Henry Westwick; ona, która tak go zbeształa, gdy źle się wyrażał o swoim bracie! Strach i niesmak wobec siebie samej były dotkliwe jak cielesny ból. Odwróciła się od mrocznej wody, jakby to jej tajemnicza czerń była odpowiedzialna za nagłą zmianę jej nastroju, jednym ruchem zamknęła okno balkonowe, zrzuciła szal i zapaliła świeczkę na kominku, z nagła zapragnąwszy blasku. Ten napełnił ją niemal dziecięcą radością i natychmiast przywrócił jej równowagę ducha.

„Może już czas położyć się do łóżka?", spytała samą siebie. Nie! Senność i zmęczenie, które tak jej doskwierały jeszcze pół godziny wcześniej, gdzieś się ulotniły. Cóż, w tej sytuacji mogła powrócić do nudnej pracy rozkładania bagaży, ale i tym razem miała jej dość już po kilku minutach. Siadła przy stole i sięgnęła po przewodnik, myśląc, że może dobrze będzie dowiedzieć się czegoś więcej o Wenecji, ledwie jednak przewróciła kilka stron, także i to zainteresowanie zbladło. Jej umysłem zawładnął teraz obraz Henry'ego Westwicka. Przypominając sobie najdrobniejsze nawet szczegóły wieczoru, wychwytywała wszystkie jego pociągające oraz interesujące cechy. Leciutko się do siebie uśmiechała, policzki odrobinę się zaróżowiły, czuła, że teraz jest naprawdę sobą. Czy depresja, która uparcie jej towarzyszyła podczas podróży, wynikła z ich długiej rozłąki, pogłębiona może przez wspomnienie chłodu, z jakim go potraktowała w Paryżu? Zaniepokojona natarczywością tych pytań zmusiła się, by wrócić do książki. Jakież to uparte czułości kryły się gdzieś w szlafroku, skoro nawiedzają ją, kiedy znajdzie się wieczorem sama w pokoju? Czyż wolno jej myśleć o innym mężczyźnie, o miłości, skoro jej serce związane jest ze spoczywającym w grobie Montbarrym? Przepełniona poczuciem wstydu i zakłopotania, usiłowała się skupić na przewodniku i znowu okazało się, że był to czczy wysiłek. Zdesperowana odłożyła książkę na stolik i postanowiła skupić się całkowicie na porządkowaniu ubrań, aż wreszcie tak będzie zmęczona i znużona, że bezpiecznie ucieknie wreszcie w sen.

Przez jakiś czas oddawała się monotonnemu przenoszeniu strojów do szafy i rozwieszaniu ich tam; duży zegar wydzwaniający w salonie północ uświadomił jej, że jest już naprawdę późno. Na chwilę usiadła w fotelu obok łóżka.

W całym hotelu panowała zupełna cisza; czyżby wszyscy prócz niej byli już w łóżkach i smacznie spali, a ona powinna pójść w ich ślady? Zerwała się z fotela i pospiesznie rozebrała. Poprawiając włosy do snu, z irytacją wpatrywała się w swe odbicie w lustrze.

— Bez sensu straciłam już dwie godziny snu. Jutro nie będę się do niczego nadawała!

Zapaliła lampkę nocną i zgasiła świeczki, z jednym tylko wyjątkiem — tę bowiem ustawiła na małym stoliku po przeciwnej stronie łóżka niż fotel. Obok świeczki ułożyła podróżne pudełko zapałek i przewodnik, na wypadek gdyby jednak nie zasnęła i musiała jeszcze poczytać, po czym zgasiła światło i ułożyła głowę na poduszce.

Zasłony wokół łóżka były podwinięte, aby nie hamować dopływu powietrza. Ułożona na lewym boku, plecami do stolika, Agnes widziała w półmroku sylwetkę fotela, który obity był jasnozielonym perkalem z nadrukowanymi bukietami róż. Usiłowała się odprężyć, zliczając poszczególne kwiaty. Dwa razy rachowanie przerwane zostało przez jakiś dźwięk: raz był to zegar wydzwaniający wpół do pierwszej, potem odgłos butów ciśniętych na podłogę piętro wyżej, gdzie najwyraźniej mieszkał ktoś, kto zupełnie nie troszczył się o współlokatorów. Po każdej przerwie Agnes wracała do róż, które liczyła coraz wolniej. Niedługo potrwało, jak kształty zaczęły jej się mylić, zaczynała od nowa, znowu się myliła, głowa coraz głębiej tonęła w poduszce, aż wreszcie nadszedł sen.

Jak długo trwał, nie miała pojęcia, natomiast w pamięci utrwaliło się to, że zbudziła się raptownie.

Wrażliwość, uwaga, czujność — wszystko w jednej chwili przekroczyło granicę oddzielającą sen od jawy. Nie wiedząc czemu, usiadła na łóżku i w coś się wsłuchiwała. W głowie jej się kręciło, serce, nie wiedzieć czemu, łomotało. W trakcie snu wydarzyła się jednak pewna drobnostka: zgasła lampka nocna, w sypialni było zatem kompletnie ciemno.

Odszukała po omacku zapałki, ale kiedy je znalazła, wcale się z nimi nie spieszyła. W tej chwili wygodniej było jej pozostać w ciemności, gdyż spróbowała w spokoju odpowiedzieć sobie samej na pytanie: co ją zbudziło tak gwałtownie i spowodowało taki niepokój? Niespokojny sen? Tyle że nic jej się nie śniło, a w każdym razie niczego takiego nie pamiętała. Ta niepewność zaczęła jej ciążyć, potarła więc zapałkę i przytknęła płomień do świeczki.

Kiedy po pokoju rozlało się światło, odwróciła się od stolika i spojrzała w drugą stronę. Ledwie to zrobiła, strach chwycił ją za gardło lodowatą ręką.

Wcale nie była w sypialni sama!

W fotelu spoczywała kobieta z głową odchyloną na oparcie i twarzą wzniesioną do sufitu, jakby głęboko spała.

Agnes była tak zaskoczona, że straciła dech w piersiach. Kiedy odrobinę wróciła do siebie, przede wszystkim wychyliła się z łóżka, aby sprawdzić, kto zakradł się po nocy do jej sypialni. Starczyło jedno spojrzenie i z okrzykiem zdumienia rzuciła się do tyłu. W fotelu znajdował się nie kto inny, jak wdowa po dawnym lordzie Montbarrym, która niegdyś zapowiedziała, że znowu się spotkają — i to właśnie w Wenecji!

Obecność hrabiny spowodowała falę oburzenia, wraz z którym powróciła odwaga.

— Niech się pani zbudzi, i to już! — krzyknęła.

— Jak pani śmie tutaj się zjawiać? Jak się pani tu dostała? Niech się pani stąd wynosi, bo natychmiast wzywam pomoc!

Podniosła wprawdzie głos, ale skoro nie spowodowało to żadnego efektu, wychyliła się z łóżka i chwyciwszy hrabinę za ramię, gwałtownie nim potrząsnęła. Nawet to jednak nie zbudziło śpiącej, która wydawała się martwa, tak nieczuła była na dźwięki i dotyk. Naprawdę tak głęboko spała czy może zemdlała?

Agnes uważniej przypatrzyła się hrabinie. Nie, nie zemdlała, jej pierś poruszał wyraźny, głęboki oddech. Co jakiś czas głośno zgrzytała zębami, czoło pokrywały krople potu, ręce to zaciskały się w pięści, to prostowały. Czy była to senna udręka, czy też może była świadoma czegoś ukrytego w pokoju?

Ta ostatnia wątpliwość wydała się Agnes nieznośna; postanowiła więc wezwać ludzi czuwających w nocy nad bezpieczeństwem hotelu.

Rączka dzwonka znajdowała się na ścianie po tej stronie łóżka, gdzie był stolik. Przewróciła się na wznak, aby sięgnąć do dzwonka, ale wyciągnięta ręka zastygła w bezruchu, Agnes zaś, drżąc, wbiła głowę w poduszkę.

Cóż takiego zobaczyła?

Że w pokoju jest ktoś jeszcze!

Pomiędzy nią a sufitem bujała w powietrzu ludzka głowa, jakby odcięta gilotyną od reszty ciała.

Nic, absolutnie nic nie zapowiadało takiego widoku; głowa nie wiadomo kiedy zajęła miejsce, w którym ją teraz widziała. Nie dokonała się w pokoju żadna nadprzyrodzona zmiana, wszystko było jak przedtem: postać rozłożona na fotelu, naprzeciw nóg łóżka szerokie okno, a za nim ciemna noc, świeczka płonąca na stoliku. Nie zmieniło się nic, czy prawie nic: dołączył tylko jeden nieopisanie straszliwy obiekt.

W żółtym blasku świecy widziała wyraźnie głowę zawieszoną nad nią w połowie drogi do sufitu. Sparaliżowana strachem przypatrywała się jej uważnie.

W twarzy nie było ciała; naciągnięta skóra pociemniała jak egipskie mumie — z wyjątkiem szyi. Ta była jaśniejsza, z plamami tej barwy jak naciek na suficie, którego podobieństwo do krwi tak przeraziło Marion. Wątłe pozostałości wyblakłych wąsów i bokobrodów, wiszące nad górną wargą i dziurami, które kiedyś były policzkami, pozwalały poznać, że to męska głowa; jeśli jednak chodzi o pozostałe rysy, to śmierć i czas zatarły ich charakter. Powieki były zamknięte; włosy na czaszce, równie bezbarwne jak na twarzy, miejscami wyglądały na nadpalone. Między fioletowymi wargami rozchylonymi w zastygłym grymasie widać było dwa rzędy zębów. Bujająca w powietrzu głowa powolutku zaczęła się opuszczać ku znieruchomiałej Agnes, równie wolno zaczął rozchodzić się po pokoju ów dziwny dwoisty zapach, który w podziemiach starego pałacu wyczuli członkowie komisji i który o takie sensacje przyprawił Francisa Westwicka w apartamencie nowego hotelu. Straszliwa zjawa miarowo się obniżała, aż wreszcie zatrzymała tuż nad Agnes, a potem ostrożnie tak się obróciła, że jej oblicze wpatrzyło się w twarz zaległej w fotelu kobiety.

Pauza, po której jakiś nadnaturalny ruch odkształcił martwe lico.

Zamknięte powieki rozchyliły się wolno, odsłaniając oczy powleczone lśniącą mgłą śmierci i skupione na hrabinie.

Agnes ujrzała, jak kobiece powieki unoszą się równie niespiesznie, po czym jakby odpowiadając na bezgłośny rozkaz, niewiasta powstaje — niczego więcej już Agnes nie dojrzała.

Jej następne wrażenie to wlewające się przez okno światło słoneczne, życzliwa obecność przy łóżku lady Montbarry i ciekawe spojrzenia zaglądających przez drzwi dziewczynek.

ROZDZIAŁ 23

— ...Masz chyba jakiś wpływ na pannę Lockwood, Henry. Zrób, co w twojej mocy, aby spojrzała na wszystko rozsądnie. Naprawdę nie ma tu z czego robić niezwykłej historii. Służąca mojej żony z rana zapukała do drzwi, żeby podać zwyczajową filiżankę herbaty. Ponieważ nie było odpowiedzi, więc przeszła na klatkę dla personelu, tu okazało się, że drzwi do garderoby są otwarte, a kiedy tamtędy dostała się do sypialni, znalazła Agnes w łóżku nieprzytomną. Wraz z moją żoną ocuciły ją, a wtedy usłyszały niezwykłą opowieść, którą wyżej ci przytoczyłem. Sam musiałeś zauważyć, jaka była zmęczona, długa podróż okazała się dla biedaczki bardzo wyczerpująca, a na dodatek osobę tak wrażliwą jak ona bardzo łatwo może przerazić sen. Niestety, za nic nie chce przyjąć takiego racjonalnego stanowiska. Nie sądź, proszę, że brakło mi dla niej wyrozumiałości. Uczyniłem wszystko, co w męskiej mocy, aby ją udobruchać. Napisałem do hrabiny (pod jej obecnym nazwiskiem), proponując, aby znowu przeniosła się do apartamentu 13A, na co otrzymałem negatywną odpowiedź. Dlatego też, nie widząc powodu, by informować o tym dyrekcję hotelu, sam postanowiłem się tam przenieść, żeby Agnes doszła do siebie pod opieką mojej żony. Czy mogę zrobić coś jeszcze? Odpowiedziałem najlepiej, jak potrafiłem, na wszystkie pytania, Agnes wie o wszystkim, co mi wczoraj opowiedziałeś o Francisie i hrabinie, na przekór jednak moim staraniom nie potrafię jej uspokoić. W końcu się poddałem, zostawiłem ją w salonie, teraz więc pora na ciebie, może tobie pójdzie lepiej.

Takimi słowami lord Montbarry przedstawił bratu swoją racjonalną ocenę sytuacji. Henry bez słowa skierował się do salonu.

Agnes zaczerwieniona i podekscytowana chodziła z kąta w kąt.

— Jeśli przyszedł pan powtórzyć to, co już słyszałam od pańskiego brata — zwróciła się gwałtownie do Henry'ego, zanim zdążył cokolwiek powiedzieć — proszę się nie trudzić. Nie trzeba mnie namawiać do zdrowego rozsądku; najbardziej w tej chwili potrzebny mi przyjaciel, który zawierzy moim słowom.

— Jestem pani przyjacielem, Agnes — spokojnie odparł Henry — i dobrze pani o tym wie.

— Zatem nie sądzi pan, że to tylko senne przywidzenie?

— Cóż, przynajmniej w jednej kwestii miała pani rację.

— W jakiej?

— Istotnie hrabina Naronne pozwoliła sobie...

Agnes przerwała mu zapalczywie.

— Czemu dopiero dzisiaj rano dowiaduję się, że hrabina Naronne i pani James to jedna i ta sama osoba? Dlaczego nikt mi tego nie powiedział wczoraj wieczorem?

— Proszę pamiętać, że zamiana pokojów dokonała się, nim dotarłem do Wenecji — zauważył Henry. — Potem zastanawiałem się, czy panią o tym poinformować, ale skoro wszystkie kwestie sypialniane były już ustalone... Nie chciałem pani niepokoić, a dowiedziawszy się od brata, iż sprawdziła pani wszystkie wejścia, pomyślałem, że lepiej będzie poczekać do rana. Jak hrabina mogła wtargnąć do pani sypialni, nie mam pojęcia, że jednak faktycznie w niej była, to wiem od niej samej.

— Od niej samej?! — zawołała z oburzeniem Agnes. — Zatem widział się już pan z nią?

— Rozmawiałem jakieś dziesięć minut temu.

— Co takiego robiła?

— Była całkowicie pochłonięta pisaniem i przerwała dopiero, kiedy wspomniałem o pani.

— Pamiętała mnie, oczywiście?

— Czy pamiętała?! Pozwoliłem sobie udać, że przychodzę z pani polecenia, a wtedy nie tylko przyznała, że z tego samego zabobonnego powodu, który ujawniła Francisowi, umieściła panią w tym pokoju, lecz także, co więcej, wyjawiła, że noc spędziła przy pani łóżku, aby, jak to ujęła, zobaczyć to, co pani. Słysząc to, domagałem się wyjaśnienia, jak się dostała do pani pokoju, ale nic nie uzyskałem. Wzruszyła tylko ramionami i powiedziała: „Baronowi potrzebne są pieniądze, muszę wracać do pisania". Niepodobna w tej chwili dowiedzieć się, co mogła zobaczyć czy też wyśnić w pani sypialni. Opierając się na tym, co usłyszałem od brata, a także na tym, jak ją zapamiętałem, jakieś ostatnie wydarzenia wyraźnie pogorszyły stan tej nikczemnej kobiety. Jest wytrącona z równowagi, to pewne, ale obawiam się, że przynajmniej po części dręczy ją delirium. Czym bowiem innym tłumaczyć to, że mówiła o swoim bracie jako żywej osobie, a tymczasem Francisowi powiedziała, że nie żyje? I jest to prawda, gdyż amerykański konsul w Mediolanie pokazał nam informację w amerykańskiej prasie o śmierci barona. Na ile mogę ocenić, w tej chwili jest całkowicie pochłonięta absurdalną ideą, aby napisać dramat, który Francis wystawiłby w swoim teatrze. Przyznaje, iż rozniecił jej nadzieje, mówiąc, że w ten sposób mogłaby zarobić jakieś pieniądze. Moim zdaniem źle postąpił — a pani co o tym sądzi?

Nie odpowiadając na pytanie, Agnes gwałtownie zerwała się z fotela.

— Niech mi pan wyświadczy taką grzeczność, Henry — powiedziała zapalczywie — i natychmiast zaprowadzi mnie do hrabiny.

Henry się zawahał.

— Jest pani pewna, że doszła już do siebie po przeżyciach tej nocy?

Agnes leciutko zadrżała, miejsce rumieńca zajęła bladość, ale nie chciała kapitulować.

— A wie pan, co zobaczyłam? — spytała półgłosem.

— Niech pani o tym nie mówi! — zaprotestował Henry. — Nie warto się denerwować bez potrzeby!

— Muszę mówić, bo w głowie mi się roi od straszliwych pytań. Wiem, że nie znam odpowiedzi, ale co z tego, skoro nieustannie powraca pytanie, czyja to była głowa. Ferrariego... czy...? — Urwała i zadrżała.

— Hrabina na pewno to wie, muszę się z nią zobaczyć. Nie wiem, czy odwaga mnie nie zawiedzie, ale muszę przynajmniej spróbować. Proszę mnie do niej zaprowadzić, zanim zwycięży we mnie strach!

Henry wpatrywał się w nią z niepokojem.

— Jeżeli jest pani pewna swojej decyzji... cóż, zgadzam się, im prędzej ją pani zobaczy, tym lepiej. Pamięta pani te dziwne słowa o pani osobliwym wpływie na nią, które wypowiedziała wtedy, kiedy wdarła się do pani w Londynie?

— Świetnie pamiętam. Czemu pan pyta?

— Właśnie z tego powodu. Jeśli zważyć na jej obecny stan umysłu, naprawdę wątpię, czy będzie w stanie krytycznie odnieść się do tych swoich wizji, w których czyni panią aniołem zemsty, mającym ją ukarać za występne czyny. Trzeba wykorzystać ową moc, którą ona pani przypisuje.

Weszli na drugie piętro i zapukawszy do drzwi, wkroczyli do pokoju hrabiny. Uniosła wzrok znad papieru, ale jedyną reakcją na widok Agnes była mina pełna wątpliwości. Zdało się jednak, że po kilku chwilach wolno zaczęły do niej powracać wspomnienia i skojarzenia. Pióro wysunęło się spomiędzy palców; drżąc, wpatrywała się w Agnes i najwyraźniej teraz już ją rozpoznawała.

— Nadszedł już czas? — zapytała z trwogą w głosie. — Proszę o krótką zwłokę. Nie skończyłam jeszcze pisać.

Osunęła się na kolana i złożyła dłonie w błagalnym geście. Tymczasem Agnes nie doszła jeszcze zupełnie do siebie po nocnym szoku, teraz więc, zaskoczona zachowaniem hrabiny, całkiem nie wiedziała, co powiedzieć i co zrobić. Henry nachylił się ku niej i szepnął:

— Niechże pani postawi swoje pytania, skoro jest okazja. Proszę tylko spojrzeć, jaki ma wyraz twarzy!

Agnes starała się nie stracić zupełnie odwagi.

— Była pani w nocy w moim pokoju... — zaczęła, ale urwała, gdyż hrabina z jękiem przerażenia wyrzuciła ręce nad głowę. Agnes odskoczyła i miało się wrażenie, iż chce wybiec z pokoju, ale Henry zatrzymał ją i znowu począł coś szeptać jej do ucha. Także i tym razem go posłuchała. — Kiedy spałam wczoraj w pokoju, który mi pani odstąpiła, zobaczyłam...

Hrabina poderwała się na równe nogi.

— Ani słowa więcej! — krzyknęła. — Jezus Maria, myśli pani, że chcę usłyszeć, co pani zobaczyła?! Myśli pani, że nie wiem, co to znaczy dla mnie i dla pani? Trudno, niech pani sama decyduje, panno Lockwood. Niech pani dokładnie się zastanowi. Jest pani pewna, że przyszła chwila rozrachunków? Jest pani gotowa, żeby kroczyć za mną przez dawne zbrodnie, aby odkryć sekrety śmierci?

Nie czekając na odpowiedź, powróciła do biurka, przy którym pisała. Kiedy mówiła, oczy jej rozbłysły i znowu przez chwilę wyglądała jak dawna pewna siebie osoba, ale nie trwało to długo. Moment i znowu nic nie zostało z jej wigoru i tupetu. Spuściła głowę i otworzyła stojący na biurku sekretarzyk, a z jego szuflady wyjęła kartkę welinu, pokrytą wyblakłym pismem. Zwisało z niej kilka jedwabnych nitek, świadczących chyba o tym, że została wyrwana z książki.

— Potrafi pani czytać po włosku? — spytała, wręczając pergamin Agnes, a ta w milczeniu kiwnęła głową. — To kartka z książki ze starej biblioteki pałacowej, z czasów więc, gdy ten budynek był jeszcze pałacem. Przez kogo została wyrwana, tego nie musi pani wiedzieć. W jakim celu to zrobiono, sama będzie pani mogła stwierdzić, jeśli tylko pani zechce, ale najpierw proszę przeczytać, poczynając od piątej linijki od góry.

Agnes poczuła, że musi nad sobą zapanować.

— Proszę dać mi fotel — zwróciła się do Henry'ego — a zajmę się lekturą.

Zrobił, o co poprosiła, stając za nią tak, aby również mógł zapoznać się z tekstem, który w tłumaczeniu brzmiał, jak następuje:

„Skończywszy dokładny przegląd skarbów pierwszego piętra, zgodnie z życzeniem mojego wielmożnego i szlachetnego patrona, właściciela tego wspaniałego budynku, przeniosłem się następnie na drugie piętro, w dalszym ciągu katalogując i opisując obrazy, rzeźby, dekoracje i wszystkie inne rzeczy wartościowe. Pozwolę sobie zacząć od narożnego pomieszczenia w zachodnim skrzydle pałacu, zwanego Pokojem Kariatyd z uwagi na rzeźby podpierające kominek. To jedno ze stosunkowo nowych dzieł, pochodzi z osiemnastego wieku i we wszystkich szczegółach daje wyraz ówczesnemu marnemu smakowi. Niemniej kominek zasługuje na niejakie zainteresowanie; bardzo wyrafinowana skrytka znajduje się pod nim, między podłogą pokoju a sufitem pokoju piętro niżej, która pochodzi z okropnych dni Inkwizycji Weneckiej. Skrytka miała uratować życie przodkowi wielmożnego pana, kiedy ten musiał uciekać przed owym straszliwym trybunałem. Maszyneria tego osobliwego miejsca — jako ciekawostka — została w dobrym stanie zachowana przez obecnego właściciela, a jej działanie pokazał mi on sam. Stanąwszy naprzeciw kariatyd, należy położyć rękę pomiędzy brwiami lewej figury i nacisnąć na głowę tak, jakby się chciało ją wcisnąć w ścianę. W ten sposób uruchomiony zostanie mechanizm, który obróci próg paleniska, odsłaniając znajdujące się pod nim puste miejsce, dostatecznie duże, aby mogło pomieścić leżącego mężczyznę. Skrytkę łatwo jest zasłonić, kładąc ręce na obu głowach i pociągając

211

je do siebie, wtedy zaś palenisko powróci na swoje miejsce".

— Nie musi pani czytać dalej — odezwała się hrabina — natomiast niech pani dobrze zapamięta to, czego się pani dowiedziała. — Odebrała Agnes welin, starannie schowała go w sekretarzyku, wstała i podeszła do drzwi. — Proszę za mną, żeby zobaczyć to, co Francuzi drwiąco nazywają „początkiem końca".

Agnes powstała z najwyższym trudem, gdyż drżała od stóp do głów; Henry wyciągnął dłoń, aby ją podtrzymać.

— Proszę się niczego nie bać! — szepnął. — Przez cały czas będę przy pani!

Hrabina podążyła korytarzem prowadzącym na zachód i zatrzymała się przed drzwiami numer 38. W dawnych pałacowych dniach pomieszczenie to zajmował baron Rivar; znajdowało się ono dokładnie nad sypialnią, w której Agnes spędziła poprzednią noc, a od dwóch dni stało puste. Kiedy hrabina otworzyła drzwi, widać było, że nikt tu nie został jeszcze zameldowany.

— Widzi pani? — spytała hrabina, wskazując figury kariatyd. — W tej chwili dobrze pani wie, co zrobić. A teraz czy może pani dać pierwszeństwo wyrozumiałości przed poczuciem sprawiedliwości? Proszę mi dać jeszcze kilka godzin. Baronowi są potrzebne pieniądze; muszę dokończyć sztukę. — Uśmiechnęła się niewyraźnie i prawą ręką imitowała w powietrzu gest pisania. Najwidoczniej niewyraźna perspektywa zdobycia jakichś sum za sprawą niepowstałej jeszcze sztuki nadwyrężała siły jej umysłu.

Kiedy Agnes wyraziła zgodę, hrabina powiedziała tylko: — Proszę się nie obawiać, panno Lockwood, że mogę uciec. Aż do samego końca muszę pozostać tam, gdzie pani będzie przebywać.

Raz jeszcze ogarnęła pokój znużonym, nieobecnym wzrokiem, po czym wyszła z niego powolnym krokiem starej kobiety.

ROZDZIAŁ 24

Henry i Agnes pozostali sami w Pokoju Kariatyd.

Osoba, która dokonywała inwentaryzacji pałacu, słusznie wskazywała na ułomności kominka. Już same jego rozmiary i proporcje były dowodnym przejawem złego smaku, niemniej na ignoranckich podróżnych wszystkich stanów robił pozytywne wrażenie — i z racji swoich gabarytów, i z powodu różnobarwnych marmurów, którymi projektant upstrzył całą konstrukcję. Zdjęcia kominka były chętnie kupowane przez turystów z Anglii i Ameryki.

Henry wraz z Agnes podeszli do figury po lewej i przez chwilę wpatrywali się w puste palenisko.

— Czy ja mam spróbować? — zapytał. — Czy pani to zrobi?

Wyrwała mu z dłoni rękę i odwróciła się do drzwi.

— Nie mogę nawet na to patrzyć. Te bezlitosne twarze mnie przerażają.

Henry dotknął czoła lewej postaci.

— Czego się tutaj lękać? Normalna, konwencjonalna rzeźba. — Zanim jednak zdążył nacisnąć miejsce pomiędzy brwiami, Agnes gwałtownie otworzyła drzwi, mówiąc:

— Niech pan zaczeka, aż wyjdę. Przeraża mnie sama myśl o tym, co może pan znaleźć. — Obejrzała się jeszcze w progu. — Nie zostawię pana całkowicie. Poczekam na korytarzu.

Zamknęła za sobą drzwi; Henry zaś, pozostawszy sam, znowu dotknął marmurowej głowy, w tej samej jednak chwili na korytarzu rozległy się przyjazne głosy.

— Ach, Agnes, jakże się cieszę, że znowu cię widzę! — zawołał kobiecy głos, któremu towarzyszył także męski, proponujący komuś, iż zostanie przedstawiony pannie Lockwood. Trzeci głos, w którym Henry rozpoznał dyrektora hotelu, polecił szefowi recepcji, aby pokazał gościom drugie skrzydło budynku.

— Jeżeli będzie potrzebne coś więcej — ciągnął dyrektor — mam tutaj jeszcze jeden piękny pokój.

Mówiąc to, otworzył drzwi i ku swemu absolutnemu zdziwieniu stanął twarzą w twarz z Henrym.

— Cóż za radosna niespodzianka, sir! — zawołał dyrektor. — Jak rozumiem, podziwia pan nasz słynny kominek. Czy można zapytać, mister Westwick, jak do tego doszło, że znowu znalazł się pan w naszym hotelu? Czyżby ponownie sprowadziły tu pana jakieś nadnaturalne siły?

— Tym razem mnie oszczędziły — odrzekł chłodno Henry, niezadowolony z tego, że dyrektor tak niefrasobliwie mówi o jego niedawnej przygodzie — chociaż może były bardziej względne wobec kogoś innego z mojej rodziny. Czyżby właśnie teraz pan wrócił?

— Dosłownie przed chwilą, sir. Miałem honor jechać pociągiem z pańskimi przyjaciółmi, państwem Barville'ami oraz towarzyszami ich podróży. Panna Lockwood ogląda wraz z nimi pokoje na tym piętrze. Zaraz się tutaj zjawią, jeśli dojdą do wniosku, że potrzebne im jeszcze jakieś pomieszczenia.

Zapowiedź ta skłoniła Henry'ego do tego, by zanim dojdzie do ewentualnej wizyty, sprawdzić schowek. Kiedy Agnes wyszła, przyszło mu do głowy, że byłoby jednak dobrze mieć świadka, na wypadek gdyby dokonał jakiegoś alarmującego odkrycia. I oto właśnie miał do dyspozycji niczego niepodejrzewającego — a niebędącego zupełnie obcym — dyrektora. Znowu odwrócił się do kariatydy, mówiąc zarazem:

— Bardzo się cieszę, że przyjaciele nareszcie dojechali, zanim jednak się z nimi przywitam, chciałem się czegoś dowiedzieć o tym meblu, którego zdjęcia widziałem na dole. Czy to dzieło jest na sprzedaż?

— Oczywiście, mister Westwick.

— Muszę w takim razie panu powiedzieć, że nie wydaje mi się ono tak solidne, jak wynikałoby z fotografii. W chwili gdy pan się zjawił, właśnie się przypatrywałem, czy aby ta figura nie oddzieliła się trochę od ściany. — Po raz trzeci dotknął czoła rzeźby.

— Coś mi się wydaje, że nie stoi całkiem prosto, i tak się namyślałem, czy nie przechylić odrobinę głowy.

Przy tych słowach nacisnął miejsce pomiędzy brwiami.

Natychmiast w ścianie rozległ się szczęk żelaza

i u stóp obu mężczyzn próg paleniska uniósł się, odsłaniając ciemną wnękę, z której natychmiast dobył się silny, niejednorodny zapach, po raz pierwszy wyczuty w pałacowych piwnicach. A potem w sypialni piętro niżej. Dyrektor cofnął się kilka kroków.

— Wielkie nieba, mister Westwick — sapnął — a to znowu co takiego?

Pomny na doświadczenia Francisa i Agnes, Henry pamiętał, by mieć się na baczności, dlatego też powiedział tylko:

— Jestem równie zaskoczony jak pan, dyrektorze.

— Proszę chwilę poczekać, sir, muszę tylko zadbać, aby na razie nikt więcej tutaj nie wchodził.

Z tymi słowami dyrektor wybiegł, pamiętając o tym, by dokładnie zamknąć za sobą drzwi. Henry otworzył okno i stanął przy nim, wdychając świeże powietrze. Lękając się tego, co może znaleźć w schowku, teraz tym bardziej chciał mieć przy sobie obiektywnego świadka.

Dyrektor powrócił, trzymając w ręku woskową świecę, którą zapalił zaraz po przekroczeniu progu.

— No, teraz nie musimy się już bać, że ktoś nam przeszkodzi, sir. Niech pan będzie łaskaw, mister Westwick, poświecić mi, gdyż muszę zbadać, co oznacza to nasze odkrycie. — Henry przejął świecę; kiedy obaj się nachylili i spojrzeli w dół, dostrzegli na dnie wnęki jakiś ciemny kształt. — Wydaje mi się — rzekł dyrektor — że jeśli ułożę się płasko na podłodze, dotknę tego czegoś. — Ukląkł i się zawahał. — Czy

zechciałby mi pan podać rękawiczki? — powiedział.
— Są na fotelu, w kapeluszu. — Henry zrobił, o co go poproszono. — Po prostu nie wiem, co tam mogę wymacać — wyjaśnił dyrektor, z niepewnym uśmiechem naciągając rękawiczki.

Położył się na brzuchu i sięgnął w głąb prawą ręką.

— Nie mogę powiedzieć, co to takiego — wysapał — ale coś mam.

Odwracając się na bok, wydobył rękę ze schowka.

Już w następnej chwili zerwał się na równe nogi z okrzykiem przerażenia, a z dłoni wyleciała mu ludzka głowa i potoczyła się pod nogi Henry'ego. To właśnie ją zobaczyła w nocy Agnes, jak bujała nad nią w powietrzu!

Obaj mężczyźni spoglądali na siebie ogarnięci tą samą tłumiącą dech w piersiach zgrozą. Pierwszy odzyskał głos dyrektor hotelu.

— Na miłość boską, niech pan pilnuje drzwi! — szepnął do Henry'ego. — Nikt więcej nie może tego zobaczyć.

Henry mechanicznie podsunął się do drzwi.

Trzymając rękę na kluczu, w każdej chwili gotów przekręcić go w zamku, nie mógł oderwać wzroku od straszliwego obiektu na podłodze. Zniekształconych rysów nie był w stanie utożsamić z żadnym znanym mu obliczem, niemniej w duszy czuł czającą się jakąś niejasną, ale bardzo okropną wątpliwość, gdyż teraz jego dręczyło pytanie, które stanęło przed Agnes.

„Czy to Ferrari, czy może...?". Znienacka myśl o tak drogiej jego sercu Agnes napełniła go trwogą. Co ma jej teraz powiedzieć?

Za drzwiami nie było słychać żadnych kroków ani głosów. Nowi przyjezdni ciągle znajdowali się we wschodnim skrzydle. Dyrektor w tym krótkim czasie zdążył już zastanowić się nad tym, co w tej chwili było dla niego najważniejsze: interes hotelu. Podszedł do Henry'ego i rzekł półgłosem:

— Jeśli rozejdzie się wieść o tym przeraźliwym odkryciu, nieuniknione będzie zamknięcie hotelu, a to oznaczałoby katastrofę towarzyską. Mam więc nadzieję, że mogę liczyć na pańską dyskrecję, sir?

— Tak, może pan liczyć na moją dyskrecję, ale przecież w sytuacji takiego odkrycia i ona ma swoje granice.

Dyrektor natychmiast zrozumiał, że Henry ma na myśli ich wspólne obowiązki wobec społeczności, dlatego odparł:

— Bezzwłocznie znajdę sposób, aby dyskretnie usunąć te szczątki z hotelu, i zawiadomię policję. Wyjdzie pan razem ze mną czy też zgodziłby się pan zostać tu i dopilnować pokoju do mego powrotu?

Z korytarza doleciały odległe głosy, co słysząc, Henry natychmiast zdecydował się zostać, gdyż nie mógł znieść wizji rychłego spotkania z Agnes.

Dyrektor wyszedł spiesznie, mając nadzieję, że uda mu się uniknąć spotkania, zanim jednak dotarł do schodów, natknął się na gości. Henry przekręcił klucz i zaczął się wsłuchiwać w całkiem wyraźne głosy. I oto po jednej stronie drzwi znalazła się straszna tajemnica, podczas gdy po drugiej toczyła się trywialna rozmowa na temat atrakcji weneckich, a także zalet i wad kuchni francuskiej oraz włoskiej. Po jakiejś chwili gwar zaczął się oddalać. Goście, ustaliwszy listę swych zajęć na ten dzień, skierowali się do wyjścia z hotelu. Jeszcze chwila — i na korytarzu znowu zapanowała cisza.

Henry podszedł do okna, gdyż chciał uspokoić myśli widokiem kanału, ale po pewnej chwili znużyły go sielskie widoki, powrócił więc na środek pokoju i wpatrzył się w spoczywający na podłodze czerep. We śnie czy w rzeczywistości, jakże Agnes mogła znieść taki widok? Przemknęło mu przez myśl to pytanie, ale w tej samej chwili jego uwagę przykuła leżąca obok głowy złota płytka z trzema przymocowanymi do niej sztucznymi zębami, która najpewniej wypadła na skutek wstrząsu, gdy czaszka poleciała na podłogę.

Henry natychmiast zrozumiał wagę tego odkrycia, a także niemożność natychmiastowego o tym poinformowania. To była bez wątpienia szansa zidentyfikowania tych widomych śladów okrutnej zbrodni. Z tą myślą nachylił się, podniósł zęby i schował do kieszeni.

Powrócił do okna; obecna samotność zaczynała mu ciążyć. Znowu zapatrzył się na kanał i wtedy usłyszał lekkie stukanie do drzwi. Ruszył, aby je otworzyć, ale zawahał się: czy to aby na pewno dyrektor?

— Kto tam? — zapytał.

— Ma pan mi coś do przekazania, Henry? — rozległ się głos Agnes.

— Nie teraz — odpowiedział po chwili. — Proszę mi wybaczyć, że nie będę otwierał drzwi. Wszystko pani wyjaśnię później.

Po drugiej stronie rozbrzmiała błagalna prośba.

— Henry, niech mnie pan nie zostawia samej! Nie mogę, jak gdyby nigdy nic, wrócić teraz na dół!

Jakże mógł nie zareagować na taką prośbę?! Kiedy usłyszał jej zrezygnowane westchnienie i cichnący szelest oddalającej się sukni, nie wytrzymał i wyszedł, by ją zobaczyć, chociaż całkiem niedawno tak się tego obawiał. Słysząc dźwięk otwieranych drzwi, zatrzymała się i odwróciła. Sam wyraz jego twarzy coś jej podpowiedział, gdyż drżącą ręką wskazała na Pokój Kariatyd.

— Czy to... czy to takie okropne?

Podszedł i podał jej ramię, aby się na nim oparła. Kiedy z trwogą czekała na odpowiedź, przyszła mu do głowy pewna myśl.

— Dowie się pani, co znalazłem, ale najpierw musi się pani ubrać i wyjść razem ze mną.

— W jakim celu? — spytała zdumiona.

— Przede wszystkim chodzi mi o to, abyśmy usunęli wszelkie niejasności dotyczące śmierci lorda Montbarry'ego. Dlatego udamy się do lekarza, który się nim opiekował w trakcie choroby, a także do konsula, który zajmował się jego pogrzebem.

Patrzyła na niego z niekłamaną wdzięcznością.

— Świetnie mnie pan rozumie — powiedziała, a w tej samej chwili dołączył do nich dyrektor.

Henry przekazał mu klucz, a potem zwrócił się do portiera, aby przed wejściem do hotelu czekała gondola.

— Na długo państwo wychodzą? — zapytał dyrektor.

Henry nachylił się do niego i rzucił półgłosem:

— Szukam dowodów. Gdybym był potrzebny, wracam za godzinę.

ROZDZIAŁ 25

Dzień się chylił ku wieczorowi. Lordostwo Montbarry i nowożeńcy Barville'owie udali się do opery. Agnes, tłumacząc się zmęczeniem, została w hotelu. Henry, wymknąwszy się po pierwszym akcie, dołączył do niej w salonie.

— Zastanowiła się pani nad tym, co powiedziałem wcześniej? — zapytał, siadając w fotelu obok. — Zgadza się pani, że przynajmniej jedna z dręczących nas wątpliwości została rozwiana?

Agnes ze smutkiem pokręciła głową.

— Bóg jeden wie, jak bardzo chciałabym się z panem zgodzić, Henry, ale...

Nie dokończyła zdania, a chociaż większość mężczyzn odpowiedziałaby na to irytacją, cierpliwość Henry'ego jakby nie miała granic.

— Dobrze, w takim razie ponownie prześledźmy wydarzenia tego dnia, bo przecież przynajmniej z tym chyba się pani zgodzi, że kilka rzeczy udało nam się ustalić. Pamięta pani stanowczość, z jaką mówił doktor Bruno? „Naprawdę sądzą państwo, że po trzydziestu latach praktyki lekarskiej mógłbym nie rozpoznać śmierci z powodu bronchitu?". A czyż można mieć jakieś wątpliwości, jeśli chodzi o słowa konsula? Jak tylko dowiedział się o śmierci lorda, natychmiast zjawił się w pałacu, oferując swoją pomoc. Na własne oczy widział, jak ciało wkładano do trumny, do której potem przykręcono wieko. Równie ważne są słowa księdza. Pozostawał w pokoju, modląc się przy trumnie aż do momentu, gdy zaczęła się ceremonia pogrzebowa. Mając to wszystko w pamięci, Agnes, czy może mieć pani jakiekolwiek wątpliwości co do śmierci lorda Montbarry'ego i jego pochówku? To prawda, że nierozstrzygnięta pozostała jeszcze jedna wątpliwość: czy znalezione przeze mnie szczątki należą do zaginionego kuriera, czy też nie. Czy coś przeinaczyłem? — Agnes pokręciła głową. — Czemu zatem nie doświadcza pani takiej ulgi jak ja?

— Z powodu tego, co zobaczyłam w nocy — odrzekła Agnes. — Po wszystkich tych naszych ustaleniach skrytykował mnie pan za zabobonne, jak to pan określił, podejście do tej wizji. Może sama byłabym tego zdania, gdyby chodziło o inną osobę. Pamiętając, że był czas, gdy pański nieżyjący brat i ja nie byliśmy sobie obojętni, mogłabym przypuścić, iż zjawa domagała się chrześcijańskiego pogrzebu, a może nawet pomsty. Może nawet przekonałaby mnie pańska wzmianka o mesmeryzmie, o możliwości, że pojawiło się jakieś magnetyczne oddziaływanie, gdy nade mną znajdowały się szczątki zamordowanego męża, a obok mnie w fotelu znalazła się jego udręczona żona. Tylko że przecież pan dowodzi, że zobaczyłam głowę nie świętej pamięci lorda Montbarry'ego, lecz Ferrariego, którego nigdy na oczy nie widziałam, a łączy mnie z nim tyle tylko, że jego żona służyła kiedyś u mnie i pojawiła się z prośbą. Dlatego jestem ciągle przekonana, iż nie dotarliśmy jeszcze do sedna okrutnej, przeraźliwej prawdy.

Henry poczuł się bezradny, w dużej mierze z racji pasji, z jaką Agnes przemawiała.

— Ale jak w takim razie dotrzeć do prawdy? Kto mógłby nam pomóc? Tak, oczywiście, jest hrabina, która sama uczestniczyła w całym tym dramacie, ale nawet gdyby zechciała powiedzieć nam coś więcej, czy można ufać jej słowom, jeśli zważyć na stan, w jakim się znajduje? Dla mnie jej wiarygodność jest bardzo wątpliwa.

— Czyżby rozmawiał pan z nią raz jeszcze? — spytała podejrzliwie Agnes.

— Tak, przerwałem jej tę pisaninę i zażądałem, żeby mówiła prosto i szczerze.

— Bo, rozumiem, powiedział jej pan, co znalazł pod kominkiem?!

— Nie inaczej. Oznajmiłem, że uważam, iż jest odpowiedzialna za to odkrycie, na co ona wzięła się znowu do pisania, jakbym znienacka zaczął mówić w jakimś obcym języku. Niezrażony poinformowałem ją, że głową zaopiekowała się policja, a ja i dyrektor musieliśmy złożyć zeznania, które zostały zaprotokołowane. Gdy i na to nie zareagowała, podkreśliłem, że na razie nikomu nie wspomniałem o jej związku z odkryciem, ale że moja dyskrecja ma swoje granice. Przez chwilę miałem nawet wrażenie, iż mi się udało, gdyż na chwilę uniosła wzrok i spytała, co się stanie z głową. Odparłem, że po dokładnym sfotografowaniu zostanie pochowana, po czym dorzuciłem, że zdaniem lekarza sądowego użyto jakieś substancji chemicznej, aby spowolnić jej rozkład. Następnie zaś spytałem wprost, czy tak właśnie było. I wie pani, co odpowiedziała? „Skoro już pan tu jest, chciałam zasięgnąć pańskiej opinii w pewnej kwestii związanej ze sztuką, gdyż mam tutaj mały problem". Mówię prawdę, nie było w tym żadnej ironii, po prostu była przekonana, że skoro mój brat jest dyrektorem teatru, także i ja muszę się pasjonować podobnymi kwestiami. W tej sytuacji nie pozostawało mi nic innego, jak ją po prostu zostawić. Może jednak lepiej nam się powie, jeśli udamy się tam razem. Czuje się pani na to gotowa? W tej chwili hrabina jest u siebie, na górze.

Agnes zadygotała na samą tę myśl.

— Nie! Nie mogę, nie ma mowy! Po tym, co wydarzyło się w tym straszliwym pokoju, tym bardziej nie mogę znieść jej widoku. Nie, nie, niech pan mnie nawet nie usiłuje przekonywać, Henry. Niech pan tylko dotknie mojej ręki; ledwie pan wspomniał o tej kobiecie, poczułam na skórze lodowaty dreszcz.

Widać było, że nie przesadza, więc Henry pospiesznie zmienił temat.

— Może porozmawiajmy o czymś bardziej interesującym. Czy dobrze zgaduję, że chciałaby pani jak najszybciej opuścić Wenecję?

— Czy dobrze pan zgaduje? Co tutaj zgadywać! Nie potrafię nawet powiedzieć, jak bardzo pragnę opuścić to okropne miejsce! Ale przecież dobrze pan zna moją sytuację; słyszał pan, co powiedział pański brat, lord Montbarry, przy kolacji?

— A jeśli od tego czasu zmienił plany?

— Jak to? — Agnes nie posiadała się ze zdumienia. — Przecież otrzymał list, który każe mu jutro wracać do Anglii, czyż nie?

— Tak, to prawda — przyznał Henry. — Istotnie jego lordowska mość przygotował wszystko, aby jutro wyjechać do Anglii, chociaż chce, aby pani została tutaj z jego żoną i córkami, a ja mam się wami zaopiekować. Tymczasem pojawiły się okoliczności, które zmieniły sytuację. Całą rodziną musicie wracać jutro do Anglii, gdyż i ja muszę przerwać swoje wakacje we Włoszech i jechać do kraju.

Agnes wpatrywała się w niego, nie wiedząc, czy mu wierzyć, czy nie.

— Musi pan jechać do Anglii? — powtórzyła.

Henry leciutko się uśmiechnął.

— Musi to pani zachować w tajemnicy albo lord Montbarry nigdy mi nie wybaczy.

Resztę wyczytała z jego twarzy.

— Czy to możliwe — zawołała — że dla mnie rezygnuje pan z przyjemności pobytu we Włoszech?

— Jadę z panią do Anglii, Agnes. Już samo to jest dla mnie przyjemnością.

Nie bardzo wiedziała, jak najlepiej dać wyraz swojej wdzięczności.

— Jest pan dla mnie niesłychanie dobry — szepnęła. — Co bym poczęła w tym całym zamęcie, gdyby nie pańska dobroć i sympatia? Nie znajduję słów, by wyrazić, jak wiele to dla mnie znaczy.

Przejęta chwyciła go za rękę, aby podnieść ją do ust, ale sprzeciwił się, mówiąc:

— Agnes, czy zaczyna pani widzieć, że ja naprawdę panią kocham?

To proste pytanie bez trudu znalazło drogę do jej serca. Bez słowa wpatrywała się w Henry'ego, a potem odwróciła wzrok. Delikatnie przyciągnął ją do siebie.

— Moja kochana! — szepnął i nachylił ku niej twarz, a jej wargi powoli i miękko uniosły się i dotknęły jego ust. Otoczył Agnes ramieniem, a ona oparła mu głowę na piersi. Nic już nie mówili.

Ciszę brutalnie przerwało pukanie do drzwi.

Agnes pomknęła do fortepianu; instrument był tak ustawiony, że kiedy przy nim siedziała, od drzwi nie dało się dojrzeć jej twarzy.

— Proszę! — zawołał z irytacją Henry.

Drzwi jednak się nie otworzyły, natomiast z drugiej strony doleciało dziwne pytanie:

— Czy mister Henry Westwick jest sam?

Agnes natychmiast poznała głos hrabiny. Zerwała się od fortepianu, a w drodze do sypialni zatrzymała się przy Henrym i wyszeptała nerwowo:

— Niech się tylko do mnie nie zbliża. Dobranoc...
Henry, dobranoc!

Gdyby było w mocy Henry'ego, aby wysiłkiem woli przenieść hrabinę Naronne na najdalszy kraniec świata, zrobiłby to bez wahania, w obecnej jednak sytuacji tylko powtórzył:

— Proszę!

Weszła, trzymając w dłoni swój rękopis. Krok miała niepewny, na twarzy zamiast bladości płonął silny rumieniec, oczy były przekrwione i rozszerzone. Podeszła do Henry'ego, mając wyraźne trudności z oceną odległości, dlatego też wpadła na róg stolika, przy którym siedział. Mówiła niewyraźnie, niektóre słowa, zwłaszcza te dłuższe, stawały się niezrozumiałe. Większość ludzi uznałaby, że musi być pod wpływem jakichś trunków, Henry jednak wiedział lepiej. Podsunął jej krzesło, mówiąc:

— Obawiam się, hrabino, że pracowała pani zbyt ciężko; chyba potrzebny jest pani wypoczynek.

Potarła czoło.

— Opuściła mnie inwencja — jęknęła. — Nie potrafię napisać czwartego aktu. W głowie mam tylko zupełną pustkę.

— Może w takim razie — zasugerował Henry — przełożymy tę rozmowę na jutro, a teraz się pani prześpi, hrabino.

Machnęła niecierpliwie ręką.

— Muszę dokończyć sztukę — fuknęła — ale potrzebna mi od pana pewna wskazówka. Musi pan przecież coś wiedzieć o takim pisarstwie, w końcu pański brat jest właścicielem teatru, więc często pan musiał słyszeć o kłopotach z czwartym, piątym aktem, na pewno oglądał pan próby i wszystkie te inne rzeczy. — Gwałtownym ruchem wcisnęła Henry'emu do rąk manuskrypt. — W głowie już mi się kręci, kiedy patrzę na tę swoją pisaninę. Niechże pan to przejrzy i coś mi podszepnie.

Henry mimowolnie zerknął na listę postaci, ale kiedy odwrócił się do hrabiny, aby o coś ją spytać, słowa zamarły mu na ustach. Siedziała z głową odrzuconą na oparcie fotela, jakby w jednej chwili zasnęła, ale jeszcze głębszy rumieniec na twarzy sprawiał, że wyglądała jak osoba bliska wylewu.

Pociągnął za dzwonek i kazał przysłać jedną z hotelowych pokojówek. Słysząc jego głos, hrabina się ocknęła.

— Już pan przeczytał? — wykrztusiła.

— Zrobię to z chęcią — odrzekł z uprzedzającą grzecznością — ale pani musi iść na górę i się położyć. Jutro rano podzielę się z panią swoją opinią. Oboje będziemy mieli jaśniejsze myśli i łatwiej będzie się porozumieć.

Jeszcze mówił, kiedy zjawiła się pokojówka.

Henry podszedł do niej i szepnął:

— Pani nie czuje się dobrze, proszę ją odprowadzić do pokoju.

Pokojówka tylko zerknęła na hrabinę i natychmiast spytała półgłosem:

— A czy wezwać lekarza, sir?

Henry polecił umieścić hrabinę na górze, a potem zasięgnąć opinii dyrektora. Niełatwo było namówić kobietę, by pozwoliła się odprowadzić, a zanim na to przystała, Henry musiał złożyć wielokrotne zapewnienia, że przez noc przeczyta tekst i będzie miał rano sugestie dotyczące czwartego aktu.

Kiedy został sam, nie mógł się oprzeć ciekawości i zaczął przerzucać rękopis, czytając kilka linijek tu, kilka linijek tam. Nagle pewien fragment przykuł jego uwagę tak, że przestudiował go dwa razy, a potem poderwał głowę z wyrazem osłupienia na twarzy.

— Wielkie nieba! Co to może znaczyć? — rzucił półgłosem.

Spojrzał nerwowo w kierunku drzwi, za którymi znikła Agnes; przestraszył się, że może wrócić i chcieć przeczytać manuskrypt hrabiny. Raz jeszcze spojrzał na passus, który tak go zdumiał, chwilę się zastanawiał, a potem chwyciwszy tekst sztuki, po cichu opuścił pokój.

ROZDZIAŁ 26

Znalazłszy się w swoim pokoju na piętrze, Henry położył na stoliku otwarty na pierwszej stronie rękopis, usiadł i wzdrygając się na choćby najlżejszy dźwięk dochodzący z korytarza, zaczął czytać.

Plan sztuki otwierały uwagi autorki zwrócone bezpośrednio do Francisa Westwicka.

Szanowny Panie!

Chciałabym podzielić się z panem pomysłem na sztukę, w której będą występować następujące postaci: Milord, Baron, Kurier, Lekarz, Hrabina.

Jak pan widzi, nie silę się na wymyślanie dla nich imion i nazwisk. Każda osoba jest charakteryzowana przez swoją pozycję społeczną, a także przez wyraziste — jak mniemam — cechy charakteru. Zanim przystąpię do opisu akcji, muszę podkreślić, że jest ona w całości tworem mojej inwencji. Gardzę czerpaniem materiału do sztuki z rzeczywistych wydarzeń; co może jeszcze dziwniejsze, nie zapożyczyłam też swych idei z najnowszych dramatów francuskich. Przypuszczam, że jako dyrektorowi angielskiego teatru trudno będzie panu w to uwierzyć, mniejsza jednak z tym, gdyż naprawdę liczy się tylko tekst.

Claudia hrabina Naronne

Po tym — co do istoty — liście zaczynał się scenopis.

„Akt pierwszy rozpoczyna się w Homburgu, w słynnym Salon d'Or*; jest pełnia sezonu. Wykwintnie ubrana Hrabina siedzi przy zielonym stole. Za graczami tłoczą się goście z różnych krajów; niektórzy tylko się przypatrują, inni ryzykują własne stawki. W ich gronie znajduje się Milord. Jest urzeczony wyglądem Hrabiny, u której zalety urody i jej ułomności zlewają się w atrakcyjną całość. Przygląda się jej, a widząc, na co kładzie następną stawkę, dołącza swoje pieniądze. Hrabina odwraca się i mówi: »Niech pan nie idzie za moim przykładem. Przez cały wieczór szczęście mi nie sprzyja. Jeśli obstawi pan inny kolor, będzie pan mieć większe szanse na wygraną«. Milord (jak przystało na prawdziwego Anglika) czerwieni się, kłania i stosuje się do rady, która okazuje się prorocza. Hrabina przegrywa po raz kolejny, wygrana Milorda jest dwa razy wyższa od postawionej sumy.

Hrabina wstaje; nie ma już pieniędzy, więc proponuje swe miejsce Milordowi. Ten odmawia, wręcza jej natomiast wygraną, prosząc, aby potraktowała to jako wdzięczną pożyczkę. Hrabina stawia i znowu przegrywa. Milord uśmiecha się wyrozumiale

---

* Znane kasyno w Bad Homburg. Kasyno i jego bywalcy są przedstawieni na obrazie W.P. Fritha *Salon d'Or, Homburg* — przyp. tłum.

i proponuje następną pożyczkę. Hrabina akceptuje ją i od tej chwili fortuna się odwraca. Wygrywa, i to wygrywa coraz więcej. Jej brat, Baron, który próbuje szczęścia w sąsiedniej sali, słysząc, co się dzieje, przyłącza się do Hrabiny i Milorda. Chciałabym zwrócić uwagę na Barona; mam wrażenie, iż to interesująco nakreślona postać.

Ów przystojny mężczyzna w młodości bez reszty oddał się chemii eksperymentalnej, a odnoszone na tym polu sukcesy sugerowały, iż rysuje się przed nim świetlana przyszłość. Studia okultystycznych pism rodzą w nim przekonanie, iż można rozwiązać zagadkę »kamienia filozoficznego«. Kosztowne eksperymenty szybko pochłaniają własne jego środki, ale wtedy z pomocą przychodzi mu siostra, która oferuje mu cały swój majątek z wyjątkiem rodowych kamieni — te bowiem zostają przekazane pod opiekę i ochronę zaprzyjaźnionemu bankierowi z Frankfurtu. Także i jej dobytek rychło zostaje pochłonięty, Baron w odruchu desperacji szuka ratunku w hazardzie. Zrazu okazuje się ulubieńcem fortuny, coraz więcej wygrywa, ale wraz z tym w jego duszy miejsce pasji do nauki zajmuje pasja do gry.

W czasie gdy rozgrywa się sztuka, szczęście opuściło już Barona, i to właśnie w chwili, gdy, jak mniema, jest u progu odkrycia, w jaki sposób przekształcić w złoto inne substancje. Skąd jednak wziąć pieniądze na pokrycie wydatków, które potem zwrócą się dziesięcio-, stukrotnie?

I oto, zdało się, z odpowiedzią na pytanie spieszył los. Czy wygrane siostry (dzięki lordowskim pożyczkom) okażą się na tyle wielkie, aby mu dopomóc? W podnieceniu zaczyna doradzać Hrabinie, jak grać, a gdy ta idzie za podszeptami, pech brata rozciąga się także na nią. Przegrywa, zrazu niewiele, potem coraz więcej, aż wreszcie nie zostaje jej zupełnie nic.

Uczynny Milord proponuje trzecią zapomogę, ale na to Hrabina nie chce się już zgodzić. Odchodząc od stołu, przedstawia brata Milordowi. Obaj mężczyźni nawiązują przyjazną rozmowę, Milord pyta, czy wolno mu będzie następnego ranka odwiedzić Hrabinę w jej hotelu. Baron dwornie zaprasza go na śniadanie. Milord przyjmuje zaproszenie, na odchodnym obdarza jeszcze Hrabinę spojrzeniem, które nie uchodzi uwagi Barona, i się oddala.

Kiedy rodzeństwo zostaje samo, Baron niczego nie ukrywa przed siostrą. »Nasza sytuacja materialna jest rozpaczliwa; konieczna jest jej natychmiastowa poprawa. Zaczekaj w hotelu, podczas gdy ja rozpytam się na temat jego lordowskiej mości, gdyż bez wątpienia zrobiłaś na nim wielkie wrażenie. Jeśli tylko da się ono zamienić na pieniądze, trzeba to zrobić, niezależnie od kosztów«.

Teraz Hrabina zostaje na scenie sama i podejmuje monolog, który odsłania jej charakter.

Jest intrygujący, ale i niebezpieczny. W duszy Hrabiny, obok wrodzonych zdolności do dobra, są też nie mniej silne skłonności do zła. W zależności od

okoliczności daje upust jednym lub drugim. Ponieważ wszędzie wzbudza zainteresowanie swoją osobą, staje się, rzecz jasna, bohaterką skandalicznych
opowieści. Teraz wspomina o jednej z nich, która
kłamliwie przedstawia Barona jako jej kochanka,
a nie brata. Oburzona, chce jak najprędzej opuścić
Bad Homburg. Jej ostatnie słowa podchwytuje wcho-
dzący właśnie na scenę Baron: »Tak, zgoda, trzeba
opuścić Homburg, ale tylko wtedy, jeśli zrobisz to
w roli małżonki Milorda!«.

Hrabina jest zszokowana i zniesmaczona. Oznajmia, że w najmniejszym stopniu nie odwzajemnia ad-
miracji, jaką darzy ją Milord, a w zaistniałej sytuacji
nie zamierza już więcej zobaczyć go na oczy. Baron
odpowiada: »Muszę bezzwłocznie zyskać pieniądze.
Dlatego wybieraj: albo poślubisz majątek Milorda,
aby umożliwić mi wielkie odkrycie, albo skazujesz
mnie na własne siły, co znaczy, że muszę sprzedać
siebie i mój tytuł pierwszej lepszej kobiecie, którą
stać na ich kupno«.

Hrabina słucha Barona z niedowierzaniem. Czy
to możliwe, by mówił na serio? Natychmiast okazuje
się, iż jest jak najbardziej poważny.

»Kobieta taka zajmuje przylegający do naszych
pokojów apartament. To wdowa po żydowskim li-
chwiarzu, dostatecznie bogata, aby zapłacić za moje badania. Wystarczy, że zechcę zostać jej mężem,
a stanę się posiadaczem milionów w złocie. Daję ci
pięć minut na zastanowienie. Potem wracam, aby

wysłuchać twego wyroku na temat tego, które z nas ma dokonać ślubu z pieniędzmi«.

Odwraca się, ale Hrabina go zatrzymuje. Gwałtownie górę bierze dobra strona jej natury. »Jakaż prawdziwa kobieta — woła z przejęciem — musi się namyślać, czy ma poświęcić siebie dla drogiej jej osoby? Nie potrzebuję pięciu minut, ba, nie potrzebuję nawet pięciu sekund, natychmiast mogę powiedzieć: poświęć mnie na ołtarzu twojej chwały. Ty jesteś moją miłością, wolnością i życiem — niechże będę stopniem na drodze do twej sławy!«.

Po tej wielkiej scenie kurtyna opada, kończy się akt pierwszy. I znowu pozwolę sobie zwrócić się do pana, mister Westwick. Proszę o szczerą odpowiedź: jak pan mniema, czy jestem w stanie napisać dobrą sztukę teatralną?".

Tutaj Henry przerwał lekturę, ale mniej zastanawiał się nad sceniczną wartością przeczytanego tekstu, a bardziej nad podobieństwem przedstawionych wydarzeń do wypadków, które wiązały się z nieszczęsnym małżeństwem pierwszego lorda Montbarry'ego. Czy to możliwe, że hrabina Naronne, pisząc, ćwiczyła nie tyle swoją wyobraźnię, ile pamięć? Czując, że brak mu na razie materiału, aby odpowiedzieć jednoznacznie na to pytanie, Henry powrócił do czytania.

„Akt drugi rozpoczyna się w Wenecji. Od sceny w kasynie upłynęły cztery miesiące. Jesteśmy w salonie jednego z weneckich pałaców. Na scenie widzimy samotnego Barona. Powraca do wydarzeń, które nastąpiły po zakończeniu aktu pierwszego. Hrabina się poświęciła, doszło do ślubu dla pieniędzy, acz nie bez przeszkód, które wiązały się z warunkami zawarcia związku małżeńskiego. W efekcie badań przeprowadzonych w Anglii Baron ustalił, że główny trzon majątku lorda stanowi majorat*. W takiej sytuacji, nastawał Baron, czyż nie byłoby rozsądnie, gdyby przewidziano jakieś zabezpieczenie dla małżonki, na wypadek chociażby jakiegoś nieszczęśliwego wypadku? Czy jego lordowska mość nie mógłby, na przykład, wykupić ubezpieczenia na życie, tak by jego małżonka otrzymała sumę, jaką Baron zasugerował w razie wdowieństwa? Milord zaczyna się zastanawiać, ale Baron, nie zamierzając tracić ani chwili, oznajmia: »W takim razie traktujemy zaręczyny jako zerwane«, kiedy zaś Milord ustępuje, ale chce uzgodnić sumę niższą od zaproponowanej, odpowiada ostro: »Nigdy się nie targuję«. Zakochany Milord nie ma wyjścia — kapituluje.

Jak dotąd zatem Baron nie ma powodu się użalać. Sytuacja jednak się zmienia, gdy kończy się miesiąc miodowy. Baron przyłącza się do młodej pary w wynajętym przez nich pałacu weneckim. Wszystkie jego myśli nieustannie krążą wokół »kamienia filozoficz-

---

* Zasada dziedziczenia, zgodnie z którą majątek przejmuje najstarszy syn lub najstarszy krewny w linii męskiej, jeśli ordynat nie ma synów — przyp. tłum.

nego«. W podziemiach pałacu Baron urządza swoje laboratorium, tak aby zapachy nie drażniły na wyższych kondygnacjach nielubiącej ich Hrabiny. Nie po raz pierwszy jest zdania, że znajduje się u progu gigantycznego odkrycia, ale w jego dokonaniu przeszkadza mu jedna tylko rzecz: pieniądze. Sytuacja staje się jeszcze bardziej krytyczna, gdyż absolutnie musi zwrócić dług honorowy. Przyjaźnie i grzecznie zwraca się do Milorda z prośbą o pożyczkę, ten zaś odmawia, nie przebierając w słowach. W tej sytuacji Baron zwraca się do siostry, aby wpłynęła na małżonka, ona jednak oznajmia, że dopiero teraz, kiedy ten przestał być w niej szaleńczo zakochany, odsłaniają się prawdziwe, nikczemne cechy jego charakteru. Ofiara, jaką było małżeństwo, okazuje się bezużyteczna.

Tak przedstawiają się sprawy na początku drugiego aktu sztuki.

Monolog Barona przerywa pojawienie się Hrabiny. Jest niesłychanie podniecona, zbulwersowana, wyrzuca z siebie pojedyncze słowa, dopiero po pewnym czasie jest w stanie zapanować nad mową na tyle, aby wypowiedzieć się zrozumiale. Dwukrotnie ją znieważono, najpierw jedna osoba ze służby, potem — mąż. Angielska pokojówka oznajmia, że nie będzie już dłużej służyła Hrabinie. Odbierze należną jej pensję i bezzwłocznie wraca do Anglii. Nagabywana o przyczynę, odpowiada, że od chwili gdy w pałacu pojawił się Baron, nie ma poczucia, iż jest to praca dla przyzwoitej osoby. Hrabina czyni to, co zrobiłaby każda inna osoba w jej sytuacji: oburzona każe niewdzięcznicy natychmiast opuścić dom. Słysząc podniesiony głos żony, Milord wychodzi z gabinetu, w którym zwykł się zamykać ze swymi książkami, i dopytuje, co jest przyczyną wrzawy. Hrabina informuje go o haniebnym zachowaniu służącej oraz jej plugawym języku, atoli Milord nie popiera swej małżonki, lecz sam podaje w wątpliwość jej wierność, używając słów tak niskich, iż nie może ich powtórzyć żadna szanująca się kobieta. »Gdybym była mężczyzną — kończy Hrabina — i miała w ręku broń, lord musiałby paść trupem u mych stóp«.

Baron, który wszystkiego dotąd słuchał w milczeniu, powiada: »Pozwól, że powtórzę twoje słowa, ale wydobywając ich sens. Gdybyś była mężczyzną, zabiłabyś na miejscu swego męża, a wskutek tego nieprzemyślanego działania pozbawiłabyś się pieniędzy z polisy ubezpieczeniowej, które są nieodzowne do tego, aby wydobyć brata z finansowych tarapatów, w których się znalazł«.

Hrabina upomina Barona, że nie czas teraz na żarty. Po tym, co powiedział Milord, nie ma najmniejszych wątpliwości, że jej małżonek zakomunikuje podłe podejrzenia swym prawnikom w Anglii, a jeśli do tego dojdzie, czeka ją haniebny rozwód, po którym od głodu może ją już uchronić tylko wyprzedaż rodowych klejnotów.

W tym momencie na scenie pojawia się Kurier, którego Milord na czas podróży przyjął jeszcze w Anglii, a który ma zanieść na pocztę list. Hrabina zatrzymuje go, odbiera na chwilę list i stwierdza, że jest on własną ręką Milorda adresowany do londyńskiej firmy prawniczej. Kurier wychodzi, Baron i Hrabina patrzą na siebie w milczeniu. Słowa są niepotrzebne, oboje dobrze rozumieją, w jak straszliwym znaleźli się położeniu, oboje też wiedzą, iż jest tylko jedno straszliwe wyjście. Jedno z dwojga: albo czeka ich niesława i ruina, albo Milord zginie, a wtedy otrzymają pieniądze z ubezpieczenia.

Baron przechadza się z kąta w kąt; w podnieceniu mówi do siebie. Z tego Hrabina wychwytuje tylko fragmenty zdań. Baron zastanawia się nad słabą konstytucją Milorda, z całą pewnością osłabioną jeszcze przez pobyt w Indiach, mówi o zaziębieniu, którego Milord nabawił się przed dwoma czy trzema dniami, o tym, jak takie błahe objawy mogą się okazać początkiem znacznie poważniejszego schorzenia. Zauważa, że Hrabina go obserwuje, pyta więc, czy ma jakieś propozycje. Kobieta ma bez wątpienia wiele wad, nie należy do nich jednak owijanie rzeczy w bawełnę. »Czy w tych swoich flakonach nie masz aby zakorkowanej jakiejś ciężkiej choroby?« — pyta.

Baron w odpowiedzi kręci posępnie głową. Czego się obawia? Że pośmiertne badanie zwłok może ujawnić inną niż naturalna przyczynę śmierci? Nie, pośmiertnego badania się nie boi, natomiast nie wie, jak podać truciznę. Człowiek o takiej pozycji jak Lord nie może poważnie zachorować, nie konsultując się z lekarzem, i to nie byle jakim. Gdzie zaś lekarz, tam niebezpieczeństwo demaskacji. Ponadto jest też Kurier, wierny swemu panu, jak długo ten mu płaci. Nawet jeśli medyk niczego nie spostrzeże, może coś zauważyć Kurier. Aby trucizna sekretnie dokonała swojego dzieła, musi być podawana regularnie w odmierzonych dozach. Wystarczy jedna mała niedokładność, a natychmiast mogą się pojawić wątpliwości, a wtedy wypłata z firmy ubezpieczeniowej staje pod znakiem zapytania. Zważywszy to wszystko, Baron nie zamierza ryzykować ani nakłaniać do tego siostry.

Teraz na scenie pojawia się Milord, poirytowany tym, że Kurier nie odpowiada na wielokrotne wezwania. »Co to za opieszałość?« — grzmi.

Hrabina ze spokojną godnością (nie zamierza dawać mężowi satysfakcji i pokazywać, jak ją dotknął) przypomina, że Kurier został wysłany na pocztę. Milord zaniepokojony pyta, czy małżonka oglądała list, na co ta odpowiada chłodno, że nie interesują jej jego listy. Pyta, czy w związku z odczuwanym przeziębieniem jego lordowska mość zamierza wezwać doktora. Nagabnięty odpowiada ostro, że w jego wieku człowiek sam potrafi być sobie lekarzem.

Z poczty wraca Kurier, któremu Milord każe wyjść ponownie i kupić kilka cytryn. Chce uraczyć się gorącą lemoniadą, która spowoduje wypocenie w łóżku choroby, tak bowiem kilkakroć już ratował się z podobnych opresji.

Kurier w milczeniu wykonuje polecenie, ale z jego zachowania nietrudno zmiarkować, że robi to bardzo niechętnie. Teraz Milord zwraca się do Barona, który dotąd nie uczestniczył w rozmowie, i szyderczo pyta, jak długo zamierza jeszcze przebywać w Wenecji. »Mówmy wprost, Milordzie — odpowiada spokojnie Baron. — Jeżeli chce pan, bym opuścił pański dom, wystarczy jedno słowo«. Milord pyta teraz Hrabinę, czy jest w stanie znieść dramat nieobecności »brata«, z bardzo nieobyczajnym akcentem wypowiadając to ostatnie słowo. Hrabina nie daje się wytrącić z równowagi; nie daje po sobie znać, z jaką nienawiścią odnosi się do utytułowanego gbura, który po raz kolejny ją znieważył. »To pan rozkazuje w tym domu, Milordzie — odpowiada — niech pan czyni, na co ma pan ochotę«.

Milord spogląda na żonę, potem na Barona, następnie zaś nieoczekiwanie zmienia ton. Czyżby wyczuł w ich zachowaniu jakieś zapowiedzi niebezpieczeństwa? Jedno jest pewne: teraz niezręcznie przeprasza za niewybredny język, po który sięgnął, co zostaje przerwane powrotem Kuriera z cytrynami i gorącą wodą.

Hrabina spostrzega, że ten ostatni wygląda niedobrze; trzęsą mu się ręce, kiedy kładzie zakupy na stole. Milord każe mu iść za sobą, aby przygotował lemoniadę w sypialni. Hrabina zauważa, iż Kurier może mieć trudności z wykonaniem tego polecenia, na co mężczyzna przyznaje, że istotnie czuje się chory. Także i jemu jest zimno, przemarzł na wietrze pod sklepem z cytrynami. Jest mu teraz na przemian chłodno i gorąco, prosi, aby mógł na chwilę położyć się do łóżka i odpocząć.

Powodowana współczuciem Hrabina proponuje, że sama przyrządzi lemoniadę. Milord na stronie mówi do Kuriera: »Patrz uważnie, czy czasem niczego nie dosypie, przyjmę napój tylko z twoich rąk. A potem idź do łóżka, jeśli istotnie chcesz«.

Nie odzywając się więcej do swej żony i Barona, Milord wychodzi. Hrabina sporządza lemoniadę, Kurier zanosi ją swemu panu. Kiedy powraca do swego pokoju, skarży się na takie zawroty głowy, iż musi co chwila opierać się na najbliższym krześle. Baron podaje mu rękę, mówiąc: »Coś mi się zdaje, przyjacielu, że naprawdę jesteś chory«, na co Kurier udziela zdumiewającej odpowiedzi: »Już po mnie, sir. Czuję oddech śmierci«.

Zdumiona Hrabina usiłuje podtrzymać go na duchu. »Przecież nie jest pan jeszcze stary; w pana wieku od przeziębienia do śmierci droga całkiem daleka«. Kurier wpatruje się zrezygnowany w Hrabinę i mówi: »Mam słabe płuca, milady. Miałem już dwa ataki bronchitu, za drugim razem mój lekarz wezwał też na konsultację znanego specjalistę, a ten uznał moje wyzdrowienie za prawdziwy cud. Kazał mi zważać na siebie, gdyż, powiedział, trzeci napad bronchitu, a moja śmierć będzie tak pewna jak to, że dwa razy dwa jest cztery. Czuję te same dreszcze co poprzednio i dlatego jestem pewien, że przyszło mi umrzeć w Wenecji«.

Baron ze słowami otuchy wyprowadza Kuriera, Hrabina zostaje sama na scenie i patrząc na drzwi, za którymi znikli obaj mężczyźni, mówi: »Ach, biedaku, gdybyś tak się zamienił z moim mężem, jakież fortunne byłoby to zdarzenie dla mnie i dla mojego brata! Gdyby ciebie można było wyleczyć porcją gorącej lemoniady, on zaś miał tutaj wyzionąć ducha!«. Nagle urywa, zastanawia się przez moment i zrywa z triumfalnym okrzykiem: niczym błyskawica błysnęła jej w głowie zbawienna myśl. Trzeba tylko zamienić nazwiska i miejsca pobytu obu mężczyzn. Żadna to trudność, wystarczy bowiem tylko namową czy podstępem wywabić Milorda z jego pokoju, przetrzymać go gdzieś w pałacu, na razie nie przesądzając jego przyszłości, a w zwolnionym łóżku umieścić Kuriera i wezwać do niego lekarza, aby poświadczył chorobę domniemanego Milorda i wskazał ją jako przyczynę śmierci!".

Rękopis wyleciał Henry'emu z rąk; ogarnęło go straszliwe przerażenie. Pytanie, które przyszło mu do głowy na zakończenie pierwszego aktu, powróciło z przemożną siłą. Podobnie jak scena dialogu Hrabiny, tak teraz zdarzenia drugiego aktu wiernie pasowały do losów jego nieszczęsnego brata. Czy cała ta intryga, z którą przed chwilą się zapoznał, była tylko wytworem chorobliwej wyobraźni hrabiny Naronne? Czy też łudziła samą siebie, że korzysta tylko ze swej imaginacji, podczas gdy naprawdę odzywała się targana wyrzutami sumienia pamięć? Jeśli prawdziwa była druga ewentualność, przeczytał opowieść o morderstwie swego brata, z zimną krwią zaplanowanym przez osobę, która przebywała teraz w tym samym co on budynku. Aby zaś dopełnić bezmiaru nieszczęścia, to Agnes mimo woli podsunęła spiskowcom człowieka, który stał się pionkiem w całej tej rozgrywce.

Nie mógł nawet ścierpieć takiej myśli. Wypadł z pokoju, zdecydowany wycisnąć z hrabiny prawdę albo oskarżyć ją przed policją o morderstwo.

Z daleka zobaczył, iż z drzwi pokoju hrabiny wychodzi dyrektor hotelu. Widząc Henry'ego, podbiegł do niego cały roztrzęsiony.

— Mister Westwick! Nie, nie, drogi panie, absolutnie nie jestem zabobonny, ale zaczynam wierzyć, że ten budynek jest przeklęty. Najpierw jakieś dziwne zdarzenia, w których uczestniczą członkowie pańskiej rodziny, potem odkrywamy ślad dokonanej w starym pałacu zbrodni, a teraz co? Nagła, niespodziewana, szokująca śmierć! I jak ma to nie wpłynąć na imię hotelu?! Proszę bardzo, niech pan sam zobaczy, mister Westwick, ja jednak mam już dosyć, podaję się do dymisji!

Co powiedziawszy, pognał ku schodom.

Henry wszedł do pokoju; hrabina leżała w łóżku, przy którym z jednej strony stał lekarz, z drugiej — pokojówka. Oboje wpatrywali się w kobietę, z której piersi co jakiś czas dobywał się chrapliwy oddech, jakby we śnie dręczyła ją jakaś straszliwa zmora.

— Czy ona umiera? — zapytał Henry.

— Jako osoba już nie żyje — odparł doktor. — Nastąpił wielki wylew do mózgu. To już czynności czysto mechaniczne, które trwać jeszcze mogą całymi godzinami.

Henry spojrzał pytająco na pokojówkę, ale ta niewiele miała do powiedzenia. Hrabina nie chciała kłaść się do łóżka, obstawała przy tym, że koniecznie musi pisać. Nie widząc sensu w kłótniach, pokojówka udała się do dyrektora, który wezwał lekarza, a chociaż ten zjawił się całkiem wcześnie, znalazł hrabinę w obecnym stanie na podłodze.

Henry podszedł do stolika. Na kartce było widać coraz bardziej chaotyczne litery. Nie ulegało jednak wątpliwości, że były: „Akt pierwszy" i „Osoby dramatu", a dalej — pustka. Nieszczęśniczka do końca zmagała się ze swoją sztuką — i raz jeszcze rozpoczęła ją od nowa.

Rozdział 27

Henry wrócił do pokoju.

W pierwszym odruchu chciał cisnąć rękopis w kąt i nigdy już do niego nie zaglądać. Jedyny sposób na zdjęcie z umysłu brzemienia straszliwego podejrzenia został unicestwiony przez śmierć hrabiny. I co by to dało, gdyby zdecydował się czytać dalej? Zerwał się z fotela i zaczął nerwowo krążyć po pokoju. Po jakimś czasie myśli podążyły nowym torem, a problem rękopisu nasunął nowe pytanie. Jak dotąd czytał tylko o zamierzonym spisku; czy jednak go przeprowadzono?

Tekst leżał na podłodze, jakby wyczekując. Henry chwilę się wahał, na koniec schylił się, podniósł manuskrypt i zasiadłszy do stołu, zaczął czytać w miejscu, w którym przerwał lekturę.

„Podczas gdy Hrabina jest zaprzątnięta możliwością, która jej się odsłoniła, powraca Baron. Jest przejęty złym samopoczuciem Kuriera, zastanawia się, czy nie posłać po lekarza, uświadamia jednak sobie, że w sytuacji gdy wymówiła angielska służąca, on sam musiałby się udać po medyka.

»Bez lekarza na pewno się nie obejdzie — odzywa się siostra — ale najpierw posłuchaj, co ci mam do powiedzenia«. Baron jest zafascynowany pomysłem siostry. Jakie jest ryzyko, że zostaną zdemaskowani?

Milord w Wenecji żył w całkowitym odosobnieniu, z wyglądu zna go tylko jego bankier. Jako przyjezdny, przedstawił swoje referencje i od owej wizyty już się nie widzieli. Milord nie wydawał żadnych przyjęć, sam też nie bywał w gościach; kilka przejażdżek gondolą i spacerów odbył samotnie. Ohydne podejrzenia co do konduity żony, które sprawiały, że nie chciał się publicznie pokazywać w jej towarzystwie, teraz tylko ułatwiały przeprowadzenie zbrodniczego zamiaru. Z racji wrodzonej ostrożności na razie Baron nie zajmuje w tej sprawie stanowiska, natomiast mówi do siostry: »Zobacz, co uda ci się załatwić z Kurierem; dopiero znając efekty, podejmę decyzję. Mogę ci jednak dać wartościową wskazówkę. To człowiek, dla którego pieniądze znaczą bardzo wiele, byle tylko ofiarować mu odpowiednio dużo. Pewnego razu spytałem go, co by uczynił za tysiąc funtów, a on odparł na to, że wszystko. Mówiąc inaczej, bądź hojna i nie targuj się, chociaż, rzecz jasna, w granicach zdrowego rozsądku«.

Akcja przenosi się do pokoju Kuriera, który ze łzami w oczach leży na łóżku i wpatruje się w zdjęcie żony. Wchodzi Hrabina. Zaczyna od kilku przyjaznych słów o małżonce Kuriera. Ten wzruszony wyznaje, że teraz, kiedy jest już na łożu śmierci, bardzo boleje, że nie dbał odpowiednio o swoją połowicę. Na niego przyszła pora, trudno, ale żal ściska mu serce, gdy pomyśli, iż nie mając żadnych oszczędności, zostawi żonę bez środków do życia, skazując na kapryśną łaskawość innych. Hrabina natychmiast podchwytuje wątek. »A gdybyście mieli zrobić coś bardzo prostego, za co wasza żona otrzymałaby w nagrodę tysiąc funtów?« — pyta. Kurier podrywa się na łóżku i patrzy na Hrabinę z absolutnym niedowierzaniem. Przecież chyba, myśli, nie kpiłaby sobie z kogoś, kto stoi na progu śmierci. Domaga się wyjawienia, na czym miałaby polegać owa rzekomo bardzo prosta rzecz. W odpowiedzi Hrabina bez osłonek wyjawia mu swój zamysł.

Zapada kilkuminutowa cisza. Kurier nie jest na tyle słaby, aby opuściły go siły umysłu. W końcu, patrząc Hrabinie prosto w oczy, czyni arogancką uwagę: »Nigdy dotąd nie przejmowałem się religią, ale to się zmieni. Od tej chwili, gdy zapoznała mnie milady ze swoim planem, zaczynam wierzyć w diabła«. Hrabinie nie umyka humorystyczny aspekt tego wyznania wiary, nie obraża się też, a mówi tylko: »Dam wam pół godziny, abyście się zastanowili nad moją propozycją. Pisana jest wam śmierć; sami zadecydujcie, czy ma ona być na darmo, czy też przyniesie waszej żonie tysiąc funtów«.

Kurier w samotności rozważa swą sytuację i podejmuje decyzję. Podnosi się z trudem, pisze kilka linijek na kartce wyrwanej z notesu i powłócząc nogami, wychodzi z pokoju. Kiedy zgodnie z zapowiedzią Hrabina wraca po półgodzinie, zastaje pomieszczenie puste. Rozgląda się stropiona, gdy wchodzi Kurier. Czemu wstawał, gdzie był? »Musiałem poczynić pewne zabezpieczenia, milady — odpowiada. — Nie mogę wykluczyć, że mimo opinii znanego medyka pokonam jednak bronchit. W takiej sytuacji muszę się spodziewać, że pani i Baron spróbujecie zastąpić chorobę, a wtedy, karmię się nadzieją, starczy mi sił, by wyszeptać lekarzowi na ucho kilka słów, w których znajdzie informację o szatańskim spisku. Nie muszę chyba dodawać, że jeśli obietnica milady zostanie spełniona, słowa te skieruję do pani ucha«. Po tym wstępie wylicza warunki uczestnictwa w sprzysiężeniu.

Wszelkie pokarmy i płyny, które będą podawane mu do łóżka, na jego oczach mają być najpierw skosztowane przez Hrabinę lub Barona, także zresztą i lekarstwa ewentualnie przepisane przez lekarza. Co do przyrzeczonej sumy, ma to być jeden banknot owinięty w kartkę z napisem podyktowanym przez Kuriera. Banknot z notką znaleźć się mają w kopercie adresowanej do jego żony i gotowej do wysłania, a umieszczonej pod poduszką chorego. Dopóki lekarz będzie żywił jakieś nadzieje, Hrabina i Baron będą mogli sprawdzać, czy koperta z nienaruszoną pieczęcią znajduje się na swoim miejscu. I jeszcze jedna kwestia. Kurierowi nieobcy jest głos sumienia, dlatego też nastaje na to, aby nie musiał nic wiedzieć o tym, co stanie się z Milordem. Nie ubolewa szczególnie nad jego losem, ale nie widzi też powodu, by cudzą odpowiedzialność miał brać na swoje barki. Przystawszy na te warunki, Hrabina wzywa do pokoju brata, który czekał za ścianą. Zostaje poinformowany, iż Kurier godzi się zarobić swoje tysiąc funtów, ale Baron, nie chcąc wypowiadać żadnych kompromitujących słów, odwraca się plecami do łóżka i sekretnie pokazuje Hrabinie butelkę z napisem »Chloroform«. Wiedząc, że uśpiony Milord zostanie bezpiecznie umieszczony w jakiejś części pałacu, w progu pyta Barona półgłosem o to, w jakiej. »W lochu«, brzmi odpowiedź, po czym kurtyna opada".

Rozdział 28

Tak skończył się akt drugi.

Mając przed sobą akt trzeci, Henry sprawdził, ile mu jeszcze stron pozostało. Czuł się zmęczony i cieleśnie, i duchowo.

Ostatnia część rękopisu różniła się od poprzednich pod jednym ważnym względem. Im bliżej końca, tym wyraźniejsze były ślady rozstroju umysłowego. Pismo stawało się coraz bardziej rozlazłe, niektóre zdania były niedokończone. Odnosiło się wrażenie, że autorka zaczyna mylić osoby, przypisując jednym wypowiedzi drugich. Na chwilę jakby odzyskiwała jasność myśli, ale niedługo potem ją traciła.

Po jakichś dwóch czy trzech stronach Henry się poddał. Z ciężkim sercem i umysłem zamknął manuskrypt, odłożył go, a sam rzucił się na łóżko. Dokładnie w tej samej chwili drzwi się otworzyły i stanął w nich drugi lord Montbarry.

— Właśnie wróciliśmy z opery i natychmiast nas poinformowano o śmierci tej nieszczęsnej kobiety. Podobno rozmawiałeś z nią jako jeden z ostatnich. Powiedz, jak to się stało.

— Dowiesz się nie tylko tego — odrzekł Henry.

— Jesteś teraz głową rodziny, Stephenie, i czuję, że muszę tobie pozostawić decyzję, jak należy postąpić.

Następnie pokrótce wyjaśnił bratu, w jaki sposób sztuka hrabiny dotarła do jego rąk.

— Przeczytaj pierwszych kilka stron — zasugerował. — Ciekaw jestem, czy odniesiesz takie samo wrażenie jak ja.

Lord Montbarry nie dotarł nawet do połowy pierwszego aktu, kiedy przestał czytać i podniósł wzrok, żeby spytać:

— Jak też mogła się chełpić, że wszystko to jest tworem jej fantazji? Szaleństwo nie pozwoliło jej widzieć, że zdarzyło się to naprawdę?

Tego Henry'emu wystarczyło; reakcja obu braci była taka sama.

— Postąpisz, jak zechcesz — powiedział — ale jeśli pragniesz mojej rady, oszczędź sobie opisu, jak straszliwie nasz brat odpokutował swoje małżeństwo.

— Ty czytałeś całość, Henry?

— Nie, przerwałem, kiedy pozostało mi kilka stron do końca. Ani ja, ani ty niewiele mieliśmy kontaktów z Herbertem, a ja nigdy nie ukrywałem, że jego postępowanie wobec Agnes uważałem za haniebne. Kiedy teraz jednak czytałem opowieść o tym zbrodniczym spisku, nie mogłem zapomnieć, że przecież wyszliśmy z jednego łona. Ze wstydem muszę przyznać, że tego, co poczułem do niego dziś wieczór, nie odczuwałem od wielu lat.

Stephen chwycił brata za rękę.

— Bardzo cię szanuję, Henry, ale czy ty aby sam siebie nie wpędzasz w pułapkę? Ponieważ pisanina tej szalonej istoty w jakimś miejscu pokrywa się z tym, co wiesz, musi być tam prawda, sama prawda i tylko prawda?

— Wątpić w cokolwiek niepodobna.

— Ejże, niepodobna? Nie, Henry, sam wszystko przeczytam do końca i zobaczę, w jakiej mierze dojdę do takich wniosków jak ty.

Dopiero na koniec drugiego aktu Stephen oderwał się od tekstu.

— Rozumiem zatem, że twoim zdaniem w tym schowku pod kominkiem znalazłeś szczątki naszego brata? Tylko na takiej... — Stephen postukał w rękopis — ...podstawie? — Kiedy Henry w milczeniu przytaknął, drugi lord Montbarry z trudem powstrzymał wybuch irytacji. — Przecież jeśli tak, to jak mogłeś zaprzestać lektury? Tylko jej całość może dać odpowiedź! — Widząc wyraz twarzy Henry'ego, ciągnął: — W porządku, ja wezmę na siebie ten ciężar, ale nie zamierzam jednak oszczędzać go tobie. Słuchaj! Albo nie, streszczę ci te fragmenty, które wydają się logiczne. Pierwsza scena trzeciego aktu rozgrywa się w podziemiach pałacowych. Ofiara spisku leży na pryczy, Hrabina i Baron zastanawiają się, co począć dalej. Okazuje się, że Hrabina zaciągnęła pożyczkę pod zastaw swoich frankfurckich klejnotów, ale zdaniem lekarza są jeszcze szanse, iż leżący na piętrze Kurier jednak wyżyje. A jeśli istotnie wyzdrowieje? Baron sugeruje, aby puścić go wolno, nawet bowiem gdyby zdradził, łatwo będzie to przedstawić jako efekt szaleństwa spowodowanego ciężką chorobą. Z kolei śmierć Kuriera stawia pytanie, co uczynić z Milordem. Można dać mu po prostu umrzeć z głodu, to jednak wydaje się Baronowi zbędnym okrucieństwem. Może w takim razie zasztyletować go, wynajmując do tego jakiegoś płatnego zbira? Nie, każdy dodatkowy wspólnik to większe ryzyko, poza tym Baronowi zależy na pieniądzach. Wrzucić spętane ciało do kanału? Wodzie nie można ufać — nie dość, że wyrzuci gdzieś zwłoki, to jeszcze najpewniej w najmniej pożądanym miejscu. Podpalić łóżko? Pomysł niezły, ale zawsze istnieje niebezpieczeństwo, że pożar się rozszerzy, ale nawet bez tego dym i tak może zwrócić uwagę. W sumie, w obecnej sytuacji, otrucie wydaje się najprostszym rozwiązaniem.

Stephen podniósł głowę i spojrzał bratu w oczy.

— I co, Henry, sądzisz, że istotnie doszło do takiej narady?

Spytanemu przypomniało się, że opis ten odpowiada sekwencji majaków, które dręczyły ich siostrę, panią Norbury, podczas dwóch nocy spędzonych w Hotelu Pałacowym, ale uwagę tę zachował dla siebie, mruknąwszy tylko:

— Czytaj dalej.

Lord Montbarry przejrzał kilka stron.

— Tutaj, zdaje się, w autorce walczyły różne pomysły i... Zaraz, zaraz, tu chyba... chwileczkę... tak, najpewniej na podzielonej scenie miałyby się jednocześnie rozgrywać zdarzenia dziejące się w różnych miejscach. Na piętrze lekarz wypisuje świadectwo zgonu Milorda, podczas gdy w łożu spoczywa martwy Kurier, a w piwnicy Baron — przy zwłokach otrutego Millorda — szykuje chemikalia, które ciało zamienią w kupkę popiołu... Dobrze, dajmy sobie spokój z tymi melodramatycznymi horrorami, dalej, dalej!

Stephen zaczął niecierpliwie kartkować tekst, najwyraźniej mając kłopot z wydobyciem spójnego sensu z pojedynczych fragmentów.

— Nie do końca rozumiem... Jakby akt dzielił się na dwie części... Tutaj chyba zaczyna się partia B, zaraz... Baron i Hrabina, ona ma dłonie ukryte w rękawiczkach. Dzięki własnemu systemowi zdezintegrował on już ciało z wyjątkiem głowy...

— Nie, nie i nie! — wykrzyknął Henry. — Nie chcę słyszeć więcej!

— A ja uważam, że trzeba Hrabinie oddać sprawiedliwość — sprzeciwił się jego brat. — Jeszcze tylko kilkadziesiąt linijek dających się odcyfrować. A, rozbił się dzban z kwasem i Baron poparzył sobie ręce! Kontuzja jest tak poważna, że nie może dokończyć swego dzieła z czaszką... Aha, Hrabina też się wzdraga, widać, że jej bezwzględność również ma swoje granice... Otrzymują informację, że niebawem zjawi się komisja wysłana przez towarzystwo ubezpieczeniowe. Baron nie jest tym bynajmniej przestraszony. Niechże sobie śledzą, ile chcą, naturalna śmierć Milorda (w istocie Kuriera) jest poświadczona przez lekarza. Pozostaje jednak oczywiście kłopot z głową; skoro nie można jej unicestwić, wystarczy ją schować, a dzięki zaznajomieniu się z pałacową biblioteką Baron wie, gdzie jest odpowiednia skrytka. Trzeba będzie wprawdzie użyć środka dezynfekującego, ale to już Hrabinie nie powinno...

— Nie, dość tego! — nie wytrzymał Henry. — Ani słowa więcej!

— Bo też i nic więcej nie można odczytać, mój drogi. Ostatnia strona to płód najprawdziwszego delirium. Może nie bez racji mówiła, że brakło jej inwencji.

— Stephenie, nie ukrywaj prawdy: to nie fantazja, to pamięć!

Drugi lord Montbarry stanął naprzeciwko fotela brata i wpatrzył się w niego współczującymi oczyma.

— Drogi Henry, nerwy odmawiają ci posłuszeństwa, czemu trudno się dziwić po tak dramatycznym odkryciu, jakiego dokonałeś pod kominkiem. Teraz nie będziemy o tym więcej rozmawiać, odczekamy dzień czy dwa, aż wrócisz do siebie. Ale jedną rzecz musimy jednak jeszcze teraz rozstrzygnąć. To na mnie jako głowę rodziny scedowałeś decyzję, co począć z tą pisaniną, prawda?

— Tak.

Stephen w milczeniu wziął rękopis i cisnął go w ogień na kominku.

— Przynajmniej taki będzie z tego pożytek — powiedział, rozrzucając kartki pogrzebaczem. — Zimno tu się zrobiło, a sztuka hrabiny roznieci na nowo niektóre z przygasłych polan. — Chwilę wpatrywał się w palenisko, a potem obrócił się do brata. — Kilka słów na zupełne zakończenie tej sprawy. Przyznaję, Henry, że niefortunnym zbiegiem okoliczności udało ci się trafić na dowód zbrodni kiedyś, nie wiadomo kiedy, popełnionej w tym pałacu. Co się tyczy całej reszty, pozwolę sobie nie zgodzić się z tobą. Wszystkie te sensacje, które stały się udziałem członków naszej rodziny, gdy nocowali w tym budynku — twój brak apetytu, okropne sny naszej siostry, zapach dręczący Francisa, zjawa, którą ujrzała Agnes — wszystko to uznaję za iluzje i złudzenia. Dla mnie nie ma w tym ani krztyny prawdy! — Otworzył drzwi, ale odwrócił się w progu. — Aha, popełnię grzech niedyskrecji, a właściwie tylko go powtórzę. Żona zwierzyła mi się, iż wie z najlepszego źródła, że panna Agnes Lockwood przyjmie twoje oświadczyny. A teraz dobranoc, Henry. Śpij dobrze. Jutro z samego rana wyjeżdżamy z Wenecji.

W taki oto sposób drugi lord Montbarry zamknął tajemnicę Nawiedzonego Hotelu.

POSTSCRIPTUM

Henry nie zrezygnował jednak z rozsądzenia, który z nich, Stephen czy on, miał rację: był wszak w posiadaniu sztucznych zębów. Kiedy wszyscy byli już w Londynie, zwrócił się do dawnej piastunki panny Lockwood, teraz już jego narzeczonej. Cóż jednak z tego, że starowina była prawdziwą depozytariuszką historii jego rodziny, skoro absolutnie nie zgodziła się podzielić żadnymi wspomnieniami dotyczącymi pierwszego lorda Montbarry'ego — za nic mu bowiem nie wybaczyła oburzającego potraktowania Agnes.

— Jakem go ostatni raz w życiu widziała w Londynie — rzuciła z pasją, której trudno było się po niej spodziewać — mało brakowało, a bym mu swoimi własnymi paznokciami twarz do krwi rozdrapała. Pamiętam, jak mnie jaśnie panienka posłała na sprawunki, idę ja, patrzę, a tu kto wychodzi od dentysty? No, ale się powstrzymałam, a potem tom już go więcej, chwalić Boga, nie widziała.

Henry, podniecony tym, że tak łatwo otrzymał ważną wskazówkę, zaczął się dopytywać, czy służąca pamięta adres gabinetu. Jakże miałaby nie pamiętać, obruszyła się, czy jaśnie pan myśli, że jak już ktoś ma osiemdziesiąt lat, to ani kawałka pamięci mu nie zostało? Tego samego dnia Henry udał się do wska-

zanego stomatologa, a ten bez chwili wahania rozpoznał, iż była to proteza sporządzona przez niego
dla pierwszego lorda Montbarry'ego.

Henry z nikim, nawet ze Stephenem, nie podzielił
się tą informacją i zabrał ją ze sobą do grobu.

Nie tylko zresztą tę tajemnicę zachował dla siebie.
Pani Ferrari nigdy nie dowiedziała się, że jej mąż był
nie ofiarą — jak sądziła do końca swych dni — lecz
wspólnikiem hrabiny Naronne. Żyła więc w przekonaniu, że to świętej pamięci lord Montbarry wysłał jej banknot tysiącfuntowy, z którego sama nie
chciała skorzystać, gdyż, powtarzała, „jest na nim
krew mojego małżonka". Ostatecznie z ochotą przystała na propozycję Agnes, która z tych pieniędzy
sfinansowała zakup dodatkowych łóżek w szpitalu
dziecięcym.

Na wiosnę odbył się długo oczekiwany ślub; w ceremonii na stanowcze życzenie Agnes brali udział
tylko członkowie najbliższej rodziny. Nie było biesia-
dy weselnej, a miesiąc miodowy nowożeńcy spędzili
w willi nad brzegami Tamizy.

Kilka ostatnich dni spędziła z nimi lady Montbarry — męża zatrzymały w stolicy ważne sprawy —
w towarzystwie córek. Najstarsza z nich, schowaw-
szy się przed siostrami za żywopłotem, niechcący
posłyszała rozmowę, którą potem powtórzyła matce.

— Henry, pocałuj mnie, proszę.

— Kochanie, czynię to zawsze z najwyższą przyjemnością.

— Czy teraz, kiedy jesteśmy już złączeni węzłem małżeńskim, udzielisz mi odpowiedzi na jedno pytanie?

— A jakie?

— Chodzi mi o ten ponury dzień w Wenecji. Wiem, że rozmawiałeś z hrabiną Naronne niedługo przed jej śmiercią. Czy może wówczas coś ci wyznała?

— Nie było żadnego świadomego wyznania, niczego, co mógłbym ci teraz powtórzyć.

— Zatem nic nie mówiła o owej nocy, którą spędziła w mojej sypialni?

— Nic. Wiadomo tyle tylko, że nigdy się już nie podniosła z tej zgrozy.

Agnes nie była w pełni usatysfakcjonowana. Niezmiennie nękało ją pytanie związane ze słowami hrabiny. „Ale ciągle jeszcze musi mnie pani podprowadzić do dnia ujawnienia i dnia kary, który jest mi pisany", powiedziała podczas dramatycznej rozmowy w Londynie. Czy to przepowiednia, która się spełniła? Czy owym „ujawnieniem" była zjawa, którą widziała bujającą w powietrzu? Ale w takim razie... gdzie kara?!

Trzeba to zaliczyć do zalet pani Agnes Westwick, że nigdy więcej nie starała się wydobyć z męża jego tajemnic. Inne zamężne niewiasty — nawykłe już do nowych zasad, moralności i małżeńskiej przystojności — mówiły o niej co najmniej z lekceważeniem. Uważały ją za „osobę starej daty", nawet jeśli bardziej od niej były posunięte w latach — co niełatwo ustalić, gdyż tych, jak wiadomo, nikt damom nie liczy.

I to już wszystko?

Tak, to już wszystko.

Zagadka Nawiedzonego Hotelu nie ma zatem wyjaśnienia?

A ma wyjaśnienie zagadka waszego losu i śmierci?

Bywajcie.

WYŚNIONA KOBIETA

1

Nie minęło jeszcze sześć tygodni, jak rozpocząłem lekarską praktykę, gdy z sąsiedniego miasteczka wezwał mnie miejscowy medyk, aby skonsultować ze mną przypadek bardzo niebezpiecznej choroby. Poprzedniego wieczoru koń wywrócił mi się pod samym domem, na szczęście bardziej szkodząc sobie niż właścicielowi. Pozbawiony zwierzęcej usługi, wyruszyłem do celu dyliżansem (w tych czasach bowiem nie było jeszcze kolei), mając nadzieję, iż w ten sam sposób wrócę jeszcze po południu.

Kiedy konsultacja się skończyła, ruszyłem do głównej gospody w mieście, aby tam poczekać na dyliżans. Cóż z tego, że podjechał, skoro był zapełniony wewnątrz i oblepiony pasażerami z zewnątrz. Nic innego mi nie pozostało, jak wystarać się o możliwie najtańszy powóz. Zaproponowana mi cena była tak oburzająca, iż postanowiłem poszukać gospody z mniejszymi pretensjami, aby zobaczyć, czy nie zaoferują mi tańszej usługi.

Nie szukając długo, znalazłem miejsce o odpowiednim wyglądzie, zapuszczone i ciche, najwyraźniej nieodnawiane od wielu lat. Właściciel nie miał nic przeciwko temu, żeby odrobinę zarobić, kiedy więc zgodziliśmy się co do ceny, sięgnął po dzwonek, aby załatwić sprawę pojazdu.

— Jak tam Robert, już wrócił? — spytał posługacza.

— Nie, sir, jeszcze nie.

— Trudno, musisz zatem zbudzić Isaaca.

— Zbudzić Isaaca! — powtórzyłem nie lada zdziwiony. — Brzmi to dość osobliwie. Czyżby wasi stajenni wylegiwali się za dnia?

— Ten i owszem — odparł oberżysta, tajemniczo uśmiechając się do siebie.

— A i śni mu się nie byle co — dorzucił posługacz. — Nie zapomnę tego pierwszego razu, jak go usłyszałem.

— Tak czy siak, idź i zbudź Isaaca. Trzeba podwieźć tego dżentelmena.

Zachowanie właściciela i posługacza było bardziej wymowne niż ich słowa; pomyślałem, iż może jestem na tropie jakiegoś interesującego przypadku medycznego, a wtedy lepiej będzie obejrzeć stajennego, zanim go zbudzą.

— Poczekajcie no chwilę — wtrąciłem się — chciałbym obejrzeć tego człowieka, zanim się ocknie. Jestem lekarzem, a jeśli ta senność i dziwne sny mają związek z jego mózgiem, kto wie, czy nie będę mógł zaproponować, co z nim począć.

— Tak na moje, to zaraz będzie pan miał dość wszystkich jego użalań, sir, ale jeśli pan chce, proszę bardzo, niech pan patrzy.

Z podwórza przeszliśmy do stajni z dwoma boksami. W jednym koń żuł owies, w drugim pochrapywał na sianie starszy mężczyzna.

Nachyliłem się nad nim i przyjrzałem uważnie. Twarz miał skurczoną i zgnębioną. Brwi zmarszczyły się boleśnie, wargi zacisnęły się i zwisły w kącikach. Zapadnięte policzki i rzadkie siwe włosy same mówiły o przeżytych smutkach czy boleściach. W chwili gdy się nad nim skłoniłem, zaczął oddychać nierówno, a potem mówić przez sen.

— Zbudź się! — usłyszałem, jak mruczy przez zaciśnięte zęby. — No, zbudź się! Mordują!

Powoli uniósł jedno szczupłe ramię do gardła, lekko zadrżał, a potem przewrócił się na sianie. Ręka oderwała się od szyi, wyciągnęła w stronę, na którą się obrócił, zupełnie jakby chciał za coś chwycić. Ciągle coś mruczał przez sen.

— Jasnozielone oczy — mamrotał — bezwładna lewa powieka, lniane włosy ze złotym pasmem, tak, dobrze, mamo, gładkie, białe ramiona, z delikatnym puszkiem, małe ręce szlachetnej pani, różowawe paznokcie. Nóż, zawsze ten przeklęty nóż, najpierw z jednej strony, potem z drugiej. Ach! Diablico, gdzie jest nóż?!

Przy ostatnim słowie podniósł głos i znienacka zaczął dygotać, zniszczona twarz wykrzywiła się jeszcze bardziej, a następnie histerycznym gestem wyrzucił w górę obydwie dłonie. Uderzył w ten sposób w dno żłobu, pod którym leżał, i to go zbudziło. Zanim do reszty się ocknął, zdążyłem wyśliznąć się przez uchylone drzwi, tak że mnie nie zobaczył.

— Wiecie coś może o jego wcześniejszym życiu? — zapytałem oberżystę.

— A jakże, sir, całkiem sporo, a to historia niezwykła, co się zowie. Ludzie to w nią nie wierzą, chociaż jest chyba prawdziwa. Ale niech pan tylko zerknie na niego, sir — ciągnął, znowu otwierając drzwi do stajni — tak go wyniszczają te jego noce, że znowu twardo zasnął.

— Proszę go nie budzić — powiedziałem — tak bardzo się nie spieszę. Poczekajmy na tego, któregoście wyprawili, a w tym czasie może coś bym zjadł i wypił buteleczkę sherry, jak się dosiądziecie i mi przy niej pomożecie.

Jak się spodziewałem, właściciel oberży zapałał do mnie sympatią nad butelką jego wina, a mnie udało się kawałek po kawałeczku wyciągnąć z niego historię stajennego. Niezwykła, może wielu wyda się wręcz niewiarygodna, ale powtarzam ją tu dokładnie tak, jak ją posłyszałem.

2

Jakiś czas temu na skraju wielkiego miasta portowego na zachodnim wybrzeżu Anglii żył w biedzie człowiek nazwiskiem Isaac Scatchard. Aby zarobić na życie, brał każdą pracę, jaka tylko mu się nadarzyła, a kiedy szczęście się do niego uśmiechnęło, najmowano go jako stajennego w prywatnych domach. Był wprawdzie lojalny, solidny i sprawiedliwy, ale jego brak szczęścia stał się wręcz przysłowiowy. Tracił dobre posady bez żadnej własnej winy, a najlepiej mu się układały stosunki z pryncypałami, którzy nie byli nazbyt punktualni, gdy chodziło o płacenie. „Pechowy Isaac" — tak nazywali go w okolicy, jednak nikt nie miał wątpliwości, że biedak niczym sobie na to nie zasłużył.

W całej tej niefortunnej sytuacji tylko jednym Isaac mógł się pocieszać, chociaż i ta pociecha nie była wcale miła. Nie miał ani żony, ani dzieci, o które musiałby się troszczyć, co dodawałoby goryczy jego życiowym przypadkom. Zadecydowały o tym może jakieś braki emocjonalne, może stała za tym niechęć, by kogoś jeszcze wplątywać w swoje nieszczęsne losy — faktem jest, że w wieku jak najbardziej dojrzałym Isaac pozostawał starym kawalerem, a co więcej — od osiemnastego roku życia po rok trzydziesty ósmy, który osiągnął — nigdy nawet nie starał się o to, aby zyskać sobie roztomiłą.

Kiedy nie miał akurat żadnego zajęcia poza domem, mieszkał samotnie z owdowiałą matką. Pani Scatchard — jeśli chodzi o poziom duchowy i maniery — daleko odbiegała od marnej sytuacji, na jaką skazało ją fatum. Miała, jak to się mówi, znacznie lepsze czasy, ale w rozmowach nigdy do tego nie wracała, nawet jeśli ciekawscy goście ją o to wypytywali, a chociaż z równą grzecznością traktowała każdego, nie zaprzyjaźniła się z nikim z sąsiadów. Swoje niewielkie potrzeby zaspokajała, wykonując jakieś proste prace krawieckie, i zawsze udawało jej się utrzymać dom w schludności i czystości, kiedy syn po raz kolejny wracał pokonany przez świat.

Była posępna jesień, gdy Isaac — dochodzący już czterdziestki i znowu nie ze swojej winy bez zajęcia — wybrał się z matczynego domu na długi spacer do posiadłości, w której, jak się dowiedział, szukali podobno stajennego.

Do urodzin brakowało tylko dwóch dni i zanim Isaac wyruszył w drogę, matka wydobyła od niego przyrzeczenie, że wróci na czas, aby mogli razem tę uroczystość świętować tak, jak mogą sobie na to pozwolić ubodzy. Łatwo przyszła mu ta obietnica, gdyż powinien był zdążyć, nawet gdyby przyszło mu nocować po drodze.

Dom opuścił w poniedziałek rano i było uzgodnione, że czy dostanie posadę, czy też nie — i tak będzie w domu na urodzinowy obiad w środę o drugiej.

Na miejsce dotarł tak późnym poniedziałkowym wieczorem, że mowy być nie mogło, aby dopytywał się o pozycję stajennego, przenocował więc w miejscowej gospodzie, a we wtorek rano zgłosił się w posiadłości dżentelmena, deklarując gotowość do podjęcia pracy. Niestety dopadł go zwykły pech. Nic mu nie pomogły znakomite listy polecające, które miał do przedstawienia — długi marsz był, jak się okazało, na próżno: raptem dzień wcześniej wolne miejsce zostało już zajęte przez innego chętnego.

Isaac rozwiązanie to przyjął z rezygnacją i bez zdziwienia. Mając niespieszny pomyślunek, charak-

teryzował się także ociężałą wrażliwością i flegma-
tycznością. Kamerdynerowi podziękował jak zwykle
układnie za poświęcony mu czas i bez nadzwyczaj-
nego smutku na twarzy postanowił wracać.

Zanim jednak ruszył do domu, rozpytawszy się
w gospodzie, zyskał informację, że może skrócić
marsz o kilka kilometrów, jeśli wybierze nową trasę. Parę razy powtórzywszy, gdzie i kiedy ma skrę-
cić, puścił się w drogę. Szedł cały dzień; zrobił tylko
jeden popas, żeby zjeść chleba z serem. Nadciągnął
zmierzch, zaczęło padać, wzmógł się wiatr, a na nieszczęście Isaac znalazł się w zupełnie sobie nieznanej okolicy, odległej od domu, jak oceniał, o dobrych
dwadzieścia pięć kilometrów. Pierwszym zabudo-
waniem, na które się natknął, był przydrożny zajazd leżący na skraju lasu. Miejsce było wprawdzie
osamotnione, ale zgłodniały, spragniony, zmęczony
i przemoknięty wędrowiec został z radością powi-
tany przez uprzejmego właściciela, który zaproponował zupełnie rozsądną cenę za nocleg.

Isaac był z natury spokojnym człowiekiem. Na
kolację spożył dwa plastry podsmażonego beko-
nu, solidną pajdę domowego chleba i pintę ale. Po
tym skromnym posiłku nie udał się od razu na spoczynek, lecz czas jakiś rozmawiał z gospodarzem
o swym długim pechu, marnych widokach, aż wreszcie przeszli na kwestie obrządku koni i wyścigów. Nic
z tego, co powiedział Isaac Scatchard, oberżysta czy
któryś z kilku robotników, jacy zasiedli przy piwie,

nie mogło pobudzić jego skąpej i niezbyt żwawej wyobraźni.

Niedługo po jedenastej zamknięto zajazd. Isaac obszedł parter z właścicielem, który przy blasku świecy sprawdził zamknięcia drzwi i okien. Gość był zdziwiony masywnością skobli i zasuw, a także żelaznymi zabezpieczeniami okiennic.

— Jesteśmy tu na uboczu — wyjaśnił gospodarz — a chociaż nikt się nigdy nie próbował włamywać, to strzeżonego pan Bóg strzeże. Kiedy nie mam żadnego gościa, jestem jedynym mężczyzną w domu. Żona i córka są płochliwe, zajmuje się nimi służąca. Jeszcze może porcyjkę ale, zanim uda się pan do łóżka? Nie? Nie pojmuję tego, że taki trzeźwy człowiek jak pan nie może sobie znaleźć stałej pracy. Na górze jest miejsce dla pana na nocleg. Nikogo pan dzisiaj nie będzie miał do towarzystwa; mam nadzieję, że łóżko znajdzie pan dobrze przygotowane. To co, na pewno nie chce pan jeszcze łyka piwa? Nie? Świetnie, w takim razie dobranoc.

Zegar na korytarzu wskazywał wpół do dwunastej, kiedy weszli na piętro do sypialni, której okno wychodziło na las za domem.

Isaac zamknął drzwi, postawił świecę na komodzie i zaczął się ze znużeniem rozbierać do snu. Jesienny wiatr dalej zawodził, a posępne, monotonne pojękiwanie lasu niosło się złowrogo w nocnej ciszy. Isaac czuł się dziwnie rozbudzony. Układając się w pościeli, postanowił, że nie będzie gasił świeczki do czasu, aż poczuje senność, było coś bowiem bardzo niemiłego w perspektywie leżenia bezsennie po ciemku i wsłuchiwania się w leśne skargi wiatru.

Sen go opadł, zanim się zorientował. Z zamkniętymi oczyma tak gładko osunął się w niepamięć, że nie pomyślał nawet o zgaszeniu świecy.

Pierwszym wrażeniem, od którego się ocknął, było drżenie przebiegające go od głów do stóp i wżynający się w serce ból, tak straszny, jakiego nigdy jeszcze nie doświadczył. Drżenie wybiło go ze snu, ból natychmiast wydobył go na jawę. W jednej chwili oczy miał szeroko otwarte, a myśl tak czystą i klarowną jak za dotknięciem czarodziejskiej różdżki.

Ze świeczki pozostał już tylko mały ogarek, ale właśnie odpadł kawałek wosku i na chwilę w małym pokoju zrobiło się zupełnie jasno.

Pomiędzy nogami łóżka a zamkniętymi drzwiami stała, wpatrując się w Isaaca, kobieta uzbrojona w nóż.

Przerażenie odebrało Isaacowi mowę, ani na chwilę jednak nie odwracał wzroku od kobiecej postaci. Bez słowa patrzyli sobie w oczy, a potem ona zaczęła się przemieszczać w kierunku lewej strony łóżka. Isaac wszystko to mocno utrwalił sobie w pamięci, kobieta tymczasem z zupełnie beznamiętną twarzą zbliżała się coraz bardziej, a gdy stanęła, z wolna zaczęła unosić rękę z nożem. Isaac położył rękę na krtani, aby ją chronić, widząc jednak opadającą klingę, gwałtownym szarpnięciem ręki w prawą stronę przekręcił tułów, a ostrze minęło o trzy centymetry jego bark i wbiło się w materac. Wpatrywał się w ramiona napastniczki, gdy z wolna wyciągała nóż z materaca: białe, kształtne, pokryte delikatnym puszkiem ręce wielkiej pani, z różowym odcieniem paznokci.

Uwolniwszy nóż, kobieta przemieściła się w nogi łóżka, znieruchomiała na chwilę, a potem, nadal bez słowa, nadal bez wyrazu na nieruchomej, pięknej twarzy, nadal bezszelestnie stawiając ukradkowe kroki, zaszła Isaaca od prawej strony, na której teraz spoczywał.

Będąc już blisko, znowu podniosła nóż, na co mężczyzna rzucił się w lewo. Tak jak poprzednio ugodziła w materac, z rozmysłem bijąc pionowo z góry na dół. Tym razem przeniósł wzrok z jej twarzy na nóż. Był duży, z szeroką klingą, taki, jakiego często używa się do krojenia chleba i wędliny. Delikatne kobiece palce obejmowały tylko dwie trzecie rękojeści; Isaac zauważył, że zrobiona z kości rogowej, jest czysta i lśniąca jak ostrze, jakby zupełnie nowa.

Po raz drugi uwolniła klingę, skryła ją w szerokim rękawie szaty i znieruchomiawszy przy łóżku, wpatrzyła się w Isaaca. Widział ją przez chwilę wyprostowaną, ale potem płomień skurczył się do niebieskawej resztki i w pokoju pociemniało.

Tak upłynęła chwila, dwie, a następnie płomyk wzbił się, dymiąc, po raz ostatni. Isaac rozpaczliwie wpatrywał się w prawą stronę łóżka, kiedy światło ostatecznie zgasło, ale nic już tam nie dojrzał. Urodziwa nożowniczka gdzieś znikła.

Poczucie, że znowu jest sam, zmniejszyło paraliżujący go dotąd strach, ale wraz z nim rozmyła się też gdzieś ostrość świadomości. Myśli w głowie się skłębiły, serce łomotało jak szalone, do jego uszu po raz pierwszy od zobaczenia straszliwej zjawy znowu dotarło zawodzenie wiatru w drzewach. Przekonany o realności tego, co przed chwila widział, zerwał się z łóżka i z krzykiem: „Mordują! Zbudź się! Zbudź się!" — rzucił się w mroku do drzwi.

Były dokładnie zamknięte, tak jak je zostawiał, udając się do łóżka.

Jego wrzaski rozbudziły cały dom. Słyszał przerażone zawodzenie kobiet, zobaczył gospodarza biegnącego korytarzem z grubą świecą w jednej ręce i z wielkim samopałem w drugiej.

— Co się stało? — spytał, ciężko dysząc.

Isaacowi udało się tylko wyszeptać:

— Kobieta z nożem w ręku. Tam, w pokoju, piękna, z jasnymi włosami, dwa razy chciała mnie zabić!

Właściciel pobladł na twarzy. W migotliwym blasku świecy uważnie przypatrzył się Isaacowi, a potem znowu policzki mu się zaczerwieniły, przy czym zmienił się także głos.

— Jak widać, dwa razy też chybiła!

— Dwa razy uciekłem spod ostrza — szeptał wystraszony Isaac. — Zamiast we mnie ugodziła w materac.

Oberżysta natychmiast wkroczył do sypialni, a po jakiejś minucie powrócił na korytarz, cały się gotując ze złości.

— Do diabła z tobą i tą twoją zbereźnicą. Ani śladu na pościeli. Co pan sobie myślisz, przychodzisz tutaj, a potem budzisz wszystkich ze snu?!

— Nie, nie, spać to ja tu nie będę — wykrztusił Isaac. — Lepiej mi w nocy wyjść na drogę w mrok i deszcz, niż wracać do pokoju po tym, co w nim zobaczyłem. Niech mi pan tylko da światło, żebym mógł się ubrać, i powie, ile mam zapłacić!

— Zapłacić! — wykrzyknął właściciel, stawiając świecę na komodzie. — Znajdziesz pan rachunek na dole. Za żadne pieniądze bym pana nie przenocował, jakbym wiedział, że taki z pana krzykacz po nocy. Niech pan tylko spojrzy na łóżko! Gdzie są niby te cięcia po nożu? Niech pan spojrzy na okno! Odemknął je ktoś? Niech pan spojrzy na drzwi! Ktoś je wyłamał? Sam słyszałem, jak je pan otwiera z zasuwy! W moim domu morderczyni z nożem! Jak panu nie wstyd!

Isaac nie odpowiedział ani słowem, spiesznie się ubrał i obaj zeszli na dół.

— Dwadzieścia po drugiej — oznajmił gospodarz, kiedy mijali zegar. — Wspaniała pora, żeby ludzi wyrywać ze snu i doprowadzać na skraj obłędu!

Isaac zapłacił rachunek i został wypuszczony frontowymi drzwiami, a mozolący się z solidnymi zamkami właściciel spytał ironicznie, czy to tędy dostała się ta „morderczyni".

Rozstali się w milczeniu. Deszcz ustał, noc natomiast była dalej ciemna, a wiatr nawet bardziej wściekły niż poprzednio. Ani jednak mrok, ani wi-

chura, ani nawet niepewność nie powstrzymały Isaaca w drodze do domu. Nawet gdyby się znalazł na
zupełnym odludziu podczas huraganu, i tak wolałby
to od zgrozy, którą przeżył w sypialni.

Kim była owa piękność uzbrojona w nóż? Tworem wyobraźni czy też ową osobliwą istotą z innego świata, którą docześni ludzie nazywają duchem?
Nie potrafił przeniknąć owej tajemnicy i nie zgłębił
jej także w środowe południe, kiedy wielokrotnie
myląc drogę i się błąkając, znowu stanął na progu
matczynego domu.

3

Matka radośnie wybiegła mu na spotkanie, ale twarz
syna natychmiast powiedziała jej, że stało się coś
niedobrego.

— Błąkałem się po drodze, ale nie mogłem inaczej. Miałem w nocy straszny sen, matko, a może
zobaczyłem ducha. W każdym razie tak mnie to wy-
straszyło, że już nie jestem tym samym co kiedyś
człowiekiem.

— Isaac, ależ mnie przeraziła twoja twarz! Chodź,
chodź do ognia, a tam opowiesz matce o wszystkim!

Jak ona chciała słuchać, tak bardzo on chciał mówić, gdyż przez całą drogę do domu miał nadzieję,
że jego bystra matka, ze swoją głęboką wiedzą, może

rzucić jakieś nowe światło na całą tajemnicę, z którą on sobie zupełnie nie mógł poradzić. Chociaż wydarzenie to napełniło go strachem, mechanicznie utrwaliło mu się w pamięci tak wyraziście, jakby zaszło przed chwilą.

Im dłużej mówił, tym bardziej też wydłużała się i bladła twarz matki; przez cały ten czas nie przerwała mu ani słowem, kiedy jednak skończył, przysunęła krzesło blisko niego, objęła go za szyję i powiedziała:

— Issac, ty miałeś ten straszny sen dzisiaj nad ranem. O której godzinie, jak mówisz, zobaczyłeś tę piękną kobietę z nożem w ręku?

Isaac przypomniał sobie, co powiedział gospodarz, kiedy mijali na piętrze zegar, potem na tyle, na ile potrafił, oszacował, jak wiele czasu mogło upłynąć do tego momentu, a wreszcie rzekł:

— Gdzieś koło drugiej.

Matka znienacka zdjęła mu rękę z karku i z rozpaczą klasnęła w dłonie.

— Dzisiaj, Isaac, są twoje urodziny, a urodziłeś się właśnie o drugiej przed świtem.

Myśl Isaaca nie była dostatecznie rącza, aby uchwycić przyczynę zabobonnego strachu matki. Był zaskoczony, a jeszcze bardziej się zdziwił, kiedy matka nagle zerwała się z krzesła, otworzyła szufladę starego stołu, wyjęła pióro, inkaust i papier, a potem rzekła:

— Masz kiepską pamięć, Isaac, a ja jestem stara, więc i moja nie jest lepsza. Chcę, żebyśmy nawet po latach wszystko wiedzieli o tym twoim śnie. Więc tak jak to zrobiłeś parę minut temu, opowiedz mi raz jeszcze, jak wyglądała ta kobieta z nożem.

Isaac posłuchał, wpatrując się w to, jak matka zapisywała słowa — które w momencie gdy doszli do opisu, tak wyglądały:

„Jasnozielone oczy, bezwładna lewa powieka, lniane włosy ze złotym pasmem, tak, dobrze, mamo, gładkie białe ramiona, z delikatnym puszkiem, małe ręce szlachetnej pani, różowawe paznokcie. Nóż kuchenny z kościaną rękojeścią, zupełnie jak nowy".

Do tych szczegółów pani Scatchard dodała rok, miesiąc i dzień tygodnia, a także godzinę, o której synowi przytrafił się sen, potem zaś starannie ukryła kartkę w szufladzie.

Ani tego dnia, ani żadnego następnego Isaacowi nie udało się nakłonić matki do tego, aby znowu podjęła temat snu. Uparcie nie chciała się zdradzić ze swoimi myślami, więcej, nie chciała nawet wspominać o kartce schowanej w szufladzie. Niedługo Isaacowi odechciało się walczyć z jej niechęcią, potem zaś czas, który prędzej lub później ściera wszystkie rzeczy, wytarł też w jego świadomości pamięć dramatycznego przeżycia. Najpierw myślał o nim coraz rzadziej, aż wreszcie przestał myśleć w ogóle.

Stało się to tym łatwiej, że odmieniły się jego losy — niedługo po strasznej nocy w zajeździe szczęście zaczęło się do niego uśmiechać. Nareszcie los mu wynagrodził długie lata cierpliwości i nieutyskiwania, dostał bowiem świetną posadę, którą piastował

przez siedem lat, do chwili śmierci swego chlebo-
dawcy, a z którą rozstał się, otrzymawszy bardzo su-
te roczne wynagrodzenie za to, iż uratował życie pani, gdy jej pojazd miał wypadek. W ten sposób doszło
do tego, iż siedem lat po tamtym śnie Isaac Scatchard
wrócił do swej starej matki z takim rocznym docho-
dem, że mogli z niego oboje spokojnie utrzymać się
aż do końca życia.

Matka, która ostatnio bardzo już słabowała, niezwykle się ucieszyła z tego, że odtąd nie będzie się
musiała martwić o pieniądze i że między innymi
dlatego w dzień urodzin Isaaca mogła wraz z synem
zasiąść do suto zastawionego stołu.

Kiedy wieczór był już zaawansowany, matka ze
smutkiem stwierdziła, że brakuje uspokajającego
medykamentu, który zwykła o tej porze przyjmo-
wać, a którego powinno jej zostać, jak mniemała,
jeszcze jedna dawka albo dwie. Isaac natychmiast
się zaofiarował, że pójdzie do aptekarza, aby wydał
lekarstwo. Była podobnie deszczowa i nieprzyjemna
aura jak pamiętnego wieczoru, kiedy zabłądził i trafił
do podleśnego zajazdu.

W wejściu do apteki minęła go wychodząca ubo-
go odziana kobiecina. Jej twarz ledwie mignęła mu
w świetle padającym z okna, ale i tak starczyło, aby
popatrzył za nią z uwagą.

— Widział ją pan? — spytał zza lady pomocnik
aptekarza. — Coś mi się zdaje, że nie wszystko jest
z nią w porządku. Chciała laudanum, żeby je przy-

łożyć na zepsuty ząb. Pan wyszedł na pół godziny, więc jej mówię, że pod jego nieobecność nie wolno mi dawać obcym trucizn. Dziwnie się zaśmiała i powiedziała, że przyjdzie za pół godziny. Jeśli sądzi, że pan ją obsłuży, to się może bardzo pomylić, bo tak po mojemu to najprawdziwsza samobójczyni.

Te słowa, rzecz jasna, jeszcze bardziej wzmogły zainteresowanie Isaaca ową niewiastą. Napełnił dla matki flakon specyfikiem, a wyszedłszy na ulicę, zaczął się uważnie rozglądać za nieznajomą. Natychmiast zobaczył, jak niespokojnie przechadza się tam i z powrotem po drugiej stronie. Z sercem, które nieoczekiwanie zaczęło mu trzepotać, Isaac podszedł do kobiety i spytał, czy wszystko z nią w porządku. Wskazała na swój podarty szal, obszarpaną suknię, na połamany, brudny kapelusz, potem tak się ustawiła, aby w świetle lampy było widać jej zapadłą, bladą, chociaż nadal jeszcze urodziwą twarz.

— A jakże, czyż nie wyglądam na osobę zadbaną i szczęśliwą? — spytała i gorzko się zaśmiała.

Głos i intonację miała tak czyste, że Isaac nigdy czegoś podobnego nie słyszał w kobiecych ustach. Każdy jej ruch zdradzał ogładę kobiety z dobrego towarzystwa, skóra pomimo bladości narzuconej ubóstwem sugerowała delikatność, którą się nabywa, tylko żyjąc w dostatku. Subtelny wygląd miały też dłonie wolne od rękawiczek.

Słowo po słowie, Isaacowi udało się wydobyć

z niej całą smutną historię, której nie warto tu szczegółowo przytaczać, gdyż wielokrotnie powtarzano ją w policyjnych raportach oraz informacjach o nieudanych samobójstwach.

— Nazywam się Rebecca Murdoch — zakończyła.

— Zostało mi wszystkiego dziewięć pensów, chciałam je więc wydać w aptece, żeby sobie zapewnić podróż w zaświaty. Jakkolwiek tam jest, nie może być gorzej niż tutaj, więc czemu nie?

Oprócz naturalnego współczucia i smutku, jakie zrodziła w Isaacu usłyszana opowieść, od pierwszej chwili, kiedy kobieta zaczęła mówić, doświadczył jakiegoś takiego osobliwego oddziaływania, że niemal całkowicie zaparło mu dech w piersiach. Ostatecznie zdołał wykrztusić z siebie tyle, że nie pozwoli jej targnąć się na swoje życie, nawet gdyby miał chodzić za nią krok w krok przez całą noc. Kiedy nie tylko to powiedział, lecz także powtórzył, odrzekła:

— Nie narażę pana na tyle kłopotu. Sama taka grzeczna i miła przemowa już mi wróciła chęć do życia. Obejdzie się bez kazań czy obietnic, także i bez nich może pan mi wierzyć. Niech się pan zjawi jutro w południe na Fullerowych Błoniach, a znajdzie mnie pan żywą i gotową odpowiadać za siebie. Nie, nie, żadnych pieniędzy, starczy mi tych moich dziewięć pensów, żeby gdzieś zanocować.

Lekko się ukłoniła i odeszła. Nie usiłował iść za nią, nie miał bowiem żadnych podejrzeń, że go zwodziła.

— To dziwne, ale nie potrafię jej nie wierzyć — powiedział do siebie i zadumany skierował się do domu.

Tak był pogrążony w myślach, że wchodząc do pokoju z flakonem medykamentu, nawet nie zauważył, czym jest zajęta matka. Ona tymczasem wydobyła z szuflady dawny papier i czytała go z zainteresowaniem. Zwykła była tak robić w każde urodziny Isaaca, gdy w samotności rozważała zapisane słowa, które usłyszała od syna.

Nazajutrz Isaac poszedł na Fullerowe Błonia.

Jak się okazało, miał rację, zaufawszy kobiecie odruchowo. Zjawiła się punktualnie co do minuty, zupełnie nad sobą panując. Nawet jeśli stały jeszcze w sercu Isaaca jakieś słabiutkie mury obronne przed fascynacją, jaką w nim rodziły jej widok czy spojrzenie, bez śladu rozpadły się tego pamiętnego poranka.

Jeśli mężczyzna wcześniej nieczuły na niewieście wdzięki wiąże się w kwiecie swego wieku z kobietą, to bardzo rzadko się zdarza — jakiekolwiek byłyby znaki ostrzegawcze — aby potrafił nie ulec tyranii swej świeżo rozgorzałej namiętności. Dla mężczyzny o statusie Isaaca, nawet gdyby miał dwadzieścia lat, bardzo groźną słodyczą stałyby się kobieca wdzięczność, przyjaźń i czułość, wyrażane w sposób nadal świadczący o wysokiej pozycji, jaką ongiś w świecie zajmowała. A przecież nie o to tylko chodziło; gdyż w sercu znienacka rozmiękłym szybko zapuściły korzenie różne inne uczucia. Starczyło kilka jeszcze ukradkowych spotkań na Fullerowych Błoniach, by jego urzeczenie było całkowite i kompletne. Nie minął nawet miesiąc od ich pierwszej schadzki, a Isaac Scatchard dał Rebecce Murdoch nowy bodziec do życia i nadzieję na odzyskanie tego, co utraciła, przyrzekając, iż uczyni ją swą żoną.

Wzięła w posiadanie nie tylko jego namiętność, lecz także cały charakter i umysł. We wszystkim nim kierowała; to ona podpowiedziała mu, jak najbezpieczniej będzie przekazać matce informację o zbliżającym się małżeństwie.

— Jeśli od razu jej opowiesz, jak mnie spotkałeś i kim byłam — powiedziała sprytna kobieta — wówczas poruszy niebo i ziemię, żeby tylko nie dopuścić do naszego związku. Powiedz, że jestem siostrą jednego z twoich znajomych, stajennego jak ty, poproś, żeby zechciała zobaczyć mnie wcześniej, a całą resztę zostaw już mnie. Zanim się dowie, kim naprawdę jestem, sprawię, że pokocha mnie tylko odrobinę mniej od ciebie.

Intencja tego oszustwa wystarczyła, by uspokoić sumienie Isaaca, zwłaszcza że on sam zamartwiał się tym, jak o nowinie powiedzieć matce. A przecież ciągle pozostawała jakaś skaza na jego szczęściu, coś trudnego nie tylko do wysłowienia, lecz także do uchwycenia — co wyraźnie odczuwał nie wtedy, gdy znajdował się z daleka od Rebecki, ale — o dziwo — w jej obecności! Była dla niego samą słodyczą. Nigdy nie dała mu poczuć, że jest od niej mniej pojętny czy gorzej wychowany. Robiła wszystko, aby zadowolić go nawet wówczas, gdy chodziło o drobnostki, a jednak nigdy nie czuł się przy niej rozluźniony i spokojny. Ilekroć się spotykali, tylekroć z admiracją, która budziła się, kiedy patrzył na Rebeccę, splatała się mimo woli delikatna wątpliwość, jakby była to zupełnie obca twarz. I nic nie było w stanie usunąć tej dręczącej niepewności.

Zgodnie z instrukcją, ukrywając prawdę, niepewnie powiedział o ślubie matce tego dnia, gdy termin małżeństwa został wyznaczony. Biedna pani Scatchard, bezgranicznie ufająca synowi, z radością zarzuciła mu ręce na szyję, gdyż nie posiadała się ze szczęścia, że trafił w końcu na siostrę znajomego, która gotowa będzie dbać i troszczyć się o Isaaca, gdy matki już nie stanie. Nie mogła się też doczekać, kiedy zobaczy wybrankę syna, wizyta została więc umówiona na dzień następny.

Był piękny słoneczny ranek, a mały pokoik gościnny w wiejskim domku jaśniał światłem, kiedy pani Scatchard, radosna i niecierpliwa, siedziała ubrana specjalnie na tę okazję w niedzielną suknię, oczekując syna i swej przyszłej synowej.

Punktualnie o wyznaczonej godzinie stropiony Isaac wprowadził do pokoju swą narzeczoną. Matka powstała na powitanie, zrobiła z uśmiechem kilka kroków, ale gdy spojrzała Rebecce prosto w oczy, nagle znieruchomiała. Jej chwilę temu zaczerwieniona twarz znienacka pobladła, w oczach miejsce łagodności i czułości zajęło czyste przerażenie, wyciągnięte ręce opadły bezsilnie po bokach; matka zatoczyła się na syna i wyszeptała, chwytając go kurczowo za ramię:

— Isaac, czy jej twarz niczego ci nie przypomina? — Zanim zdążył cokolwiek odpowiedzieć, zanim zdążył obejrzeć się na Rebeccę, która zdumiona i rozgniewana takim przyjęciem stała zaraz za progiem pokoju, matka wskazała na stolik i niecierpliwie wcisnęła synowi klucz do szuflady. — Otwórz — syknęła zduszonym szeptem.

— A to co znowu? Czemu jestem tutaj tak traktowana, jakby mnie nie chciano? Czy twoja matka stara się mnie obrazić? — spytała rozsierdzona Rebecca.

— Otwieraj, otwieraj i daj mi ten papier z lewej szuflady! Pospiesz się, na miłość boską! — powtarzała pani Scatchard, kuląc się jeszcze bardziej z przerażenia.

Isaac podał jej kartkę. Chwilę wczytywała się z pasją, a potem skoczyła do Rebecki, która oburzona odwracała się właśnie, aby wyjść, chwyciła ją za luźny rękaw sukni, gwałtownym ruchem go podciągnęła i wpatrzyła się w odsłonięte ramię oraz dłoń. Rebecca wyzwoliła się z uchwytu starowiny, ale na jej twarzy do złości dołączył się strach.

— Wariatka — mruknęła — a on mi nic nie powiedział!

Z tymi słowami wyszła. Isaac chciał pobiec za nią, ale matce udało się go powstrzymać. Serce mu się skurczyło, gdy zobaczył, jak drżąca i wystraszona jest jej twarz.

— Jasnozielone oczy — mówiła głosem niskim i złowróżbnym, zarazem wskazując otwarte drzwi, które się jeszcze kołysały — bezwładna lewa powieka, lniane włosy ze złotym pasmem, tak, dobrze, mamo, gładkie białe ramiona, z delikatnym puszkiem, małe ręce szlachetnej pani, różowawe paznokcie. Isaac, to przecież ta twoja wyśniona kobieta, nie kto inny!

Nareszcie wyjaśniła się owa wątpliwość, której Isaac nigdy nie potrafił się pozbyć w towarzystwie Rebecki. Widział już wcześniej jej twarz: przed siedmioma laty, w dzień swoich urodzin, w pokoju sypialnym odludnego zajazdu.

— Strzeż się! Strzeż się, synu! Isaacu, błagam cię, nie biegnij za nią, daj jej spokój, niech sobie idzie, a ty zostań ze mną!

Jeszcze to mówiła, kiedy w oknie pociemniało. Isaac poczuł zimny dreszcz, kiedy spojrzał w szybę. Ciekawie zaglądała przez nią do środka Rebecca Murdoch.

— Matko, obiecałem, że ją poślubię, i muszę dotrzymać obietnicy!

Łzy sprawiły, że wszystko widział rozmazane, dostrzegł jednak, że kobieca postać odstąpiła od okna.

Matka nisko zwiesiła głowę.

— Słabo ci? — zapytał troskliwie Isaac.

— Serce mi pęka, synu.

Nachylił się i ucałował matkę w czoło, nie widząc, że fatalne oblicze raz jeszcze z zainteresowaniem patrzy, co też się dzieje w pokoju.

4

Trzy tygodnie później Isaac i Rebecca zostali mężem i żoną. Straszliwa jakaś moc sprawiła, że nic — nawet rozpacz matki i jej złowieszcze ujawnienie — nie było w stanie zrównoważyć w jego sercu potężnej namiętności.

Po owym pierwszym spotkaniu nic też nie było w stanie nakłonić pani Scatchard do rozmowy z synową czy w ogóle o niej, Isaac próbował bowiem kilka razy występować w jej obronie.

Postępowanie matki w żadnym stopniu nie zostało spowodowane przez upadek w społeczne niziny, którego doznała Rebecca. Nigdy, ani razu, nie podniosła tej kwestii, gdyż cały jej opór brał się tylko i wyłącznie z okropnego podobieństwa twarzy żywej, konkretnej niewiasty do zjawy, która pojawiła się synowi we śnie.

Rebecca z kolei nigdy ani słowem nie ubolewała nad przepaścią między nią a teściową. Isaac dla świętego spokoju nigdy nie kwestionował jej opinii, że wiek i choroba musiały napocząć władze umysłowe pani Scatchard. Ba, pokornie nawet znosił wyrzuty małżonki, iż nie wspomniał jej o tej słabości swej matki, kiedy decydowali się na ślub, za nic bowiem nie chciał ujawnić złowrogiej prawdy. Po ofiarach, na które już i tak musiało się zgodzić jego sumienie, ta nie wydawała się przesadnie wielka.

Niedaleki był jednak czas — bezwzględny i okrutny — gdy musiał się rozstać ze swymi iluzjami. Po kilku spokojnych miesiącach małżeńskiego pożycia, kiedy lato się kończyło i zbliżał się dzień jego urodzin, Isaac poczuł, że żona zaczyna inaczej go traktować. W jej zachowaniu pojawiły się surowość i wzgarda, na przekór jego ostrzeżeniom, sprzeciwom, a nawet zakazom zawierała podejrzane znajomości, najgorsze zaś było to, iż coraz częściej po sprzeczkach z mężem szukała zapomnienia w okowicie. Zaczęło się od przestawania z pijakami, ale rychło Isaac zaczął się namacalnie przekonywać, że Rebecca sama stała się pijaczką.

Jeszcze zanim się to ujawniło, on sam był w bardzo marnym stanie. Ilekroć odwiedzał matkę, stwierdzał, że jej zdrowie stale się pogarsza, i w skrytości ducha to siebie obwiniał o to, iż jest przyczyną jej podupadania na ciele i umyśle. Kiedy do związanych z matką wyrzutów sumienia dołączyły się jeszcze wstyd i upokorzenie spowodowane upadlaniem się żony, coraz niżej uginał się pod podwójnym brzemieniem. Twarz jego starzała się z pośpiechem; wystarczyło spojrzeć, by zrozumieć, że jest to człowiek złamany psychicznie.

Matka, dzielnie się zmagająca z pchającą ją do grobu chorobą, pierwsza dostrzegła tę bolesną przemianę w synu i jako pierwsza usłyszała od niego wyznanie o dramacie, jaki przeżywał z powodu żony. Tego dnia, kiedy zdobył się na zwierzenia, mogła tylko gorzko zapłakać, ale przy następnej wizycie syn zastał ją tak zdeterminowaną i pewną swego postanowienia, że go to nie tylko zdumiało, lecz także przeraziło. Była gotowa do wyjścia, a oto odpowiedź, którą otrzymał, kiedy spytał o przyczynę:

— Niedługo mi już przebywać na tym świecie, Isaacu, niemniej jedno wiem: nie spocznę, dopóki nie zrobię wszystkiego, co potrafię, aby zapewnić ci szczęście. Na bok odłożę wszystkie moje trwogi i przeczucia i pójdę z tobą do twej małżonki, aby postarać się ją ratować. Podaj mi rękę i prowadź mnie, bym, zanim będzie już za późno, spróbowała bronić mojego syna.

Nie mógł się jej sprzeciwić, poszli więc wolno ku jego marnemu domowi.

Była dopiero pierwsza po południu, gdy stanęli pod jego drzwiami. Czas był obiadowy, więc Rebecca znajdowała się w kuchni, dlatego też Isaac mógł po cichu przeprowadzić matkę do pokoju gościnnego i przygotować żonę na rozmowę. O tak wczesnej porze dnia niewiele jeszcze zdążyła wypić, była więc mniej opryskliwa i kapryśna niż zwykle.

Nieco uspokojony wrócił do matki, a niebawem dołączyła też do niego Rebecca, rozmowa zaś między nią a teściową przebiegała lepiej, niż się Isaac obawiał, aczkolwiek spostrzegł, że chociaż matka bardzo się pilnuje, to jednak nie jest w stanie spojrzeć jego połowicy w twarz.

Z ulgą patrzył więc, że Rebecca zaczęła nakrywać do stołu.

Rozłożyła obrus, przyniosła tacę z chlebem, odkroiła z bochenka pajdę dla męża i wróciła do kuchni. W tejże chwili Isaac, który przez cały czas lękliwie patrzył spod oka na matkę, dojrzał, jak jej twarz raptownie się zmienia, ogarnięta tym samym przerażeniem, które dostrzegł podczas jej pierwszego spotkania z Rebeccą. Zanim zdążył otworzyć usta, spiesznie do niego zaszeptała:

— Czym prędzej zabierz mnie do domu, synu. Tak, tak, chodź ze mną i nigdy już tu nie wracaj!

Zbyt wystraszony, aby pytać o wyjaśnienia, Isaac tylko gestem nakazał matce milczenie i chyłkiem zaczął ją prowadzić ku drzwiom. Kiedy mijali stół, pani Scatchard zatrzymała się i wskazała na tacę.

— Widziałeś, czym ukroiła chleb? — sapnęła półgłosem.

— Nie zwróciłem na to uwagi, matko.

— To patrz!

Zobaczył, że obok bochenka leży nowy nóż o dużej klindze z rogową rękojeścią. Drżącymi palcami sięgnął po niego, ponieważ jednak z kuchni doleciał ich jakiś dźwięk, matka kurczowo chwyciła go za rękę.

— To nóż ze snu, Isaacu! Ze strachu mąci mi się w głowie. Zabierz mnie stąd, zanim ona wróci.

On sam ledwie był w stanie ją podtrzymać. Konkretny, rzeczywisty nóż jakby wykarczował ostatki jego wątpliwości co do zdumiewającego sennego ostrzeżenia, które otrzymał przed niemal ośmioma laty. Ostatnim wysiłkiem woli udało mu się jednak na tyle zebrać w sobie, że wyprowadził matkę z domu tak cicho, iż Wyśniona Kobieta (sam ją teraz tak w myślach nazywał) nie usłyszała tego z kuchni.

— Nie, Isaacu, nie wracaj, błagam cię, nie wracaj tam! — żebrała matka, kiedy odprowadziwszy ją do domu, zbierał się do wyjścia.

— Muszę mieć ten nóż — wykrztusił i chociaż starała się go powstrzymać, wybiegł na zewnątrz.

Po powrocie zobaczył, że Rebecca, zorientowawszy się — bo jakżeby inaczej — że mąż i teściowa cichcem ją opuścili, wzięła się do picia i cała teraz gotowała się ze złości. Obiad poleciał do pieca, obrusa nie było na stole, a gdzie nóż?

Nieroztropnie głośno o to spytał. Natychmiast wykorzystała nadarzającą się okazję, aby go zirytować. Chce noża? A właściwie po co? Nie potrafi powiedzieć? To niech klęka i prosi, a wtedy może dostanie. Nie pomogły jego nalegania, okazało się, że nóż uważała za swą bardzo osobistą własność. Uznawszy, że po dobroci mu się nie uda, postanowił poszukać noża wieczorem, ale czynił to na próżno. Ponieważ bał się spać z żoną w jednym pokoju, noc spędził, wałęsając się po ulicach.

Minęły trzy tygodnie. Rebecca, ciągle obrażona na męża, ani myślała dać mu nóż, on zaś ciągle bał się zostać z nią na noc w jednym pomieszczeniu. Chodził całą noc, drzemał w pokoju gościnnym albo przesiadywał u łóżka matki. Zanim skończył się pierwszy tydzień nowego miesiąca, ta zmarła, chociaż miała nadzieję, że pożyje jeszcze dziesięć dni do urodzin syna. Isaac był przy niej w chwili śmierci, a ostatnie słowa, jakie do niego skierowała na tej ziemi, brzmiały:

— Nie wracaj do niej, synu, nie wracaj!

On jednak czuł, że musi tak zrobić, chociażby po to, by śledzić żonę. Ta, rozdrażniona nieufnością ze strony męża, ostatnie dni życia matki nasączyła goryczą, stanowczo oznajmiając, że ma wszelkie prawo do tego, aby była obecna na pogrzebie. Tłumaczył, ile mógł, starał się ze wszystkich sił, ona jednak uparcie trwała przy swoim, a w dzień pogrzebu, bezwstydnie odurzona alkoholem, przyczepiła się do męża, uparcie powtarzając, że odprowadzi trumnę jego matki aż do grobu. Isaac miał tylko jedno rozwiązanie: zamknął Rebeccę w sypialni.

Kiedy wrócił po kilku godzinach, znalazł ją siedzącą nieruchomo, ale bardzo zmienioną na twarzy. Koło nóg ustawiła tobołek. Na widok Isaaca natychmiast powstała i spokojnym, ale pewnym siebie głosem, twardo mierząc go oczyma, powiedziała:

— Nie było mężczyzny, który ugodziłby mnie po dwakroć. Także i mąż nie będzie miał po temu okazji. Ustąp mi z drogi i nie waż się mi przeszkadzać. Już nigdy więcej się nie zobaczymy.

Nie zdołał wykrztusić ani słowa, kiedy minęła go i wyszła na ulicę.

Czy wróci jeszcze?

Czuwał cały wieczór i całą noc, ale żadne kroki

nie zbliżyły się do progu. Następnej nocy znużony zasnął w ubraniu, chociaż drzwi najpierw zamknął, klucz ułożył na stole, a świecę zostawił zapaloną. Nic nie zakłóciło mu snu. Podobnie minęły noce trzecia, czwarta, piąta i szósta. Kiedy kładł się na łóżku w ubraniu siódmej nocy, po staremu zamknął drzwi, klucz zostawił na stole, a świecę płonącą w butelce, tym razem jednak lekki na duchu i na ciele rychło zapadł w sen.

Ten jednak nie był spokojny. Dwa razy Isaac budził się podenerwowany, a za trzecim nawiedziły go aż za dobrze pamiętane z zajazdu dygotanie i okropny ból serca. Otworzył oczy i spojrzał na lewo od łóżka, a tam...

Znowu Wyśniona Kobieta? Nie! Jego żona, rzeczywista, ale z widmową twarzą i w takiej postawie jak we śnie: wzniesione gładkie ramię, nóż w delikatnej białej dłoni.

Jak tylko ją zobaczył, rzucił się na nią, ale nie na tyle szybko, aby nie zdążyła ukryć noża. Bez jednego słowa Isaac przygwoździł żonę do krzesła, a drugą ręką podwinął rękaw i gdzie Wyśniona chowała swą broń, tam teraz Rebecca trzymała nowiutki nóż o rogowym uchwycie.

Nie stracił w tym przeraźliwym momencie spokoju myśli ani serca. Wyrwawszy nóż, patrzył teraz małżonce prosto w oczy, mówiąc:

— Powiedziałaś, że nigdy już się więcej nie zobaczymy, ale wróciłaś. Teraz to ja odchodzę, i to odchodzę na zawsze, ale dotrzymam słowa: nie zobaczymy się już nigdy.

Zostawił ją i wyszedł w noc. Wiał zimny wiatr, w powietrzu czuć było, że zbliża się deszcz. Kiedy znalazł się już między ostatnimi domami na przedmieściu, daleki zegar kościelny wydzwonił kwadrans. Zobaczył policjanta i spytał, która godzina minęła. Tamten sennym wzrokiem spojrzał na zegarek i odpowiedział:

— Druga.

Druga w nocy. Jaki to dzień miesiąca właśnie się zaczął? Policzył, ile czasu upłynęło od pogrzebu matki. Nie ulegało wątpliwości: były to jego urodziny!

Czy udało mu się uciec od śmiertelnego niebezpieczeństwa, które zapowiadał sen, czy też było to drugie ostrzeżenie?

Kiedy nawiedziła go ta okropna wątpliwość, zatrzymał się stropiony i odwrócił w kierunku miasta. Ciągle był gotów trzymać się swojego słowa i nigdy już więcej nie zobaczyć Rebecki, teraz jednak nawiedziła go myśl, żeby zacząć ją obserwować i śledzić. Nóż miał przy sobie, przed sobą szeroki świat, ale owładnęła nim jakaś mroczna, niewysłowiona trwoga.

— Muszę przecież wiedzieć, co robi teraz, kiedy myśli, że ją opuściłem — mruczał do siebie, krocząc w okolice domu.

Ciągle było ciemno. W sypialni zostawił palącą się świeczkę; kiedy jednak teraz zajrzał przez okno, nie zobaczył w środku światła. Podkradł się ostrożnie do drzwi wejściowych. Pamiętał, że wychodząc, je zamknął — a kiedy teraz nacisnął, stwierdził, że są otwarte.

Nie spuszczając oka z domu, czekał aż do świtu. Wtedy wśliznął się do środka i zaczął nasłuchiwać. Cisza. Zajrzał potem do kuchni, spiżarni, pokoju gościnnego — nic. Na koniec wszedł do sypialni, która też była pusta. Na podłodze leżał wytrych, co tłumaczyło, jak Rebecca dostała się do środka po nocy, ale był to jedyny jej ślad.

Gdzie jednak się podziała? Nikt nie mógł mu odpowiedzieć na to pytanie. Mrok skrył jej ucieczkę, a kiedy wstał dzień, nie wiadomo było, gdzie ją zastał.

Zanim Isaac opuścił na zawsze dom i miasto, kazał zaprzyjaźnionym sąsiadom sprzedać wszystko, a za otrzymaną sumę opłacić policyjne śledztwo. Postąpiono wprawdzie zgodnie z jego instrukcjami, pieniądze sumiennie wydano, nic jednak to nie dało. Wytrych znaleziony na podłodze sypialni pozostał ostatnim śladem Wyśnionej Kobiety. Śladem, który na nic nie wskazywał.

* * *

W tym momencie oberżysta urwał i spojrzał przez okno w kierunku stajni.

— Tyle więc od niego usłyszałem — zakończył — a bardzo niewiele mogę dodać z własnego doświadczenia. Jakieś dwa, może trzy miesiące po zdarzeniach, o których opowiedziałem, zgłosił się do mnie Isaac Scatchard, taki wynędzniały i postarzały, jak teraz go pan widzi. Miał listy polecające i poprosił o zatrudnienie. Wiedząc, że jest jakoś daleko spokrewniony z moją żoną, przyjąłem go na próbę i powiem nawet, że polubiłem, mimo wszystkich tych jego dziwnych nawyków. Nie pije, jest uczciwy i robotny. Mówiąc jednak szczerze, jeśli ktoś zna tę jego historię, czy może się dziwić bezsenności i przysypianiu za dnia? Poza tym nigdy nie ma mi za złe, jeśli go zbudzę w razie potrzeby, więc ostatecznie nie sprawia za wiele kłopotu.

— Rozumiem, że boi się, iż sen powróci i rozbudzi go w nocy? — spytałem.

— Nie — odparł gospodarz. — Sen zdarza mu się tak często, że już właściwie przystał na to z rezygnacją. Natomiast parokrotnie powtarzał mi, że to żona budzi go w nocy.

— Jak to? Przecież powiedział pan, że nikt już więcej o niej nie słyszał.

— Nikt, ale Isaaca nie odstępuje myśl o tym, że ciągle żyje i czatuje na niego. Jestem pewien, że za żadne skarby świata nie pozwoli sobie zasnąć koło drugiej w nocy, gdyż to jest właśnie pora, mówi, kiedy ona będzie go szukać. Jak rok długi dba o to, aby o drugiej w nocy mieć przy sobie nóż do obrony. Jeśli nie śpi, może być sam, z wyjątkiem nocy poprzedzającej dzień urodzin — pewien jest bowiem, że to wtedy jego życie pozostaje najbardziej zagrożone. Od czasu jak zaczął u mnie pracować, były na razie jedne tylko urodziny, a wtedy całą noc spędził z nocnym stróżem. Jeśli go spytać, czego się tak boi, odpowie tylko: „Czyha ona na mnie". I może ma rację, kto to wie?

— Kto to wie... — pokiwałem głową.

PANI ZANT I DUCH

1

Opowieść ta mówi o powrocie na ziemię bezcielesnego ducha, w ten sposób wprowadzając czytelnika na teren nowy i osobliwy. Nie, bynajmniej nie o północy, lecz w jasnym świetle dnia rozegrały się te nadnaturalne zdarzenia, a powiadomił o nich nie wzrok i nie słuch, gdyż odsłoniły się wiedzy śmiertelników za sprawą zmysłu, który najtrudniej zwieść: uczucia.

Zapis owych wypadków nie może nie zrodzić sprzecznych wrażeń. U jednych zrodzi wątpliwości, które zgłasza rozum; u innych podsyci nadzieję, która uzasadnia wiarę, a straszliwe pytanie o przeznaczenie człowieka pozostawi tam, dokąd poniosły je stulecia czczych poszukiwań: w ciemności.

Zdecydowawszy się przedstawić tu jedynie ciąg wypadków, narrator nie zamierza iść za współczesną modą, aby narzucać się publiczności swoją osobą i swoimi opiniami. W mrok, z którego na chwilę wychynął, teraz powraca, aby siłom niedowiarstwa i nadziei zostawić wolne pole, na którym od wieków toczą starcie.

2

Opisywane wypadki rozegrały się zaraz po tym, jak dobiegło końca pierwsze trzydziestolecie obecnego wieku.

Pewnego ładnego poranka na początku kwietnia mężczyzna w średnim wieku, nazwiskiem Rayburn, wybrał się ze swą córeczką Lucy na spacer do Ogrodów Kensington, zadrzewionej i miłej części zachodniego Londynu.

Owych kilku przyjaciół, których miał pan Rayburn, bez żadnej złośliwości mówiło, iż jest pełnym rezerwy samotnikiem. Bardziej dokładnie można by go opisać jako wdowca poświęcającego się wychowaniu jedynaczki. Chociaż ojciec Lucy przekroczył dopiero niedawno czterdzieści lat, jedyną radością jego życia była córka.

Uganiając się za piłką, dziewczynka oddaliła się na południowy skraj Ogrodów, który znajduje się w bezpośrednim pobliżu starego pałacu Kensington. Pan Rayburn, widząc, że tuż obok niego znajduje się jedno z tych zadaszonych wygodnych siedzeń, które niekiedy zwie się altanami, przypomniał sobie, że ma w kieszeni poranną gazetę i śmiało może na uboczu odpocząć sobie przy lekturze. Zawołał córkę i powiedział:

— Widzisz, kochanie, ja tutaj sobie siądę. Ty baw się, ale uważaj, żebyś nie znikła mi z oczu.

Lucy znowu puściła się w pogoń za piłką, a jej ojciec otworzył gazetę. Nie upłynęło nawet dziesięć minut, kiedy poczuł na kolanie znajome dotknięcie małej rączki.

— Zmęczyłaś się już? — zapytał, nie przerywając lektury.

— Boję się, tatusiu!

Twarz córki była tak blada, że go to przestraszyło. Posadził sobie dziewczynkę na kolanie i pocałował w czoło.

— Nie musisz się niczego bać, kiedy jesteś ze mną — powiedział łagodnie. — A co się takiego stało? — Wyjrzał z altany i między drzewami zobaczył niewielkiego teriera. — Ten pies?

— Nie, nie pies, jego pani.

Z altany nie widać było żadnej damy.

— Coś ci powiedziała? — indagował pan Rayburn.

— Nie.

— To czym cię wystraszyła?

Dziewczynka objęła ojca za szyję.

— Lepiej szeptajmy, tatusiu, żeby nas nie podsłuchała. Ona jest chyba szalona.

— Dlaczego tak myślisz, Lucy?

— Podeszła do mnie. Myślałam, że chce coś powiedzieć. Wyglądała na chorą.

— I co dalej?

— Popatrzyła na mnie.

Teraz jednak Lucy nie bardzo wiedziała, jak ująć to, co chciała dalej powiedzieć, więc uciekła w milczenie.

— Jak na razie nie wygląda to jakoś strasznie — zauważył ojciec.

— Tak, ale widzisz, tato, patrzyła, ale jakby mnie nie widziała.

— Aha, a co się potem stało?

— Była przestraszona i chyba dlatego ja się przestraszyłam — powiedziała Lucy i powtórzyła bardziej zdecydowanie: — Jest szalona.

Panu Rayburnowi przyszło do głowy, że kobieta mogła być niewidoma. Wstał, żeby od razu rozwiać wątpliwości.

— Poczekaj tutaj — rzekł — a ja zaraz wrócę.

Córka jednak chwyciła go obiema rękami: nie, za nic nie zostanie sama. Razem wyszli więc z altany.

Natychmiast zobaczyli opartą o drzewo niewiastę. Odziana była w gęstą wdowią żałobę. Bladość jej twarzy i szkliste spojrzenie oczu nie tylko tłumaczyły przestrach Lucy, lecz także usprawiedliwiały jej raptowną konkluzję.

— Podejdźmy do niej — szepnęła dziewczynka.

Zbliżyli się kilka kroków. Teraz było widać, że jest to kobieta młoda, a chociaż najwyraźniej nadwyrężona przez chorobę, to jednak w nieco szczęśliwszej porze życia musiała być bardzo atrakcyjna (jeśli nie jest to konkluzja nazbyt pospieszna w takich warunkach). Słysząc kroki ojca i córki, spojrzała na nich, z pewnym wahaniem odstąpiła od drzewa i wyszła im na spotkanie, najwyraźniej chcąc coś powiedzieć, ale nie przemówiła. W jej nieobecnych oczach pojawiły się zdumienie i strach. Teraz było już oczywiste, że bynajmniej nie jest ślepa, ale niepojęty zdawał się wyraz jej twarzy. Nie miałaby miny bardziej zdetonowanej i osłupiałej, gdyby dwoje przyglądających jej się obcych znienacka rozpłynęło się w powietrzu.

Pan Rayburn zwrócił się do niej z wielką łagodnością w głosie i ruchach:

— Przypuszczam, że nie czuje się pani najlepiej, jeśli zatem mógłbym cokolwiek...

Słowa zamarły mu na ustach. Przy całej swej absurdalności potwierdziło się jego poprzednie wrażenie. Jeśli miał wierzyć swoim zmysłom, twarz niewiasty mówiła, że kompletnie nie widzi ani nie słyszy pana Rayburna, chociaż ten przed chwilą się do niej zwrócił! Oddaliła się z ciężkim westchnieniem jak osoba głęboko rozczarowana i przygnębiona. Odprowadzający ją spojrzeniem pan Rayburn zobaczył też psa, który zupełnie nie jak terier, ze spuszczonym łbem i ogonem wlókł się za panią niczym zwierzę sparaliżowane strachem. Ponagliła go okrzykiem, ale prawie na to nie zareagował.

Po zrobieniu kilku kroków nagle znowu znieruchomiała, a pan Rayburn usłyszał, jak mówi do siebie:

— Czy znowu to czułam? — spytała, jakby gnębiła ją jakaś okropna wątpliwość. Jej ramiona uniosły się powoli i rozchyliły w lekkim pieszczotliwym geście; można by pomyśleć, że chce kogoś objąć. — Nie — przemówiła po chwili. — Może jutro, dzisiaj już nie!

— Spojrzała na czyste niebo. — Piękne, cudowne słońce. Umarłabym, gdyby to się zdarzyło po ciemku. Ponownie zawołała psa i wolno poszła przed siebie.

— Tatusiu, czy ona idzie do domu? — spytała Lucy.

— Spróbujemy się dowiedzieć — odrzekł ojciec. Był przekonany, że nie można nieszczęśniczki zostawić bez opieki, dlatego też postanowił skontaktować się z jej sąsiadami.

3

Dama wyszła z Ogrodów najbliższą bramą, opuściwszy na twarz woalkę przed wyjściem na High Street Kensington. Po przejściu ledwie kilkudziesięciu metrów zatrzymała się przed okazale wyglądającym domem, w którego oknie znajdowała się kartka z informacją, że są do wynajęcia apartamenty. Na drzwiach widniała tabliczka: „Pani Virginia Jellings".

Pan Rayburn odczekał minutę, potem zapukał i spytał, czy może się widzieć z panią domu. Służąca wprowadziła go do znajdującego się na parterze pokoju, schludnego, acz skąpo umeblowanego. Od brązowego pustego blatu stolika odcinał się biały prostokąt wizytówki.

Z dziecięcą bezceremonialnością Lucy wzięła go i zaczęła literować: „Z-A-N-T", a potem spytała:

— Tato, co to znaczy?

Ojciec spojrzał i odłożył kartkę. Obok wydrukowanego nazwiska „Pan John Zant" ołówkiem dopisany był adres „Purley Hotel".

Zjawiła się właścicielka, a pan Rayburn natychmiast zrozumiał, że nie będzie to łatwa rozmowa. Sposoby, na jakie hołubione mogą być cnoty społeczne, są o wiele bardziej różnorodne, niż się przypuszcza. W przypadku pani Jellings było widać, iż jest zwolenniczką bezwzględnego trzymania się zasad sprawiedliwości; w spojrzeniu, jakim obdarzyła Lucy, bez trudu dało się wyczytać pytanie: „Ciekawe, czy ta smarkata dostaje lanie, kiedy na to zasługuje?".

— Chce pan obejrzeć moje apartamenta? — zaczęła.

Pan Rayburn przedstawił sprawę, z którą się zjawił — tak jasno, zwięźle i krótko, jak to tylko było możliwe. Ma świadomość, dodał, iż jego wizyta może mieć w sobie coś z natręctwa.

Dama całą sobą dała do zrozumienia, że jak najbardziej podziela tę opinię, co widząc, pan Rayburn zasugerował, że usprawiedliwiać go może intencja wizyty. Zachowanie pani domu stało się odrobinę bardziej koncyliacyjne.

— O damie, którą pan opisał, rzec mogę tylko tyle, iż ta wielce szacowna osoba jest bardzo kruchego zdrowia. Przedstawiła znakomite listy polecające, wynajęła pokoje na pierwszym piętrze i nie mam z nią absolutnie żadnych kłopotów. Nic mnie nie upoważnia do tego, bym mieszała się do jej spraw, a jestem pewna, iż całkowicie potrafi zadbać o siebie i swoje bezpieczeństwo.

Pan Rayburn niezbyt roztropnie spróbował powiedzieć coś na swoją obronę.

— Pozwolę sobie zwrócić pani uwagę na...

Ale pani Jellings przerwała mu w pół zdania.

— Na cóż takiego, sir?

— Na obserwacje, które poczyniłem w Ogrodach Kensington.

— Nic mi do pańskich obserwacji, panie Rayburn. Jeśli ceni pan swój czas, sir, nie zamierzam pana zatrzymywać ani chwili dłużej.

Odprawiony w ten sposób nasz bohater wziął córkę za rękę i oboje ruszyli do wyjścia. Zanim jednak sięgnął do klamki, drzwi się otworzyły i stanęła w nich dama z Ogrodów. Ponieważ ojciec i córka stali teraz w drzwiach, rozsądne było podejrzenie, iż zostaną rozpoznani.

— Przepraszam — zwróciła się przybyła do pani Jellings — dowiedziałam się od pani służącej, że pod moją nieobecność był tutaj mój szwagier i zostawił wizytówkę.

Natychmiast podeszła do stolika, spojrzała na bilecik i odłożyła go, najwyraźniej rozczarowana brakiem jakiejkolwiek wiadomości. Pan Rayburn tymczasem nieco zwlekał z wyjściem, w nadziei, że posłyszy coś jeszcze, a jego opieszałość nie mogła ujść uwagi czujnej właścicielki, która zwróciła się do swej lokatorki:

— Czy zna pani tego dżentelmena?

310

Dama z Ogrodów ogarnęła spojrzeniem ojca i córkę, by odpowiedzieć natychmiast: „Nie przypominam sobie", zaraz jednak zmarszczyła brwi i dodała, odrobinę się cofając:

— Chociaż nie wykluczam, że...

Umilkła stropiona, ale pan Rayburn dokończył za nią:

— Widzieliśmy się w Ogrodach Kensington.

Nieznajoma wahała się moment, a następnie powiedziała, najwyraźniej nie dowierzając pani domu:

— Może porozmawiamy w moim pokoju na górze?

Nie czekając na odpowiedź, zaczęła wchodzić po schodach, a pan Rayburn i Lucy ruszyli za nią, z dołu jednak doleciały ich zjadliwe słowa:

— Niech pani uważa na tego jegomościa, pani Zant! Bo on ma panią za wariatkę!

Pani Zant zatrzymała się na podeście i odwróciła. Nie powiedziała ani słowa, ale po jej twarzy było widać, jak zabolało ją to, co usłyszała. Wrażenie okazało się tak silne, że Lucy nie wytrzymała i wybuchła płaczem, co widząc, dama zeszła trzy stopnie i nachyliła się nad dziewczynką.

— Czy mogę ją pocałować? — zapytała ojca.

Nie obyło się bez komentarza pani Jellings, który doleciał z dołu.

— Gdyby to było moje dziecko, zadbałabym o to, żeby miało powód do płaczu!

Nikt nie zwrócił uwagi na właścicielkę, a pani Zant poprowadziła gości do swojego pokoju. Już pierwsze słowa dowodziły, że pani Jellings udało się posiać ziarno nieufności.

— Niech pan pozwoli, że najpierw zapytam pańską córkę, dlaczego uważacie mnie za niespełna rozumu.

— Przepraszam — stanowczo odrzekł pan Rayburn — ale przecież wcale jeszcze pani nie wie, co tak naprawdę uważamy. Czy zechce mi pani poświęcić chwilę uwagi?

— Nie. Pana córka mi najwyraźniej współczuła, więc z nią chcę przede wszystkim porozmawiać. Powiedz mi, dziecko, kiedy widziałaś mnie w Ogrodach, co takiego cię zaniepokoiło? — Lucy niepewnie schowała się za ojcem, ale pani Zant ciągnęła: — Najpierw zobaczyłam cię samą, potem razem z tatą. Czy kiedy podeszłam do was, wyglądałam jakoś dziwnie?

Lucy wahała się z odpowiedzią, ponownie więc zaingerował pan Rayburn.

— Córka jest bardzo stropiona, zatem niech pani pozwoli, że ja odpowiem, w innym bowiem przypadku będziemy musieli panią opuścić.

Stanowczość jego głosu sprawiła, że pani Zant się zawahała i potarła ręką czoło.

— Sama nie wiem... Widzi pan, moja odwaga i tak została już wystawiona na poważną próbę; może gdybym odrobinę odpoczęła, także się zdrzemnęła, stałaby przed panem już inna osoba. Jestem w dużej mierze zdana tylko na siebie, potrzeba mi trochę czasu, by się pozbierać. Czy możemy się zobaczyć jutro? A może napiszę? Gdzie pan mieszka?

Pan Rayburn w milczeniu położył wizytówkę na stoliku. Pani Zant wielce go zainteresowała, a wydawało mu się, że koniecznie trzeba się zaopiekować tą osobą — tak okrutnie, zdało się, zdaną tylko na własne siły. Nie miał jednak żadnej władzy, aby ją do czegokolwiek nakłaniać, dlatego postanowił jeszcze wykorzystać możliwość kontaktu z krewnym, o którym pani Zant wspomniała w holu.

— A kiedy zamierza się pani zobaczyć ze szwagrem? — zapytał.

— Nie wiem — odparła bezradnie. — Bardzo bym chciała, on jest dla mnie taki dobry... — Obróciła się do Lucy. — Do widzenia, moja mała panienko. Mam nadzieję, że kiedy podrośniesz, nie będziesz do mnie podobna. — Nagle spojrzała na pana Rayburna. — Czy w domu czeka na pana żona?

— Moja żona nie żyje.

— Ale może pana pocieszyć córka. Nie, niech pan już idzie, kaleczy mi pan serce. Nic pan nie rozumie, sprawia pan, że muszę panu zazdrościć.

Ojciec w milczeniu wyszedł na ulicę, córka posłusznie też się nie odzywała, ale cierpliwość nawet najbardziej układnego dziecka też ma swoje granice.

— Co myślisz o tej pani, tato?

Pan Rayburn w odpowiedzi tylko pokiwał głową. Pytanie Lucy przerwało mu ciąg rozmyślań w miejscu, w którym nie miał jeszcze gotowej opinii, ta jednak dojrzała, zanim znaleźli się w domu. Brzmiała zaś ona tak, że szwagier pani Zant najpewniej nic nie wiedział o tym, jak potrzebna jest jego interwencja, inaczej bowiem rychło spróbowałby raz jeszcze odwiedzić krewną. Ponieważ w takiej sytuacji milczenie pana Rayburna mogłoby mieć tragiczne konsekwencje, zdecydował się zaryzykować kolejne nieprzyjemne przyjęcie.

Zostawiwszy Lucy pod opieką guwernantki, udał się do wskazanego na wizytówce hotelu i w recepcji poprosił, aby przekazano jego bilecik. Po krótkiej chwili otrzymał odpowiedź, że pan John Zant może go przyjąć.

4

Pana Rayburna wprowadzono do salonu jednego z apartamentów hotelowych.

Już od progu zastanowiło go osobliwe ustawienie mebli, albowiem blisko światła, tuż pod oknem ustawiono fotel ze stolikiem, a obok nich taboret. Na blacie, na marokańskiej skórze w równym rządku leżały metalowe instrumenty o rękojeściach z kości słoniowej. Stojący obok stołu pan John Zant powiedział „Dzień dobry" głosem tak głębokim i melodyjnym, że w jego ustach dwa te banalne słowa nabrały jakiegoś głębszego znaczenia. Jego aparycja odpowiadała głosowi, był bowiem wysokim, postawnym mężczyzną o ciemnej karnacji, z wielkimi, lśniącymi oczyma czarnego koloru i zadbaną brodą, która pokrywała dolną część twarzy. Ukłonił się z osobliwą mieszaniną dworności i układności, a potem jego zachowanie zmieniło się tajemniczo, gdyż padł na kolana obok taboretu. Czyżby zapomniał rano zmówić modlitwę, a teraz bez względu na okoliczności chciał nadrobić to niedopatrzenie? Tymczasem nie było końca zaskoczeniom, gdyż pan Zant spojrzał z uśmiechem na swego gościa i rzekł:

— Niech pan zechce z łaski swojej umieścić stopę na taborecie.

Teraz panu Rayburnowi błysnęło coś w głowie, spojrzał na rozłożone na stole instrumenty i spytał:

— Przepraszam, ale czy jest pan możc... balwierzem?

— Raczy pan używać dość starej i nieprecyzyjnej nazwy mojej profesji. — Powiedziawszy to, Zant powstał, skłonił się raz jeszcze i dorzucił: — Jestem pedikiurzystą.

— Słucham?

— Mniejsza z tym, gdyż widzę, że nie przyszedł pan bynajmniej skorzystać z moich usług. Czemu zatem mogę przypisać pańską wizytę?

Pan Rayburn zdążył już tymczasem dojść do siebie.

— Skłoniły mnie do tego okoliczności, domagające się tak przeprosin, jak i wyjaśnień.

W nienagannych manierach pana Zanta pojawił się ślad niepokoju; nasunęła mu się wszelako konkluzja, która kazała mu sięgnąć do wewnętrznej kieszeni, gdzie trzymał pieniądze, ze słowami:

— Mam różnorakie wydatki, zatem sam chyba pan rozumie...

Pan Rayburn uśmiechnął się delikatnie.

— Nie, nie, proszę się uspokoić, nie chcę od pana pieniędzy, chciałbym natomiast porozmawiać na temat pańskiej krewnej.

— Mojej bratowej! — zawołał domyślnie pan Zant. — Proszę, niech pan usiądzie.

Pan Rayburn zawahał się, gdyż przyszło mu do głowy, że może przeszkodzić gospodarzowi w jego czynnościach zawodowych.

— Czy jednak nie czeka pan na jakiegoś klienta?

— Nie, proszę się nie obawiać. Przyjmuję w godzinach od jedenastej do pierwszej. — Jeszcze to mówił, gdy zegar wydzwonił kwadrans po pierwszej. — Mam nadzieję, że nie przynosi pan żadnych niedobrych nowin? — ciągnął z niepokojem Zant. — Kiedy z rana do niej zajrzałem, dowiedziałem się, że wyszła na spacer. Czy można zapytać, skąd pan zna moją bratową?

Pan Rayburn sumiennie opowiedział, co widział i słyszał w Ogrodach Kensington, przy czym nie pominął też rozmowy przeprowadzonej w mieszkaniu pani Zant.

Pan Zant wysłuchał wszystkiego z zainteresowaniem i sympatią, co stało w wielkim kontraście do niczym niesprowokowanej grubiańskości pani Jellings. Na koniec odrzekł, że za szczerość pana Rayburna może odpłacić tylko tym samym i przedstawić wszystko tak szczerze, jakby rozmawiał ze starym przyjacielem.

— Mniemam, że smutna historia mojej bratowej wyjaśni przynajmniej niektóre z rzeczy, które pana zaskoczyły, czemu zresztą trudno się dziwić. Mojemu bratu przedstawiono ją w domu pewnego australijskiego dżentelmena, który odwiedził Anglię, a który zatrudnił ją jako guwernantkę dla swych córek. Cała rodzina, a zwłaszcza dziewczynki, darzyła ją taką sympatią, że zaproponowali, aby towarzyszyła im do kolonii, na co ona z chęcią przystała.

— Nie miała tu w Anglii żadnej rodziny? — zapytał pan Rayburn.

— Była na świecie samiutka jak palec, na pewno wszystko pan zrozumie, kiedy powiem, że dorastała w londyńskim sierocińcu. O nie, jej życie z pewnością nie było usłane różami. Nie wie, kim byli jej rodzice ani czemu ją porzucili. Pierwszy szczęśliwy moment w jej życiu stanowiła chwila, gdy poznała mego brata. Z obu stron była to miłość od pierwszego wejrzenia. Mój brat nie należał do bogaczy, ale z niejakim powodzeniem działał w branży merkantylnej. Jego charakter pozwalał mniemać, iż przed młodą parą rysują się pomyślne perspektywy, mówiąc zatem krótko, otworzyły się przed biedną dziewczyną zupełnie nowe nadzieje. Jej pracodawcy opóźnili wyjazd do Australii, aby mógł się odbyć ślub, cóż z te-

go, skoro szczęście trwało raptem kilka tygodni...
— Głos pana Zanta się załamał i na chwilę odwrócił twarz od światła. Przemówił dopiero po chwili. — Przepraszam, ciągle nie potrafię spokojnie mówić o śmierci brata. Powiem tylko tyle, że biedaczka została wdową, zanim dopłynął końca miesiąc miodowy, a jego trumna nie znikła jeszcze w grobie, gdy jej życiu zagroziło zapalenie mózgu.

Ta informacja rzuciła nowe światło na natychmiastowe podejrzenie pana Rayburna, że jest coś niedobrze z intelektem kobiety spotkanej w Ogrodach Kensington. Pan Zant domyślił się, co uważa jego gość.

— Jeśli wierzyć lekarskim specjalistom, rezultatem choroby jest cielesne, a nie duchowe osłabienie. Owszem, zaobserwowałem u niej potem pewną chwiejność nastrojów, ale to w istocie drobnostka. Ot, choćby taki przykład: zaraz po tym, jak wydobrzała, zaprosiłem ją do siebie. Nie mieszkam w Londynie, nie przepadam za tutejszym powietrzem. Mam dom w Saint Sallins-on-Sea, a chociaż nie mam żony, to moja gospodyni z pewnością zrobiłaby wszystko, aby zadowolić bratową, ona tymczasem z uporem obstawała przy tym, że powinna zostać w Londynie. Nie muszę chyba dodawać, że przy obecnym stanie bratowej jestem bardzo wrażliwy na wszystkie jej życzenia. Wyszukałem zatem mieszkanie, pamiętając, że ma być blisko Ogrodów Kensington.

— Zgaduje pan, czemu kładła na to nacisk?
— Przypuszczam, że chodzi o jakieś wspomnie-

nia związane z jej mężem, a moim bratem. Ale-ale, chciałbym ją jutro zastać w domu. Czy dobrze pamiętam, że w swej interesującej informacji napomknął pan, iż pańskim zdaniem moja bratowa zamierza jutro znowu odwiedzić Ogrody?

— Świetnie pan pamięta.

— Dziękuję. Wyznam panu, iż przygnębiła mnie pańska opowieść, nie wiem jednak sam, co najlepiej posłuży mojej bratowej. W tej chwili przychodzi mi do głowy tylko zmiana miejsca i otoczenia; co pan o tym sądzi?

— Wydaje mi się, że to dobry pomysł.

Pan Zant zastanawiał się chwilę.

— Z uwagi na moich klientów nie byłoby mi łatwo natychmiast wyjechać z nią za granicę.

Panu Rayburnowi odpowiedź natychmiast się nasunęła, aczkolwiek gdyby był człowiekiem bardziej bywałym w świecie, nawiedziłyby go jakieś wątpliwości i raczej by zamilczał.

— Czemu w takim razie nie ponowi pan zaproszenia i nie zabierze bratowej do swego domu nad morzem?

Tymczasem wydawało się, że to proste rozwiązanie nie przyszło jakoś do głowy panu Zantowi, gdyż jego przygnębione oblicze nagle się rozjaśniło.

— Istotnie! Z pewnością skorzystam z pańskiej rady. Nawet jeśli powietrze Saint Sallins nie sprawi nic więcej, to przynajmniej podreperuje jej zdrowie i odświeży twarz. Mam nadzieję, że zwrócił pan uwagę na to, jaką piękną była kobietą w szczęśliwszych czasach?

W zaistniałych okolicznościach było to pytanie dziwne i — co tu dużo ukrywać — niedelikatne, zwłaszcza iż lekki błysk w oku pana Zanta sugerował, że nie padło ono przypadkowo. Czyżby podejrzewał, że pan Rayburn mógł być zainteresowany jego bratową i że owo zainteresowanie miałoby charakter romantyczny? Takie podejrzenie wydawać się mogło zbyt pospieszne i niesprawiedliwe wobec człowieka, którego jedyną winą była niejaka delikatność i subtelność uczuć. Pan Rayburn robił, co mógł, aby przyjąć taką przychylną interpretację, nie można jednak ukrywać, że odpowiedział, starannie dobierając słowa i zarazem podnosząc się do wyjścia. Widząc to, pan Zant zaprotestował.

— Ale dokąd to pan się spieszy? Naprawdę musi już pan iść? Jutro będę miał zaszczyt zrewanżować się panu wizytą, kiedy już załatwię wszystko, aby wprowadzić w życie pańską cenną sugestię. Do widzenia i niech panu Bóg błogosławi.

Wyciągnął gładką, smagłą rękę i z entuzjazmem uścisnął dłoń gościa.

Kiedy pan Rayburn opuszczał hotel, dręczyło go pytanie: „Czy ten człowiek nie jest aby łajdakiem?", a jego sumienie na bok odsunęło wszelkie wahania i odrzekło: „Tylko dureń mógłby w to wątpić!".

5

Dręczony takimi myślami, pan Rayburn wrócił na piechotę, aby trochę się uspokoić, to jednak niezbyt mu się udało.

W domu pobawił się trochę z Lucy, przy obiedzie wypił dodatkową lampkę wina, wieczorem wybrał się z córką i guwernantką do cyrku, przed udaniem się do łóżka zaryzykował jeszcze porcję wina, a i tak nie mógł się opędzić od jakichś złowrogich przeczuć. Zastanawiając się nad minionym życiem, zadawał sobie pytanie, czy jeśli wyłączyć, rzecz jasna, nieżyjącą żonę, była kiedyś kobieta, która by tak bez dania racji zdominowała jego myśli jak teraz pani Zant? No i cóż, trzeba otwarcie stwierdzić, że odpowiedź brzmiała: „Nie".

Cały następny dzień wyczekiwał w domu zapowiedzianej wizyty pana Zanta, ale na próżno.

Pod wieczór służąca dostarczyła do saloniku niezwykle dużą kopertę zapieczętowaną czarnym woskiem i zaadresowaną nieznanym gospodarzowi charakterem pisma. Brak znaczka i pieczątki sugerował, że przesyłka została dostarczona przez posłańca.

— Kto to przyniósł? — zapytał pan Rayburn.

— Jakaś dama, sir, w żałobie.

— Czy kazała coś powtórzyć?

— Nie, sir.

Wyciągnąwszy jedyną w tej sytuacji konkluzję, pan Zant zamknął się w bibliotece. Czytając list od pani Zant, nie chciał być nękany przez ciekawskie pytania Lucy.

Kiedy wyjął zapisane kartki, dostrzegł, że wewnątrz koperty jest jeszcze jakaś notka.

„Wyjaśnienie, dlaczego ośmielam się nękać Pana, skoro mogłabym się zwrócić do szwagra, znajdzie Pan na załączonych kartkach. Nawiedził Pana lęk, czy aby nie jestem szalona, dlatego też piszę do Pana. Pańska obawa jest niestety i moją. Proszę przeczytać to, co spisałam, a potem, błagam, niech pan odpowie, kim jestem: osobą, którą dręczą nadnaturalne zjawy, czy też istotą, która winna być zamknięta w domu dla obłąkanych?".

Pan Rayburn zajął się zatem lekturą manuskryptu. A oto jego treść.

6

Rękopis pani Zant

Wczoraj, po trwającym od początku miesiąca ciągu pochmurnych dni, rano słońce świeciło na jasnym niebie.

Promienne światło ożywczo wpływa na mego udręczonego ducha. Noc spędziłam spokojniej niż zwykle; nie trapiły mnie te okrutne sny, w których mój biedny mąż wracał do życia. Od czasów najgłębszej żałoby nigdy jeszcze nie byłam tak mało torturowana przez bezlitosne zjawy, kiedy więc wyszłam z domu, po raz pierwszy od śmierci męża skierowałam kroki do Ogrodów Kensington.

W towarzystwie psa, w równym stopniu lubianego przez mego małżonka, jak i przeze mnie, udałam się w ten zakątek Ogrodów, który styka się z pałacem.

W tym szczęśliwym czasie, gdy byliśmy razem, często przechadzaliśmy się tu po miękkiej trawie pod wielkimi drzewami. To była ulubiona trasa biednego Phillipa, pokazał mi ją już na samym początku naszej znajomości. To tutaj spytał po raz pierwszy, czy zgodzę się zostać jego żoną. To tutaj poczuliśmy słodycz pierwszego pocałunku. Czy nie było naturalne, że chciałam zobaczyć miejsca tak drogie mej pamięci? Mam dopiero dwadzieścia trzy lata, nie mam dziecka, które byłoby dla mnie pociechą w moim wdowieństwie, nie mam żadnych znajomych w moim wieku, a mym jedynym towarzyszem jest wierny terier.

Zatrzymałam się przy drzewie, w którego cieniu oczy mego najdroższego wyznały mi miłość, zanim uczyniły to wargi. Spowijał mnie ten sam blask, była ta sama okołopołudniowa godzina, tak samo jak wówczas nikogo nie było w pobliżu. Obawiałam się, że porazi mnie okropność koszmaru między dniem dzisiejszym a przeszłością, tymczasem byłam spokojna, chociaż pełna rezygnacji, ale i ona zbladła, gdy myśli me poszybowały ku lepszemu życiu po drugiej stronie grobu. Do oczu napłynęły mi łzy, ale nie czułam się nieszczęśliwa. Tego jestem pewna, tutaj pamięć mnie nie zawodzi.

Kiedy przetarłam oczy, moją uwagę przykuł pies. Siadł o kilka kroków ode mnie i bezgłośnie dygotał. Co też mogło tak go wystraszyć?

Rychło miałam się sama o tym przekonać.

Przywołałam teriera, nawet jednak nie drgnął, najwyraźniej sparaliżowany poczuciem jakiejś tajemnicy. Chciałam wziąć go na ręce i uspokoić, tymczasem okazało się, że nie jestem w stanie uczynić nawet kroku. Ba, już w następnej chwili przestałam widzieć nieszczęśliwe zwierzę, a właściwie przestałam widzieć cokolwiek poza spływającym z nieba lśnieniem, drzewem nachylającym się nade mną i trawą dokoła. Jakieś niezwykłe oczekiwanie kazało mi się w nią wpatrywać. Nagle zobaczyłam, jak źdźbła unoszą się i drżą. Przestraszyłam się, że coś po nich przemknęło z lekkością wiatru. Krąg drżenia się poszerzał, ogarnął już liście nad moją głową; dygotały, ale bezdźwięcznie, bez najmniejszego szmeru. Umilkł śpiew ptaków, nie słychać było krzyków kaczek na stawie. Zapanowała okropna cisza.

Ale blask słoneczny nadal spływał na mnie promienny jak przedtem.

I w tym oślepiającym świetle, w tej straszliwej ciszy poczułam obok siebie Niewidzialnego Towarzysza, a na sobie niewidzialny dotyk. Wraz z nim zaś serce ogarnęła przemożna radość. Niewysłowiona radość zadrżała we wszystkich nerwach ciała. Poznałam!

Z niewidzialnego świata — on też niewidzialny — powrócił do mnie. Ach, wiedziałam, że to on!

Jednak moja beznadziejnie śmiertelna strona tęskniła za jakimś znakiem, który potwierdzałby prawdę. Pragnienie to zebrało się we mnie w słowa, usiłowałam je wypowiedzieć, a gdyby mi się to udało, brzmiałyby one: „Ach, mój aniele, daj mi znak, że to Ty!". Byłam jednak jak oniemiała, potrafiłam tylko myśleć.

Niewidzialny Towarzysz odczytał moje myśli. Poczułam na ustach dotyk dokładnie taki jak wtedy, gdy mąż mnie całował. Otrzymałam odpowiedź. Pojawiła się kolejna myśl, a gdybym potrafiła to zrobić, powiedziałabym: „Czy przyszedłeś, aby zabrać mnie do lepszego świata?".

Czekałam, ale niczego nie poczułam.

Przywołałam inną myśl. Wypowiedziana, brzmiałaby ona: „Czy jesteś tutaj, aby mnie chronić?".

I wówczas poczułam lekki uścisk, jak wtedy, gdy mąż obejmował mnie i przygarniał do piersi. Otrzymałam odpowiedź.

Muśnięcie warg zadrżało — i przepadło; uścisk przypominający objęcia ramion dotknął mnie — i przepadł. Park znowu wyglądał jak dawniej, a ja zobaczyłam ludzką postać, uroczą małą dziewczynkę, która mi się uważnie przyglądała.

Czując się na nowo osamotniona, postąpiłam ku niej kilka kroków, gdyż chciałam jej coś powiedzieć, ale z przerażeniem stwierdziłam, że znikła, i to tak nagle, jakby mi się tylko przywidziała.

Ale przecież widziałam wokół siebie drzewa i alejki, widziałam niebo nad sobą. Upłynęła chyba minuta, gdy na nowo dojrzałam dziewczynkę; tym razem szła, trzymając za rękę ojca. Zbliżyłam się do nich na tyle, by się zorientować, że patrzą na mnie ze zdziwieniem i współczuciem. Już gotowałam się spytać, czy zauważyli w mym zachowaniu coś zaskakującego, zanim to jednak uczyniłam, ponownie nastąpił ów przerażający dziw: jak za machnięciem czarodziejskiej różdżki znikli mi z oczu.

Czy Niewidzialny Towarzysz ciągle był nieopodal? Może na przykład stanął między mną a innymi śmiertelnikami, w tym miejscu i w tej chwili nie pozwalając na moje z nimi związki?

Chyba tak właśnie było. Kiedy z ciężkim sercem obróciłam się, tajemnicza zasłona, jak się okazało, odgradzała mnie tylko od istot mojej rasy, ale nie od teriera. Żal mi się go zrobiło i przywołałam biedaka do siebie. Zareagował na mój głos, ale powlókł się za mną bardzo opieszale, jakby ciągle jeszcze nie wyzwolił się spod ciężaru przerażenia.

Postąpiłam ledwie kilka kroków, kiedy znowu nawiedziło mnie poczucie niewidzialnej Obecności. Wyciągnęłam spragnione ręce w nadziei, iż ponownie poczuję dotknięcie. Może jednak odpowiedź miała tym razem charakter bardziej pośredni? Wiem bowiem tyle, że opanowała mnie, niosąc ze sobą też spokój, gotowość do tego, aby nazajutrz zjawić się w tym samym miejscu i o tej samej godzinie.

Następny dzień był zamglony i chmurny, nie padał jednak deszcz. Wyprawiłam się ponownie do Ogrodów Kensington.

Na ulicy pies się zatrzymał, aby zobaczyć, w którą stronę skręcę. Kiedy skierowałam się ku Ogrodom, natychmiast wśliznął się za mnie. Gdy obejrzałam się po kilku chwilach, zobaczyłam, że wcale za mną nie biegnie, lecz stoi w miejscu. Zawołałam go, zrobił kilka kroków, zawahał się, a potem z podkulonym ogonem uciekł w kierunku domu.

Poszłam więc sama, ale muszę się do jednego przyznać, jakkolwiek przesądnie by to zabrzmiało: zachowanie teriera potraktowałam jako zły omen.

Znalazłam się przy drzewie, weszłam pod jego gałęzie; upływały minuty, ale nic się nie działo. Zaciągnięte niebo pociemniało. Trawa nie zdradzała, by stąpała po niej jakaś pozaziemska istota.

Ja jednak czekałam z uporem, który stawał się coraz bardziej rozpaczliwy. Nie wiem, ile czasu upłynęło, gdy się tak usilnie wpatrywałam w otaczającą mnie trawę, ale w pewnej chwili coś się zmieniło.

Źdźbła drgnęły, nie tak jednak jak dnia poprzedniego; bardziej to wyglądało, jakby przypalał je ogień, aczkolwiek nie dało się dostrzec żadnego płomienia. Ziemia pod trawą wybrzuszyła się, ale w wąskim paśmie, można więc było pomyśleć, iż to skutek przesuwającego się żaru. Nie czułam wcale opiekuńczej obecności, błagałam o ostrzeżenie, czy coś mi grozi.

Odpowiedział mi dotyk. Było zupełnie tak, jakby

niewidzialna dłoń ujęła moją rękę i uniosła ją, a po-
tem opuściła, wskazując sunącą ku mnie wybrzuszoną
ścieżynę. Spojrzałam na jej drugi koniec, a wtedy po-
czułam na ręce ostrzegawczy uścisk. Niebezpieczeń-
stwo nadchodziło, było już blisko. I je ujrzałam.

Kroczył ku mnie mężczyzna, ale dopiero gdy się
zbliżył, rozpoznałam jego twarz. Był to mój szwagier,
brat mojego ukochanego: John Zant.

W tym samym momencie opuściła mnie świado-
mość. Nic już nie wiedziałam, nic nie czułam.

Powracanie do przytomności było męką, kiedy się
już jednak ocknęłam, leżałam na trawie, a głowę moją
delikatnie ujmowały czyjeś ręce. Któż to obudził mnie
do życia? Kto się mną zaopiekował?

Uniosłam powieki i zobaczyłam nachylonego nade
mną Johna Zanta.

7

Na tym rękopis się kończył. Było jeszcze kilka linijek
na ostatniej stronie, ale zostały tak starannie zama-
zane, aby nie można ich było odczytać, natomiast
zostało dołączonych kilka zdań wyjaśnienia.

„Chciałam wprawdzie jeszcze coś dodać, ale potem przyszło mi znienacka do głowy, że mogę bez-
wiednie narzucać Panu moje własne oceny. Dlatego
pozwolę sobie jeszcze tylko przypomnieć jedno:

jestem absolutnie przekonana o prawdziwości nadnaturalnego objawienia, którego doznałam. A teraz niech pan już rozstrzyga: czy jestem osobą władną decydować o sobie, czy też nie!".

Nie było żadnych poważnych przeszkód, aby nie uczynić zadość tej prośbie.

Jeśli sprawę ocenić z materialistycznego punktu widzenia, pani Zant padła bez wątpienia ofiarą iluzji (wywołanych przez stan jej roztrzęsionych nerwów), które, jak dobrze wiadomo — a świadczy o tym chociażby słynny przypadek berlińskiego księgarza Nicolaia — występować mogą bez naruszenia władz intelektualnych. Tyle że od pana Rayburna nie oczekiwano bynajmniej, by rozstrzygał tak zawiłe kwestie; poproszono go jedynie, aby przeczytał rękopis i na tej podstawie ocenił umysłowy stan autorki, której wątpliwości wobec samej siebie najpewniej pochodziły stąd, iż pamiętała o ciężkim zapaleniu mózgu, które przeszła.

Otóż pan Rayburn bez trudu mógł sformułować swą opinię: żywość pamięci, krytycyzm wobec własnych stanów, spójność opowieści — wszystko to przemawiało na rzecz pełni władz umysłowych. Teraz jednak trzeba było rozstrzygnąć poważniejszą kwestię.

Jego życiowe nawyki i jego sposób myślenia w normalnych okolicznościach nie skłaniałyby go do tego, aby ważyć argumenty za tym, iż zdarzają się w życiu doczesnym nadnaturalne objawienia, i przeciw temu. Teraz jednak tak przejął się tym, co właśnie przeczytał, że powodowały nim przede wszystkim wrażenia, jakie odniósł, a nie był w stanie refleksyjnie ich ocenić. Bez wątpienia pogłębił się nie tylko jego niepokój o panią Zant, lecz także zasadnicze wątpliwości co do jej szwagra. Chociaż zatem był w istocie człowiekiem sceptycznym i pełnym wahań, w obecnej sytuacji pragnienie ustalenia, co się dzieje z panią Zant i co takiego wydarzyło się między nią a bratem jej nieżyjącego męża po ich spotkaniu w Ogrodach Kensington, pchnęło go do działania. Minęło niecałe pół godziny — a był już na Kensington High Street. Bezzwłocznie też został przyjęty.

8

Pani Zant była sama w słabo oświetlonym pokoju.

— Niech pan wybaczy panujący tu półmrok — powiedziała na powitanie — ale głowa tak mnie pali, jakby znowu wróciła gorączka. Nie, nie, niech pan czasem nie wychodzi. Po tym, co przeszłam, najokropniejsza jest samotność.

Ton jej głosu pozwolił się zorientować panu Rayburnowi, że niedawno, może przed chwilą, musiała płakać. Dlatego też, licząc na to, że w ten sposób doda jej otuchy, bezzwłocznie poinformował ją o konkluzji, do której skłoniła go lektura rękopisu. Efekt był natychmiastowy: twarz jej pojaśniała, zachowanie się zmieniło, bardzo chciała usłyszeć coś więcej.

— A jakie inne wrażenia pan odniósł? — spytała. Zrozumiał, o co musi jej chodzić, dlatego też szczerze odparł, że nie jest przygotowany na to, aby wdawać się w dyskutowanie tak zawiłych kwestii jak zdarzenia nadzmysłowe. Wdzięczna za oględność tej odpowiedzi, roztropnie i delikatnie zmieniła temat.

— Chciałabym z panem porozmawiać o moim szwagrze. Opowiedział mi o pańskiej wizycie, a ja bardzo byłabym rada dowiedzieć się, co pan o nim sądzi. Czy spodobał się panu John Zant?

Pan Rayburn się zawahał, a na twarzy kobiety pojawiło się zatroskanie.

— Gdyby pan był o nim tak dobrego zdania, jakie on ma o panu, z lżejszym sercem udałabym się do Saint Sallins.

Panu Rayburnowi natychmiast przypomniało się zakończenie listownego zwierzenia.

— Rozumiem, że traktuje pani poważnie ostrzeżenie, które, jak pani sądzi, otrzymała, a mimo to gotowa jest jechać?

— Poważnie — odparła z przejęciem — traktuję duszę człowieka, który kochał mnie wtedy, gdy związał nas ziemski węzeł. Dlatego jestem przekonana, iż znajduję się pod jego ochroną. Cóż innego mi pozostało, jak odrzucić wszystkie trwogi i czekać, pełna wiary i nadziei? Może moja stanowczość byłaby większa, gdybym miała u boku kogoś mi przyjaznego? — Na chwilę umilkła, a potem ciągnęła ze smutnym uśmiechem: — Muszę pamiętać, że pan przecież inaczej całą sprawę ocenia niż ja. Powinnam pana uprzedzić, że mój szwagier niepotrzebnie tak troska się o moje zdrowie. Powiada, że nie może spuścić ze mnie oka, dopóki nie będzie zupełnie spokojny, i niepodobna zmienić jego decyzji. Mówi, że mam nerwy w okropnym stanie, a czy może w to wątpić ktoś, kto widzi mnie po raz pierwszy? Utrzymuje, że uratować może mnie tylko zmiana otoczenia i zupełny wypoczynek — i jak się temu sprzeciwić? Przypomina mi, że jest w tej chwili jedynym moim krewnym i tylko drzwi jego domu stoją dla mnie otworem — i ma niestety rację!

Ostatnie słowa wypowiedziała z melancholijną rezygnacją, która bardzo poruszyła tego, któremu tak zależało na jej ukojeniu i pocieszeniu.

— Chciałbym się więcej dowiedzieć o tym, co się wydarzyło wtedy między panią a pani szwagrem, ale nie powoduje mną tylko czcza ciekawość. Czy wierzy pani w to?

— Całym sercem!

Odrzekła to z taką szczerością w głosie, że już bez obaw postawił następne pytanie:

— Kiedy ocknęła się pani z omdlenia, przypuszczam, że pan John Zant o coś panią wypytywał, mam rację?

— Tak. Nie potrafił pojąć, co mogło się zdarzyć w tak spokojnym miejscu jak ten zakątek Ogrodów, że straciłam przytomność.

— A pani co powiedziała?

— Co powiedziałam? Nie mogłam nawet na niego spojrzeć!

— Zatem nie wyrzekła pani ani słowa?

— Ani słowa. I nie wiem, doprawdy, co sobie wtedy pomyślał. Czy bardziej był zdumiony, czy urażony.

— A czy łatwo się obraża? — indagował pan Rayburn.

— Ja tego nie doświadczyłam.

— Rozumiem, że chodzi o czasy sprzed pani choroby?

— Tak. Kiedy juz wydobrzałam, on akurat miał zamówienia od cierpiących na nagniotki i inne dolegliwości stóp pacjentów z prowincji, więc rzadko pojawiał się w Londynie. Owszem, wynajął mi to mieszkanie, ale później go nie widziałam, pamiętał jednak, by do mnie pisać. W listach prosił, bym nie sądziła, że o mnie zapomina, ponieważ jednak musi zarabiać na życie, nie może lekceważyć żadnego klienta.

— Czy za życia pani męża stosunki między nim a bratem układały się dobrze?

— Świetnie. Phillip uskarżał się jedynie na to, że po naszym ślubie John tak rzadko nas odwiedzał. Czy jest w nim jakaś zła, bardzo zła cecha, której nikt z nas nie podejrzewał? Może, ale... Ale jak to stwierdzić i czy to w ogóle możliwe? Mam przecież wszystkie dane po temu, by żywić jedynie wdzięczność do człowieka, przed którym w niezwykły sposób mnie ostrzeżono! Zawsze zachowywał się wobec mnie nienagannie. Nawet nie jestem w stanie panu opisać, jak bardzo starał się mnie uspokoić, kiedy pojawiła się straszliwa wątpliwość co do śmierci mojego męża.

— Wątpliwość, czy była to śmierć naturalna?

— Och nie, skądże. Zmarł na galopujące suchoty, ale moment śmierci był dla lekarzy zaskoczeniem. Jeden z nich przypuszczał nawet, że powodem mogło być omyłkowe przedawkowanie środków nasennych, inni się z tym nie zgodzili, ale... Ale dajmy już temu pokój, porozmawiajmy o czymś innym. Czy odwiedzi mnie pan jeszcze?

— Z chęcią, jednak... A czy można wiedzieć, kiedy wraz ze szwagrem opuszcza pani Londyn?

— Jutro. — Spojrzała na Rayburna proszącym wzrokiem i spytała niepewnie: — Także i ja ośmielę się zadać pytanie. Czy zdarzało się panu wraz ze swą piękną córeczką wyjeżdżać nad morze?

Trzeba trafu, że ta ledwie zasugerowana propozycja trafiła na myśl, która już kiełkowała w głowie Rayburna.

Z jednej strony sam był uprzedzony do Johna Zanta, a kiedy teraz dołączyły do tego słowa jego owdowiałej bratowej, natychmiast poczuł lęk o jej bezpieczeństwo, i to lęk tak silny, że sam był tym skonfundowany. Gdyby po tej rozmowie ktoś przy niej obecny powiedział mu potem: „Niechęć tego człowieka, by odwiedzać brata i jego małżonkę, wynika z poczucia winy, o czym ona w swej niewin-

334

ności nawet boi się pomyśleć, ale on i tylko on zna prawdziwą przyczynę śmierci brata, teraz zaś udana troska o jej zdrowie jest najpewniejszym środkiem na zwabienie jej do domu szwagra" — otóż pan Rayburn czułby się w obowiązku gorąco zaprotestować przeciw bezzasadnym kalumniom rzucanym na człowieka, który nie może na nie odpowiedzieć. Kiedy jednak opuszczał tego wieczoru dom pani Zant, był już przekonany, że powinien dać Lucy możliwość pohasania nad morzem, i nawet bez cienia zażenowania sam siebie zapewnił, że dziewczynka jak najbardziej na to zasłużyła swym zachowaniem i wynikami w szkole.

9

Kiedy trzy dni później ojciec i córka wjeżdżali pod wieczór na dworzec w Saint Sallins-on-Sea, zdumieni zobaczyli, że na peronie oczekuje ich pani Zant.

Jej radość była tak wielka, że wyraziła ją w sposób niemal dziecinny, gdyż powtarzała tylko nieustannie:

— Tak się cieszę! Tak się cieszę! Tak się cieszę!

Lucy nie posiadała się wręcz ze szczęścia, kiedy obok pocałunków, którymi została obsypana, otrzymała też lalkę piękniejszą od wszystkich, jakie dotąd miała. Pani Zant zaraz też odprowadziła przyjezdnych do zarezerwowanych dla nich pokojów hotelowych. Ponieważ Lucy szybko znalazła się na balkonie, skąd chciała pokazać lalce morze, pani Zant mogła swobodnie porozmawiać z ojcem.

Poinformowała go, że John Zant musiał tego ranka niezwłocznie udać się do Londynu, gdyż wezwał go jeden z najzamożniejszych klientów, którego lewa stopa wymagała jak najrychlejszego zabiegu. Gospodyni domu przewidywała, że jej pan powróci na kolację.

Podczas wcześniejszego krótkiego ich pobytu pan Zant był bardziej niż grzeczny wobec swej bratowej; wręcz jej nadskakiwał w sposób, który ją krępował i jej ciążył. Wystarczyła najmniejsza aluzja, że czegoś chce, a szwagier był gotów natychmiast spełnić jej zachciankę. Oznajmił, że już dostrzega poprawę w jej kondycji, wielokrotnie gratulował decyzji, aby spędzić jakiś czas w jego domu, nieustannie też chwytał jej dłoń i ją ściskał, jakby dla podkreślenia swojej szczerości.

Powiedziawszy to wszystko, pani Zant spojrzała pytająco na pana Rayburna.

— Czy ma pan jakieś podejrzenia, co to wszystko może znaczyć?

Zapytany podejrzenia wolał zachować dla siebie; rozłożył tylko bezradnie ręce, a potem zaczął się rozpytywać o gospodynię domu.

Pani Zant tylko posępnie pokręciła głową.

— Przedziwna to osoba, a na tyle sobie pozwala, iż zaczynam się bać, czy nie jest aby lekko zwariowana.

— Czy jest stara?

— Nie, w średnim wieku. Proszę sobie wyobrazić, że tego ranka, zaraz po tym, jak szwagier opuścił dom, pani Perkins ni mniej, ni więcej, tylko zapytała mnie, co o nim myślę. Najspokojniej, jak potrafiłam, odparłam, że jest bardzo grzeczny i układny. Ona tymczasem, zupełnie nie zważając na ton mojego głosu, stawia mi niesłychane pytanie: „Czy uważa go pani za mężczyznę, który może mieć skłonność do młodych kobiet?". A spojrzała przy tym na mnie tak (chociaż mogłam się mylić, oby tak było), jakbym to ja należała do owych „młodych kobiet". Odrzekłam: „Nie myślę nawet o takich rzeczach i w ogóle nie chcę o nich rozmawiać". Pani Perkins tymczasem ani trochę to nie zraziło, gdyż dorzuciła: „Proszę mi wybaczyć, ale strasznie pani zbladła". Odniosłam przy tym wrażenie, że bardzo jej się to spodobało i podniosło mnie w jej oczach. „Na pewno z czasem dobrze się między nami ułoży. Zaczynam panią lubić". I wyszła, podśpiewując pod nosem. Chyba zgodzi się pan ze mną, że musi być zbzikowana?

— Nie mogę wyrazić opinii, dopóki jej nie zobaczę. Czy wygląda na osobę, która była kiedyś urodziwa?

— Nawet jeśli, ja z pewnością bym w niej nie zagustowała.

Pan Rayburn się uśmiechnął.

— Zastanawiałem się, czy nie dałoby się wyjaśnić jej zachowania tym, iż zazdrośnie odnosi się do każdej młodej niewiasty, która pojawia się w domu jej pana, i dopiero ślady, jakie zostawiła na pani twarzy choroba, sprawiły, że jej zazdrość osłabła.

Zanim pani Zant dała wyraz swemu pełnemu niewinności zdziwieniu, jakże mogłaby być obiektem zazdrości gospodyni, rozmowa została — na szczęście! — przerwana. Do drzwi pokoju zapukał bowiem portier i oznajmił, że o przyjęcie prosi gość, którego określił jako „dżentelmena".

Pani Zant natychmiast się zerwała, żeby wyjść, lecz pan Rayburn powstrzymał ją uspokajającym gestem i zapytał:

— A kim jest ten dżentelmen?

Z korytarza doleciał wesoły głos, który znali obydwoje:

— Przyjaciel z Londynu.

10

— Witam w Saint Sallins! — zawołał John Zant. — Wiedziałem, że jest pan oczekiwany, sir, więc pozwoliłem sobie udać się do hotelu. — Obrócił się do bratowej i ucałował jej rękę z galanterią godną samego sir Charlesa Grandisona*. — Kiedy w domu dowiedziałem się, moja droga, że pani wyszła, natychmiast się domyśliłem, że chciała się pani spotkać z naszym przyjacielem. Na pewno czuła się pani samotna pod

_____
* Tytułowy bohater książki Samuela Richardsona — przyp. tłum.

moją nieobecność. Cóż, każda profesja ma swoje wymogi, nic na to nie można poradzić. Ale-ale! — zakrzyknął, spoglądając na balkon, z którego nieufnie wpatrywała się w niego Lucy. — To z pewnością pańska wspaniała córka, panie Rayburn, nieprawdaż? Choć tutaj, kochanie, i mnie ucałuj.

Odpowiedź Lucy była zwięzła i stanowcza:

— Nie!

Ale pana Johna Zanta nie tak łatwo było zrazić.

— Chodź, pokażesz mi swoją lalkę, a ja cię pobujam na kolanie.

Tym razem nie mniej stanowcza odpowiedź Lucy była zbudowana z dwóch słów:

— Nie przyjdę!

Ojciec ruszył w kierunku balkonu, aby w należyty sposób skarcić córkę, ale pan Zant dał wyraz swej wyrozumiałości i wielkoduszności, unosząc ręce w koncyliacyjnym geście.

— Ach, drogi panie Rayburn! Także i wróżki bywają wstydliwe, a ta nasza wróżka najwyraźniej niełatwo przekonuje się do obcych. Drogie dziecko, wszystko w swoim czasie. A na jak długo państwo się zatrzymają w Saint Sallins? Czy można mieć nadzieję, że nawet nasze skromne atrakcje trochę was tu zatrzymają?

Pytanie było zadane z niefrasobliwością, której przeczyło wyczekujące spojrzenie, z jakim nasłuchiwał odpowiedzi. W istocie, pytając: „A na jak długo państwo się zatrzymają?", John Zant miał na myśli:

„A kiedy wreszcie się państwo zabiorą?". Domyślając się tego, pan Rayburn odpowiedział dość wstrzemięźliwie i ogólnikowo, że czas, jaki spędzi z córką nad morzem, zależy od wielu okoliczności. Pan Zant zerknął na bratową siedzącą w kącie z Lucy, która chyłkiem do niej przemknęła.

— Na pewno uda się pani znaleźć zachęty, które sprawią, że dłużej będziemy mogli się radować obecnością przyjaciół. Czy zechce pan dzisiaj wieczerzać z nami, sir, przyprowadzając ze sobą też swoją czarowną wróżkę?

Lucy nie zamierzała przystać na komplement, którego intencja wydawała jej się bardzo podejrzana.

— Nie jestem wróżką — odparła nachmurzona — ale dziewczynką.

— Niegrzeczną dziewczynką — dorzucił ojciec z całą surowością, na jaką było go stać.

— Ale co mam zrobić, tato, jak ten brodacz mnie nabiera?

Brodacz był serdecznie rozbawiony, bardzo po przyjacielsku rozbawiony tym, że Lucy mówi tak otwarcie. Powtórzył zaproszenie na kolację i zrobił wszystko, aby wyglądać na rozczarowanego, kiedy spotkał się z odmową.

— Kiedy indziej zatem — rzekł pan Zant, nie precyzując tego, kiedy miałoby to nastąpić. — Ufam, że spodoba się panu mój dom. Gospodyni, pani Perkins, jest może odrobinę ekscentryczna, ale proszę mi wierzyć — taka jak ona zdarza się tylko jedna na tysiąc. Już pan czuje, jaka to różnica w porównaniu z Londynem? Zaiste, tutejsze powietrze jest godne swej reputacji. Chorzy, którzy tu zjeżdżają, zdrowieją jak za dotknięciem czarodziejskiej różdżki. A jak pan znajduje moją bratową? Czyż nie wygląda lepiej?

Pytanie było zadane w sposób dyktujący odpowiedź i pan Rayburn podporządkował się oczekiwaniu, ale pan Zant najwyraźniej miał nadzieję, że odpowiedź będzie bardziej entuzjastyczna.

— Nieporównanie lepiej! — zawołał z emfazą. — Po tysiąckroć lepiej! I za to powinniśmy być wdzięczni. Może mi też pan wierzyć, że jesteśmy niezwykle wdzięczni.

Pan Rayburn nie był pewien, czy się nie przesłyszał.

— Mówi pan tak, jakby chodziło o wdzięczność wobec mnie, ale w takim razie nie pojmuję...

— Nie pojmuje pan? Czyżby nie pamiętał pan już naszej pierwszej konwersacji? Niechże pan się uważnie przyjrzy pani Zant. — Pan Rayburn uczynił to, czego od niego chciano. — Niechże pan spojrzy na te rumieńce na policzkach, na ten błysk w oczach. (Nie, moja droga, niech pani nie protestuje. Nie prawię pani banalnych komplementów, mówię szczerą prawdą). Za tak wspaniały rezultat jesteśmy panu bardzo wdzięczni, panie Rayburn.

— Pan chyba żartuje?!

— Skądże! To przecież dzięki pańskiej cennej radzie zaprosiłem bratową, by zechciała mnie odwiedzić w Saint Sallins. A, widzę, że pan sobie przypomina. Proszę mi wybaczyć, że zerkam na zegarek, ale zbliża się pora kolacji. Troszczę się nie dlatego, jak mogła pomyśleć pańska córka, że jestem strasznym łakomczuchem, ale ponieważ cenię sobie punktualność z uwagi na kucharkę. Czy zobaczymy się jutro? Proszę zajrzeć z rana, z pewnością zastanie nas pan w domu.

Pan Zant podał bratowej ramię, ukłonił się, uśmiechnął, przesłał pocałunek Lucy i wyszedł z pokoju. Przypominając sobie ich rozmowę w londyńskim hotelu Purley, dopiero teraz pan Rayburn zrozumiał, dlaczego Zantowi tak zależało na tym, aby wyglądał jak człowiek bezradny, któremu trzeba dopiero podsunąć sensowny pomysł. W razie gdyby pobyt bratowej miał jakieś negatywne konsekwencje, John Zant zawsze mógłby twierdzić, iż poszedł tylko za namową znajomego.

Nazajutrz niepodobna było nie odwzajemnić się wizytą.

Pan Rayburn znalazł się oto w obliczu bardzo trudnej alternatywy: albo w interesie pani Zant, niezależnie od własnych inklinacji i opinii, pozostanie w dobrych stosunkach z jej szwagrem, albo powróci do Londynu, zostawiając biedaczkę zdaną tylko na własne siły. Nie trzeba chyba dodawać, na którą stronę padł jego wybór. Udał się przeto do domu pana Johna Zanta, a podczas krótkiego pobytu, jak się to godzi przy pierwszej wizycie, robił wszystko, aby jego zachowaniu niczego nie można było zarzucić.

Kiedy wychodził — w towarzystwie pani Zant, która odprowadziła go do drzwi — w holu ku swemu zaskoczeniu zobaczył kobietę w średnim wieku, sprawiającą wrażenie, jakby specjalnie na niego czekała.

— Gospodyni — szepnęła pani Zant. — Dość ma czelności, aby sama pana zaczepić.

Okazało się zaraz, że owa osobliwa niewiasta w tym właśnie celu zaczaiła się w holu.

— Mam nadzieję, że podoba się panu nasze kąpielisko — zaczęła. — Jeśli tylko mogę się na coś przydać, niech pan sobie nie robi żadnych krępacji. Każdy znajomy pani Zant ma u mnie otwarty kredyt, a pan jest pewnie znajomym od dawna. Jestem tu tylko gospodynią, ale mam zaszczyt troszczyć się o panią Zant i bardzo się cieszę, że pana tu widzę. Nigdy bowiem człowiek nie wie, prawda, kiedy mu się przyda życzliwa dusza. Nie jest pan krzyw na mnie, że tak mówię? To i Bogu dzięki. Do widzenia.

Nie było w oczach kobiety nic, co sugerowałoby szaleństwo, nie było w jej zachowaniu nic, co zwiastowałoby upojenie alkoholowe — dlatego też bardziej niż prawdopodobne wydawało się, że jej zaskakująca familiarność ma jakiś głęboki korzeń. Pan Rayburn jeszcze bardziej niż dotąd był przekonany, iż korzeniem tym jest zazdrość o pana domu.

11

Znalazłszy się w zaciszu pokoju hotelowego, pan Rayburn głęboko się zamyślił i uznał na koniec, że powinien przekonać panią Zant, aby opuściła Saint Sallins. Pierwsze przygotowanie do tej operacji podjął następnego ranka, gdy pani Zant zjawiła się, aby zabrać Lucy na spacer.

— Gdyby przypadkiem pożałowała pani teraz, że przystała na zaproszenie szwagra, proszę pamiętać, że wszystkie decyzje tylko od pani zależą. Wystarczy, że przyjdzie pani do hotelu, a najbliższym pociągiem wracamy do Londynu.

Zdecydowanie odrzuciła ten pomysł.

— Gdybym się na to zgodziła, musiałabym być absolutnie niewdzięczna. Naprawdę sądzi pan, że chciałabym pana uwikłać w osobistą waśń z moim szwagrem? O, nie! Jeśli poczuję się zmuszona opuścić jego dom, zrobię to zupełnie sama.

W swoim postanowieniu była niewzruszona. Kiedy pani Zant wyszła razem z Lucy, zostawionego w hotelu pana Rayburna ogarnął niepokój. Nawet człowiek mający mniejsze problemy z podejmowaniem decyzji poczułby się zagubiony w tej sytuacji. Podczas gdy pan Rayburn bił się z myślami, ktoś zastukał do drzwi.

Czyżby wracała pani Zant? Kiedy Rayburn podniósł wzrok, ze zdumieniem ujrzał w progu panią Perkins.

— Niech się pan za bardzo nie przestraszy, sir, ale pani Zant leciuchno zasłabła tuż przy naszym domu. Mój pan teraz się nią opiekuje.

— A gdzie moja Lucy? — spytał niespokojnie pan Rayburn.

— Właśnie ją prowadziłam do pana, sir, kiedy w samych drzwiach wpadłyśmy na taką jedną damę z córeczką. Szły właśnie na plażę, a panienka Lucy strasznie się napraszała, żeby mogła iść z nimi. Ta dama mówiła, że już się panienki ze sobą bawiły, i była pewna, że nic pan nie będzie miał przeciw.

— Tak, tak, miała rację, wiem, o kogo chodzi. Mam nadzieję, że stan pani Zant nie jest bardzo poważny?

— I ja tak sobie myślę, sir. Ale muszę coś jeszcze panu powiedzieć w jej sprawie. Można? Serdecznie dziękuję. — Gospodyni podeszła trzy kroki i zniżyła głos do szeptu: — Niech pan zabierze panią Zant z tego miejsca, i to jak najszybciej!

Pan Rayburn miał się na baczności i dlatego spytał jedynie krótko:

— Dlaczego?

Pani Perkins odpowiedziała w sposób dziwnie ogólnikowy, a na dodatek na poły żartobliwy, a na poły całkiem serio.

— Mówią, że jak człowiekowi umrze żona, to w parlamencie są różne partie: jedna, że można się ożenić z jej siostrą, druga, że nie można. Zaraz, zaraz, już mówię, o co mi chodzi. Mój pan ma ci nie lada głowę na karku, takie on widzi konserwencje, że takim jak ja nawet to się nie widzi. Więc jak dla

345

niego można poślubić siostrę żony i nic to nie robi, to czemu by nie można wdowy po bracie? Więc taki to jest człowiek, ten mój pan. A pan musi ją zabrać, zanim ona za niego wyjdzie.

Tego już było dla pana Rayburna za dużo.

— Czy nawet nie czujecie, jakie obraźliwe dla pani Zant jest samo takie przypuszczenie?

— Obrażam ją, tak? To niech pan posłucha, zdarzy się jedno z trzech. Albo się ona zgodzi, bo w taki ją potrzask on złapie, albo zrobi to ze strachu, albo ją czymś tak zamuli, żeby się zgodziła, a wtedy...

Ale pan Rayburn zbyt był wzburzony, by słuchać dalej.

— Dość tych nonsensów! — wybuchł. — Na takie małżeństwo prawo nie pozwala.

— Ach, panie Rayburn, panie Rayburn, czy pan nie widzi dalej niż czubek swojego nosa? Nie wie to pan, że pieniądze kupią każde prawo? A w ogóle, to jak kupować będzie licencję, musi wspominać, że to jego dawna bratowa? — Urwała, zmienił się jej nastrój, gdyż ze złości aż zatupała w podłogę. Już następne słowa ujawniły prawdziwy motyw pani Perkins, a zarazem ostrzegły pana Rayburna, by życzliwiej niż dotąd słuchał słów gospodyni. — Jak pan tego nie zatrzyma — krzyknęła — ja to zrobię. Jak ma się z kimś wyżenić, muszę to być ja! Pytam więc raz jeszcze: zabierze ją pan stąd?

Ton, jakim zadała pytanie, nie pozostawiał panu Rayburnowi żadnych możliwości.

— Idę zatem teraz z wami do domu pana Johna Zanta, żeby samemu ocenić wszystko na własne oczy.

Ostrzegawczym gestem położyła rękę na ramieniu Rayburna.

— Pójdę przodem, bo inaczej może pana nie wpuścić. Pan niech idzie za pięć minut i niech pan nie stuka w drzwi od ulicy. — Już wychodziła, ale jeszcze odwróciła się w progu. — O czymś zapomniałam. Jak mój pan nie będzie chciał pana widzieć, to potrafi być taki nieprzyjemny, że będzie pan musiał sobie iść.

— Ja z kolei potrafię być taki stanowczy, że jeśli uznam, iż tego wymaga interes pani Zant, opuszczę dom tylko w jej towarzystwie.

— Tak być nie może, sir.

— A to czemu?

— Bo wtedy wszystko się na mnie skupi.

— W jaki sposób?

— Ano w taki. Jak pan się pokłóci z moim panem, zaraz będzie moja wina, że pana wpuściłam na górę. No i jeszcze sama pani. Będzie kłótnia, taka ona jest słabiutka, że zaraz padnie bez ducha. — Nawet jeśli w języku pani Perkins była pewna przesada, to w ostatniej uwadze znajdowało się sporo racji, czego pan Rayburn nie mógł zlekceważyć. — A poza tym — ciągnęła gospodyni — sprawa jest taka, że większe on ma od pana prawa. Jest w końcu jej krewnym, a pan to tylko znajomy.

Tutaj pan Rayburn ani myślał się poddawać.

— Jest jej krewnym, ale tylko wskutek małżeństwa brata. Jeśli pani Zant obdarzy mnie zaufaniem, nie mogę się okazać tego niegodny.

Gospodyni w odpowiedzi na to tylko pokręciła głową.

— Będzie z tego jeszcze jedna swara. Z takim łebskim człowiekiem najlepszy sposób to pokojowy. Trzeba go podejść.

— Nie znoszę oszustwa.

— W takim razie, sir, do widzenia. I niech sobie pani Zant radzi, jak potrafi. — Widać było, że na to rozwiązanie pan Rayburn przystać nie może, ale też nie bardzo wie, co zrobić. — To co, posłucha pan, co chciałam powiedzieć?

— Niczego złego w tym nie będzie, że posłucham. No, proszę, mówcie.

Natychmiast go posłuchała.

— Jak pan był u nas w domu, widział pan drzwi na korytarzu na pierwszym piętrze? No i dobrze! Jedne z nich są do salonu, drugie go biblioteki. Pamięta pan salon, sir?

— Duży, jasny pokój. W bocznej ścianie drzwi, na których zwisa piękna zasłona.

— I to nam wystarczy. Jakby pan za nią zajrzał, zobaczyłby pan bibliotekę, nic tylko książki. No i teraz przypuśćmy, że mój pan będzie taki miły, iż nie zechce pana gościć, bo czas będzie nie taki. No a jak pan grzecznie wyjdzie, ja będę czekała na półpiętrze. Już pan rozumie?

— Nic a nic.

— Dla mnie to jakieś dziwne. A kto nam zabroni wejść do biblioteki przez drzwi od korytarza? A jak już tam jesteśmy, kto nam zabroni posłuchać, co też tam się dzieje w salonie? Będzie pan sobie bezpiecznie za kurtyną i sam pan się dowie, czy się on nie zachowuje nieprzystojnie wobec pani Zant albo czy ona nie wzywa pomocy. A wtedy, jak on ją nastraszy, a nie pan, no to pan już przecież może być niegrzeczny, żeby jej bronić. A kto będzie mógł mieć pretensje do biednej gospodyni, że pan Rayburn, tak jak powinien, bronił bezsilnej kobiety? Taki mam plan. To jak, próbujemy?

— Mnie się to zdecydowanie nie podoba — rzekł ostro pan Rayburn.

Pani Perkins znowu ruszyła do wyjścia, wypowiadając słowa pożegnania.

Gdyby pan Rayburn interesował się panią Zant tak jak jeden człowiek interesuje się drugą ludzką istotą, najpewniej nie zatrzymywałby gospodyni. W obecnej jednak sytuacji zawołał ją z powrotem i chwilę się jeszcze drożąc i wzdragając, ostatecznie przystał na jej plan.

— Ale będzie pan tak robił, jak powiedziałam? — upewniła się.

Kiedy przyrzekł, uśmiechnęła się triumfalnie i wyszła. Zgodnie z otrzymaną instrukcją pan Rayburn, wpatrzony w zegarek, odczekał pięć minut i dopiero wtedy wyszedł z hotelu.

12

Na miejscu pani Perkins czekała na niego w uchylonych drzwiach od ulicy.

— Oboje są w salonie — szepnęła, prowadząc go po schodach. — Niech pan idzie cicho i weźmie go z zaskoczenia.

Pośrodku salonu stał długi stół. Przy jego końcu bliskim okna wszerz pokoju chodziła pani Zant; przy drugim końcu siedział w fotelu jej szwagier. Kompletnie zaskoczony, dał wyraz swemu gwałtownemu charakterowi, zrywając się i bezceremonialnymi słowami oburzając się na najście.

Pan Rayburn zupełnie go zignorował, gdyż uwagę jego bez reszty pochłonęła pani Zant, która w milczeniu chodziła tam i z powrotem. Nie tylko nie zwróciła uwagi na jego słowa powitania, lecz także zdało się, że w ogóle nie jest świadoma obecności w pokoju innych osób.

Kiedy pan Zant znowu się odezwał, panował już nad sobą, a miał swoje powody, aby zachować grzeczność wobec pana Rayburna.

— Mam nadzieję, że mi pan wybaczy mój wybuch, ale gdy ktoś tak nagle...

Przybysz ostro mu przerwał:

— Kiedy to się stało?

— Jakiś kwadrans temu. Całe szczęście, że byłem w domu. Nic do mnie nie mówiąc, nawet jakby mnie nie zauważając, weszła po schodach jak we śnie.

Pan Rayburn mu przerwał.

— Niech pan tylko spojrzy na panią Zant! Coś się zmieniło!

Z zachowania kobiety bez śladu znikł niepokój. Zatrzymała się przy oknie i stała teraz w zalewającej ją rzece światła słonecznego. Oczy wpatrywały się przed siebie bez jakiegokolwiek wyrazu, usta leciutko się rozchyliły, głowa nieco przechyliła się w bok, jakby pani Zant czegoś słuchała czy na coś oczekiwała. Stała tak w słonecznym blasku, a bariera samotności tak ją odgraniczała od obu mężczyzn, że zdawała się niedosiężna w swym znieruchomieniu.

John Zant miał gotową diagnozę.

— Atak nerwowy. Jak sam pan widzi, coś w rodzaju katalepsji.

— Posłał pan po lekarza oczywiście?

— Nie będzie tu potrzebny.

— Nie wierzę własnym uszom. Przecież pomoc medyczna jest tu nieodzowna!

— Niech pan będzie łaskaw pamiętać — wycedził John Zant — że to ja tu decyduję, gdyż chodzi o moją bratową. Bardzo jestem, rzecz jasna, wdzięczny, że zechciał mnie pan zaszczycić swoją wizytą, niestety jednak wybrał pan sobie bardzo niefortunną porę. Nie chciałbym wydać się niegrzeczny, ale będę rad, gdy odwiedzi mnie pan innym razem.

Pan Rayburn dobrze pamiętał, co ustalił z panią Perkins, ale mina Johna Zanta stanowiła dla niego nie lada wyzwanie. Zawahał się, błyskawicznie ważąc możliwości. Gdyby zaryzykował walne starcie, musiałby panią Zant wyprowadzić siłą, wtedy jednak na niego spadłaby odpowiedzialność za to, iż nieoczekiwanie i gwałtownie zostanie wyrwana z transu. Chociażby dlatego musiał więc skapitulować.

Gospodyni, tak jak obiecała, czekała na niego na półpiętrze. Kiedy upewniła się, iż drzwi salonu są dokładnie zamknięte, kiwnęła na pana Rayburna, aby szedł za nią. Teraz nie było już czasu na skrupuły. Wemknęli się bezszelestnie do biblioteki od strony korytarza i na palcach podkradli się do zasłaniającej drzwi kotary. Okazało się, że można tak ułożyć jej skraj, aby nie budząc żadnych podejrzeń, obserwować, co dzieje się po drugiej stronie.

A działo się tak, jak dojrzał pan Rayburn, że oto szwagier pani Zant podchodził właśnie do swej owdowiałej bratowej, ona jednak jakby otrząsnęła się ze swojej apatii. Przez jej ciało przebiegł dreszcz, głowa się poderwała, na moment odrobinę się skuliła, jakby pod jakimś dotknięciem, które chyba rozpoznała, gdyż znowu znieruchomiała.

John Zant uważnie obserwował wszystko, a ponieważ doszedł do wniosku, iż kobieta zaczyna odzyskiwać przytomność, zdecydował się przemówić.

— Moja kochana, mój aniele, podejdź do serca, które tak cię wielbi! — Postąpił jeszcze o krok i znalazł się w snopie blasku słonecznego. — Obudź się. — Nie zmieniła pozycji, najwyraźniej będąc na jego łasce, gdyż ani go nie widziała, ani nie słyszała.

— Rozbudź się — powtórzył. — Podejdź do mnie, kochanie.

W chwili kiedy John Zant próbował objąć swoją bratową — była to też chwila, gdy pan Rayburn wtargnął do pokoju — ręce mu nagle zesztywniały i zamarły w pół ruchu. Z okrzykiem przerażenia usiłował je cofnąć, w promiennej strudze słonecznego światła jakby zmagając się z jakimś niewidzialnym przeciwnikiem.

— Co mi przeszkadza? — bełkotał. — Kto trzyma mnie za ręce? Ten chłód, ten lodowaty chłód!

Rysy wykrzywiły mu się w okropnym grymasie, oczy tak się wywróciły, że widać było tylko białka. Zwalił się na wznak z hukiem, od którego zadygotał cały pokój.

Wówczas wbiegła gospodyni i uklękła przy ciele pana. Jedną ręką poluzowała mu krawat, drugą wskazała na przeciwny koniec stołu.

W zachowaniu pani Zant znowu nastąpiła zmiana. W oczy stopniowo powracało dawne światło, ale wraz z tym powieki zaczęły opadać. Odstąpiła od stołu, zatoczyła się i szeroko rozłożyła ręce, jakby szukała jakiegoś oparcia. Pan Rayburn podbiegł do niej, zanim upadła, chwycił ją w ramiona i wyniósł z pokoju. Napotkanej na korytarzu służącej kazał wezwać dorożkę. Nie minął kwadrans, a pani Zant była już bezpieczna pod jego opieką w hotelu.

13

Tego wieczoru pani Zant otrzymała liścik, pospiesznie skreślony przez gospodynię, panią Perkins.

„Lekarze nie dają wielkich nadziei. Paraliż dotknął twarzy. Śmierci uniknął, ale teraz jest zdany już tylko na innych. Ja będę się nim opiekować do ostatka. Pani niech o nim zapomni!".

Podała kartkę panu Rayburnowi, mówiąc:

— Niech pan przeczyta i zniszczy. Autorka nie zna straszliwej prawdy.

Pan Rayburn cisnął karteluszek w płomień kominka i wyczekująco spojrzał na panią Zant. Ta ukryła twarz w dłoniach. Po krótkiej walce ze sobą tyle udało jej się z siebie wycisnąć:

— Johna Zanta nie powstrzymały śmiertelne dłonie. Strzegł mnie opiekuńczy duch. Trwała przyrzeczona mi ochrona. Tego jestem pewna. Więcej wiedzieć nie chcę i nie potrzebuję.

Powiedziawszy to, wstała, pan Rayburn zaś otworzył przed nią drzwi, widział bowiem, że chce się oddalić do własnego pokoju.

Gdy został sam, zaczął rozważać swoje przyszłe perspektywy. Jak miał się odnosić do kobiety, która przed chwilą wyszła? Miał ją uznawać za nieszczęśniczkę wyniszczoną przez chorobę, ofiarę nerwowych halucynacji? Czy za obiekt nadnaturalnego objawienia, niedającego się porównać z niczym, co

słyszał lub czytał o tych kwestiach? Odpowiedź znalazł w samym sobie, wyraźnie czując, że jawi mu się
ona nie jak przedmiot współczucia i żalu, lecz jako
istota, którą niezłomna wiara przeciwstawiała całej
reszcie znanych mu kobiet.

14

Nazajutrz opuścili Saint Sallins.

Im bliżej było końca podróży, tym częściej i silniej
Lucy chwytała rękę pani Zant. W pewnym momencie
zapytała szeptem ojca:

— Czy musimy się z nią pożegnać?

Widać było, jak trudno mu się zdobyć na odpowiedź; wreszcie jednak uciekł się do wykrętu.

— A może sama o to spytaj panią Zant.

I wnet Lucy znowu rozpromieniła się radośnie.

UPIORNE ŁOŻE

Wkrótce po zakończeniu studiów zdarzyło mi się odwiedzić Paryż w towarzystwie angielskiego przyjaciela. Byliśmy obaj młodzi i prowadziliśmy, obawiam się, dość zwariowane życie w tym uroczym mieście. Pewnego wieczoru wędrowaliśmy w okolicy Palais Royal, rozważając, jakim się jeszcze oddać tego dnia uciechom. Przyjaciel zaproponował Frascati, ale ja nie miałem na to ochoty. Poznałem Frascati aż za dobrze, przegrałem tam i wygrałem moc pięciofrankówek tylko gwoli zabawy — co uparcie robiłem dalej, chociaż przestało być zabawne, a ja miałem już serdecznie dość wszystkich tych upiornych manier, które wiążą się z czymś tak spaczonym jak szacowne kasyno.

— Na miłość boską — powiedziałem do przyjaciela — chodźmy gdzieś, gdzie wreszcie zobaczę prawdziwy, nieupudrowany hazard dla maluczkich, hazard, któremu niepotrzebne są fałszywe zdobienia i błyskotki. Dajmy spokój czcigodnemu Frascati, a skierujmy się tam, gdzie wpuszczą człowieka w obszarpanym surducie albo nawet bez surduta.

— Świetnie — odparł przyjaciel. — Nie musimy nawet oddalać się od Palais Royal, aby znaleźć odpowiadający ci przybytek. Spójrz tylko, wprost przed nami. Z tego, co słyszałem, jest to miejsce tak nieupudrowane, jak tylko można sobie życzyć, zresztą zaraz sami zobaczymy.

Jeszcze chwila, a weszliśmy do budynku i zaczęliśmy wspinać się po schodach.

Kiedy na piętrze zostawiliśmy u szatniarza kapelusze i laski, wprowadzono nas do sali gier, w której znajdowało się niewielu gości. Ale nawet jeśli niewielu — cóż to jednak było za towarzystwo!

Dobrze, domagałem się czegoś nieupudrowanego, ale trafiliśmy na coś nieporównanie gorszego! Owszem, chciałem hazardu dla maluczkich, ale... W ludzkiej niedoli jest często pewien aspekt komiczny, tutaj jednak była tylko i wyłącznie tragedia — niema, dramatyczna tragedia. W sali panowała straszliwa cisza. Chudy, wynędzniały młodzieniec z długimi włosami i zapadniętymi oczyma, który śledził ruch kart, nie odzywał się ani słowem; ślamazarny tłuścioch z krostami, który paznokciem zaznaczał na wizytówce, jak często wygrało czarne, a jak często czerwone — nie odzywał się ani słowem. Odziany w wybrudzoną kapotę pomarszczony staruch z sępimi oczyma, który przegrał ostatnie sou, ale chociaż nie mógł już uczestniczyć w grze, przyglądał się jej z jakąś rozpaczliwą desperacją — nie odzywał się ani słowem. Nawet głos krupiera wydawał się dziwnie stłumiony i pogrubiony. Wkroczyłem tu, aby się zabawić, tymczasem bardziej należało płakać. Szybko poczułem, że jeśli sam mam się nie pogrążyć w desperacji, muszę czymś zająć myśli, niestety jednak sięgnąłem po najłatwiejsze w tej sytuacji rozwiązanie; mówiąc inaczej, podszedłem do stołu i przyłączyłem się do gry. Co gorsza — jak się okazało — zacząłem wygrywać, i to wygrywać sumy wręcz oszałamiające, w takim tempie, że inni gracze skupili się wokół mnie i zaczęli szeptać między sobą, iż Anglik gotów jest rozbić bank.

Była to gra czerwone i czarne, a chociaż oddawałem się jej w całej Europie, nigdy nie miałem ani chęci, ani cierpliwości, aby zgłębiać teorię prawdopodobieństwa, będącą wszak kamieniem filozoficznym wszystkich hazardzistów. Tyle że ja nigdy nie byłem hazardzistą w ścisłym znaczeniu tego słowa. Obca mi była nienasycona pasja gry, zawsze chodziło mi o rozrywkę, a nie o profity. Nigdy do gry nie zmuszała mnie konieczność, gdyż po prostu nie wiedziałem, co to znaczy brak pieniędzy. Nigdy nie pozwalałem sobie przegrać więcej, niż było mnie stać, nie starałem się wygrać tyle, by zakłóciło mi to spokój ducha. Mówiąc krótko, w siedzibach hazardu bywałem nie częściej niż w salach balowych czy operowych: robiłem to, gdyż sprawiało mi przyjemność i w danej chwili nie miałem lepszego pomysłu na spędzenie czasu.

Ten jednak przypadek był zupełnie niezwykły, gdyż po raz pierwszy w życiu poczułem, na czym właściwie polega namiętne granie. Powodzenie najpierw mnie oszołomiło, ale potem wręcz mną owładnęło. Jakkolwiek niewiarygodnie by to zabrzmiało, przegrywałem tylko wtedy, kiedy zaczynałam ważyć szanse i grałem zgodnie z kalkulacjami; jeśli natomiast zdałem się na szczęście i stawiałem bez żadnych deliberacji, mogłem być pewien wygranej — i to nawet wtedy, gdy wszystko zdawało się przemawiać na moją niekorzyść. Zrazu niektórzy z obecnych spokojnie wraz ze mną obstawiali kolor, ale szybko porwałem się na stawki, których nikt nie ważył się ryzykować. Reszta więc graczy, jeden po drugim, wycofywała się i już tylko patrzyli, jak sobie radzę.

A ja nieprzerwanie walczyłem o coraz wyższe sumy i — nieustannie — wygrywałem. Napięcie w sali rosło z każdą chwilą; za każdym razem, gdy złoto przez stół wędrowało w moim kierunku, ciszę przerywały różnojęzyczne okrzyki i nawet nieporuszony, zdałoby się, krupier, cisnął w pewnej chwili swymi grabkami o posadzkę, wyklinając po francusku moje szczęście. Jeden tylko człowiek nie tracił opanowania, a był nim mój przyjaciel. Podszedł do mnie i po angielsku zaczął mnie szeptem zaklinać, abym zadowolił się tym, co już zdobyłem, i czym prędzej wraz z nim opuścił to miejsce. Aby oddać mu sprawiedliwość, muszę przyznać, że robił to kilkakrotnie, poniechał zaś swych ingerencji i w ogóle mnie zostawił, gdym wręcz odurzony pasją gry odrzucił jego rady w sposób tak gwałtowny i — co tu dużo mówić — grubiański, że nie pozostawiłem mu żadnego innego wyjścia.

Niedługo po tym, jak przyjaciel mnie opuścił, usłyszałem za sobą ochrypły okrzyk:

— Drogi panie, niechże pan pozwoli, że dwa napoleony, które pan upuścił, umieszczę na właściwym dla nich miejscu. Cóż za wspaniała passa, sir! Jako stary weteran klnę się na żołnierski honor, że nigdy jeszcze nie widziałem, by ktoś miał takie szczęście. Dalej, śmiało, sir — *sacré mille bombes!* Śmiało, niechże pan rozbije ten ich bank!

Obróciłem się i zobaczyłem, jak kiwa mi głową i uśmiecha się do mnie nader przyjaźnie wysoki mężczyzna w wytartym i postrzępionym surducie.

Gdybym był we władzy zdrowego rozsądku, powinienem uznać, że dość osobliwy to egzemplarz wiarusa. Miał wyłupiaste, przekrwione oczy, wyliniały wąs i złamany nos. Głos Jego kojarzył się z najpodlejszymi koszarami, co zaś do rąk, to nigdy — nawet we Francji — nie widziałem brudniejszej pary. Chociaż dostrzegłem te cechy za pierwszym spojrzeniem, nie wpłynęły na mnie bynajmniej odstręczająco. W szaleńczej ekscytacji tym bezprzykładnym triumfem gotów byłem się „fraternizować" z każdym, kto się ogłaszał moim sojusznikiem. Przyjąłem więc zaproponowany mi przez wojaka niuch tabaki, poklepałem go po ramieniu i oznajmiłem, że jest najzacniejszym człekiem pod słońcem i najbardziej chwalebnym reliktem Wielkiej Armii.

— Dalej, dalej! — zakrzyknął tamten, strzelając z palców. — Dalej do zwycięstwa! Rozbij pan bank, sir. *Mille tonnerres!* Ach, znakomity angielski przyjacielu, do natarcia na bank... marsz!

Cóż, tak też się stało; nie upłynął nawet kwadrans, a krupier gromko oznajmił:

— Panowie, bank jest już dzisiaj niewypłacalny. Wszystkie banknoty i monety, zamiast spoczywać w banku, leżały teraz na stercie przede mną i czekały, by powędrować do mojej kieszeni.

— Szanowny panie, weź pan to wszystko spakuj do chusteczki i zrób tobołek — zasugerował żołnierz, kiedy w upojeniu nurzałem ręce w stosie złota — podobny do tych, w jakieśmy niegdyś pakowali prowiant, bo też i żadna kieszeń nie utrzyma łupu tak wielkiego. Tak, tak, a jakże: i banknoty, i całą resztę! *Credie!* Ależ szczęście niemożebne, ależ szczęście! Ale baczność, hola! Znowu się stoczył biedny napoleonik na podłogę! Ach! *Sacre petit polisson de Napoleon!* No i gdzieżeś się podział, ladaco? Jest, jest, proszę, sir, a teraz wszystko solidnie na supeł, a nawet dwa za przyzwoleniem jaśnie pana — i wszystko całe i bezpieczne. Aż przyjemnie dotknąć, niech pan sam spojrzy, sir. Okrągłe, ciężkie, no wypisz wymaluj kula armatnia. *Ah, bah!* Gdybyż oni takimi walili w nas pod Austerlitz — *nom d'une pipe!* Gdyby tak walili! Ach, *mon Dieu, mon Dieu*, i cóż mi jeszcze począć, byłemu grenadierowi i chwatowi francuskiej armii? Wstyd nawet pytać, bo i rzecz prosta: nic mi nie pozostaje innego, jak zaprosić drogiego angielskiego oficera do wspólnego wychylenia butelki szampana, abyśmy, zanim się rozstaniemy, z pienistych pucharów wypili zdrowie boskiej Fortuny!

— Wspaniale, mości chwacki grenadierze! Jak najbardziej szampana! Angielskie wiwaty dla ekswojaka! Hura, hura, i jeszcze jedno francuskie hura dla boskiej Fortuny! Hura, hura, hura!

— Brawo! Cześć ci, przyjacielski i godny angielski panie, w którego żyłach pulsuje zwycięska krew francuska! Jeszcze jeden toast! *Ah, bah!* Pusta! Kiedyż to się stało? Nic to nie szkodzi. *Vive le vin!* Ja, stary wiarus, zamawiam drugą butelkę i pół funta *bonbons* do tego!

— Nie, nie, nie, mowy nie ma, mości chwacki grenadierze! Pan stawiał poprzednią butelkę, ta będzie moja! Zdrowie zatem! Niech żyje francuska armia! Niech żyje wielki Napolcon! Zdrowie wszystkich graczy! Zdrowie krupiera! Zdrowie jego żony i córek, jeśli ma takowe. I w ogóle wszystkich dam na świecie!

Kiedy w drugiej butelce pokazało się dno, poczułem, jakbym wypił żywy ogień, głowę miałem całą w płomieniach. Nigdy jeszcze w życiu obfitość wina tak na mnie nie podziałała. Czy stan znacznego podniecenia tak dodatkowo wzmógł działalność trunku? Czy żołądek tak się buntował, nieprzyzwyczajony do musujących specjałów? A może szampan był nadzwyczaj mocny?

— Hej, grenadierze! — krzyknąłem. — Cały stoję w ogniu! Gorzeję straszliwie! A jak tam z tobą? Słyszysz mnie, bohaterze spod Austerlitz? Musimy otworzyć trzecią butelkę, żeby ugasić ten pożar!

Stary wiarus zaczął przekrzywiać głowę, przewracać wyłupiastymi oczyma, tak że się bałem, iż wyjdą mu na wierzch. Wreszcie przytknął brudny palec wskazujący do złamanego nosa, krzyknął: „Kaaawy!" i bezzwłocznie czmychnął do ustronnego pokoju.

Jedno słowo ekscentrycznego weterana magicznie jakoś wpłynęło na całą resztę towarzystwa. Jak na komendę wszyscy powstali do odejścia. Najprawdopodobniej mieli oni nadzieję, iż coś skorzystają z mego upojenia, kiedy więc zobaczyli, że mój nowy przyjaciel nie chce dopuścić do tego, bym się za bardzo upił, uznali, iż nic tu już po nich, gdyż nie ma na co liczyć. Jakiekolwiek powodowały nimi względy, wszyscy się wynieśli, kiedy więc wojak powrócił i usiadł naprzeciw mnie przy stole, całą salę mieliśmy tylko dla siebie. W swego rodzaju przyległym westybulu widziałem krupiera, który samotnie spożywał kolację.

Zmienił się też nagle i dawny grenadier. Przybrał teraz minę ostentacyjnie poważną, a kiedy przemówił, nie było już żadnych okrzyków, przekleństw, strzelania z palców.

— Proszę mnie uważnie posłuchać, sir — rzekł konfidencjonalnie — i wziąć sobie do serca radę starego żołnierza. Wracam właśnie od właścicielki tego przybytku (urocza doprawdy kobieta, a na dodatek prawdziwa czarodziejka kulinarna), której uświadomiłem, jak nieodzowne jest to, abyśmy zaraz otrzymali nadzwyczaj mocną i dobrą kawę. Musi pan ją wypić, aby pozbyć się tej sympatycznej ekscytacji, zanim skieruje się pan do domu. Tylko proszę się aby nie sprzeciwiać, to rzecz konieczna i niezbędna. Ze wszystkimi tymi pieniędzmi przy sobie musi pan mieć myśl jasną i zdrowy osąd sytuacji. Cisnęła się tu dzisiaj niezgorsza ciżba; wiele jest osób, które wiedzą, jak bardzo się panu poszczęściło. W większości zacni to i mili kompani i, jak to się mówi, beczkę soli można by z nimi zjeść, zarazem jednak, jak wszyscy śmiertelnicy, mają i oni swoje słabości. Czy muszę mówić więcej? Nie, w mig widzę, że sam pan wszystko rozumie! Oto zatem, co musi pan zrobić. Kiedy poczuje się pan już lepiej, wezwie pan dorożkę, wsiadłszy do niej, zasłoni okno, a stangretowi każe się wieźć do domu tylko ulicami szerokimi i jasno oświetlonymi. Jeśli posłuchasz mnie pan, swobodny będziesz ty i twoje pieniądze, jutrzejszego zaś ranka wdzięcznie wspomnisz starego weterana wojen i jego dobrą radę.

Wiarus kończył właśnie swą niezwykle tkliwą orację, kiedy przyniesiono nam kawę, rozlaną już do dwóch filiżanek. Mój troskliwy przyjaciel podał mi jedną z nich z ukłonem, ja zaś, dręczony pragnieniem, pochłonąłem zawartość jednym łykiem. Niemal natychmiast zakręciło mi się w głowie i poczułem się bardziej jeszcze odurzony niż przedtem. Pokój zawirował jak szalony, żołnierz zdawał się poruszać w górę i w dół niczym tłok w machinie parowej, niemal kompletnie mnie ogłuszył przeraźliwy pisk w uszach, nade wszystko zaś ogarnęło mnie poczucie zagubienia, bezradności i zidiocenia. Wstałem z fotela, chwyciłem się brzegu stołu, żeby utrzymać równowagę, i wybełkotałem, że czuję się źle, tak niedobrze, iż nie mam pojęcia, jak dotrę do domu.

— Drogi przyjacielu — odrzekł wiarus i nawet jego głos falował, jak się zdało. — Drogi przyjacielu, prawdziwym szaleństwem byłoby, gdybyś się w tym stanie udawał do domu. Wtedy ani chybi straciłbyś wszystkie wygrane pieniądze; bez trudu mógłby cię jakiś złoczyńca napaść i zamordować. Ja będę tu nocował, więc i ty zrób tak samo — a mają tu kapitalne łoża, zaręczam ci. Odpoczniesz, odeśpisz efekty wina, a swoją fortunę bezpiecznie dostarczysz do domu jutro, w pełnym świetle dnia.

Nie odstępowały mnie dwie myśli — jedna: że za nic nie mogę się rozstawać z pełną pieniędzy zasupłaną chustką, druga: iż muszę czym prędzej złożyć gdzieś głowę, aby pogrążyć się we śnie. Przystałem więc na propozycję, oparłem się na usłużnym ramieniu eksgrenadiera, w drugiej ręce trzymając wygraną. Prowadzeni przez krupiera, ruszyliśmy jakimś korytarzem, potem wspięliśmy się po schodach, aż wreszcie dotarliśmy do wyznaczonej mi sypialni. Tutaj weteran spod Austerlitz gorąco uścisnął mi rękę, zaproponował nazajutrz wspólne śniadanie, potem zaś on i krupier wyszli, zostawiając mnie samego.

Podbiegłem do umywalki, wypiłem z dzbanka solidny łyk wody, resztę wlałem do miski i zanurzyłem w niej twarz, a potem usiadłem i usiłowałem jakoś się pozbierać. Wkrótce poczułem się lepiej. Do zbawczego wpływu zimnej wody dołączyło się nieporównanie świeższe powietrze w obecnym pokoju, a także łagodne, przytłumione światło jednej świecy, tak odmienne od jaskrawego blasku kandelabrów w „salonie". Przestało mi się kręcić w głowie i znowu zacząłem się zachowywać jak roztropna istota. Mając jaśniejszą głowę, pomyślałem po pierwsze o tym, jak ryzykowne jest nocowanie w jakiejś hazardowej spelunce, a po drugie — że jeszcze bardziej ryzykowne jest domaganie się, by mnie stąd wypuszczono, gdy dom jest już zamknięty, a następnie wędrowanie po nocy ulicami Paryża z wielką sumą pieniędzy. Ostatecznie, dumałem, podczas podróży zdarzało mi się już spędzić noc w miejscach znacznie gorszych od tego, postanowiłem więc zamknąć drzwi na wszystkie spusty, dodatkowo je zabarykadować i zobaczyć, w jakim stanie doczekam poranka.

Dlatego też zabezpieczyłem się przed wszelkimi możliwymi niespodziankami: zajrzałem pod łóżko i zbadałem dwudrzwiową szafę, obejrzałem zamki okienne, raz jeszcze sprawdziłem zabezpieczenie drzwi, a kiedy poczułem się usatysfakcjonowany — zrzuciłem z siebie wierzchnie ubranie, nader już marne światło ustawiłem w kominku między żarzącymi się węglami i położyłem się do łóżka, za poduszkę mając tobołek z wygraną.

Rychło jednak poczułem, że nie mogę zasnąć ani choćby zamknąć oczu! Byłem rozbudzony, a nawet więcej: silnie podekscytowany. Czułem, jak wibruje we mnie każdy nerw, każdy zmysł wydawał się nadnaturalnie wyczulony. Rzucałem się na łóżku i przewracałem, szukałem najróżniejszych pozycji, najmniej rozgrzanych fragmentów — wszystko na próżno. To układałem ramiona na kołdrze, to chowałem je pod nią; to prostowałem się na całą długość ciała, to kuliłem z kolanami podciągniętymi niemal pod brodę; to chwytałem wygniecioną poduszkę i płasko ją wygładzałem, by spokojnie ułożyć się na wznak, to opierałem ją o wezgłowie, aby przybrać pozycję niemal siedzącą. Wszystko na nic i na próżno; wzdychałem zdesperowany, czując, iż czeka mnie bezsenna noc.

Co miałem począć? Nie było tu żadnej książki do czytania, natomiast aż za dobrze czułem, że jeśli nie zajmę czymś myśli, zacznę sam siebie dręczyć wyobrażeniami najróżniejszych horrorów, że będę sobie przedstawiał najdziksze i najbardziej przeraźliwe zagrożenia, że zatem strawię noc na bezsensownych utrapieniach i cierpieniach, czysto duchowych wprawdzie, ale czyż mniej dlatego uciążliwych?

Oparłem się na łokciu i rozejrzałem po pokoju — który jaśniał od wlewającej się przez okno księżycowej poświaty — by sprawdzić, czy nie ma jakiegoś obrazu bądź ornamentu, na którym mógłbym skupić uwagę. Kiedy moje spojrzenie wędrowało tak po ścianach, przypomniałem sobie uroczą książeczkę de Maistre'a *Voyage autour de ma Chambre*. Spróbowałem naśladować francuskiego autora, aby znalazłszy w ten sposób jakieś zajęcie, oderwać myśl od bezsenności. Starałem się więc utrwalić w pamięci każdy szczegół umeblowania, wyobrażając sobie jednocześnie miejsce jego pochodzenia — do czego świetnie nada się każdy fotel, stół, krzesło, a nawet umywalka.

Jednak w moim ówczesnym stanie umysłu o wiele łatwiej było o rejestrację niż refleksję, więc szybko zrezygnowałem nie tylko z subtelnej maniery de Maistre'a, lecz także w ogóle z wszelkiego myślenia. Po prostu gapiłem się na różne sprzęty w pokoju — i nie robiłem nic więcej.

Po pierwsze zatem było łóżko, w którym leżałem: łóżko z perkalowym baldachimem — tak, tak, wielkie, niezgrabne, z czterema filarami, zupełnie jakbym się nie ruszył z Anglii — którego kotary mechanicznie rozsunąłem, wiele się im nie przypatrując. Po drugie, ozdobiona marmurowym blatem umywalka, wokół której na ceglanej podłodze było widać rozlaną wodę. Po trzecie, dwa małe krzesła, na których rozwiesiłem surdut, kamizelkę i spodnie. Po czwarte, duży fotel, z którego oparcia zwieszała się koszula z krawatem. Po piąte, biurko, w którego szufladach brak było dwóch mosiężnych uchwytów. Po szóste, toaletka z malutkim lusterkiem i gigantyczną poduszką na igły. Dalej były nadzwyczajnych rozmiarów okno i stary ciemny obraz, słabo widoczny w wątłym blasku świecy. Widniał na nim jakiś jegomość w wysokim hiszpańskim kapeluszu, ze sterczącym z niego pióropuszem. Ogorzały nicpoń, osłaniając oczy ręką, spoglądał z uwagą w górę, może na szubienicę. W każdym razie sądząc z wyglądu, zupełnie sobie na nią zasłużył.

Pod wpływem tego widoku także i ja spojrzałem w górę na baldachim, ponieważ jednak był to przedmiot zupełnie nieinteresujący, powróciłem do obrazu. Policzyłem pióra na kapeluszu: trzy białe i dwa zielone, a także obejrzałem stożkowatą główkę — sądzono bowiem, że tak właśnie nosił się Guido Fawkes. Zastanawiałem się, na co też może patrzyć ten obwieś; na pewno nie na gwiazdy — takie typy nie interesują się ani astrologią, ani astronomią. Teraz już byłem pewien: na pewno zerka na szubienicę, a egzekucja odbędzie się niebawem. Ciekawe, czy kat zabierze sobie jego kapelusz z piórami. Ponownie je policzyłem: trzy białe i dwa zielone.

Ale i na tej doniosłej kwestii nie potrafiłem się skupić. Wpadająca przez okno poświata przypomniała mi pewien księżycowy wieczór w Anglii, a mówiąc ściślej: w walijskiej dolinie, w której rozłożyliśmy się z piknikiem. Każdy szczegół powrotu do domu w nocnej scenerii, piękniejszej jeszcze w blasku księżyca, stanął mi teraz wyraźnie w pamięci, chociaż o tamtej wycieczce nie myślałem od lat. Natomiast gdybym celowo usiłował ją sobie przypomnieć, nie wiem, czy udałoby mi się wykrzesać jakikolwiek szczegół. Czy któraś z naszych władz umysłowych przemawia silniej za naszą nieśmiertelnością niż pamięć? Znajdowałem się oto w nader podejrzanym domu, w mocno niepewnej, a może nawet groźnej sytuacji, w której — można by sądzić — wykluczone będzie spokojne przywoływanie sobie obrazów z przeszłości. A tymczasem same z siebie napływały miejsca, osoby, słowa, przeróżne drobiazgi, które zdawały się już stracone na zawsze, a których z własnej chęci z pewnością nie potrafiłbym sprokurować. I cóż spowodowało tak nieoczekiwany efekt? Nic więcej niż kilka promieni księżycowych, wpadających do mojej sypialni.

Ciągle myślałem o pikniku, o wspaniałej drodze do domu i sentymentalnej młodej damie, która recytowała *Childe Harolda** tylko dlatego, że świecił księżyc. Absorbowały mnie więc dawne zdarzenia i dawne radości, kiedy znienacka pękła nić, na którą były nawleczone wspomnienia, uwaga moja natychmiast wróciła do teraźniejszości, ja zaś znowu wpatrzyłem się uważnie w obraz.

I czemuż to?

Wielkie nieba, jegomość zsunął kapelusz na oczy! Nie, gorzej, w ogóle nie było kapelusza. Gdzież wierzch w kształcie ściętego stożka? Gdzie pióra: trzy białe i dwa zielone? Nie było ich. Ala cóż to za obły kształt skrywał teraz czoło, oczy, osłaniającą je rękę?

Czyżby łoże się ruszało?

Obróciłem się na plecy i spojrzałem w górę. By-

---

* *Wędrówki Childe Harolda* — poemat Byrona.

łem szalony? Pijany? Śniłem? Znowu mi się w głowie kręciło? Czy też istotnie góra łóżka się poruszała i powoli, miarowo, nieustępliwie zjeżdżała na mnie, pod nią leżącego?

Miałem wrażenie, że krew znieruchomiała mi w żyłach. Byłem zupełnie sparaliżowany, z wyjątkiem szyi, gdyż udało mi się obrócić głowę, aby wpatrując się w postać na obrazie, stwierdzić, czy istotnie góra łóżka się porusza.

Wystarczyło jedno spojrzenie. Sfalowany róż baldachimu był raptem o trzy centymerty wyżej od pasa jegomościa. Widziałem też, jak powoli, bardzo powoli coraz większa jego część jest połykana przez ruchomy baldachim.

Ogólnie rzecz biorąc, jestem człowiekiem opanowanym. Niejeden raz moje życie było zagrożone, a przecież nigdy nie traciłem zimnej krwi, tymczasem teraz, nawet kiedy znakomicie już wiedziałem, że wolno i nieustępliwie zjeżdża na mnie wierzch łoża — rozdygotany, bezsilny, spanikowany leżałem pod morderczą machiną, która coraz bliżej była zgniecenia mnie na miazgę.

Jak zatem mówię, leżałem bez słowa, bez ruchu, bez tchu. Świeczka wypaliła się do końca, ale starczyło światła księżyca, żeby w pokoju było jasno. Coraz niżej z każdą chwilą, bez najmniejszego skrzypnięcia i przystanku, sunęła na mnie korona łoża, a tymczasem przeraźliwy lęk jakby mnie wbijał w materac, aż wreszcie zatęchły zapach perkalu zaatakował moje nozdrza.

374

W tej ostatniej chwili nareszcie podziałał instynkt samozachowawczy i wróciła mi zdolność ruchu. Na szczęście tyle jeszcze zostało wolnego miejsca, że mogłem się przekręcić na bok, ale kiedy ześlizgiwałem się na podłogę, bark dotknął rąbka baldachimu.

Nie czekając, aż wróci mi dech, nie ocierając z czoła zimnego potu, natychmiast poderwałem się na czworaki, aby przyglądać się łóżku. Gdybym usłyszał za sobą kroki, nie potrafiłbym się obejrzeć; gdyby znienacka pojawiła się jakaś cudowna możliwość ucieczki, nie potrafiłbym z niej skorzystać — gdyż w tej jednej chwili całe moje życie było tylko patrzeniem.

Cały wierzch łóżka zbliżył się do posłania tak bardzo, iż, jak się okazało, nawet palca nie mogłem tam wcisnąć. Dalsze obmacywanie pozwoliło mi stwierdzić, że nad perkalem baldachimu znajdował się drugi materac, twardy i nieustępliwy. Spojrzałem w górę: cztery filary, które w istocie okazały się prowadnicami, sterczały złowieszczo w górę. Pośrodku korony łóżka sterczała wielka drewniana śruba, najpewniej uruchamiana kondygnację wyżej, gdzie w suficie ziała teraz dziura. Wykorzystany tu być musiał mechanizm prasy, stosowanej do zgniatania różnych substancji. Cała ta aparatura działała bez najmniejszego szmeru; kiedy teraz znieruchomiała, także z góry nie doleciał mnie najsłabszy nawet dźwięk. W prawdziwie grobowej ciszy wpatrywałem się oto — w połowie dziewiętnastego wieku, w cywilizowanej stolicy cywilizowanej Francji! — w śmiercionośne urządzenie do sekretnego duszenia, jakie mogło powstać w najgorszych dniach inkwizycji, jakie mogło funkcjonować w jakieś odludnej oberży w górach Harzu, gdzie wykonywano wyroki sekretnych westfalskich trybunałów! Chociaż jednak nadal brakło mi powietrza w piersiach, chociaż wszystkie członki napełniły się ołowiem przerażenia — powróciła do mnie na szczęście zdolność logicznego myślenia.

Że miałem do czynienia z morderczym spiskiem, to nie ulegało najmniejszej wątpliwości. Podano mi kawę skażoną czymś — skażoną za mocno! Nadmiar narkotyku właśnie mnie uratował! Jakże teraz błogosławiłem ową nerwowość, która nie pozwalała mi zasnąć, a jakże przeklinałem lekkomyślność, która pozwoliła mi zdać się na łaskę i niełaskę dwóch nikczemników, gwoli zagarnięcia mojej wygranej gotowych uśmiercić mnie w sposób tajemny i okrutny. Iluż to graczy fortunnych jak ja udało się na spoczynek w tym łożu, by nikt ich już potem nie widział ani o nich nie słyszał. Po plecach przeleciał mi zimny dreszcz.

Minęło, jak przypuszczam, jakieś dziesięć minut, a potem zwieńczenie łóżka zaczęło się znowu unosić. Nikczemnik z góry obsługujący mechanizm musiał być pewien, że sprawa się dokonała. Udający niewinny baldachim materac bezgłośnie sunął w górę. Kiedy sięgnął szczytu filarów, jego wierzch zrównał się z sufitem, w którym nawet najbardziej podejrzliwe oko nie domyśliłoby się żadnego otworu. Staromodne bo staromodne, niezgrabne bo niezgrabne, ale najniewinniejsze łoże z baldachimem, jakie można sobie wyobrazić!

Dopiero teraz dałem radę powstać z kolan, spiesznie się ubrać i zastanowić nad tym, jak się wydostać z pułapki. Gdybym zdradził się najmniejszym szmerem, stałoby się jasne, że bynajmniej się nie udusiłem, a wtedy, byłem przekonany, zamordowano by mnie. A może już się zdradziłem? Z napięciem wpatrzyłem się w drzwi.

Nasłuchiwałem. Nic. Żadnych dźwięków na korytarzu, żadnego — nawet najlżejszego — szmeru stóp na górze. Wszędzie zupełna cisza. Zanim położyłem się spać, nie tylko dokładnie zamknąłem drzwi, lecz także zastawiłem je drewnianą skrzynią, którą znalazłem pod łóżkiem. (Poczułem ciarki na samą myśl o tym, jaka też może być zawartość skrzyni). Bezszelestne teraz jej odstawienie było zupełnie niemożliwe, a co dopiero mówić o potajemnej ucieczce z domu zaryglowanego na noc! Pozostawało tylko okno, więc na koniuszkach palców podkradłem się do niego.

Sypialnię miałem na pierwszym piętrze — nad antresolą — a jej okna wychodziły na tylny dziedziniec. Wyciągnąłem rękę, aby otworzyć okno, a wiedziałem, że moje życie zawisło na włosku, który przetnie najmniejsza niezręczność. W Morderczym

Domu musieli być ciągle na straży. Jeśli zatrzeszczy rama, jeśli skrzypnie jeden zawias — będę zgubiony! Uchylanie okna musiało mi zabrać dobrych pięć minut, które wówczas wlokły się jak pięć godzin. Wolno bo wolno, ale udało mi się zrobić to z biegłością włamywacza, kiedy jednak spojrzałem w dół, zrozumiałem, że skok byłby próbą samobójcy! Teraz rozejrzałem się na boki. Po lewej stronie, nieopodal krawędzi okna, biegła w dół gruba rynna. Ledwie ją ujrzałem, natychmiast wiedziałem, że jestem uratowany. Po raz pierwszy od chwili, gdy zobaczyłem zsuwający się na mnie baldachim, odetchnąłem szeroką piersią!

Z pewnością niektórym ludziom droga ucieczki, jaka mi się objawiła, wydałaby się trudna i niebezpieczna, mnie to jednak nawet do głowy nie przyszło, by lękać się spuszczenia po rynnie. Jako zaprawiony i regularny wspinacz górski dbałem o zachowanie młodzieńczej siły i sprawności, byłem więc pewien, że niezależnie od tego, czy rzecz dotyczyłaby wchodzenia czy też schodzenia — tak czy owak, głowa, ręce i stopy nie odmówią mi posłuszeństwa. Przełożyłem już jedną nogę przez parapet, kiedy przypomniałem sobie o zawiniątku z pieniędzmi u wezgłowia łóżka. Mogłem je, rzecz jasna, zostawić, troszcząc się tylko o życie, mściwość jednak szeptała, aby łajdaków pozbawić nie tylko ofiary, lecz także łupu. Powróciłem do łóżka i przyczepiwszy zawiniątko do krawata, zarzuciłem je sobie na plecy.

Gdy to robiłem, znienacka usłyszałem jakiś oddech pod drzwiami. Na skórze poczułem dreszcz przerażenia. Ale nie! Dźwięk się nie powtórzył, musiał to więc być szmer powietrza w dziurce od klucza. W następnej chwili znalazłem się na parapecie, a moment później trzymałem się już rynny rękami i kolanami.

Ześlizgnąłem się na dół, jak oczekiwałem, sprawnie i bezgłośnie, a ledwie znalazłem się na poziomie ulicy, natychmiast puściłem się biegiem do najbliższej prefektury, której położenie dziwnym jakimś trafem zapamiętałem. Zastałem na miejscu podprefekta i kilku funkcjonariuszy, których na służbie trzymało, jak mniemam, poszukiwanie sprawcy morderstwa będącego na ustach całego Paryża. Kiedy w marnej francuszczyźnie, zdyszany, rozpocząłem swoją opowieść, widziałem, że podprefekt przypuszcza, iż jestem pijanym Anglikiem, który kogoś obrabował. Szybko jednak zmienił opinię, schował wszystkie swoje papiery do szuflady, nałożył kapelusz, zaoferował mi inny — miałem gołą głowę — wezwał kilku policjantów, nakazał, by w ich liczbie znalazł się specjalista zbrojny w narzędzia do forsowania zamkniętych drzwi oraz zrywania tak posadzek, jak i parkietów — a następnie niesłychanie przyjaźnie wziął mnie pod ramię i kazał się prowadzić do hultajskiego domu. Ośmieliłbym się powiedzieć, że najpewniej nie był bardziej rad, gdy po raz pierwszy jako chłopiec został zabrany na plac zabaw!

W drodze, gdyśmy tak kroczyli na czele naszego znakomitego *posse comitatus*, podprefekt dalej wypytywał oraz gratulował, iż udało mi się tak szczęśliwie uniknąć nieszczęścia. Kiedy znaleźliśmy się na miejscu, policjanci natychmiast zostali rozstawieni nie tylko przed frontem, lecz także na tyłach domu, po czym wielokrotne i mocne pukanie załomotało o drzwi, a w oknie pokazało się światło. Kazano mi nie stać na widoku, raz jeszcze załomotano w drzwi i tym razem towarzyszył temu okrzyk: „W imieniu prawa — otwierać!". Teraz jak za dotknięciem czarodziejskiej różdżki z trzaskiem otworzyły się zamki i skoble, a naprzeciw podprefekta, zaraz zresztą ustępując mu drogi, stanął na pół ubrany, za to dokumentnie blady dozorca. Potoczył się następujący dialog:

— Chcemy się widzieć ze śpiącym tutaj Anglikiem.

— Wyszedł przed kilkoma godzinami.

— Nie kłamcie. Wyszedł, owszem, jego przyjaciel, on jednak pozostał. Prowadźcie do sypialni.

— Przysięgam, monsieur le Sous-Préfect, że go tu nie ma! On...

— A ja przysięgam, monsieur le Garçon, że jest. Spał tutaj. Nie był zadowolony z miejscowego łóżka i przyszedł się nam poskarżyć. Proszę — oto i on! Ja zaś chciałbym sprawdzić, czy istotnie łóżko jest tak zapchlone. Renaudin! — Oficer zwrócił się do jednego z podkomendnych. — Weźcie no go i skrępujcie mu ręce za plecami, a teraz, panowie, ruszamy na górę!

Cały dom był już rozbudzony. Zatrzymano wszystkich, aby nikt nie uciekł; z satysfakcją zauważyłem, że w tym gronie znalazł się weteran wojen napoleońskich. Najpierw okazałem upiorne łóżko, potem udaliśmy się piętro wyżej. Kiedy weszliśmy do pokoju, nie zobaczyliśmy niczego nieoczekiwanego. Podprefekt obejrzał dokładnie pomieszczenie, dwa razy tupnął w podłogę, kazał sobie podać świecę, obejrzał skrupulatnie podłogę i kazał ją zerwać. Teraz zobaczyliśmy mieszczącą krokwie przestrzeń między podłogą a sufitem niższego piętra. W odsłoniętym miejscu znajdowała się metalowa obudowa, w niej zaś starannie naoliwiona śruba, połączona z koroną łoża w pokoju niżej. Rozmontowano i wydobyto następnie na wierzch kolejne nasmarowane śruby, pokryte filcem dźwignie i inne części górnego mechanizmu prasy, skonstruowanego z tak diabelską zmyślnością, że poskładane, zajmowało to wszystko bardzo niewielką przestrzeń. Podprefekt kazał całość złożyć na powrót, a gdy po pewnych zmaganiach w końcu się to udało, zostawił ludzi, wiedzących już, jak obsługiwać diabelską aparaturę, i wraz ze mną zszedł piętro niżej. Na dany sygnał zamaskowany perkalem materac zaczął zjeżdżać, chociaż nie tak bezgłośnie jak poprzednim razem. Kiedy zwróciłem na to uwagę policjantowi, odpowiedział:

— Moi podkomendni posługiwali się tym urządzeniem po raz pierwszy, natomiast ci, których pieniądze pan wygrał, mieli już w tym niejaką praktykę.

Na miejscu zostawiliśmy dwóch agentów; krupier i dzielny wojak zostali bezzwłocznie odtransportowani do aresztu. Podprefekt najpierw na posterunku odebrał ode mnie *procès-verbal*, potem zaś wróciliśmy do morderczej spelunki po mój paszport.

— Myśli pan — spytałem w drodze — że udało im się wcześniej sprasować kogoś tak, jak dzisiaj próbowali ze mną?

— Widziałem w kostnicy dziesiątki wyłowionych z Sekwany ludzi, w których kieszeniach znajdowaliśmy listy stwierdzające, że nic im nie pozostało innego, jak odebrać sobie życie, gdyż wszystkie pieniądze przegrali w karty czy w ruletkę. Skąd można wiedzieć, ilu z nich trafiło to tego domu, do którego i pan zawitał? Ilu tak jak pan wygrało? Dało się odprowadzić do łóżka jak pan? Głęboko w nim zasnęło, a przebudziło się tylko po to, by stwierdzić, że nie mogą zaczerpnąć tchu? A potem może ich ciała trafiły do rzeki, a list włożony do kieszeni napisali mordercy? Niepodobna ustalić, jak wielu czy niewielu spotkał los, któremu pan się wymknął. Ludziom prowadzącym ten morderczy przybytek udało się mechanizm ukryć nawet przed nami, policją, a zmarli sekret zabrali ze sobą do grobu. Dobranoc, monsieur Faulkner, czy raczej: dzień dobry. Proszę o dziewiątej stawić się u mnie w biurze, aby złożyć stosowne podpisy, a na razie au revoir!

Dalej niewiele już jest do opowiedzenia. Zeznania musiałem składać kilkakrotnie, dom starannie przeszukano od strychu po piwnice, wszystkich pracowników przesłuchano oddzielnie — i dwoje spośród nich zdecydowało się na wyznania. Kierował wszystkim „wiarus", zwolniony z armii jako maruder lata temu, przez które popełnił niejedną zbrodnię. Przechowywał u siebie przedmioty najwidoczniej pochodzące z rabunku, ale tylko w przypadku nielicznych udało się zidentyfikować właścicieli. Okazało się, że o morderczym mechanizmie wiedzieli on, krupier i kobieta, która przyrządziła mi kawę, natomiast nic nie wskazywało na to, by miał taką wiedzę podrzędny personel — toteż zasada domniemania niewlnności pozwoliła ich skazać za pomniejsze wykroczenia na policyjny dozór. „Wiarus" i dwóch jego siepaczy (w tej liczbie i krupier) zawiśli na szubienicy, specjalistkę od kawy skazano na nie pomnę już ile lat, ja zaś stałem się atrakcją paryskich salonów na cały tydzień, co w tym miejscu jest nie lada wyczynem. Przygoda moja stała się natchnieniem dla trzech wziętych dramatopisarzy, żadna jednak z tych sztuk nie zawitała na deski sceniczne, gdyż cenzura nie pozwoliła na dokładne skopiowanie śmiertelnego łoża.

Zdarzenie to miało jedną trwałą konsekwencję: raz na zawsze oduczyło mnie nie tylko gry w czerwone i czarne, lecz także w ogóle oddawania się hazardowi. Widok talii kart, zielonego sukna i stosu pieniędzy na nim zawsze już potem kojarzył mi się z obrazem perkalu bezlitośnie na mnie sunącego, aby w nocnej ciszy bezgłośnie mnie zadusić.

PANNA JÉROMETTE I PASTOR

1

Brat, który był pastorem, zerknął mi ciekawie przez ramię i zobaczył, że bez reszty pogrążyłem się w lekturze najnowszej książki — popularnego zbioru najsłynniejszych procesów.

Położył palec na nazwie procesu, o którym właśnie czytałem, a kiedy spojrzałem na jego twarz, niepomiernie mnie zdumiała — pokryta niezwykłą bladością, z oczyma nieruchomo wpatrującymi się w otwartą stronicę.

— Mój drogi — powiedziałem — co ci się znowu stało?

Nie zdejmując palca z książki, udzielił odpowiedzi nie mniej zaskakującej.

— Zupełnie już o tym zapomniałem, a teraz...

— Jak to: zapomniałeś? Chcesz powiedzieć, że wiesz coś o tym procesie?

— Wiem, że oskarżony był winny.

— Winny? — powtórzyłem z niedowierzaniem. — Przecież został uniewinniony przez ławę przysięgłych, przy całkowitej zgodzie sędziego. Jakże mógł więc być winny?

— Były tam pewne okoliczności, o których nic nie wiedzieli ani przysięgli, ani sędzia, o których nikt się nawet nie zająknął w sądzie — odrzekł brat — a ja o nich wiem, i to z własnego doświadczenia. To historia smutna, dziwna i straszna. Nikomu nigdy o tym nie opowiadałem i zrobiłem, co mogłem, żeby o wszystkim zapomnieć. A teraz ty niechcący znowu to przywołałeś i będzie mnie teraz dręczyć. Wolałbym cię zastać przy czytaniu jakiejkolwiek innej książki, byle nie tej!

Ogromnie rozniecił moją ciekawość, czego nie zamierzałem wcale ukrywać.

— Przecież bratu możesz powiedzieć coś, z czym nie chcesz się zwierzyć nikomu obcemu. Tak, owszem, czym innym zajęliśmy się w życiu od czasu skończenia szkoły, mieszkałem za granicą, ale chyba wiesz, że możesz mi zaufać.

Przez chwilę rozważał to, co powiedziałem, aż wreszcie pokiwał głową.

— Tak, wiem, że można ci ufać.

Znowu chwilę milczał, a potem zaskoczył mnie pytaniem:

— Czy wierzysz w to, że duchy zmarłych mogą wracać na ziemię i ukazywać się żywym?

Odpowiedziałem ostrożnie, jak przystało na wielkiego angielskiego pisarza, gdy podejmuje problem duchów.

— Stawiasz mi pytanie — odparłem — na które przez pięć tysięcy lat nikt nie znalazł odpowiedzi.

Zdaje się, że te wstrzemięźliwe słowa go zadowoliły.

— Obiecaj mi, że zachowasz to w tajemnicy do dnia mojej śmierci. Mało mnie obchodzi, co stanie się potem. Wtedy niechaj historia mojego osobliwego doświadczenia dołączy do doświadczeń innych osób, które zobaczyły to, co ja zobaczyłem, i wierzą w to, w co ja wierzę. Świat się nie pogorszy, a może stanie się lepszy, kiedy dowie się o sprawie, którą w tej chwili gotów jestem powierzyć tylko twoim uszom.

Nigdy już potem mój brat nie nawiązał do zdarzeń, które mi wtedy przedstawił. Dopiero kiedy siedziałem przy jego łożu śmierci, zapytał, czy pamiętam historię Jéromette. Potwierdziłem, a on rzekł:

— Opowiedz ją innym, tak jak ja ci opowiedziałem.

I tak właśnie czynię, skoro zmarł, starając się najwierniej, jak potrafię, oddać jego słowa.

2

Wiele lat temu, pewnego ładnego letniego wieczoru wyszedłem z mieszkania zajmowanego w Temple, gdyż zaprzyjaźniony student zaproponował, abyśmy się wspólnie wieczorem zabawili na tańcach w Cremorne.

Ty byłeś w podróży do Indii, ja skończyłem Oksford, solidnie rozczarowując ojca, zdecydowałem się bowiem na prawo, a nie na teologię. Mówiąc prawdę, nie czułem wtedy szczególnego pociągu do żadnej profesji, chciałem mieć tylko jakiś pretekst, aby korzystać ze wszystkich uciech Londynu, a studiowanie prawa było takim pretekstem. Co w efekcie wyznaczyło moją drogę zawodową.

Kiedy przyszedłem na umówione miejsce, okazało się, że przyjaciel nie dotrzymał słowa. Odczekałem dziesięć minut, straciłem cierpliwość i sam wszedłem do parku.

Dwa lub trzy razy obszedłem przeznaczoną dla tańczących estradę, nigdzie jednak nie znalazłem ani jego, ani żadnej ze znanych mi wówczas osób.

Z powodów, których teraz nie pamiętam, nie byłem tego dnia w zbyt dobrym humorze. Głośna muzyka działała mi na nerwy, irytował mnie zebrany wokół parkietu tłum gapiów, ze smutkiem i niesmakiem patrzyłem na wypomadowane damy, zawodowo dostarczające przyjemności. Otworzyłem pudełko z cygarami i skierowałem się do jednej z bocznych alejek parku.

Ten, kto zwykł dbać o dobór cygar, ma wyższość nad osobami, które się o to nie troszczą. Może być zawsze pewien, że wypali to, które w danym momencie było najlepsze w kasetce. Ciągle byłem pogrążony w selekcjonowaniu najlepszego dzisiaj cygara, kiedy usłyszałem za sobą słowa wypowiedziane kobiecym głosem, i to z obcym akcentem:

— Proszę dać mi spokój, sir, nie mam ochoty z panem rozmawiać.

Obróciłem się i zobaczyłem niewysoką kobietę, ubraną prosto, lecz ze smakiem, która rozgniewana i przestraszona przemknęła obok mnie, kierując się w bardziej uczęszczaną stronę parku. Za nią podążał mężczyzna (który najwyraźniej przedtem pofolgował sobie z winem), ścigając ją zaczepkami równie niewyszukanymi jak cały jego język i zachowanie. Kobieta była młoda i urodziwa, a mijając mnie, rzuciła mi spojrzenie, któremu trudno było się oprzeć.

Natychmiast się zerwałem, aby ją chronić, nie zważając na to, czy przyjdzie mi się wdać w jakąś nieprzystojną zwadę z nicponiem. Gwoli ścisłości powiem, że nie podobała mu się moja ingerencja, we mnie zaś zawrzała krew. Na szczęście dokładnie w chwili, gdy podnosiłem rękę, aby go powalić, zjawił się policjant, a widząc, że jegomość jest pijany, bezzwłocznie usunął go z Cremorne.

Zrobiło się małe zbiegowisko, odprowadziłem więc kobietę na ubocze. Była najwyraźniej zatrwożona — czułem, jak drży jej ramię — ale na szczęście nie chciała z całego zajścia robić wielkiej historii.

— Jeśli tylko będę mogła spokojnie posiedzieć dziesięć minut — rzekła ze swym uroczym obcym akcentem — szybko dojdę do siebie i nie będę musiała więcej nadużywać pańskiej uprzejmości. W tej chwili jednak chciałabym gorąco panu podziękować, że tak się pan za mną ujął.

Usiedliśmy na jednej z ławek, obok rzadko odwiedzanej fontanny. W świetle lamp umieszczonych na jej obrzeżu mogłem dokładnie przyjrzeć się niewieście.

Powiedziałem, że była niewysoka, ale jeszcze lepiej byłoby ją określić jako filigranową; wyglądała jak miniaturka szlachetnej damy. Włosy i oczy miała ciemne. Pierwsze kręciły się naturalnie, wyraz drugich był pełen spokoju i jakiegoś smutku. Cerę, na ile mogłem ocenić, miała bladą, czarownie wykrojone usta, mnie jednak szczególnie urzekł sposób, w jaki się nosiła. Głowę trzymała prosto — tak dumnie i tak wdzięcznie, że mimo postury i spokojnych manier wyróżniała się spośród wszystkich obecnych w parku kobiet. Nawet jedna jedyna skaza — malutki zez w lewym oku — jakby pogłębiała jeszcze atrakcyjność tej twarzy. O prostej szykowności ubioru już mówiłem, teraz muszę jeszcze wspomnieć, że nie miała na sobie kosztownego materiału ani żadnej biżuterii. Nie należała do bogatych i to mogło natychmiast uchwycić nawet męskie oko.

Urocze było natomiast to, że zachowywała się bez żadnego zaambarasowania czy skrępowania. Bardzo szybko nawiązała się między nami taka rozmowa, jakbyśmy byli dobrymi znajomymi, a nie obcymi.

Spytałem, czemu nie ma z nią kogoś, kto by jej bronił.

— Jest pani młoda i zbyt ładna — powiedziałem z angielską bezceremonialnością — aby samej zapuszczać się w tak odludne miejsca.

Nie zwróciła uwagi na komplement. Puściła go mimo uszu, jakby dotyczył kogoś innego.

— Nie mam tu żadnych znajomych — odrzekła zwyczajnie. — Dzisiaj wieczorem było mi bardzo smutno, więc pomyślałam, że przyjdę tu posłuchać muzyki, aby się trochę rozweselić. A za wejście tak niewiele trzeba płacić, raptem szylinga.

— Żadnych znajomych? — powtórzyłem. — Przecież musi być taki szczęśliwiec, który mógłby pani dziś dotrzymać towarzystwa.

Zmarszczyła brwi.

— O jakim szczęśliwcu pan myśli?

— Jak to mówimy w Anglii: „wybranek pani serca" — rzekłem bezmyślnie i już w następnej chwili oddałbym wszystkie skarby świata, żeby cofnąć te słowa, świadom, że na zbyt wiele sobie w stosunku do niej pozwoliłem.

Twarz jej powlokła się żałobą, oczy wpatrzyły się w ziemię. Zacząłem ją przepraszać, ale przerwała mi w pół zdania.

— Nie ma pan za co przepraszać. Jeśli chce pan wiedzieć... Tak, był kiedyś ktoś, kogo, zgodnie z waszym powiedzeniem, wybrało moje serce, ale porzucił mnie i wyjechał. Więcej o tym nie mówmy, proszę. Dobrze, już czuję się spokojna, dziękuję zatem panu i idę teraz do domu.

Wstała, żeby odejść, ja jednak nie chciałem, byśmy się tak rozstawali. Poprosiłem, by pozwoliła mi się odprowadzić. Zawahała się. Niezbyt fair odwołałem się do jej lęków.

— A jeśli ten natręt będzie czekał pod bramą...?

To przeważyło, wzięła mnie pod ramię. Był spokojny letni wieczór, poszliśmy brzegiem Tamizy. Półgodzinny spacer doprowadził nas do domu, w którym mieszkała; marny budynek w zaułku, gdzie nie mogli mieszkać ludzie zamożni.

Zatrzymała się pod drzwiami i podała mi rękę na pożegnanie. Zbyt mnie zainteresowała, abym odszedł, nie mając nadziei na ponowne spotkanie. Zapytałem, czy wolno mi będzie odwiedzić ją nazajutrz. Staliśmy przy ulicznej lampie. Nieznajoma przyjrzała się uważnie mojej twarzy, a potem odrzekła:

— Potrafię rozpoznać dżentelmena, kiedy go zobaczę. Tak, dobrze, sir, jeśli ma pan takie życzenie, proszę mnie jutro odwiedzić.

Po czym odwróciła się i weszła do środka. W ten sposób — niczego nieświadom, niczego się nie spodziewając — wkroczyłam w fazę mego życia, na którą dziś spoglądam z poczuciem winy i żalu.

3

Dziś o tych dawnych czasach mówię jako duchowny i człowiek dojrzały. Pamiętaj o tym, proszę, a zrozumiesz, dlaczego tak krótko, jak to tylko możliwe, mówię o wydarzeniach następnego roku, dlaczego tak oszczędnie staram się opisać błędy i złudzenia młodości.

Już nazajutrz odwiedziłem poznaną w Cremorne niewiastę, a przez następne dni i tygodnie ponawiałem te odwiedziny, aż wreszcie ów ubożuchny budyneczek w zaułku stał się moim drugim domem, droższym nawet (co muszę przyznać ze wstydem i wyrzutami sumienia) od pierwszego.

Wszystko, co w tych warunkach uznała za stosowne powiedzieć mi o sobie, da się zebrać w kilku słowach.

Listy podpisywała jako mademoiselle Jéromette. Ponieważ dla prostych jej współmieszkańców i okolicznych handlarzy było to zbyt trudne do wymówienia, więc znana była w okolicy jako „Francuzeczka". Kiedy ją poznałem, była już pogodzona ze swoją samotnością na obczyźnie, gdyż zdążyło upłynąć parę lat od tego, jak zmarli jej rodzice, a ona opuściła Francję. Własne dochody miała bardzo niewielkie, dlatego dorabiała sobie, podmalowując dla fotografów miniatury. Zostawiła wprawdzie we Francji jakąś rodzinę, ale dawno już przestała z nią korespondować.

— Proszę mnie nie wypytywać o krewnych — podkreślała kilkakrotnie. — Dla nich i dla mego kraju jestem jak umarła.

Tyle jedynie mi powiedziała, a i ja potem niczego więcej o niej się nie dowiedziałem.

Nigdy nie podała mi swego nazwiska, ba, nie powiedziała nawet, z jakiej części Francji pochodzi ani od jak dawna jest w Anglii. Nie miałem wątpliwości, że w jej żyłach musi płynąć szlachetna krew, wyraźnie bowiem świadczyły o tym jej maniery, ułożenie, sposób myślenia i mówienia, co więcej zaś, jeśli tylko miało się możliwość głębszego wejrzenia, odsłaniały się cechy rzadko dziś spotykane pośród młodych niewiast. Na swój łagodny sposób była przekonaną fatalistką, zdecydowanie też wierzyła w pojawianie się na jawie duchów zmarłych. Także w kwestiach pieniężnych nie odstępowała od własnych osobliwych przekonań. Ilekroć w moich dłoniach pojawiał się portfel, trzymała mnie stanowczo i konsekwentnie na dystans. Nie dawała się namówić na przenosiny do lepszego mieszkania. Dom był wprawdzie lichy, ale we wnętrzu czysty i starannie utrzymany, współlokatorzy zaś byli dla niej mili — i to jej całkowicie wystarczało. Najbardziej wyszukanym prezentem, jaki zgodziła się ode mnie przyjąć, był emaliowany pierścionek — najzwyklejszy i najtańszy, jaki dało się kupić u jubilera. W kontaktach ze mną była zawsze prostolinijna i szczera. Wszystko, co chciała powiedzieć, mówiła wprost i bez owijania w bawełnę.

— Lubię pana i szanuję — wyznawała mi kilkakroć. — Nigdy pana nie zdradzę, jak długo pan mnie nie zdradzi, natomiast jedno muszę powiedzieć jasno: nie ma we mnie miłości. Pewien człowiek uniósł ją ze sobą, a ja nie wiem nawet dokąd.

Kim był ten człowiek?

Tego nie chciała mi powiedzieć. Jego imię i stanowisko trzymała w sekrecie. Nigdy się nie dowiedziałem, jak ją poznał, jak ją porzucił i z jakiej winy skazał ją na zerwanie z ojczyzną i rodziną. Gardziła sobą za to, że nadal go kochała, ale nie potrafiła poskromić tego uczucia; o jego sile i swojej niemocy mówiła mi z ową, tak charakterystyczną dla niej, szczerością. Więcej: już na samym początku naszej znajomości oznajmiła mi, iż ciągle wierzy w jego powrót — za dzień lub za lata. Nawet jeśli nie pożałował jeszcze swego okrutnego wobec niej postępowania, przecież w głębi duszy będzie za nią tęsknił jako utraconą cząstką swego życia, dlatego też wcześniej lub później znowu stanie przed nią.

— A pani go przyjmie, gdy do tego dojdzie? — spytałem.

— Przyjmę — odparła — chociaż wiem, że nie powinnam, chociaż jestem przekonana, że dzień jego powrotu będzie też początkiem najczarniejszych dni w moim życiu.

Usiłowałem z nią polemizować.

— Przecież sama pani rozporządza swoją wolą. Niechże pani z tego skorzysta, kiedy dojdzie do takiej sytuacji.

— Jeśli chodzi o niego — odrzekła spokojnie — nie jestem panią swojej woli. Jest moim nieszczęściem, że go kocham. — Zatrzymała na mnie przez chwilę swój wzrok, a była w nim najczystsza desperacja. — Ale dość już o tym — zakończyła ostro. — Nie wracajmy więcej do tego tematu.

Istotnie, już nigdy więcej w naszych rozmowach nie pojawił się ów tajemniczy mężczyzna. Przez rok od naszego pierwszego spotkania nie miała o nim żadnych wiadomości — ani bezpośrednich, ani pośrednich. Mógł żyć, ale równie dobrze mógł umrzeć.

Mnie to bardzo odpowiadało, gdyż nigdy nie stawał się zawadą w naszych spotkaniach.

4

Upłynął rok i wszystko się skończyło, aczkolwiek nie tak, jak możesz się spodziewać, ani tak, jak ja mogłem oczekiwać.

Pamiętasz ów czas, gdy listy z domu doniosły ci o gwałtownym pogorszeniu się stanu naszej chorej matki? To o nim teraz piszę. Na kilka godzin przed tym, jak wydała ostatnie tchnienie, przyzwała mnie do swego łoża i zażądała, aby zostawiono nas samych. Przekonana, że śmierć jest już rychła, chciała ze mną porozmawiać o moim przyszłym życiu. Zauważyła, jak niewiele zajmują mnie studia, którym wszak powinienem był poświęcać całą swoją uwagę, dlatego nastawała, bym raz jeszcze rozważył, czy nie lepiej mi zostać sługą Kościoła.

— Ojciec ogromnie boleje nad twą rezygnacją — powiedziała — a gdybyś postąpił zgodnie z moją sugestią, a nawet prośbą, bardzo by to ukoiło jego ból po moim odejściu.

W tejże chwili poczuła się tak słabo, że nie była w stanie już nic więcej powiedzieć. Czyż mogłem odmówić prośbie wyrażonej w tak szczególnych i dramatycznych okolicznościach? Ukląkłem przy łóżku, ująłem jej wyniszczoną dłoń i przyrzekłem posłuszeństwo, jakie syn winny jest matce.

Skoro zaś tak postąpiłem, nieuchronną konsekwencją była konieczność zerwania wszystkich niegodnych duchownego związków. Jakkolwiek wiele mogło mnie to kosztować, musiałem raz na zawsze rozstać się z kobietą, która nie była i nie mogła zostać moją żoną.

Kończył się smętny mglisty dzień, gdy z ciężkim sercem wyprawiłem się, aby wyrzec słowa, które miały nas ostatecznie rozdzielić.

Panna Jéromette mieszkała niedaleko od Tamizy, a ja poszedłem jej brzegiem. Ciemność gęstniała, powierzchnia rzeki skrywała się pod zimną, siwą mgłą. Zatrzymałem się na chwilę i wpatrzony w kłębiące się opary, myślałem w desperacji: „Jak mam jej powiedzieć to, co powiedzieć muszę?".

Ponieważ trudno było mi już znieść zimno, odwróciłem się plecami do rzeki i z ciężkim sercem ruszyłem do mieszkania Jéromette. „Odwlekanie nic mi nie pomoże", powiedziałem sobie, wyjąłem klucz i otworzyłem drzwi.

Kiedy wszedłem do jej małego saloniku, stała przy kominku ze zwieszoną głową, trzymając w ręku otwarty list.

Kiedy słysząc mnie, się odwróciła, natychmiast zrozumiałem, że stało się coś niedobrego. Była zawsze spokojna i opanowana, niewiele w niej było żywiołowości, którą my, Anglicy, zwykliśmy wiązać z francuską naturą. Nigdy nie była skora do śmiechu, a jednocześnie podczas całej naszej znajomości ani razu nie widziałem jej płaczącej. Teraz po raz pierwszy zobaczyłem na jej twarzy popłoch, a w oczach łzy. Natychmiast podskoczyła do mnie, położyła mi głowę na piersi i wybuchła płaczem, który wstrząsał całym jej ciałem.

Czyżby w jakiś nieprawdopodobny sposób dowiedziała się o nadchodzącej zmianie w moim życiu? Czyżby, zanim jeszcze otworzyłem usta, wiedziała już, jaką bolesną konieczność przyszedłem jej obwieścić?

Nie, to nieprawdopodobne, niemożliwe.

Poczekałem, aż odpłynie pierwsza fala emocji, a potem spytałem, z niezbyt czystym sumieniem, co ją przygnębiło.

Z ciężkim westchnieniem oderwała się ode mnie i podała mi list, który wcześniej widziałem w jej ręku.

— Niech pan sam zobaczy — powiedziała. — I przypomni sobie, co powiedziałam na samym początku naszej znajomości.

Przeczytałem list, podpisany wprawdzie inicjałami, ale niewątpliwie skreślony przez mężczyznę, który kiedyś porzucił Jéromette. Teraz ubolewał, uznawał swoją winę, chciał do niej powrócić, a na dowód skruchy oferował jej to, przed czym kiedyś zdecydowanie się wzdragał: ślub. Stawiał tylko jeden warunek: że małżeństwo zostanie utrzymane w tajemnicy, jak długo żyją jego rodzice. Sam w odpowiedzi na tę propozycję chciał się dowiedzieć, czy się zgadza i czy mu wybacza.

W milczeniu zwróciłem jej list. Nieznany mi rywal był na tyle grzeczny, że ułatwił rozstanie. Składając swoją propozycję, sprawił, iż teraz pożegnalne słowa musiało wypowiedzieć każde z nas, a przecież nienawidziłem go za tę przysługę.

Wzięła mnie za rękę i poprowadziła do sofy. Usiedliśmy obok siebie. Znowu była sobą, chociaż jej spokój bardziej niż kiedykolwiek był teraz nasycony smutkiem.

— Nie zgodziłam się go widzieć — rzekła — zanim wcześniej nie rozmówię się z panem. Przeczytawszy list, co pan teraz powie?

Jednej tylko mogłem udzielić odpowiedzi. Było moją powinnością bez ogródek poinformować ją o mojej sytuacji. Tak też postąpiłem, jej tylko pozostawiając decyzję co do własnej przyszłości. Po wypowiedzeniu tych smutnych słów nie było sensu przedłużać tej bolesnej i dręczącej sytuacji. Wstałem i po raz ostatni wyciągnąłem do niej rękę, mówiąc:

— Proszę mi obiecać jedno, zanim odejdę. Dopóki żyję, zostanę pani przyjacielem, więc jeśli tylko znajdzie się pani w kłopotach, bez wahania powiadomi mnie pani o tym.

Wzdrygnęła się i odskoczyła ode mnie, jakbym ją czymś przeraził.

— Zdumiewające! — powiedziała do siebie. — Boi się o to, co może się stać ze mną w przyszłym życiu!

— Chciałem jej odpowiedzieć, aby nie dopatrywała się w tym niczego zdumiewającego, gdyż chodziło mi tylko o różne możliwe koleje ludzkich losów, zanim jednak zdążyłem przemówić, znowu do mnie podeszła, położyła mi dłonie na barkach i bardzo poważnie wpatrzyła mi się w twarz. — Nie wiem, co się dzieje w pańskiej głowie, ale chciałam przypomnieć, że kiedyś panu wyznałam, iż mam bardzo niedobre przeczucia. Teraz mogę powiedzieć więcej niż wtedy. Przypuszczam, że umrę młodo i tragicznie, ale czy na pewno chce pan tego słuchać...? — Wcale jednak nie czekała na moją odpowiedź i natychmiast dorzuciła zdumiewające słowa: — Usłyszy pan o tym. — Tyle w tym było niewzruszonej pewności, że zupełnie mnie to stropiło i napełniło wielkim niepokojem, co musiało się odbić na mojej twarzy, gdyż znienacka powróciła do swego zwykłego tonu i zachowania. — Tylko żeby czasem nie brał pan zbyt poważnie moich słów. Biednej dziewczynie, która jak ja mieszka samotnie, czasami dziwne rzeczy przychodzą do głowy. W każdym razie zgoda: jeśli kiedykolwiek znajdę się w tarapatach, dam panu znać. Niechże panu Bóg błogosławi za to, że był pan dla mnie taki dobry. Do widzenia.

Kiedy mnie ucałowała, poczułem w oku łzę. Rozdzieliły nas drzwi, a mnie wchłonęła ciemna ulica.

Padał silny deszcz, poprzez jego strugi popatrzyłem w jej okno. Kotary były rozsunięte; stanęła w przerwie między nimi, czekając na nasze ostatnie spojrzenie. Powoli uniosła rękę i pomachała mi z tym samym naturalnym wdziękiem, który tak mnie urzekł, gdy zobaczyłem ją po raz pierwszy. Kotary ciągle jeszcze były rozsunięte, Jéromette znikła mi z oczu, a przede mną i wokół mnie były tylko mrok i noc.

5

Minęły dwa lata i dopełniłem złożonego matce przyrzeczenia: zostałem kapłanem.

Znajomości ojca sprawiły, że moje pierwsze kroki na nowej drodze nie były trudne. Odbywszy praktykę jako wikary, jeszcze przed trzydziestym rokiem życia otrzymałem własną parafię na zachodzie Anglii.

Beneficjum to zaspokajało wszystkie moje pragnienia z wyjątkiem jednego: nie gwarantowało wystarczających dochodów. Chociaż nie miałem wielkich potrzeb i dalej nie byłem żonaty, zrozumiałem, że muszę poszukać jakiegoś dodatkowego źródła zarobków. Idąc za przykładem innych młodych pastorów, postanowiłem przygotowywać uczniów, chcących podjąć studia na uniwersytecie. Za sprawą znajomych, a także i szczęścia, zacząłem od dwóch podopiecznych, przy czym gotów byłem przyjąć jeszcze jednego, gdyż większej ich liczbie już bym nie podołał. I faktycznie pojawił się trzeci, ale w tak osobliwych okolicznościach, że warto opisać je nieco dokładniej.

Nastały letnie wakacje i obaj moi uczniowie wyjechali do domów. Ponieważ mieszkający po sąsiedzku pastor życzliwie zgodził się mnie zastąpić, także i ja otrzymałem zgodę na dwutygodniowy wyjazd do Londynu, gdzie zatrzymałem się w domu ojca.

Podczas pobytu w stolicy trafiła mi się rzadka okazja: zaproponowano mi, bym wygłosił kazanie w kościele słynnym z oratorskich zdolności proboszcza. Przystałem na tę propozycję. Naturalnie zrobiłem wszystko, aby wypaść jak najlepiej przed niezwykle dla mnie wielkim i wymagającym audytorium, które miało się zebrać.

W okresie, o którym teraz mówię, cała Anglia była wstrząśnięta straszliwą zbrodnią popełnioną w niesłychanie oburzających okolicznościach. Właśnie ją uczyniłem tematem mojego kazania. Przyznając, że większość z nas jest ułomnymi śmiertelnikami, nie mniej podatnymi na grzeszne podszepty niż najgorsi z nas, starałem się pokazać, jak chrześcijanin może szukać osłony przed pokusami w swojej religii. Szczegółowo opisałem trud, z jakim zrazu przychodzi chrześcijaninowi stawić czoło złym impulsom, jak potem jego chrześcijaństwo nieustannie go wspomaga przeciw zakusom gorszej części jego natury i jaką w końcu zyskuje doczesną nagrodę — stałość oparcia w niewzruszonych zasadach — i wielką nagrodę ostateczną. Mówiłem to wszystko z gorącym i niekłamanym przekonaniem, a powiedzieć mogę chyba tyle, że nie zawiodłem okazanego mi zaufania, skoro z najwyższą uwagą byłem słuchany od pierwszego do ostatniego słowa.

Gdy po zakończeniu nabożeństwa odpoczywałem w zakrystii, przyniesiono mi nakreślony ołówkiem liścik. Członek kongregacji chciał się ze mną zobaczyć w ważnej dla niego sprawie i gotów był stawić się we wskazanym przeze mnie miejscu i o wyznaczonej przeze mnie porze. Jeśli potrzebne by były jakieś rekomendacje, prosił mnie o kontakt z jego ojcem, którego nazwisko — pisał — nie powinno mi być obce.

Istotnie był to człowiek znany i szanowany w londyńskim świecie, odesłałem więc swoją wizytówkę, wyznaczając spotkanie na popołudniową godzinę następnego dnia.

6

Mężczyzna stawił się punktualnie. Oceniłem, że musi być młodszy ode mnie o dwa, trzy lata. Był bez wątpienia przystojny, niczego nie dało się zarzucić jego manierom, a jednak z niejasnych dla mnie przyczyn nie podobał mi się od chwili, gdy tylko wszedł do pokoju.

Po wymianie wstępnych grzeczności mój gość natychmiast przystąpił do rzeczy.

— Czy nie mylę się, sądząc, że mieszka pan w kraju, sir?

— Tak, na zachodzie Anglii.

— Czy na długo zatrzymał się pan w Londynie?

— Nie, jutro wracam do swojej parafii.

— Czy przyjmuje pan uczniów, jeśli wolno spytać?

— Tak.

— A czy ma pan może wolne miejsca?

— Tak, jedno.

— Czy w takim razie miałby pan coś przeciwko temu, abym jutro panu towarzyszył jako pański uczeń?

Po pierwsze, jak już wspomniałem, nie spodobał mi się od pierwszego wejrzenia. Po drugie, nie pasował wiekiem do dwóch moich pozostałych uczniów, którzy byli nastolatkami. Po trzecie, do rozpoczęcia lekcji pozostawały jeszcze trzy tygodnie i miałem pewne plany na ten czas, z których nie zamierzałem rezygnować tylko z powodu tej nagłej propozycji.

Zauważył moje wahanie i nie ukrywał, że jest nim rozczarowany.

— Bardzo mi to leży na sercu — powiedział — aby nadrobić czas, który bezsensownie straciłem. Wiem, że wiek przemawia przeciwko mnie, prawda jednak wygląda tak, że od czasu gdy rzuciłem szkołę, zmarnowałem wiele sposobności i naprawdę, zapewniam, chciałbym wyprostować swoje drogi, zanim będzie za późno. Chcę się przygotować do studiów na jakimś uniwersytecie, jeśli tylko mi się uda; pragnę pokazać, że godzien jestem nosić słynne nazwisko ojca. Pan może mi w tym pomóc, jeśli tylko uda mi się pana do tego przekonać. Bardzo mnie poruszyło pańskie wczorajsze kazanie i jeśli uchodzi czynienie takich bezpośrednich wyznań, zapałałem do pana wielką sympatią. Czy nie zechciałby pan porozmawiać z moim ojcem, zanim powie pan ostateczne „nie"? Jest w stanie wyjaśnić wszystko, co w mojej prośbie może dziwić, i gdyby tylko zechciał pan poświęcić swój czas, ojciec byłby szczęśliwy, mogąc się z panem spotkać jeszcze dzisiejszego popołudnia. Co się tyczy warunków, jestem pewien, że da się je uzgodnić tak, aby był pan zadowolony.

Widać było, że mówi nie tylko z pasją, lecz także szczerze. Niechętnie zgodziłem się na rozmowę z ojcem. Trwała długo, na wszystkie pytania otrzymałem wyczerpujące i uczciwe odpowiedzi.

Młodzieniec prowadził życie beztroskie i rozpustne, teraz jednak był tym zmęczony i zawstydzony. Jego obecna sytuacja przedstawiała się bardzo szczególnie: potrzeba mu było tylko przewodnika, nauczyciela i przyjaciela, któremu mógłby zaufać. Jeśli rozwieję nadzieje, jakie we mnie pokładał, straci całą obecną pasję i znowu popadnie w pozbawioną celów i sensu egzystencję, z której w tej chwili tak się chciał wydobyć. Wszystkie warunki, jakie postawię, zostaną zaakceptowane, bylebym tylko zgodził się przyjąć delikwenta na trzymiesięczny okres próbny.

Ciągle się wahając, zasięgnąłem opinii ojca i przyjaciół.

Wszyscy byli zdania (całkiem zresztą słusznie, jak się okazało), że nadarzała mi się znakomita sposobność. Wszyscy też czynili mi wyrzuty, że kierując się chwilowym impulsem, mogłem zapałać niechęcią do dobrze urodzonego i układnego młodzieńca i że pozwalałem sobie na to, aby takie kaprysy stawały na przeszkodzie moim dobrze pojętym interesom. W takiej sytuacji pozwoliłem się przekonać, aby dać szansę nowemu uczniowi, który nazajutrz był moim współtowarzyszem podróży.

7

Oddając sprawiedliwość osobie, której nie lubiłem, muszę przyznać, że rozpoczęła bardzo dobrze i zrobiła zdecydowanie korzystne wrażenie na moich domownikach.

Zwłaszcza na kobietach pozytywne wrażenie wywarły jego jasne włosy, subtelnie wijąca się broda, delikatna cera, jasnoniebieskie oczy oraz kształtne dłonie i stopy. Nawet jego ostentacyjna rezerwa i najczęściej spuszczony wzrok, które mnie tak źle do niego usposobiły, wzbudziły pośród mojej służby swego rodzaju romantyczny entuzjazm. Ostatecznie pod autorytatywnym kierownictwem pierwszej gospodyni zawyrokowano, że „nowy dżentelmen" jest zakochany, ale jest to miłość nieszczęśliwa, co oderwało go od domu i przyjaciół.

Co do mnie, próbowałem usilnie, acz daremnie pokonać moją pierwszą niechęć do najstarszego ucznia. Niczego nie mogłem mu zarzucić. Był spokojny i zdyscyplinowany, sumiennie oddawał się lekturom, stopniowo jednak zaczynałem podejrzewać, że nie tylko nie ma specjalnego serca do studiów, lecz także na dodatek coś jeszcze przede mną ukrywa — co jest przynajmniej w części odpowiedzialne za jego rezerwę. Bywały momenty, kiedy zastanawiałem się, czy czasem nie wybrał sobie mojego odludzia, aby schronić się przed jakąś osobą tudzież osobami, których się boi.

Chociażby co najmniej dziwny był sposób, w jaki ułożył sobie sprawy korespondencji. Listy do niego przychodziły nie do mojego domu, lecz na pocztę, a on nie tylko sam je odbierał, lecz także nikomu nie pozwolił nadać swojego listu. Po drugie, kiedy wychodziliśmy razem na spacer, więcej niż raz spostrzegłem, jak ogląda się przez ramię — jakby się spodziewał, że ktoś może skradać się za nim w niedobrych zamiarach. Ponieważ sam nie znoszę tajemnic, więc już od razu na początku spróbowałem wyjaśnić tę sprawę, do czego wykorzystałem jeden z ostatnich dni letnich wakacji, gdy lada chwila mieli się zjawić dwaj pozostali uczniowie.

Zasiedliśmy z rana do książek, ale ja na wstępie powiedziałem:

— Proszę wybaczyć, iż podnoszę tę sprawę, ale nie mogłem nie zauważyć, że zdaje się pan czegoś obawiać. Nie chciałbym być niedyskretny, ale czy mógłbym panu w czymś pomóc?

Poczerwieniał, rzucił mi szybkie, ukradkowe spojrzenie, natychmiast znowu spojrzał w książkę, chwilę zmagał się z sobą, ale wreszcie wybuchnął, zaskakując mnie pytaniem:

— Czy naprawdę pan tak myśli, jak mówił podczas tego kazania w Londynie?

— A czy ma pan podstawy w to wątpić?

Znowu milczał przez chwilę, ale kiedy przemówił, było to jeszcze dziwniejsze niż poprzednio.

— Jestem jednym z tych, o których pan mówił w swoim kazaniu. Właśnie dlatego chciałem zostać pańskim uczniem. Niech pan mnie nie odrzuca! Kiedy opowiadał pan o tych, których dręczą i torturują pokusy, to o mnie właśnie chodziło. — To zaskakujące wyznanie zupełnie zbiło mnie z tropu i przez chwilę nie wiedziałem, co powiedzieć. — Proszę mnie nie odrzucać — powtórzył. — Niech pan mi pomoże zwalczyć samego siebie. Mówię panu prawdę, Bóg mi świadkiem, mówię prawdę!

— Proszę mi powiedzieć całą prawdę — rzekłem — a może pan wierzyć, że znajdzie we mnie oparcie, pomoc i przyjaciela. — W zapale chwyciłem go za rękę, ta jednak pozostała nieruchoma i chłodna, co milcząco przypomniało mi, że mam do czynienia z człowiekiem skrytym. — Nie powinno być między nami żadnych tajemnic — ciągnąłem. — Jak sam pan przyznał, dostał się pan do mojego domu pod fałszywym pretekstem. Ma pan w równym stopniu powinność wobec mnie, jak i wobec siebie, by wyjawić wszystko.

Ale rezerwa stanowiła tak istotny składnik jego natury, że znowu zaczynała brać w nim górę. Długo się zastanawiał, co ma powiedzieć.

— Jest pewna osoba, która może zaciążyć na moich przyszłych losach — zaczął powoli, z oczyma wbitymi w książkę. — Ilekroć jestem w jej towarzystwie, czuję straszliwą pokusę i z trudem mogę nad sobą zapanować (jak człowiek, o którym mówił pan w kazaniu). Niech pan mnie nauczy, jak z tym walczyć. Boję się, co się ze mną stanie, kiedy znowu zobaczę tę osobę. Jest pan jedynym człowiekiem, który może mi pomóc. Błagam, niech pan to zrobi, póki jeszcze jest czas. — Urwał i przetarł czoło chusteczką. — Czy to wystarczy? — zapytał, nie patrząc na mnie.

— Nie wystarczy — odpowiedziałem stanowczo. — Tak bardzo nie chce pan otworzyć przede mną serca, że z pańskich słów nie wiem, czy to kobieta, czy mężczyzna może zaciążyć na pańskich przyszłych losach, gdyż mówił pan tylko ogólnikowo o osobie. Jakże mogę pomóc komuś, kto ma do mnie tak mało zaufania?

Widziałem, jak walczy ze sobą. Rzeczywiście starał się, usiłował powiedzieć coś więcej niż dotąd, ale słowa jakby grzęzły mu w gardle i żadnemu nie udało się dotrzeć do ust.

— Proszę, niech mi pan da jeszcze trochę czasu — błagał żałośnie. — Nie mogę tak naraz wszystkiego z siebie wyrzucić. Chcę jak najlepiej, przysięgam, bardzo chcę, ale u mnie musi to potrwać długo. Proszę poczekać do jutra.

Przyszedł dzień następny — i nic się nie zmieniło.

— Jeszcze jeden dzień — prosił. — Sam pan nawet nie wie, jak trudno to powiedzieć. W połowie jestem przerażony, w połowie zawstydzony. Jeszcze dzień.

Dotąd go tylko nie lubiłem. Teraz, choć starałem się, jak mogłem, żeby znaleźć racje dla jego uporczywej skrytości, zacząłem nim po prostu gardzić.

8

Nadszedł dzień odwlekanego wyznania i przyniósł zdarzenie, na które ani on, ani ja nie byliśmy przygotowani. Gdyby nie ono, czy ostatecznie by mi zaufał? Musiał albo to zrobić, albo pożegnać się z zamiarem, który go sprowadził do mojego domu.

Jak zwykle spotkaliśmy się przy śniadaniu. Gospodyni przyniosła mi poranną pocztę. Ku mojemu zaskoczeniu, zamiast wyjść, jak zwykle dotąd czyniła, poszła na drugi koniec stołu i położyła przed mym najstarszym uczniem list: pierwszy, który od czasu jego pobytu u mnie został mu dostarczony bezpośrednio.

Wzdrygnął się, wziął list i przeczytał adres, a wtedy na jego twarzy pojawił się wyraz zduszonej furii, oddech mu przyspieszył, ręka trzymająca kopertę zaczęła dygotać. Na razie się nie odzywałem, gdyż byłem ciekaw, czy otworzy list w mojej obecności.

Bał się to zrobić. Wstał i tak cicho, że ledwie go dosłyszałem, rzekł:

— Proszę mi wybaczyć, muszę wyjść na chwilę — i z tymi słowami opuścił pokój.

Poczekałem pół godziny, potem jeszcze kwadrans, a następnie wysłałem służącego z pytaniem, czy nie zapomniał o śniadaniu.

Po minucie usłyszałem jego kroki w holu. Otworzył drzwi do jadalni i stanął w progu, trzymając w dłoni małą torbę podróżną.

— Proszę o wybaczenie — powiedział, nie wchodząc do pokoju — ale muszę się oddalić na dzień lub dwa. Interesy wzywają mnie do Londynu.

— Mogę w czymś pomóc? — spytałem. — Czy w liście znalazł pan jakieś niedobre wiadomości?

— Tak — skwitował krótko. — Niedobre. Nie mam czasu na śniadanie.

— Proszę jednak chwilę poczekać — nastawałem.

— Na tyle długą, aby mnie pan jednak potraktował jak przyjaciela i powiedział, na czym polega pański problem.

413

Nic nie odrzekł, zamknął drzwi, potem znowu je uchylił, ale tylko odrobinę, tak że nie było go widać.

— Interesy w Londynie — powtórzył, jakby sądził, że jest absolutnie ważne, aby mnie poinformować o charakterze jego eskapady. Drzwi się zamknęły i tyle było widać mojego gościa.

Przeszedłem do gabinetu i zadumałem się nad całą tą sprawą. Postanowiłem, że nie może już być mowy o tym, abym pełnił wobec niego funkcję nauczyciela. W liście do ojca (uprzejmym i pełnym szacunku), który wysłałem jeszcze tego dnia, napomknąłem o przyczynach mojej decyzji. Po pierwsze, niemożliwe okazało się zdobycie zaufania jego syna. Po drugie, dzisiejszego ranka ów nagle i tajemniczo opuścił mój dom, udając się do Londynu, w efekcie czego nie mogę się już poczuwać do jakiejkolwiek za niego odpowiedzialności.

Włożyłem list do torby pocztowej i poczułem się odrobinę lepiej, że jednak go napisałem, ale w tym momencie zjawiła się gospodyni, mając bardzo ponurą twarz i trzymając coś za plecami.

— Czy zechce pan zobaczyć, sir, co znaleźliśmy w sypialni tego dżentelmena, po tym jak wyjechał dziś rano?

Znałem gospodynię na tyle, aby wiedzieć, jak bardzo podatna jest na ową wybaczalną słabość swej płci, której na imię „ciekawość". Na różne też pośrednie sposoby zdążyłem się zorientować, że dziwne zachowanie mojego niewdzięcznego ucznia dodatkowo umocniło podejrzenia pośród żeńskiej części służby, by go uważać za ofiarę nieszczęśliwego uczucia. Czas już było uciąć wszystkie plotki i wszelkie tropienia tego, jaka też mogła być przyczyna jego nagłego wyjazdu.

— Co się tyczy sypialni mojego ucznia — powiedziałem surowo — jedynym, co was tam interesuje, jest utrzymanie porządku i wietrzenie. Natomiast absolutnie sobie nie życzę, aby ktokolwiek grzebał w jego korespondencji i czymkolwiek, co zostawił. To, co znaleźliście, proszę natychmiast odłożyć na miejsce w jego pokoju.

— Czy mam odłożyć na podłogę między łóżkiem a ścianą, sir? — zapytała gospodyni, ironicznie demonstrując, jak ulegle słucha moich poleceń. — Znalazła to dziewczyna, kiedy zamiatała. Każdy, kto ma oczy do patrzenia, widział dobrze — ciągnęła z godnością — że dżentelmen opuszczał nas ze złamanym sercem. A oto, moim zdaniem, latawica, która jest tego przyczyną.

Powiedziawszy to, nisko się skłoniła i na biurku, przy którym siedziałem, położyła małe zdjęcie portretowe.

Spojrzałem na fotografię.

Natychmiast serce zaczęło mi bić jak szalone, w głowie tak mi się zakręciło, że gospodyni, meble, ściany pokoju zakołysały się i zawirowały.

Portret znaleziony w sypialni był podobizną Jéromette!

9

Odprawiłem gospodynię i zostałem sam ze zdjęciem Francuzki na blacie.

Nie mogło być żadnych wątpliwości, co się w ten sposób przede mną odsłoniło. Mężczyzna, który podstępnie wkradł się do mojego domu, wiedziony strachem przed pokusą, której nie śmiał wyznać, oraz mój dawny anonimowy rywal — to jedna i ta sama osoba!

Kiedy doszedłem do siebie na tyle, aby sobie uświadomić tę prostą rzecz, natychmiast nasunęły mi się różne wnioski. Tajemniczą osobą, która stanowiła przeszkodę w przyszłych zamierzeniach mojego podstępnego ucznia, nieznaną postacią, w której towarzystwie opadały go pokusy w nim samym budzące lęk — okazała się właśnie panna Jéromette. Czy chciała mu nałożyć pęta małżeństwa, które sam zaproponował? Czy odkryła, że schronił się w moim domu? Czy zatem dzisiejszy list właśnie od niej pochodził? Jeśli odpowiedzi na te pytania były pozytywne, jakież to „interesy" wezwały go do Londynu? Pamiętałem to, co mi mówił o swoich pokusach, pamiętałem wyraz jego twarzy, kiedy rozpoznał charakter pisma — konkluzja narzucała się sama. Kazałem natychmiast osiodłać konia i pognałem na stację.

Pociąg, który powiózł go do Londynu, przybył do stolicy przed ponad godziną. Jedynym sposobem, aby ukoić okropne przeczucia, które kłębiły mi się w głowie, było wysłanie do Jéromette listu na adres, pod którym widzieliśmy się po raz ostatni. Zapłaciłem z góry za odpowiedź, a oto treść depeszy:

W RAZIE JAKICHKOLWIEK KŁOPOTÓW PROSZĘ TELEGRAFOWAĆ. PRZYBĘDĘ NAJBLIŻSZYM POCIĄGIEM, ALE I TAK PROSZĘ O ODPOWIEDŹ.

Wysłana została bezzwłocznie, ale mijały godziny bez żadnej odpowiedzi. Za radą urzędnika zatelegrafowałem do Londynu, prosząc o wyjaśnienie. Nadeszło szybko, a brzmiało tak:

ULICA W PRZEBUDOWIE. DOMY WYBURZONE. NIE WIADOMO, GDZIE SZUKAĆ ADRESATKI.

Dosiadłem konia i wolno wróciłem do siebie.

„Dzień jego powrotu będzie też początkiem najczarniejszych dni w moim życiu"... „Umrę młodo i tragicznie, ale czy na pewno chce pan tego słuchać?"... „Usłyszy pan o tym". Słowa te nieustannie powracały mi w pamięci, kiedy pod bezchmurnym niebem, w pełnym świetle księżyca wracałem do domu, a rozbrzmiewały tak wyraźnie, że dokładnie słyszałem jej uroczy cudzoziemski akcent i spokojny, czysty ton głosu. Natomiast inne przeżycia tego dnia były dewastujące. Odpowiedź z urzędu pocztowego wpędziła mnie w prawdziwą rozpacz. W głowie czułem zupełną pustkę: ani jednej myśli, ani jednej łzy.

417

Byłem w połowie drogi do domu i usłyszałem właśnie, jak zegar na wioskowym kościele wydzwania dziesiątą, kiedy zdałem sobie sprawę z tego, że w kościach czuję pogłębiający się chłód. Dokoła ciepłe, balsamiczne powietrze lipcowej nocy. Czy to możliwe, żeby w lipcu jakakolwiek żywa (i zdrowa) istota mogła czuć zimno? To oczywiście niemożliwe, a przecież wyraźnie czułem lodowaty uścisk w kościach.

Spojrzałem w górę, rozejrzałem się dokoła.

Koń stąpał po szerokim trakcie. Nigdzie w pobliżu żadnych drzew — ani wody. Po obu stronach rozpościerały się jaśniejące w księżycowym blasku pola. Wstrzymałem konia i raz jeszcze się rozejrzałem.

Tak, teraz nie miałem wątpliwości. Z całą pewnością widziałem wysoką na niespełna dwa metry kolumnę białej mgły, która po lewej stronie drogi posuwała się za mną. Kiedy ja się zatrzymałem, także słup pyłu znieruchomiał.

Był biały jak mgła, którą widziałem nad rzeką, kiedy szedłem do Jéromette, aby pożegnać się z nią na zawsze, zaś chłód, który ciągnął wtedy po moich kościach, teraz pełzał mi po ciele.

Powoli znowu ruszyłem przed siebie i także biała kolumna zaczęła się przesuwać, zaś dokoła nas trwała czysta, jasna noc.

Czułem bardziej bojaźń niż strach. Raz tylko zacząłem się lękać o swe władze umysłowe, a to wtedy, gdy się zorientowałem, że do wtóru wolnemu stukotowi kopyt powtarzam raz za razem: „Jéromette nie żyje. Jéromette nie żyje". Panowałem jednak nad sobą i potrafiłem nakazać milczenie ustom, po czym jechałem w ciszy, a za mną także w ciszy sunął biały tuman.

Przed bramą plebanii czekał na mój powrót stajenny. Pokazałem mijający wraz ze mną ogrodzenie obłok.

— Widzicie coś tutaj? — spytałem.

Odpowiedzią było zdumione spojrzenie.

Wszedłem na plebanię i także gospodynię, która wyszła mi naprzeciw, spytałem:

— Widzicie coś koło mnie?

Kobieta popatrzyła na mnie tak samo jak stajenny.

— Chyba nie czuje się pan dobrze, sir — powiedziała. — Bardzo jest pan blady i cały się trzęsie. Zaraz panu podam lampkę wina.

Poszedłem do swego gabinetu na parterze i usiadłem przy biurku. Fotografia leżała tam, gdzie ją zostawiłem. Obłok okrążył biurko i zatrzymał się naprzeciw mnie; pomiędzy nami leżało zdjęcie.

Gospodyni przyniosła wino. Skosztowałem go i natychmiast odstawiłem. Przesycony chłodem mgły trunek był bez smaku, niczego we mnie nie ożywiał. Krępowała mnie obecność gospodyni, podobnie jak psa, który wśliznął się za nią do pokoju.

— Wychodząc, zabierzcie też ze sobą psa — powiedziałem.

Chwila — i zostałem w pokoju sam.

Wpatrzyłem się w chmurę, która kołysała się przede mną. Z wolna zaczęła się wydłużać, aż wreszcie dotknęła sufitu, coraz bardziej w tym czasie jaśniejąc i promieniejąc. Minęła jeszcze chwila i w centrum światła zaczął się formować jakiś cienisty kształt, który stopniowo nabrał ludzkiej postaci. Z nieziemsko rozjaśnionej mgły spojrzały na mnie czule i melancholijnie jasnobrązowe oczy. Następnie ukazała się reszta twarzy i głowy, do czego dołączył cały tułów aż po stopy. Teraz stała przede mną Jéromette taka, jaką widziałem po raz ostatni: w purpurowej wełnianej sukni, opasana czarnym jedwabnym fartuchem i z białą chustką na szyi. Pokazała się w całej tej swojej subtelnej urodzie, którą tak dobrze zapamiętałem, a patrzyła tak jak wtedy, gdy za chwilę miała mnie pocałować po raz ostatni i zrosić mój policzek łzą.

Osunąłem się na kolana przy biurku i błagalnie wyciągnąłem do niej ręce, mówiąc:

— Przemów do mnie, Jéromette, proszę, przemów raz jeszcze!

Nie spuszczała ze mnie współczującego wzroku. Wyciągnęła rękę, wskazała fotografię na blacie i gestem kazała ją odwrócić. Zrobiłem to, a wtedy ujrzałem wypisane jej ręką nazwisko mężczyzny, który z takim pośpiechem opuścił z rana mój dom.

Odczytawszy je, spojrzałem na nią, a Jéromette uniosła dłoń i dotknęła chusteczki na szyi. Kiedy się w nią wpatrywałem, biały aksamit okrutnie się przebarwił, ciemniejąc i nasycając się krwią.

Jeszcze moment i wizja zaczęła się rozmywać. Postać, twarz, jej rysy — wszystko znowu roztopiło się w dawnej świetlistości, która powoli gasła w słupie mgły, ten zaś — zatoczywszy kilka kół nad podłogą — znikł bez śladu. Przed sobą miałem tylko ściany pokoju i zdjęcie leżące wierzchem do dołu na blacie biurka.

10

Nazajutrz gazety doniosły o wykrytym w Londynie morderstwie. Ofiarą była Francuzka, która zginęła z poderżniętym gardłem. Zbrodnię wykryto poprzedniej nocy pomiędzy godziną dziesiątą a jedenastą.

Wnioski z tej opowieści wyciągnij samodzielnie, ja powiem tylko, że niewzruszenie wierzę w realność zjawy. Powiadam zatem, iż moim zdaniem spełniły się słowa Jéromette: umarła młodo i tragicznie, a ja się o tym dowiedziałem.

Raz jeszcze przeczytaj dokładnie opis procesu i okoliczności ujawnionych w sądzie. Nietrudno tam dojrzeć u mojego tajemniczego gościa motyw, aby ją zamordować.

Wzięli zatem ślub potajemnie, spokojnie żyli razem do fatalnego dnia, gdy odkryła, że inna kobieta zdobyła jego względy, potem dochodziło między nimi do burzliwych kłótni, aż wreszcie moje kazanie, rozważające przypadek innego mężczyzny, odsłoniło mu, jak głęboką żywi do niej nienawiść. Kiedy dowiedziała się o jego schronieniu, wysłała list, w którym ostrzegała, że będzie dochodzić swych małżeńskich praw. Świadkowie widzieli mężczyznę opuszczającego jej mieszkanie w noc morderstwa, ale ich opisy się różniły. Rzecznicy prawa mieli podejrzenia, ale nie mieli pewności — skoro zaś wszystkie niejasności należy tłumaczyć na korzyść oskarżonego, to sędzia miał podstawy do tego, aby go uniewinnić. Ja natomiast jestem bez reszty przekonany o jego winie; wiem, że tylko on mógł zamordować Jéromette. Teraz zaś wiesz, jakie są źródła tak niewzruszonego przekonania.

MARTWA RĘKA

Kiedy obecny wiek dziewiętnasty był jeszcze o wiele młodszy niż teraz, jednemu z moich przyjaciół — nazwiskiem Arthur Holliday — zdarzyło się przyjechać do Doncaster w połowie tygodnia wyścigów, mówiąc inaczej: w połowie września.

Należał do tych lekkomyślnych, gadatliwych młodych dżentelmenów o otwartych sercach i żwawych językach, którzy podróżują przez życie, zawierając przyjaźnie wszędzie, gdzie zdarzy im się przystanąć. Jego ojciec, zamożny przemysłowiec, nabył w jednym z hrabstw w środku kraju majątek na tyle okazały, aby wzbudzić zazdrość wszystkich okolicznych ziemian. Arthur, jego jedyny syn, po śmierci ojca dziedziczący i posiadłość, i znakomity interes, nigdy nie odczuwał braku pieniędzy i niezbyt się o nie troszczył. Plotka mówiła, że w młodości Holliday senior prowadził żywot nader niefrasobliwy, ale w przeciwieństwie do większości rodziców niezbyt się oburzał na wieści, iż jego potomek idzie w ojcowskie ślady. Czy plotka ta była prawdziwa, czy nie — trudno mi jest rozsądzić, gdyż osobiście poznałem starszego z panów Hollidayów, gdy był już posunięty w latach i był dżentelmenem tak spokojnym i szacownym, jak tylko można sobie wyobrazić.

Jak zatem mówię, był wrzesień, gdy Arthur z charakterystyczną dla siebie raptownością postanowił udać się do Doncaster, aby zagrać na wyścigach. Znalazł się w mieście już wieczorem i natychmiast udał się do głównego hotelu, aby zadbać o kolację i nocleg. Co do kolacji — z tą nie było najmniejszych kłopotów i mogła mu zostać podana bezzwłocznie, natomiast na wzmiankę o noclegu w recepcji rozległy się śmiechy. Kiedy w Doncaster nastawał tydzień wyścigowy, nierzadko się zdarzało, iż goście, którzy nie zadbali odpowiednio wcześnie o pokoje, spędzali noc w powozach pod bramą gospody. Jeśli chodzi o uboższych przybyszów, na własne oczy widziałem, jak spali na schodach, nie mogąc znaleźć żadnego zadaszonego schronienia. Chociaż więc Arthur nie był biedakiem, perspektywy noclegu, skoro nie postarał się o niego z wyprzedzeniem, wydawały się bardziej niż mizerne. Spróbował jeszcze dwóch hoteli i dwóch dość podrzędnych oberż, wszędzie z tym samym rezultatem. Nie było żadnych miejsc. Nawet za złote suwereny nie dało się w Doncaster nabyć łóżka w tygodniu wyścigowym.

Dla młodego człowieka z temperamentem Arthura nagłe znalezienie się na ulicy jak jakiś nędzarz-włóczykij, który nigdzie nie może znaleźć przytulnego miejsca, było doświadczeniem zupełnie nowym i ekscytującym. Ze swoją torbą podróżną wędrował od jednego domu noclegowego do drugiego, aż wreszcie znalazł się na obrzeżach miasta.

Tymczasem ostatnie blaski dnia zdążyły już zgasnąć, na zamglonym niebie wynurzył się niepewnie księżyc, wiatr stawał się coraz zimniejszy, a chmury robiły się coraz cięższe, wszystko zatem wskazywało na to, że niebawem zacznie padać.

Wobec takich perspektyw ekscytacja młodego Hollidaya trochę osłabła, a miejsce rozbawienia począł zajmować niepokój, toteż za potencjalnym schronieniem rozglądał się teraz w stanie powoli ewoluującym w kierunku paniki.

Część miasta, w której się obecnie znalazł, była ledwie oświetlona; widział, owszem, sylwetki domów, tyle że robiły się one coraz mniejsze, ale za to bardziej rozkraczone. Przed sobą, na zakręcie drogi zobaczył przyćmiony blask lampy oliwnej, który dzielnie, lecz mało efektywnie przeciwstawiał się gęstniejącej ciemności. Postanowił, że dalej już nie pójdzie, a jeśli okaże się, iż budynek nie przypomina niczego w rodzaju gospody czy zajazdu, zawróci do centrum, aby popytać w hotelach, czy gdzieś nie użyczą mu choćby fotela, aby na nim przedrzemał noc.

Im bliżej był światła, tym wyraźniejsze słyszał głosy, a rychło okazało się, iż lampa świeci nad wejściem na mały dziedziniec, na ścianie zaś jest wymalowana długa ręka, której cielista barwa zdążyła nader wyblaknąć, a która chudym palcem wskazywała napis:

DWA DROZDY

Nie wahając się ani chwili, Arthur wykręcił na podwórzec, aby dowiedzieć się, co Dwa Drozdy mają

427

mu do zaoferowania. Przed drzwiami wejściowymi, po drugiej stronie od ulicy, stało pięciu mężczyzn. Wszyscy słuchali szóstego, lepiej ubranego, który cicho mówił coś, zdało się, bardzo interesującego dla pozostałych.

Z drzwi wychodził właśnie dżentelmen z neseserem w ręku. Najwyraźniej opuszczał to miejsce, gdyż w progu rzucił przez ramię do łysego tłuściocha w brudnym fartuchu:

— Nie, nie, mości gospodarzu, mnie byle drobnostka nie wyprowadzi z równowagi, natomiast stanowczo muszę powiedzieć, że czegoś takiego absolutnie nie ścierpię!

Słysząc te słowa, Arthur Holliday natychmiast pomyślał, że najwyraźniej od oburzonego dżentelmena zażądano za nocleg w Dwóch Drozdach ceny tak gigantycznej, iż ani myślał ją uiścić. Ledwie ten znalazł się na dziedzińcu, Arthur — świadom mile wybrzuszającej się wewnętrznej kieszeni, w której trzymał pieniądze — w lęku, aby ktokolwiek go nie uprzedził, natychmiast podskoczył do właściciela w niechlujnym fartuchu.

— Jeśli macie łóżko do wynajęcia, a dżentelmen, który właśnie stąd wyszedł, nie chce wam płacić, ja to zrobię.

Gospodarz wpatrzył się badawczo w Arthura.

— Jest pan pewien, sir?

— Niech pan tylko powie ile — żwawo odparł młody Holliday, sądząc, iż mężczyzna szacuje, ile może od niego wydębić. — Niech pan tylko powie ile, a ja od ręki panu zapłacę.

— A co pan powie, sir, na pięć szylingów? — spytał oberżysta, trąc podbródek i spoglądając w posępnie zachmurzone niebo.

Arthur mało nie parsknął śmiechem, pomyślał jednak, że roztropniej będzie zapanować nad sobą, i z całą powagą podał mężczyźnie pięć szylingów. Ten już wyciągał rękę, ale raptownie schował ją za siebie.

— Bardzo pan jest hojny i rzetelny, sir, w takim jednak razie i ja muszę zachować się podobnie. Tak, może pan dostać samodzielne łóżko za pięć szylingów, ale pokój będzie musiał pan dzielić. Czy mnie pan dobrze rozumie, młody dżentelmenie?

— Oczywiście — żachnął się Arthur z niejaką irytacją. — Chodzi wam o to, iż macie pokój z dwoma łóżkami i jedno wcześniej zostało zajęte, tak?

Gospodarz kiwnął głową i mocniej jeszcze potarł podbródek, Arthur zaś zawahał się, a nawet cofnął dwa kroki w kierunku drzwi, gdyż nagle przestała mu się podobać perspektywa, że całą noc spędzi w towarzystwie jakiejś zupełnie mu nieznanej osoby. Pomyślał, że w tej sytuacji lepiej może będzie zachować pięć szylingów i spróbować rozwiązania, które wcześniej przyszło mu go głowy.

— To jak, sir, tak czy nie? — zaczepnie rzucił właściciel. — Proszę się szybko zdecydować, bo dzisiaj wielu ludzi rozgląda się w Doncaster za łóżkiem.

Arthur zerknął w kierunku wejścia, skąd docho-
dził teraz odgłos rzęsistej ulewy. Zanim zdecyduje
się porzucić Dwa Drozdy, musi jednak uzyskać jakieś
wyjaśnienia.

— Z kimże takim mam dzielić pokój? — zapytał.

— Czy to dżentelmen? Osoba spokojna i mająca odpowiednie maniery?

— Ze świecą szukać spokojniejszej osoby, sir —
odrzekł gospodarz, który teraz z kolei począł za-
cierać ręce. — Trzeźwy jak sędzia, a tak regularny
w swoich zwyczajach jak zegarek. Niecałe dziesięć
minut temu wybiła dziewiąta, a on już w łóżku. Nie
wiem, czy dla pana to spokojny człowiek, bo po mojemu jak najbardziej.

— Myślicie, że już śpi? — zapytał Arthur.

— Wiem, że śpi, sir. I co więcej, zasnął tak głęboko, że pańskie przybycie nie wyrwie go ze snu. Tak,
tak, proszę, sir — rzucił właściciel ponad ramieniem
Arthura, najwyraźniej zwracając się do jakiegoś nowo przybyłego.

— Zatem dobrze — natychmiast powiedział Holliday, gdyż znowu przestraszył się, że ktoś może go
uprzedzić. — Macie tu swoje pięć szylingów.

Tamten kiwnął głową, schował pieniądze do kieszeni w kamizelce i zapalił świecę, po czym krokiem
dziwnie żwawym jak na takiego tłuściocha ruszył
w kierunku schodów, mówiąc:

— Proszę za mną, sir, obejrzy pan pokój. — Wspięli się na drugie piętro, tam zaś właściciel Dwóch

Drozdów uchylił drzwi do jednego z pokojów, ale zatrzymał się i obrócił do Arthura. — To uczciwy układ, sir — zapewnił. — Pan mi dał pięć szylingów, a ja panu w zamian daję czyste, wygodne łóżko i z góry gwarantuję, że pański współlokator nie będzie pana budził ani niepokoił w nocy w żaden inny sposób.

Raz jeszcze twardo spojrzał młodzieńcowi w oczy, po czym wprowadził go do pokoju.

Ten był większy i czystszy, niż Arthur się spodziewał. Oba łóżka stały równolegle do siebie, odległe o jakieś dwa metry. Były tej samej średniej wielkości i miały białe kotary, którymi w razie potrzeby można je było całkowicie otoczyć.

Zajęte okazało się łóżko bliższe okna. Zasłony były zaciągnięte i tylko jedna, od wewnętrznej strony, tak się zaczepiła, że wyglądała spod niej męska stopa. Arthur wziął świecę i cicho postąpił, aby poprawić zasłonę, zatrzymał się jednak w pół drogi, nadstawił ucha, po czym obrócił się do gospodarza.

— Bardzo cicho śpi — zauważył.

— Nadzwyczaj cicho — zgodził się właściciel.

Arthur podszedł jeszcze bliżej, odsunął kotarę i przyjrzał się leżącemu.

— Bardzo też jest blady.

— Istotnie, nad podziw blady — przytaknął gospodarz.

Arthur wpatrywał się dalej i teraz jego uwagę przykuło to, jak schludnie spoczywa prześcieradło pod brodą śpiącego, nachylił się więc i pełen niejasnego niepokoju zlustrował uważnie twarz: szare, rozchylone, nieruchome wargi, zastygła pierś — to przecież... Gwałtownie odwrócił się do właściciela, blady na twarzy nie mniej niż współlokator.

— Podejdźcie no tutaj — szepnął, gwałtownie kiwając ręką. — Chodźcie, na miłość boską! On wcale nie śpi, on nie żyje!

— Cóż, zorientował się pan prędzej, niż przypuszczałem — padła stoicka odpowiedź. — Fakt, nie żyje, i to już od piątej godziny.

— Ale jak, czemu? I kto to taki? — gorączkował się Arthur, poruszony spokojem rozmówcy.

— Kto to taki, wiem nie więcej od pana — odparł gospodarz. — Wszystkie jego książki, papiery i listy czekają tu w brązowej kopercie na koronera, który się jutro, najpóźniej pojutrze zjawi. Człowiek ów mieszkał tu tydzień, nie było żadnych kłopotów z płaceniem, ale mało się ruszał, jakby mu coś dolegało. Dziewczyna o piątej zaniosła mu herbatę, ten zaczął ją sobie nalewać, aż tu nagle jak nie padnie, jakby mu serce stanęło albo strzeliło coś w mózgu, zresztą na mój rozum może się zdarzyć i jedno, i drugie. Na nic się zdało nasze ratowanie — trup, mówię. Na nic też się zdało doktorskie ratowanie — trup, mówi lekarz. No więc mam tu trupa, ale teraz czekać trza na koronera. Tyle wiem i ani odrobiny więcej.

Arthur przystawił świecę do ust mężczyzny, ale płomień nie zachybotał się ani odrobinę. Nastała chwila ciszy, którą urozmaicał tylko deszcz bębniący o szyby.

— Jak już pan nie ma żadnych więcej pytań, sir — odezwał się właściciel — to ja sobie pójdę. Rozumiem, że nie oczekuje pan, iż mu zwrócę pięć szylingów, hę? Jak obiecałem: łóżko czyste i wygodne. Jak obiecałem: współlokator, który nie zakłóci panu spoczynku, bo i on spoczął już na wieki. Jeśli boi się pan spać w jego towarzystwie, ośmielę się zauważyć, że to już nie moja sprawa. A skoro dotrzymałem swojej części umowy, to sprawiedliwie należy mi się pięć szylingów. Nie jestem ja z Yorkshire, sir, ale dość się tu namieszkałem, żeby nabrać sprytu, a wcale bym się nie zdziwił, gdyby i pan coś na dzisiejszym zdarzeniu skorzystał, jakby pan miał jeszcze kiedyś trafić w nasze strony.

Gospodarz odwrócił się ku drzwiom, lekko się uśmiechając pod nosem, gdyż rad był ze swojej bystrości.

Arthur był wprawdzie zaskoczony i zaszokowany, na tyle się już jednak otrząsnął, aby poczuć urazę z powodu fortelu, na jaki został nabrany.

— Nie śmiejcie się tak ochoczo — rzekł — gdyż jak mawiają, ten się śmieje, kto się śmieje ostatni. Tak czy siak, łóżko biorę i zatrzymam aż do rana, żeby na darmo nie wyrzucać pięciu szylingów.

— Miło mi to słyszeć — orzekł oberżysta — życzę więc panu dobrej nocy, sir.

Po tym zwięzłym pożegnaniu opuścił pokój, zamykając drzwi za sobą.

Dobrej nocy! Ledwie padły te słowa, ledwie drzwi się zamknęły za tym, który je wypowiedział, a już Arthur pożałował swojej decyzji. Wprawdzie nie miał natury nadwrażliwej, nie brakło mu też odwagi ani cywilnej, ani cielesnej, niemniej gdy tylko znalazł się w pokoju sam, obecność nieżywego człowieka sprawiła, że natychmiast zrobiło się mroźno. A on z taką pewnością siebie oznajmił, że pozostanie tu aż do następnego dnia! Dojrzalszy mężczyzna nie bardzo by się przejął swymi słowami i z ich tylko powodu nie stłamsiłby głosu zdrowego rozsądku, Arthur jednak był za młody na to, aby znieść śmieszność, nawet w oczach osób niżej od niego stojących, zbyt młody, aby znieść myśl o wycofaniu się z niewczesnych przechwałek — prędzej już wolał spędzić długą noc sam na sam ze zwłokami.

„To w końcu raptem kilka godzin — przekonywał w myślach sam siebie — a jak tylko za oknami wstanie świt, natychmiast się stąd wynoszę!".

Mimo woli zerknął ku zajętemu łożu i znowu jego uwagę przyciągnął sztywny wzgórek prześcieradła w miejscu, w którym sterczały stopy zmarłego. Zbliżył się i zaciągnął kotary, starając się nie spoglądać na twarz umarłego, aby czasem w umyśle mu nie pozostał jakiś upiorny obraz. Zrobiwszy swoje, westchnął ciężko, zupełnie jakby chodziło o jakiegoś znajomego.

— Nieszczęśnik! To mu się dopiero przytrafiło!

Podszedł teraz do okna, noc jednak była tak ciemna, że nic na zewnątrz nie zobaczył. Deszcz nieprzerwanie dudnił o szyby i ramy okienne, z czego domyślił się, że jest w tylnej części budynku, gdyż przód bardziej był chroniony od deszczu przez drzewa rosnące wzdłuż ulicy.

Kiedy Arthur stał tak sobie przy oknie — nawet bowiem deszcz niósł pewną ulgę, gdyż nie tylko był dźwięczny, lecz także ruchomy, w konsekwencji więc bardziej kojarzył się ze wszystkim, co żywe i aktywne, niż martwe i pasywne — kiedy więc stał tak sobie przy oknie, usłyszał w nocnej czerni, jak gdzieś daleko kościelny zegar wydzwania dziesiątą. Dopiero dziesiąta! Jakże ma przetrwać czas do chwili, gdy nazajutrz cały dom znowu stanie na nogi?

W innej sytuacji zszedłby na dół do jadalni, zamówiłby grog, a rozweselony przezeń, rozmawiałby ze zgromadzonymi tak serdecznie, jakby ich znał od dzieciństwa. Teraz jednak sama myśl o takim spędzeniu czasu wydała mu się obrzydliwa. Miał wrażenie, że jego nowe położenie, chociaż nie trwało jeszcze długo, już go dogłębnie zmieniło. Aż do tego dnia życie trawił na błahostkach, jak to się dzieje z zamożnymi młodzieńcami, niemającymi specjalnych trudności do pokonania ani wyzwań, którym musieliby sprostać. Nie utracił żadnej z osób, które kochał, nie porzucił go żaden przyjaciel, którego cenił. Aż do tej nocy wspólny nam wszystkim niepokój o naszą śmiertelność spoczywał uśpiony w Arthurze, który nigdy dotąd, nawet w myślach, nie zetknął się ze śmiercią.

Przeszedł się kilka razy po pokoju — i przystanął. Odgłos kroków na wyłożonej bardzo cienkim dywanem podłodze był jakiś niepokojący. Chwilę się wahał, potem zdjął buty i podjął spacer, teraz już bezszelestny.

Opuściła go wszelka senność, a nawet chęć odpoczynku. Sama myśl o tym, aby się położyć na niezajętym łóżku, natychmiast obudziła w nim obraz pozycji, w jakiej leżały zwłoki. Kto to był? Jak przebiegła historia jego życia? Pewnie był biedakiem, inaczej bowiem nie zatrzymałby się w takim miejscu jak Dwa Drozdy, najpewniej też słabował, w przeciwnym bowiem wypadku nie zachowywałby się tak, jak to opisał właściciel. Biedny, chory i samotny: zmarł w obcym miejscu, gdzie pożałować go mógł jedynie obcy człowiek. Smutna historia, a nawet bardzo smutna, gdy ją tylko z zewnątrz oceniać.

Tak rozmyślając, Arthur zatrzymał się przy oknie, obok którego znajdowały się nogi otoczonego kotarami łoża. Zrazu wpatrywał się w nie bezmyślnie, potem zdał sobie sprawę z tego, na czym zatrzymał wzrok, a potem wzbierało w nim pragnienie, aby zrobić to, czego postanowił nie czynić: obejrzeć zmarłego.

Wyciągnął rękę ku kotarom, ale kiedy zdał sobie z tego sprawę, natychmiast odwrócił się plecami do łóżka i podszedł do kominka, aby obejrzeć stojące na nim rzeczy, miał bowiem nadzieję, że w ten sposób przestanie myśleć o trupie.

Był tam cynowy stojak na pióro i kałamarz — dało

się w nim dostrzec zeschłe resztki atramentu, były dwie tandetne ozdoby chińskie, także duża prostokątna kartka, na której różnymi kolorami i pod różnymi kątami wypisano pikantne zagadki. Wziął ją i aby przeczytać, usiadł przy stole, na którym stała świeca, pamiętając zarazem, aby plecami obrócić się do zmarłego. Nim zabrał się do lektury, jego uwagę odwrócił kościelny zegar.

Jedenasta.

Spędził godzinę w jednym pokoju z nieboszczykiem.

Powrócił do kartki. Niełatwo było ją czytać w słabym świetle zostawionej mu przez gospodarza łojowej świecy. Jak dotąd w ogóle o niej nie myślał i nie pamiętał o przycinaniu knota, który stał się dłuższy od płomienia i z którego od czasu do czasu odpadały płaty zwęglonej bawełny. Sięgnął po dostarczoną wraz ze świecą parę starodawnych nożyc, przyciął knot, a światło natychmiast pojaśniało i w pokoju zrobiło się mniej ponuro.

Znowu wziął się do zagadek, odczytując je to od jednego rogu, to od drugiego, na przekór jednak usiłowaniom — nie potrafił się skupić. Lekturę odbywał mechanicznie, właściwie nie zwracając uwagi na to, co czyta. Można by powiedzieć, że pomiędzy niego a swawolne litery wsunął się cień rzucany przez łoże, a niedający się rozproszyć. Wreszcie poddał się, niecierpliwie odrzucił kartkę i znowu zaczął boso przechadzać się po pokoju.

Zmarły człowiek, zmarły ukryty na łóżku!

Ta właśnie kwestia nie dawała mu w tej chwili spokoju. Ukryty! Czy sprawa polega na tym tylko, że leżą tutaj zwłoki, czy też na tym, że zwłoki zostały ukryte? Raz jeszcze przystanął przy oknie, wsłuchując się w bębniący deszcz i wpatrując w nieprzenikniony mrok.

Tak czy owak, jest nieżywy!

Ciemność jakby napierała na jego umysł i ożywiała wspomnienia widoku ciała, które niezależnie od swej krótkotrwałości teraz stawały mu w oczach jak żywe. Nie przyszło mu długo czekać, a twarz (ta twarz!) zawisła, zdało się, w mroku i deszczu, zza okna spoglądając na Arthura, zaś okropna biała linia między niedomkniętymi powiekami stawała się szersza, wargi coraz bardziej oddalały się od siebie, całe oblicze wyraźniało i zbliżało się, aż wreszcie — powiedziałbyś — wypełniło okno, uciszyło deszcz i odgrodziło noc.

Z zapatrzenia wyrwał go nagle głos na dole. Wołał gospodarz:

— Zamykaj o dwunastej, Ben. Ja już kładę się spać!

Arthur otarł mokre czoło, przez krótką chwilę zastanawiał się, a potem uznał, że jedynym sposobem na odegnanie od siebie natarczywego widma będzie zmierzenie się choćby tylko na chwilkę z ponurą rzeczywistością. Teraz nie pozwolił już sobie nawet na moment wahania, lecz rozgarnął zasłony w nogach łóżka i śmiało spojrzał.

Spojrzał na posępną, spokojną, białą twarz, która przeniknięta tajemniczą nieruchomością, spoczywała na poduszce. Żadnego ruchu, najmniejszego drgnięcia!

Patrzył tylko chwilę i zaraz opuścił kotary, ale wystarczył ten moment, żeby mu przywrócić spokój duszy i ciała. Powrócił do bezgłośnego krążenia, które kontynuował, aż zegar znowu wybił godzinę.

Dwunasta!

Kiedy wybrzmiał głos zegara, z dołu doleciał stłumiony hałas wychodzących klientów baru. Następnie, po niejakiej ciszy rozległ się dźwięk ryglowanych drzwi i zamykanych okiennic. A potem zaległo niczym już niezakłócane milczenie.

Arthur był teraz absolutnie, beznadziejnie sam w pokoju z nieżyjącym człowiekiem — i to aż do rana.

Knot świecy znowu domagał się przycięcia. Sięgnął po nożyce, ale właśnie kiedy już miał ich użyć, znieruchomiał, przyjrzał się świecy, zerknął za siebie i znowu popatrzył na świecę. Zapalono ją, kiedy gospodarz chciał go poprowadzić po schodach na górę, a teraz została już z niej najwyżej jedna czwarta. Jeszcze godzina i wypali się do reszty. Za godzinę, jeśli natychmiast nie zażąda od człowieka, który zamknął już oberżę, nowej świecy, znajdzie się w ciemności.

Wrażenie było silne, niemniej od chwili gdy wszedł do pokoju, ciągle jeszcze władał nim nierozsądny strach przed śmiesznością i narażeniem swej odwagi na wątpliwości. Dlatego niepewnie zastygł przy stole, czekając na chwilę, kiedy będzie już mógł się zdobyć na podejście do drzwi i zawołanie na górę służącego. Przy obecnym stanie umysłu Arthura swego rodzaju ulgę sprawiała mu możliwość zajęcia się przez chwilę czymś równie banalnym jak przycinanie knota. Ręce odrobinę mu się trzęsły, nożyce były ciężkie i nieporęczne. Kiedy zamknął ich ostrza, zrobił to odrobinę za nisko, w efekcie czego świeca zgasła, a pokój pogrążył się w ciemności.

Pierwszym wrażeniem, jaki spowodował brak światła, była głęboka nieufność wobec zasłoniętego łoża, która nie nabrała wprawdzie żadnego konkretnego kształtu, lecz była dostatecznie potężna, aby wgnieść go w krzesło, gwałtownie przyspieszyć bicie serca i kazać mu usilnie nasłuchiwać. Nic jednak nie dało się posłyszeć z wyjątkiem łoskotu deszczu — teraz nawet głośniejszego i ostrzejszego niż przedtem.

Nieokreślona trwoga sparaliżowała go na krześle. Kiedy wszedł do pokoju, torbę podróżną postawił na stole — teraz zaś wyjął z kieszeni kluczyk, ostrożnie wyciągnął rękę, otworzył i wymacał podręczny neseserek z przyborami do pisania, w którym, pamiętał, miał zapasową paczkę zapałek. Wyjął jedną, ale zanim potarł ją o blat stołu, nasłuchiwał nie wiedzieć czego. Wszędzie jednak tylko cisza, jeśli nie liczyć ustawicznego chlupotu deszczu.

Zapalił świeczkę i znowu chwilę odczekał, a kiedy

płomień wystrzelił w górę, pierwszym przedmiotem, który zobaczył, było nieszczęsne łóżko. Na moment przed zgaśnięciem światła obrzucił je spojrzeniem i nie widział żadnej zmiany w układzie kotar, teraz jednak zobaczył zwieszającą się długą białą dłoń.

Była całkowicie nieruchoma, na połowie długości łóżka, tam gdzie spotykały się obie kotary. Poza tym zasłony ukrawały wszystko — z wyjątkiem owej długiej białej ręki.

Nie wiadomo kiedy musiał się zerwać, gdyż teraz stał niezdolny wykonać jakikolwiek ruch, niezdolny zawołać, niezdolny pomyśleć czegokolwiek klarownie. Wszystkie jego władze zlały się w osłupiałe patrzenie. Potem zupełnie nie był w stanie ocenić, ile trwał ten atak paniki. Może tylko chwilę, może wiele minut. Jak dotarł do łóżka — czy podbiegł, czy się podkradł — jak udało mu się zmusić, by odsłonić kotary i zajrzeć do środka, tego nie pamiętał i z pewnością już sobie nie przypomni aż do końca swoich dni. Niech wystarczy tyle, że znalazł się przy łóżku i zajrzał za kotary.

Mężczyzna się poruszył. Jedno ramię wydostało się spod prześcieradła, twarz odrobinę się przekręciła na poduszce, powieki były szeroko otwarte. Poza tym twarz zdawała się zatrważająco niezmieniona, nadal nieruchoma i pociągnięta śmiertelną bladością.

Wszystko to Arthur zobaczył w mgnieniu oka, po czym jednym skokiem dopadł drzwi i rozgłośnym krzykiem zaalarmował cały dom.

Pierwszy na schodach pojawił się Ben. Arthur w trzech słowach wyjaśnił mu sytuację i posłał po najbliższego doktora. Ja, który opowiadam wam tę historię, opiekowałem się wówczas pacjentami mojego przyjaciela lekarza, który praktykował w Doncaster, ale musiał wyjechać do Londynu, i byłem w tym momencie najbliższym Dwóch Drozdów medykiem. Posłano po mnie z oberży, kiedy służąca znalazła gościa bez żadnych oznak życia, lecz akurat nie było mnie wtedy w domu. Kiedy przybiegł Ben, miałem właśnie kłaść się do łóżka. Nie uwierzyłem, rzecz jasna, zadyszanym słowom o „trupie, który ożył", niemniej chwyciłem kapelusz oraz podręczną torbę z najpotrzebniejszymi medykamentami, sądząc, iż znajdę na miejscu pacjenta z jakimś chwilowym atakiem.

Moje zdumienie, kiedy stwierdziłem, że miał istotnie rację, daje się porównać tylko z zaskoczeniem, gdy w rzeczonej sypialni stanąłem twarzą w twarz z Arthurem Hollidayem. Nie czas był jednak na wyjaśnienia, wymieniliśmy pospieszny uścisk rąk, po czym wszystkich z wyjątkiem Arthura wyprosiłem z pokoju.

Ogień pod kuchnią wygasł niedawno, w bojlerze było jeszcze zatem pod dostatkiem ciepłej wody. Kazałem dać sobie szmaty do nacierania i za ich pomocą, a także medykamentów oraz przy udziale Arthura, posłusznie wykonującego moje polecenia, udało mi się wyciągnąć nieszczęśnika z pazurów śmierci. Nie minęła godzina od chwili, kiedy mnie wezwano, a był już na tyle ożywiony, aby na łożu, na którym go złożono, gdy koroner miał wydać swoją opinię, mógł nam opowiedzieć, co się właściwie stało.

Zapytacie bez wątpienia, co też takiego się przydarzyło delikwentowi, a ja mógłbym udzielić odpowiedzi upstrzonej fachowymi, a dla laików medycznych niezrozumiałymi terminami, aczkolwiek banalna prawda brzmi tak, iż żadna z istniejących dziś teorii nie byłaby w stanie w sposób satysfakcjonujący powiązać przyczyny ze skutkiem. Istnieją tajemnice życia, których współczesna nauka jeszcze nie zgłębiła, a ja nie zamierzam ukrywać tego, iż wskrzeszając owego człowieka, właściwie poruszałem się w mroku, tyle że miałem na podorędziu utarte, potwierdzone doświadczeniem pokoleń sposoby. Czasami one skutkują, czasami nie — teraz się udało, niemniej wszystko, co mogę powiedzieć w charakterze wyjaśnienia, brzmi następująco. Z raportu sporządzonego przez przybyłego lekarza wynika, iż machina życia się zatrzymała, na ile pozwalają o tym wyrokować świadectwa naszych zmysłów. Skoro jednak udało mi się tego osobnika przywrócić do życia, jego najgłębsza istota nie mogła zostać całkowicie stłumiona. Dodać do tego mogę tyle, że od dawna cierpiał na skomplikowaną chorobę, a jego system nerwowy był całkowicie rozregulowany, ale to już wszystko, co jestem w stanie powiedzieć o medycznej stronie zmartwychwstania w zajeździe Dwa Drozdy.

Kiedy delikwent, jak to się mówi, „doszedł już do

siebie", mogliśmy — ja i Arthur — przyjrzeć się jego wymizerowanej twarzy, zapadłym policzkom, czarnym oczom o dzikim spojrzeniu i długim czarnym włosom. Pierwsze pytania, z którymi się do mnie zwrócił, kazały mi podejrzewać, że mam do czynienia z kolegą po fachu. Dałem natychmiast wyraz temu przypuszczeniu, a on je potwierdził.

Jak się okazało, przyjechał z Paryża, gdzie w jednym ze szpitali poznał elementaria wiedzy medycznej. Chciał kontynuować swe studia w Edynburgu, ledwie jednak stanął w Anglii, poczuł się bardzo niedobrze i zatrzymał się w Doncaster, aby odpocząć i wydobrzeć. Nawet słowem nie zająknął się o tym, kim jest, a ja w tej sytuacji, naturalnie, nie nastawałem; kiedy zaś skończył, jedynie spytałem o to, jakiej gałęzi medycyny chciałby się poświęcić.

— Każdej — odrzekł z goryczą — byle tylko zapewniła biedakowi kawałek chleba.

Arthur, który dotychczas w milczeniu jedynie przysłuchiwał się naszej wymianie zdań, z nieoczekiwanym entuzjazmem włączył się do rozmowy.

— Drogi przyjacielu! — zawołał, a trzeba dodać, że z wielkim upodobaniem zwracał się tak do najróżniejszych osób. — Teraz, gdy pan powrócił do życia, niechże się pan nie poddaje małodusznemu przygnębieniu, gdyż mogę przyrzec, iż nawet jeśli mnie nie uda się udzielić panu istotnej pomocy na umyślonej przez pana drodze życiowej, z pewnością zrobi to mój ojciec.

Tamten wpatrzył się uważnie w Arthura.

— Dziękuję — powiedział z chłodną rezerwą — ale czy wolno zapytać, kim jest pana ojciec?

— O, jest dobrze znany nie tylko w tej części kraju. Jest wielkim przemysłowcem, a nazywa się Holliday.

Trzeba trafu, że przez cały ten czas nie wypuściłem z ręki przegubu młodzieńca i dzięki temu mogłem stwierdzić, że na dźwięk tego nazwiska jego puls wskazał na znaczne podenerwowanie.

— Czy można wiedzieć, jak pan się tu znalazł? — zapytał z wielkim przyjęciem w głosie.

Arthur w zwięzłych słowach poinformował, jak trafił do Dwóch Drozdów i do tego konkretnego pokoju.

— Zatem za pomoc, która uratowała mi życie, wdzięczność winien jestem synowi pana Hollidaya — mruknął do siebie student medycyny z osobliwym sarkazmem w głosie. — Niechże pan się zbliży.

Mówiąc to, wyciągnął swą szczupłą, białą, kościstą prawicę, którą Arthur z zapałem chwycił w swe dłonie.

— Z tym większą radością — zawołał — uchwycę pańską dłoń, że, muszę wyznać, z pańskiej przyczyny mało nie dostałem bzika.

Tamten zdawał się nie słyszeć tych słów — z tak wielką uwagą wpatrywał się w twarz Arthura, mocno trzymając jego rękę w uścisku. Także i Arthur odpowiedział spojrzeniem nie mniej usilnym, zaskoczyło go bowiem dziwne zachowanie niedoszłego nieboszczyka. Ja z kolei, przyglądający się im z boku, byłem zaskoczony podobieństwem: nie rysów twarzy, lecz ich wyrazu. Musiało być ono niebagatelne, skoro spostrzegłem je ja — osoba mająca niejakie trudności w rozpoznawaniu ludzkich twarzy i podobieństw między nimi.

— A zatem uratował mi pan życie — z wolna powiedział nieznajomy — i nawet gdyby był pan moim bratem, nie mógłby pan więcej dla mnie uczynić.

Owe dwa słowa — „moim bratem" — wymówił ze szczególnym naciskiem, a jednocześnie jego oblicze zmieniło się w sposób, którego mój język nie jest w stanie opisać.

— Mam nadzieję, że nie jest to ostatnia moja przysługa dla pana — rzekł z ożywieniem Arthur. — Jak tylko zobaczę ojca, natychmiast z nim o panu porozmawiam.

— Wnioskuję z pańskich słów, że kocha pan ojca i jest z niego dumny — powiedział student medycyny. — Czy mylnie przypuszczam, że i on się tak do pana odnosi?

— Oczywiście — odparł Arthur ze śmiechem. — Jest wszak moim ojcem; czyż pański... — W tym momencie nieznajomy wypuścił rękę Arthura i gwałtownie odwrócił twarz. — Najmocniej przepraszam, wydaje się, że niechcący pana dotknąłem. Czyżby stracił pan ojca?

Reakcja studenta medycyny była zdumiewająca, gdyż najpierw wybuchł szyderczym śmiechem, a potem rzekł:

— Trudno utracić coś, czego się nigdy nie posiadało.

— Nie posiadało... — powtórzył stropiony Arthur, a wtedy nieznajomy ponownie chwycił go za rękę, przyciągnął ku sobie i kontynuował, bacznie wpatrując mu się w twarz. — Tak, przywrócił pan światu nędzarza, który nic nie ma tu do zrobienia. Wygląda pan na zdumionego, hę? Cóż, mam taki kaprys, aby wyjawić panu to, z czym ludzie najczęściej się kryją. Nie mam nazwiska ani ojca. Wielkoduszne społeczeństwo ustami swego prawa powiada, że jestem Niczyim synem. Niechże pan łaskaw będzie spytać swego rodziciela, czy zechce być także moim ojcem i pozwoli mi iść przez życie pod jego nazwiskiem.

Arthur spojrzał na mnie skonsternowany.

Dałem mu znak, by się nie odzywał, a sam ponownie zbadałem puls mężczyzny. Nie! Pomimo swej zdumiewającej mowy wcale nie przestawał tracić świadomości, jak przypuszczałem. Rytm krwi był powolny i spokojny, skóra wilgotna i chłodna. Żadnych objawów gorączki czy podniecenia.

Nie doczekawszy się odpowiedzi od żadnego z nas, zwrócił się do mnie i zaczął mówić o niezwykłym charakterze jego przypadku, wypytując też o to, jakiej dalszej terapii powinien się poddać. Odparłem, iż rzecz wymaga pewnego namysłu i dokładną receptę dostarczę mu później. Powiedział, abym to zrobił natychmiast, gdyż nazajutrz chciał już opuszczać Doncaster, i to wczesnym rankiem — najpewniej zatem nim jeszcze ja wstanę z łóżka. Na próżno perswadowałem mu, jak nierozsądne i niebezpieczne będzie takie rozwiązanie. Wysłuchał mnie grzecznie i cierpliwie, ale uparcie obstawał przy swoim; nie troszcząc się o żadne dalsze tłumaczenia czy wyjaśnienia, powtarzał, że jeśli istotnie chcę mu wystawić receptę, muszę to zrobić na miejscu i bezzwłocznie.

Słysząc to, Arthur zaoferował się ze swoimi przyborami do pisania. Przyniósł do łóżka swój neseserek i ze zwykłą sobie niefrasobliwością wytrząsnął z niego kartki, wraz z którymi wysunęły się paczuszka plastrów i mały, namalowanymi farbami wodnymi pejzaż.

Student medycyny chwycił go, obejrzał, zerknął na wykaligrafowany dużymi literami podpis, a wtedy drgnął, wyraźnie zadrżał, twarz znowu mu pobladła, a czarne oczy wręcz wpiły się w twarz Arthura.

— Piękny rysunek — powiedział głosem zadziwiająco spokojnym.

— A przez jakże piękną dziewczynę zrobiony — zawołał Arthur. — Przepiękną! Szkoda, że to tylko krajobraz, o wiele bardziej wolałbym jej portret.

— Bardzo gorąco się o niej pan wypowiada.

Arthur na poły żartobliwie, na poły poważnie w odpowiedzi pocałował własną rękę, po czym rzekł, odkładając rysunek na bok:

— Miłość od pierwszego wejrzenia, tyle że sprawy nie potoczyły się gładko ani pomyślnie. Cóż, jak to często bywa, okazało się, że osoba ta jest już zajęta, rzecz jednak w tym, iż pospiesznie zaręczyła się z pewnym biedakiem, który nigdy nie będzie miał dość pieniędzy, aby ją poślubić. Na szczęście wiedziałem o tym wcześniej, inaczej pospieszyłbym z oświadczynami, gdy dała mi ten obrazek. Proszę, doktorze, oto pióro, atrament i papier, wszystko do pańskiej dyspozycji.

— Dała panu ten rysunek! Dała go, dała — powtórzył kilkakrotnie nieznajomy, jak gdyby słowo to stało się dlań nagle niezrozumiałe.

Jego twarz wykrzywił grymas, powieki się zacisnęły, a jedna z rąk kurczowo chwyciła prześcieradło. Obawiałem się, że może nastąpić jakiś nawrót złego samopoczucia, i nastawałem na to, aby poniechać rozmowy. Słysząc moje słowa, otworzył znowu oczy, poszukał wzroku Arthura, a znalazłszy go, powiedział wolno i dobitnie:

— Pan ją lubi, ona lubi pana. Tamten biedak, umarłszy, zszedłby panu z drogi. Któż wie, czy tak jak ofiarowała panu obrazek, nie będzie gotowa ofiarować też samej siebie. — Zanim młody Holliday cokolwiek odpowiedział, tamten zwrócił się do mnie i półgłosem rzucił: — Receptę proszę.

Gdy ją wypisałem, dokładnie przeczytał, a potem, ku zaskoczeniu nas obu, życzył nam dobrej nocy. Uważałem, iż lepiej będzie, jeśli z nim posiedzę, ale się nie zgodził, zdecydowanie też odrzucił taką samą propozycję Arthura. Tak zdecydowanie nastawałem na to, że ktoś musi jednak przy nim czuwać, iż niechętnie przystał ostatecznie na to, aby towarzystwa dotrzymał mu jeden z posługaczy oberżysty.

— Dziękuję obu panom — powiedział, gdy wstaliśmy, aby wyjść — ale na odchodnym mam jeszcze jedną prośbę. Nie do pana, doktorze, bo wiem, że obowiązują pana przepisy zawodowej dyskrecji, ale do pana Hollidaya. — Mówiąc to, patrzył tylko na mnie, gdyż od ostatnich słów skierowanych do Arthura więcej już ani razu na niego nie spojrzał. — Usilnie go zatem proszę, aby nikomu, a szczególnie swemu ojcu, nie wspomniał o tym, co się zdarzyło i zostało powiedziane w tym pokoju. Niechże tak głęboko zakopie mnie w swej pamięci, jak w razie śmierci zostałoby zakopane moje ciało. Nie mogę wyjaśnić powodów tej dziwnej prośby, mogę się tylko domagać, aby została spełniona.

Po raz pierwszy nieznajomemu zadrżał głos, głowę oparł na poduszkę i ukrył w niej twarz. Arthur, kompletnie zdetonowany, nieskładnie złożył przyrzecznie, po czym opuściliśmy Dwa Drozdy. Zaprowadziłem Hollidaya do domu mego przyjaciela, w duchu postanawiając wrócić do gospody, aby zobaczyć jeszcze studenta medycyny przed jego wyjazdem.

Jak pomyślałem, tak zrobiłem. Byłem w Dwóch Drozdach o ósmej, celowo nie budząc Arthura, który zmęczony nocnymi wydarzeniami smacznie spał na sofie. Znalazłszy się w swojej sypialni, doszedłem bowiem do wniosku, że jeśli to tylko będzie w mojej mocy, nie powinienem dopuścić do ponownego spotkania gościa z zajazdu i młodego Hollidaya.

Opowiadając wcześniej o Arthurze, napomknąłem o plotkach mówiących o tym, iż jego ojciec w młodości nie żył zbyt przykładnie. Kiedy przed zaśnięciem przypominałem sobie wszystkie szczegóły: jak puls nieznajomego przyspieszył na dźwięk nazwiska Holliday, jak niezwykłe podobieństwo wyrazu znalazłem w twarzy jego i Arthura, z jakim naciskiem powiedział „moim bratem", jak nieoczekiwanie przyznał się do bezimienności, a potem powiązałem to z owymi plotkami — wszystko połączyło się w jeden łańcuch i wyszeptałem: „Najlepiej, aby ci dwaj młodzieńcy nigdy się już nie widzieli na oczy". Z tym przekonaniem zasnąłem, z nim się obudziłem i z nim, jak wspomniałem, samotnie udałem się do Dwóch Drozdów.

Niestety nie udało mi się ponownie zobaczyć mego bezimiennego pacjenta; oddalił się na godzinę przed moim przybyciem.

Jak dotąd opowiedziałem wszystko, co wiem na pewno w związku z człowiekiem, którego przywróciłem do życia w zajeździe w Doncaster. To, co znajdzie się dalej, stanowi w dużej mierze produkt tylko moich przypuszczeń i domniemań, aczkolwiek odwołuję się też do pewnych niewątpliwych faktów.

Po pierwsze, okazało się, że ów osobliwy student medycyny miał całkowitą rację, przypuszczając, że Arthur Holliday poślubi młodą damę, która sprezentowała mu akwarelę. Małżeństwo zostało zawiązane niewiele ponad rok po opowiedzianych tu wydarzeniach.

Młoda para zamieszkała nieopodal miejscowości, w której prowadziłem swoją praktykę lekarską. Byłem obecny na ślubie i z niejakim zdziwieniem stwierdziłem, że Arthur ani przed nim, ani po nim wyraźnie nie chciał ze mną rozmawiać o dawnych zaręczynach swojej połowicy. Wspomniał o nich tylko raz, na osobności, gdy oznajmił mi, że zachowała się w tej sprawie jak najbardziej właściwie i honorowo, a dawne przyrzeczenie zostało uznane za niebyłe przy całkowitej zgodzie jej rodziców. Jak powiedziałem, tematu tego przy żadnej innej okazji nie podjął. Młoda para żyła w spokoju i szczęściu tylko trzy lata. Potem pojawiły się pierwsze symptomy poważnej i stale się pogarszającej dolegliwości pani Holliday. Przez cały czas opiekowałem się nią, a o ile przyjaźniliśmy się, dopóki była zdrowa, o tyle jeszcze bardziej się do siebie zbliżyliśmy podczas jej choroby. W przerwach między atakami bólu prowadziliśmy wiele interesujących rozmów, a efekty jednej z nich streszczę poniżej, wyciągnięcie wniosków pozostawiając już czytelnikom.

Doszło do owej konwersacji na krótko przed śmiercią pani Holliday. Kiedy zaszedłem z normalną wizytą, zastałem gospodynię samą, a po oczach poznałem, że musiała płakać. Na moje pytanie z początku odpowiedziała tylko, że jest w bardzo niedobrym nastroju, potem jednak, krok po kroku, wyznała mi, że przeglądała stare listy, z których nadawcą była zaręczona, zanim poznała Arthura. Spytałem, jak doszło do zerwania zaręczyn, na co odparła, że nie zostały zerwane, lecz wygasły w niesłychanie tajemniczy sposób. Ów narzeczony — „moja pierwsza miłość", jak powiedziała — był tak ubogi, że rychły ślub najzwyczajniej nie wchodził w grę. Chciał, podobnie jak ja, zostać lekarzem; studiować pojechał za granicę. Regularnie ze sobą korespondowali, aż do chwili gdy, jak sądziła, wrócił do Anglii, odtąd bowiem nic już o nim nie słyszała. Ponieważ był człowiekiem bardzo wrażliwym, obawiała się, że niechcący mogła go urazić jakimś uczynkiem czy słowem. Jakikolwiek był tego powód, więcej się do niej nie odezwał; po roku daremnego czekania zdecydowała się wyjść za Arthura. Zapytałem, kiedy urwały się kontakty między nimi; okazało się, iż przestała otrzymywać wiadomości od narzeczonego dokładnie wówczas, gdy wezwano mnie do tajemniczego pacjenta w Dwóch Drozdach.

Umarła dwa tygodnie po tej rozmowie. Czas płynął, Arthur ożenił się ponownie, ostatnio przebywa głównie w Londynie, więc widywałem go bardzo rzadko.

Minęło jeszcze kilka lat i wydarzyło się coś, co ewentualnie może posłużyć jako konkluzja tej opowieści, a co już tylko przez chwilkę zajmie uwagę czytelnika.

Pewnego jesiennego wieczoru, gdy ciągle byłem

jeszcze prowincjonalnym doktorem, siedziałem sam, zadumany nad trudnym przypadkiem, z którym się zetknąłem, gdy ktoś zapukał do drzwi mojego pokoju.

— Proszę — zawołałem, ciekaw, kto też chce się ze mną zobaczyć.

Po króciutkiej zwłoce klamka się poruszyła, a wraz z tym, jak drzwi się otwierały, zobaczyłem długą białą rękę zaciśniętą na niej i napierającą, aby pokonać opór dywanu — tak podłożonego, by drzwi nie wisiały na samych tylko zawiasach. W poszerzającej się szczelinie zobaczyłem twarz, która natychmiast wydała mi się dziwnie znajoma. Tak, nie była mi zupełnie obca, chociaż bez wątpienia dokonała się w niej też poważna zmiana.

Spokojnym, równym głosem przybysz przedstawił się jako „Lorn", zaprezentował swe znakomite, fachowe rekomendacje i zapytał, czy nie przyjąłbym go na asystenta, którego mi właśnie brakło. Zastanowił mnie fakt, że nie zwraca się do mnie jak do obcego i że chociaż ja byłem zdziwiony jego widokiem, to mój widok nie stanowił dla niego żadnego zaskoczenia.

Miałem już na końcu języka słowa, że musieliśmy się kiedyś spotkać, było jednak coś takiego (nie potrafiłbym tego dokładnie określić) w jego słowach i w mojej pamięci, co mnie powstrzymało, a zarazem dziwnie jakoś przyciągało do niego i kazało bez żadnej zwłoki zaaprobować jego propozycję.

Jeszcze tego samego dnia został moim asystentem

i od razu stosunki między nami ułożyły się tak, jak byśmy byli wieloletnimi przyjaciółmi, aczkolwiek przez cały czas pobytu ani słowem nie napomknął o swoim poprzednim życiu, a ja co najwyżej robiłem na ten temat delikatne aluzje, których on jednak nigdy nie podchwycił.

Od dawna podejrzewałem, że mój pacjent z Dwóch Drozdów mógł być rodzonym synem Hollidaya seniora, a także niedoszłym narzeczonym pierwszej żony Arthura, teraz zaś przyszło mi do głowy, iż ze wszystkich ludzi na świecie to właśnie Lorn, gdyby zechciał, mógłby mnie oświecić w tych dwóch kwestiach. Skoro jednak nigdy nie zechciał, toteż i ja pozostałem tylko w mroku podejrzeń.

Nic więcej nie mam do dodania. Mogłem mieć rację w swoich przypuszczeniach, mogłem się w nich mylić; wiem tyle tylko, że ilekroć podczas tej mojej prowincjonalnej praktyki wracałem późno do domu i znajdowałem mojego asystenta śpiącego, to kiedy go budziłem, zdumiewająco przypominał owego nieznajomego z Doncaster, gdy owej pamiętnej nocy wrócił z krainy zmarłych.

DO NIEBA RAZEM Z BRYGIEM!

Muszę złożyć niełatwe wyznanie. Prześladuje mnie duch.

Nawet gdybyście próbowali przez sto lat, i tak byście nie zgadli, co to za duch. Zrazu rozśmieszę was do rozpuku, potem sprawię, że poczujecie dreszcze. Nawiedza mnie duch Świecznika Sypialnianego.

Tak, tak, nie mylicie się, chodzi mi o normalny lichtarz i najnormalniejszą świeczkę, jaką zapala się przy łóżku. Pewnie, że wolałbym ducha bardziej przyjemnego czy mniej banalnego, na przykład ducha jakiejś urodziwej damy, kopalni złota czy srebra, winnej piwnicy, karosza z zaprzęgiem — czegoś takiego czy podobnego. Jest jednak, jak jest; muszę na to przystać i jak najlepiej spożytkować, a was także o nic więcej nie proszę.

Nie jestem specjalnie uczony w tych kwestiach, ale pozwalam sobie mniemać, że tego typu nawiedzanie przez widmo czegokolwiek zaczyna się od wystraszenia nawiedzanego. W każdym razie prześladowanie mnie przez sypialniany świecznik i świeczkę zaczęło się od tego, że sypialniany lichtarz i świeczka mnie przeraziły; przeraziły niemal śmiertelnie i niemal obłędnie. Złożenie takiego wyznania nie jest szczególnie przyjemne, ale może jednak widząc, iż nie braknie mi śmiałości, by to zrobić, łatwiej uwierzycie, że daleko mi do zwykłego tchórza.

Oto zaś szczegóły, na ile potrafię je ubrać w słowa. Majtkiem na statku zostałem, będąc niewiele wyższym od laski, a czas na tyle dobrze spożytkowałem, że w wieku dwudziestu pięciu lat awansowałem na mata.

Wiek ten osiągnąłem w tysiąc osiemset osiemnastym albo dziewiętnastym, kiedy dokładnie — nie jestem pewien. Musicie mi wybaczyć, że pamięć mi nieco szwankuje, jeśli chodzi o daty, nazwiska, liczby, miejsca i tym podobne. Nie lękajcie się, że w czymkolwiek zaszkodzi to opowieści, którą chcę przedstawić; wszystkie szczegóły pamiętam tak dobrze, jakby się wydarzyły przed chwilą, chociaż wcześniejsze przypadki, ale także późniejsze, spoczywają we mgle, która najpewniej nie podniesie się już do końca moich dni.

No i dobrze, w tysiąc osiemset osiemnastym zatem czy dziewiętnastym, kiedy w naszej części świata panował tak tęsknie wypatrywany pokój, wiele było niepokoju na zawsze niespokojnych terenach nazywanych Ameryką Łacińską. Na obszarach dawniej należących do Hiszpanów od jakiegoś już czasu trwały rozruchy, gdyż walczyły one o niepodległość. Wiele krwi się polało w boju starych władz z nowymi; stopniowo jednak te drugie brały górę, co w znacznej mierze było zasługą generała Bolivara — człowieka ogromnie wówczas sławnego, chociaż teraz, zdaje się, wypadł on z ludzkiej pamięci. Anglicy i Irlandczycy mający żołnierską żyłkę, a nieznajdujący nic specjalnego do roboty w domu, werbowali się do niego jako ochotnicy; sporo też znalazło się u nas kupców upatrujących niezły interes w dostawach dla niego. Było to, rzecz jasna, ryzykowne, ale jedna taka wyprawa odbyta z powodzeniem rekompensowała dwie nieudane, a wszędzie w świecie przekonywałem się, że nie ma zysków bez ryzyka.

Trzeba trafu, że i ja, wasz pokorny sługa, miałem jakiś malutki udział w owych amerykańskich zawieruchach.

Byłem wtedy matem na brygu należącym do pewnej działającej w City firmy, która handlowała czym się dało z różnymi zapadłymi, możliwie jak najdalszymi od kraju zakątkami świata, w roku zaś, o którym mówię, wyładowała bryg po brzegi luków przeznaczonym dla generała Bolivara i jego ochotników prochem strzelniczym. Kiedy wypływaliśmy, nikt nic nie wiedział o instrukcjach, prócz kapitana, który nie wydawał się nimi zachwycony. Nie powiem wam, ile mieliśmy beczek prochu ani ile się go w każdej beczce mieściło — niech starczy tyle, iż żadnego innego ładunku nie wieźliśmy. Bryg nazywał się „Dobra Chęć"; dziwna dość nazwa, powiecie może, dla statku pełnego prochu strzelniczego, który miał wspomóc rewolucję. Na co odpowiem, że w tym konkretnym przypadku chodziło o jak najlepsze chęci, co mówię gwoli dowcipu i mam nadzieję, że wynagrodzicie mnie salwą śmiechu.

„Dobra Chęć" była najbardziej zwariowanym statkiem, jaki kiedykolwiek zoczyłem na morzu, bo też i najgorszym pod każdym możliwym względem.

461

Wyporności miała dwieście trzydzieści albo dwieście osiemdziesiąt ton, nie pamiętam, która wielkość jest właściwa, załogi było osiem osób, zdecydowanie mniej, niżby się przydało na brygu, ale za to płacono nam solidnie, co miało równoważyć niebezpieczeństwo wylecenia w powietrze.

Z uwagi na charakter naszego ładunku obowiązywały nas restrykcje dotyczące palenia fajek i latarek, które nikomu się nie podobały, a — jak zwykle bywa w takich przypadkach — kapitan będący autorem tych restrykcji sam do nich się nie stosował. Nikomu z nas, gdy schodziliśmy pod pokład, nie wolno było mieć przy sobie nawet kawałeczka świecy — z wyjątkiem szypra, który śmiało też korzystał ze światła, kiedy kładł się spać lub rozglądał się w swojej kabinie po mapach, co robił z wielkim upodobaniem.

Światło zaś dawała najnormalniejsza świeczka kuchenna stojąca w starym, poobijanym płaskim świeczniku, z którego lakier poodpadał wielkimi płatami, wszędzie odsłaniając cynę. Bardziej odpowiednia dla wilka morskiego wydałaby się lampa czy latarka, on jednak przywiązał się do tego starego lichtarza, tak jak się potem ten lichtarz przywiązał do mnie. To następny żart, jeśli pozwolicie, w mojej opinii lepszy od pierwszego.

No i dobrze (raz już użyłem tej frazy, zgoda, ale bardzo ona człowiekowi dodaje fasonu), żeglowaliśmy na brygu, a kurs wzięliśmy zrazu na Wyspy Dziewicze w Indiach Zachodnich, by minąwszy je, skierować się na Wyspy Nawietrzne. Nieugięcie parliśmy na południe, aż majtek okrzykami z bocianiego gniazda doniósł na pokład, iż dojrzał ląd. A lądem tym było wybrzeże Ameryki Południowej. Jak dotąd rejs układał się znakomicie. Nie straciliśmy żadnego masztu ani żagla, nikt z załogi nie wyzionął ducha przy pompie, a powiem wam jedno: nieczęsto takie rejsy zdarzały się „Dobrej Chęci".

Wysłano mnie na top, żebym się upewnił w kwestii lądu, co też zrobiłem. Kiedy przekazałem meldunek kapitanowi, też szedł na dół, żeby zajrzeć do instrukcji i spojrzeć na mapę. Wrócił na pokład i poprawił kurs odrobinę na wschód; zapomniałem, ile dokładnie było stopni na kompasie, ale to bez znaczenia, natomiast pamiętam, że było już ciemno, kiedy zbliżyliśmy się do lądu. Spuściliśmy log i zatrzymaliśmy bryg, kiedy wody było na cztery albo pięć sążni, może sześć — dokładnie nie powiem. Uważnie patrzyłem, jak nasz stateczek sunie, nikt bowiem nie wiedział, jakie tu są prądy. Wszyscy się dziwiliśmy, że szyper nie każe rzucać kotwicy, ale ten się upierał, nie i nie, najpierw musi zapalić światło na topie i poczekać na odpowiedź z brzegu. Poczekaliśmy, ale nic takiego jak odpowiedź się nie pojawiło. Niebo gwiaździste, w powietrzu cisza, jeśli nie liczyć delikatnych podmuchów od lądu. Dryfując odrobinę — na ile mogłem się zorientować — na zachód, czekaliśmy chyba godzinę, a potem zamiast światła z brzegu zobaczyliśmy sunącą w naszym kierunku łódkę z dwoma mężczyznami przy wiosłach.

Powitaliśmy ich, a oni odkrzyknęli: „»Dobra Chęć«, przyjaciel!". Weszli na pokład; jeden okazał się Irlandczykiem, drugi, o kawowej cerze, był miejscowym pilotem, który mówił odrobinę po angielsku.

Irlandczyk wręczył list kapitanowi, a ten przekazał go mnie. Informowano nas, iż ta partia wybrzeża nie jest dobrym miejscem na wyładunek, jako że poprzedniego dnia złapano i na miejscu rozstrzelano szpiegów wroga (to znaczy dawnych władz). Mieliśmy zaufać pilotowi, który poprowadzi nas w inną, bezpieczniejszą okolicę. Ponieważ podpisali się ci, dla których wieźliśmy proch, więc poddaliśmy się instrukcjom krajowca, podczas gdy Irlandczyk samotnie wrócił na brzeg. Pilot przez cały następny dzień kazał nam się trzymać z dala od lądu, gdyż, jak się wydawało, otrzymał rozkaz, aby nie ujawniać naszej obecności nieprzyjacielowi. Kurs zmieniliśmy dopiero po południu, tak że do brzegu znowu zbliżyliśmy się niedługo przed północą.

Sam pilot nie tylko z wyglądu, lecz także z zachowania sprawiał wrażenie niezłego nicponia; chudy, posępny i kłótliwy, w łamanej angielszczyźnie tak obraźliwie przeklinał wszystkich dookoła, że nie trzeba było czekać, aby zapanowała na pokładzie gorąca chęć, by go wyrzucić za burtę. Ja i kapitan robiliśmy wszystko, aby uspokoić nastroje, gdyż skoro nie on sam się narzucił, lecz go nam przydzielono, trzeba było postępować zgodnie z jego poleceniami. Niestety koło północy nawet ja, pomimo najlepszej mej woli, pokłóciłem się z nim.

Chciał zejść pod pokład, żeby zapalić fajkę, na co, rzecz jasna, nie pozwoliłem, gdyż było to sprzeczne z zasadami. Wtedy spróbował przemknąć obok mnie, musiałem go więc zatrzymać, a chociaż wcale nie miałem zamiaru go przewracać, do tego jednak jakoś doszło. Poderwał się na nogi błyskawicznie i wyciągnął nóż. Wyrwałem mu go z ręki, na odlew zdzieliłem w twarz, a broń wyrzuciłem za burtę. Spojrzał na mnie ze wściekłością w oczach i poszedł na rufę. Niewiele sobie wtedy robiłem z jego wzroku, ale przyszła chwila, gdy miał mi się przypomnieć bardzo wyraziście.

Przy słabiutkim wietrze podeszliśmy do lądu po jedenastej w nocy i zgodnie ze wskazaniami pilota zarzuciliśmy kotwicę.

Ciemno, choć oko wykol, powietrze duszne i nieruchome. Na mostku kapitan i dwóch ludzi pełniących wachtę. Reszta załogi była pod pokładem, pilot na forkasztelu zwinął się w kłębek, bardziej jak wąż niż człowiek. Także i ja nie zszedłem na dół, wszystko bowiem — noc, pilot, ogólna atmosfera — bardzo mi się nie podobało i na wszelki wypadek wolałem się zdrzemnąć na pokładzie. Ostatnie, co pamiętam, to jak kapitan szepcze mi na ucho, że i on ma jakieś niedobre przeczucia, schodzi więc pod pokład, żeby raz jeszcze przestudiować instrukcje. Potem, przy powolnym, miarowym kołysaniu się statku, zapadłem w sen. Zbudził mnie jakiś rumor na forkasztelu, a w chwilę później poczułem, jak ktoś wpycha mi knebel do ust. Jeden człowiek przysiadł mi na piersi, drugi na nogach, w mig miałem spętane stopy i dłonie.

Brygiem zawładnęli Hiszpanie. Pełno ich było na pokładzie; słyszałem, jak jeden po drugim sześć ciężkich przedmiotów leci do wody. Uniosłem głowę na czas, by zobaczyć, jak spieszący na pomoc swoim ludziom kapitan zostaje dźgnięty w serce, po czym rozległ się siódmy chlupot wody. Z wyjątkiem mnie wszystkich członków załogi zamordowano i wyrzucono za burtę. Dlaczego mnie pominięto — nie miałem pojęcia do chwili, gdy nachylił się nade mną pilot, który przyświecał sobie lampą, aby się upewnić, że ja to ja. Stwierdził to, pokiwał głową z diabelskim uśmiechem na wargach, który mówił tyle: tyś mnie obalił i spoliczkował, to teraz ja w zamian zabawię się z tobą w kotka i myszkę!

Nie mogłem się poruszyć ani przemówić, ale widziałem, jak Hiszpanie otwierają główny luk i szykują się do wyładunku prochu. Jakiś kwadrans później usłyszałem, jak do naszej burty przybija duża łódź wiosłowa, po czym zaczyna się przeładunek. Pilot w tym nie uczestniczył i tylko od czasu do czasu podchodził do mnie, przyświecał sobie lampą i kiwał głową z tym samym szatańskim grymasem na twarzy. Dość teraz mam lat, by nie wstydzić się wyznać prawdy, a ta brzmi tak, iż pilot budził we mnie przerażenie.

Ów lęk, więzy, knebel, fakt, iż nie mogłem ruszyć ani ręką, ani nogą, sprawiły, że kiedy Hiszpanie skończyli pracę, byłem w bardzo nędznym nastroju. Zaczęło już świtać. Napastnicy przeładowali sporą część prochu, daleko jednak nie cały, a dość mieli sprytu, aby wynieść się ze swym łupem, zanim na dobre rozednieje.

Nie muszę chyba dodawać, że w tym czasie zdążyłem już wyprowadzić nader posępne wnioski. Pilotowi, który, rzecz jasna, musiał być w zmowie z wrogami, udało się pozyskać zaufanie naszych zleceniodawców, a wiedząc lub podejrzewając, jaki wieziemy ładunek, poprowadził nas w miejsce, w którym najbezpieczniej dla siebie mogli zawłaszczyć znaczną część prochu, a tu łatwo nas zaskoczyli, gdyż wobec szczupłości załogi nie byliśmy w stanie zadbać o odpowiednią czujność. To wszystko było jasne — ale co zamierzał pilot wobec mnie?

Co tu ukrywać, nawet dzisiaj dostaję dreszczy, kiedy przychodzi mi opisać, cóż takiego dla mnie wymyślił.

Gdy na pokładzie zostało już tylko dwóch hiszpańskich marynarzy oraz pilot, ci pierwsi podnieśli mnie i zakneblowanego oraz spętanego spuścili na dno luku i tak tam przywiązali, że mogłem się co najwyżej przewrócić z boku na bok, ale nie dalej — a potem mnie tam zostawili. Obaj byli solidnie pijani, pilot jednak — tak trzeźwy jak ja w tej chwili.

Przez jakiś czas leżałem w ciemności, a serce tak mi łomotało, jakby chciało wyskoczyć z piersi. Nie wiem, ile to trwało, myślę, że jakieś pięć minut, po czym zjawił się pilot, tym razem sam.

W jednym ręku niósł przeklęty kapitański świecznik i stolarskie wiertło, w drugim spory kawał dobrze nasączonej oliwą bawełnianej przędzy. Lichtarz z zapaloną w nim świecą postawił o jakieś pół metra od mojej twarzy, blisko burty statku. Światło było marne, ale starczyło go, by ukazać kilkanaście beczek prochu pozostawionych w ładowni. Gdy je tylko zobaczyłem, od razu zacząłem podejrzewać, co dla mnie umyślił. Wprawdzie od stóp do głów chwyciło mnie lodowate zimno, to jednak twarz tak zlała się potem, jakby to była woda.

Następnie zobaczyłem, jak podchodzi do baryłek z prochem stojących pod przeciwną burtą, a tak stłoczonych, że najbliższa z nich była odległa od świeczki o mniej więcej półtora metra. Teraz wiertłem wyborował otwór w beczce, a kiedy wyjął wiertło, podstawił obydwie dłonie, aby do nich wysypał się proch czarny jak piekielne czeluście. Kiedy złowrogi strumyk się wyczerpał, pilot odsypał zawartość swej garści na kawałek papieru, zatkał dziurę naoliwioną przędzą, a następnie natarł ją tak sumiennie, że stała się czarna na całej długości.

Następnie — mówię najzupełniejszą prawdę, daję słowo! — z wolnym końcem spreparowanej w opisany przed chwilą sposób liny nachylił się nad świecą i owinął ją kilkoma zwojami mniej więcej na jednej trzeciej wysokości od płomienia do miejsca, w którym świeca była osadzona w lichtarzu. Kiedy z tym się uporał, sprawdził, czy moje więzy są solidne, a potem zbliżył swoją twarz do mojej i syknął: „Do nieba razem z brygiem!".

Chwilę później znalazł się już na pokładzie i wraz z oboma Hiszpanami zamknął właz ładowni. Nie zrobili tego całkiem dokładnie, gdyż między dalszą ode mnie krawędzią a pokładem została szczelina, przez którą widziałem blady pasek dojrzewającego dopiero światła dziennego. Słyszałem coraz słabszy chlupot wioseł oddalającej się łodzi, gdyż nicponie chcieli się znaleźć w bezpiecznej odległości od statku, kiedy targnie nim eksplozja. Słuch miałem tak wyostrzony, że dobry kwadrans wychwytywałem ledwie ślady tych odgłosów.

Słuch słuchem, ale oczy moje przez cały czas wpatrywały się w świeczkę. Była świeżo włożona, w normalnych warunkach paliłaby się jakieś sześć do siedmiu godzin, płomień więc miał dotrzeć do bawełnianego splotu mniej więcej za dwie godziny. Ja zaś, zakneblowany i przymocowany do podłogi, patrzyłem, jak moje życie się dopala wraz ze świecą, leżałem sam pośród morza, skazany na to, by wybuch rozerwał mnie na strzępy. Leżałem bezsilny, bezbronny, niebędący nawet w stanie zawołać o pomoc, niezależnie od daremności takiego wołania. Dziwię się, mówiąc szczerze, że nie oszukałem płomienia, lontu i prochu, już po półgodzinie pobytu w ładowni wyzionąwszy ducha z przerażenia.

Nie powiem dokładnie, w jakim czasie po tym, gdy przestałem już słyszeć najlżejszy choćby plusk wioseł, panowałem jeszcze nad swymi zmysłami. Aż do pewnego punktu mogę przywołać wszystkie swoje działania i wszystkie myśli, ale poza nim tak się zatracam teraz w swoich wspomnieniach, jak wtedy gubiłem się we własnych uczuciach.

Gdy tylko zamknął się nade mną właz luku, jak każdy, kto znalazłby się w moim położeniu, podjąłem szaleńcze próby, aby się uwolnić od więzów na rękach. W panice rozcinałem o nie skórę, jakby to były stalowe klingi, ale okazało się, że to jedyny efekt, gdyż poza tym — ani drgnęły. Jeszcze mniejsze były szanse, że wyswobodzę nogi czy też zerwę pęta, niepozwalające mi oderwać się od podłogi. Poddałem się, gdyż tak już byłem zadyszany, że z ledwością łapałem oddech. Musicie pamiętać, że miałem straszliwego przeciwnika w postaci knebla; oddychać mogłem tylko przez nos, a nie jest to najbardziej drożny trakt, kiedy człowiek napina się aż do kresu sił.

Poddałem się więc, znieruchomiałem i usiłowałem uspokoić oddech, oczu nawet na moment nie odwracając od świecy.

Kiedy tak się w nią wpatrywałem, przyszło mi do głowy, że przecież mógłbym się postarać zdmuchnąć płomień, wciągając powietrze, a potem gwałtownie wydmuchując je przez nozdrza. Okazało się jednak, że świeca była zbyt daleko ode mnie i zbyt wysoko nade mną, aby mój dech mógł ją w ten sposób dosięgnąć. Po wielokrotnych próbach znowu się poddałem i tylko leżałem, spoglądając na świecę, co ona mi odwzajemniała swoim spojrzeniem. Na próżno wytężałem uszy, żeby usłyszeć najsłabszy bodaj dźwięk wioseł.

Wtedy poczułem, iż zaczyna się coś dziać z moim umysłem. Knot świecy wydłużał się i wydłużał, więc odległość między płomieniem a lontem malała. Wychodziło mi, że mam góra półtorej godziny.

Półtorej godziny! Czy była jakakolwiek szansa, że do brygu może podpłynąć jakaś łódka z brzegu? Niezależnie od tego, czy ta część wybrzeża należała do naszych zwolenników czy przeciwników, przypuszczałem, że ostatecznie ktoś musi się zainteresować brygiem, gdyż nie trwał tu przecież nieustannie. Pytanie zatem brzmiało tylko: kiedy? Na ile mogłem zmiarkować przez szczelinę w klapie ładowni, słońce jeszcze nie wstało. Nie było w pobliżu żadnej wioski, gdyż nie widzieliśmy z brygu żadnych świateł, nie słychać też było silnego wiatru, który mógłby zwiać w tę stronę jakiś statek. Gdybym miał przed sobą sześć godzin, mógłbym liczyć na to, że coś się wydarzy do południa, ale skoro miałem półtorej godziny — co, nawiasem mówiąc, zdążyło się już skrócić do pięciu kwadransów — wybrzeże było odludne, a powietrze stało nieruchome, nie miałem nawet cienia szansy. W nowym przypływie rozpaczy po raz kolejny usiłowałem zerwać pęta z rąk, ale jedynym efektem było to, że się tylko mocniej pokaleczyłem.

Więc cóż, znowu się poddałem; leżałem bez ruchu i nadstawiałem uszu.

Na próżno. Jeśli coś słyszałem, to tylko ryby, wyskakujące nad powierzchnię w pogoni za zdobyczą, i postękiwanie starych lin, gdy bryg leciutko się kołysał z boku na bok. Spalony knot tak się już wydłużył, iż zaczynał się skręcać, a ja myślałem, czy aby, ciągle jeszcze się tlący, nie zleci za sprawą ruchu statku poza świecę. Jeśli bowiem spadłby na bawełniany lont, czekał mnie koniec znacznie rychlejszy.

Ta myśl sprawiła, że na minutę zająłem się innym tematem: jak też umiera się w efekcie eksplozji? Ból rozrywania na kawałki. Chociaż wszystko się pewnie potoczy zbyt szybko, bym cokolwiek poczuł. Może wybuch w środku mnie lub na zewnątrz — a może i jedno, i drugie? Może nawet nie wybuch: on, śmierć i rozparcelowanie ciała na miliony iskierek dokonają się jednocześnie! Nie mogłem się zdecydować na żadną z tych ewentualności. Nie wiem, ile trwały te dumania, gdyż w pewnej chwili wszystko ode mnie odpłynęło, a kiedy myśli z powrotem wróciły do mnie, czy też ja do nich, płomień nieźle już dymił, a rozżarzony, czerwonozłoty na końcu knot dzielnie się wyginał.

Desperacja i przerażenie popchnęły mój umysł w nowym kierunku, nader skądinąd korzystnym dla mojej biednej duszy, spróbowałem się bowiem pomodlić — w sercu oczywiście, gdyż knebel w ustach nie pozwalał na wydawanie żadnych sensownych dźwięków. Spróbowałem, jak mówię, cóż jednak z tego, skoro płomień wypalił we mnie nawet tę nabożną chęć. Ze wszystkich sił zmuszałem oczy, aby patrzyły w inną stronę, na przykład na szczelinę, przez którą spływało coraz jaśniejsze światło dnia. Jeden wysiłek, drugi, trzeci... zrezygnowałem. Postanowiłem więc, że zacisnę powieki i będę je tak trzymał. Jeden wysiłek, drugi... i się udało. „Boże, miej w swojej pieczy moją matkę i siostrę Lizzie. Niechże im sprzyja szczęście, mnie zaś wybacz, co jest do wybaczenia". Tyle tylko zdołałem powiedzieć w duchu, zanim powieki znowu mi się odemknęły, a wtedy płomień zaatakował oczy, mnie całego i wyparł precz wszystkie myśli.

Nie słyszałem ryb, nie słyszałem plusku wody, nie potrafiłem myśleć, nie czułem nawet śmiertelnego potu zlewającego moją twarz: cały stałem się patrzeniem wczepionym w knot. Ten zaś spuchł, rozżarzył się na szczycie, skłonił złowrogo, a potem — jak przypuszczałem wcześniej — na skutek zachybotania statku poleciał tak, iż rozminąwszy się z woskiem świecy, sfrunął na lont, tyle że dotarł do niego zgorzały już i nieszkodliwy.

Ja zaś, widząc to, buchnąłem śmiechem, jakby niepomny swej — nader kłopotliwej, by tak to delikatnie określić — sytuacji.

Tak, owszem, buchnąłem, z racji jednak sterczącego między wargami knebla cała energia śmiechu poszła do wewnątrz, tak że małom się nie udusił, a w oczach mi pociemniało. Czując, że znowu jestem na skraju miejsca, z którego duch mój odpływa w niewiadome strony, raz jeszcze poszukałem ratunku w szparze między klapą a pokładem. Jednak przecież i tak ta krnąbrna cząstka mnie, która niemal zupełnie się nie podporządkowywała nakazom rozsądku, znowu powiodła mój wzrok ku świecy. Między płomieniem a lontem zostało niewiele więcej niż dwa centymetry...

Ile znaczyła dla mnie ta odległość? Trzy kwadranse życia? Pół godziny? Pięćdziesiąt minut? Dwadzieścia? Odrobinę spokoju, odrobinę rozsądku! Takiej długości świeca spala się dłużej niż dwadzieścia minut, to pewne. Trochę wosku! Ciało i dusza splecione z czymś tak bagatelnym jak owe trochę wosku! Nawet największy król, dumnie rozpierający się na swym tronie, nie zdoła tak zespolić duszy i ciała, jak potrafi to zrobić taka marna ilość wosku! Koniecznie muszę powiedzieć o tym matce po powrocie do domu, gdyż bardziej ją to zainteresuje od wszystkich innych moich przypadków. Znowu począłem rechotać wewnętrznie i znowu małom nie przyspieszył w ten sposób końca, skądinąd i tak rychłego, wtedy jednak znowu blask świecy wpadł we mnie jednym skokiem i zdusił śmiech, czyniąc mnie pustym, zimnym i znieruchomiałym jak przedtem.

Matka i Lizzie. Nie wiem, kiedy znowu wróciły, ale wróciły, nie tak jednak jak przedtem — w umyśle — ale prawdziwie, cieleśnie znalazły się w ładowni brygu.

Tak, tak, to przecież Lizzie, jakżeby inaczej, tak rozdokazywana i roześmiana jak zawsze. Roześmiana? A czemu nie? Jak można by mieć jej za złe myśl, że pijany leżę w jakiejś piwnicy, otoczony przez baryłki piwa? Ale zaraz, ona przecież płacze, miota się w ognistej mgle, załamuje ręce, woła o pomoc, coraz słabiej jednak, coraz ciszej, niczym wiosła odpływającej łodzi towarowej. I już jej nie ma — roztopiła się w ognistej mgle. Mgła? Ogień? Nie, ani jedno, ani drugie. To światło matki, robi coś na drutach i lśnią jej palce, a także lonty, które natarte strzelniczym prochem w pękach zwieszają się jej z czoła zamiast siwych włosów. Matka w swoim starym fotelu, długie kościste dłonie pilota zwisają z oparć, a z nich skapuje proch. Nie! Wcale nie proch, nie fotel, nie matka, nic tylko twarz pilota, w ognistej mgle gorzejąca czerwono niczym słońce, okręcająca się w ognistej mgle, w ognistej mgle przemykając wzdłuż prochowego lontu, w ognistej mgle pokonując w jedną chwilę miliony kilometrów, uciekająca w dal, aż staje się malutkim punkcikiem, a potem nadlatująca wprost na mnie, a wtedy wszystko staje się mgłą i ogniem, nie ma już wzroku, słuchu, myśli, uczuć — znika wszystko: bryg, morze, ja, świat!

Potem nic już nie wiem ani nie pamiętam; natomiast jest w mojej świadomości moment przebudzenia (tak to odczułem) w wygodnej pościeli z dwoma krzepkimi mężczyznami po obu moich stronach i wpatrującym się we mnie uważnie jegomościem w nogach łóżka. Była siódma rano. Mój sen (czy to, co za niego uważałem) trwał osiem miesięcy: znajdowałem się między rodakami na wyspie Trynidad, dwaj mężczyźni po bokach łóżka to pielęgniarze, którzy pilnowali, żeby mnie przewracać z boku na bok, ów zaś jegomość był lekarzem. Co mówiłem i co robiłem w trakcie tych ośmiu miesięcy — tego się nie dowiedziałem i nigdy się nie dowiem, wiem natomiast tyle, iż kiedy się ocknąłem, czułem się jak po długim śnie.

Upłynęły chyba jeszcze ze dwa miesiące, nim doktor uznał, że może już odpowiedzieć na moje pytania.

Jak słusznie przypuszczałem, bryg stanął na kotwicy obok dostatecznie niezamieszkanego fragmentu wybrzeża, aby Hiszpanie mogli się nie obawiać, że ktoś im przeszkodzi w trakcie brutalnej napaści.

Życie uratowała mi ingerencja nie z lądu, lecz od morza. Amerykański szkuner dopadła bezwietrzna pogoda. Kiedy wraz ze wschodem słońca kapitan zobaczył bryg w nieoczekiwanym miejscu, to ponieważ i tak na razie stał bezczynnie, wysłał szalupę pod dowództwem jednego z matów, aby zbadał, co tam się dzieje, i zdał raport.

Nie widząc śladów życia na pokładzie, marynarze wspięli się i zobaczyli w szczelinie klapy blask świecy. W chwili gdy mat spuścił się na dno ładowni, płomień był na grubość nici od lontu. Gdyby natychmiast nie połapał się w sytuacji i nie przeciął nożem bawełnianego powroza, zamiast mocować się ze świecą, on i jego ludzie wylecieliby w powietrze razem ze mną i całym brygiem. Kiedy bowiem chcieli zdmuchnąć płomień, knot sypnął skrami i zajęła się ciągle owijająca świeczkę resztka lontu. Gdyby nie to, że płomień nie mógł dotrzeć do beczki z prochem... Cóż, Bóg miał nas w swojej opiece.

Co się stało z Hiszpanami i pilotem, aż po dziś dzień się nie dowiedziałem. Jeśli zaś chodzi o bryg, to jankes — podobnie jak mnie — dostarczył go na Trynidad i dostał godziwą, jak mniemam, nagrodę. Ja dotarłem na wyspę w takim stanie, w jakim znaleziono mnie na brygu, to znaczy: żywy, ale bez zmysłów. Pamiętajcie jednak, że było to dawno temu, a możecie mi wierzyć, iż doktor ostatecznie uznał mnie za całkowicie wyleczonego. Sami zresztą widzicie, że zupełnie już ze mną dobrze. Odrobinę tylko się trzęsę, kiedy opowiadam tę historię, co przecież naturalne. Malutki dreszczyk, przyjaciele. I to wszystko.

DZIEWIĄTA!

Noc 30 czerwca 1793 jest pamiętna w paryskich annałach więziennych, była to bowiem ostatnia noc spędzona za kratkami przez żyrondystów, członków jednego z głównych stronnictw w rewolucji francuskiej. Rankiem trzydziestego pierwszego dwudziestu jeden deputowanych, reprezentujących departament Żyrondy, zostało zgilotynowanych, otwierając drogę dla Robespierre'a i Rządów Terroru*.

Po nich nie było już rewolucjonistów, którzy wzdragali się przed wznoszeniem republiki na masakrze, przed zastąpieniem monarchii korupcji monarchią rozlewu krwi. Przyczyny ich porażki kryły się tyleż w nich samych, ile i w charakterze ówczesnych wydarzeń. Jako stronnictwo nie pozostali wierni swoim przekonaniom, szukali kompromisów, starali się znaleźć pośrednią drogę między straszliwymi wymogami straszliwej epoki i — przegrali, ulegli nikczemnikom, gdyż sami byli szlachetni.

Skazani na śmierć, żyrondyści godnie podporządkowali się swemu losowi. Jak chwalebnie żyli, tak chwalebnie umierali. Słowa, które jeden z nich wypowiedział po ogłoszeniu wyroku, zapowiadały straszliwą przyszłość i spełniły się co do joty.

---

* Tak w oryginale. Jak wiadomo, czerwiec ma trzydzieści dni, a żyrondyści zostali straceni 31 października, i to w liczbie dwudziestu dwóch — przyp. tłum.

— Umieram — powiedział jakobińskim sędziom, kreaturom Robespierre'a. — Umieram, w czasie gdy ludzie stracili rozum, a kiedy go odzyskają, wtedy przyjdzie kolej na was.

Valazé był jedynym ze skazanych, który wykazał chwilową słabość; słysząc wyrok śmierci, ugodził się sztyletem. Cios jednak nie był śmiertelny; umarł na szafocie, nie mniej dzielnie niż jego towarzysze.

W nocy trzydziestego wyprawili w więzieniu pamiętną wieczerzę; z niezłomnym stoicyzmem odbyli ostatnie towarzyskie spotkanie przed rankiem, kiedy mieli umrzeć. W owej wieczerzy uczestniczyło nie tylko dwudziestu jeden skazanych. Byli też inni więźniowie, którzy podzielali poglądy żyrondystów — zbyt mało jednak ważni, aby o nich tutaj wspominać. Otrzymali wyroki więzienia, ale nie śmierci. Ci z nich, którzy najgłośniej oburzali się na postanowienie sądu, mieli nazajutrz być świadkami egzekucji, aby się nauczyli, czym jest cnota posłuszeństwa. Na nic więcej Robespierre i jego zausznicy na razie się nie ważyli: Rządy Terroru zaczynały się od nieśmiałych kroków.

Nakryto więzienny stół do kolacji; dwadzieścia jeden osób, wszystkie już naznaczone pieczęcią śmierci, zgromadziło się na ostatniej biesiadzie żyrondystów. Jeden toast następował po drugim, śpiewano *Marsyliankę*, zapanowały ożywienie i niepomna niczego radość bycia razem, kiedy na krańcu blatu pojawił się nowy i złowrogi temat, który niczym elektryczność rozpłynął się po całym stole.

Kto go podjął — niepodobna ustalić, w każdym razie chodziło o proste pytanie: o której godzinie ma się odbyć egzekucja. Okazało się, że żaden ze skazańców nie wie tego dokładnie, ale co gorsza, także nikt nie mógł — czy nie chciał — oświetlić ich w tej kwestii. Do chwili, gdy nazajutrz wóz po nieszczęśników wtoczy się na podwórzec więzienny, żaden z nich nie był pewien, czy będzie to o wschodzie słońca, czy też bliżej południa.

Niepewność ta stała się przedmiotem dyskusji czy nawet żartów. Oddawano się najróżniejszym zgadywankom. Jedni przypominali porę wcześniejszych egzekucji, sugerując, że będzie to wzorem dla obecnego przypadku, inni — wprost przeciwnie: twierdzili, że Robespierre i jego zgraja właśnie odejdą od trzymania się wcześniejszych rozwiązań, gdyż, poza wszystkim, wzmagało to powszechną niepewność i trwogę. Sięgnięto po wróżenie z kart, a ci z uczestników, którzy nazajutrz mieli być tylko świadkami, robili zakłady — czemu aktorzy okrutnej ceremonii przyglądali się z szyderczym stoicyzmem. Dowcipkowano sobie, że jeśli zostanie wczesny termin, toaleta z konieczności będzie pospieszna, dworowano z innych rzeczy i tylko jeden z mających położyć nazajutrz głowę pod gilotynę nie uczestniczył w całej tej rozmowie. Nazywał się Duprat.

Był młodszy od większości swych współtowarzyszy, a wyróżniał się bladą, przystojną, melancholijną twarzą. Przez cały wieczór rzadko się odzywał, w jego zachowaniu było coś z milczenia i wzniosłości męczennika. O tym, że śmierci równie się nie lęka jak pozostali, wyraźnie świadczyły: jego jasne, pewne spojrzenie, opanowana twarz, głos mocny i spokojny, którym wypowiadał pojedyncze słowa czy zdania. Najwyraźniej jednak nie uczestniczył w wieczerzy tak jak inni z racji swego refleksyjnego charakteru i poważnego usposobienia. Biesiadowanie zdecydowanie do nich nie pasowało.

Jego małomówność sprawiła, że nikt nawet się do niego nie zwracał o opinię w sprawie pory egzekucji. Na krańcu stołu, gdzie temat się pojawił, był właściwie samotny, gdyż jego sąsiedzi z pasją wsłuchiwali się w to wszystko, co żywo wypowiadano w tej sprawie po drugiej stronie. Niemniej jeden z nich lękliwie i półgłosem nagabnął go o przyczynę tak stanowczego milczenia.

— Czyżby w całym tym zgromadzeniu była tylko jedna osoba, która ani na serio, ani w żartach nie stara się dociec, kiedy odbędzie się egzekucja, a tą osobą jest właśnie pan, monsieur Duprat?

— Nigdy nie zniżam się do żartów, Marginy — brzmiała odpowiedź, której towarzyszył uśmiech z lekka sarkastyczny. — Co zaś do zgadywania: jaki jest sens zgadywać to, co wiem na pewno?

— Na pewno? Wie pan na pewno, kiedy zostanie wykonany wyrok? Czemuż więc nie powie pan tego całej reszcie swoich przyjaciół?

— Gdyż nikt z nich nie uwierzyłby w moje słowa.

— Ale przecież bez wątpienia może pan dowieść ich słuszności. Ktoś panu powiedział.

— Nikt mi nie powiedział.

— Dobrze, dobrze, widział pan czyjś list, może miał okazję zerknąć do rozkazu...

— Marginy, niech pan da spokój przypuszczeniom. Niczego nie przeczytałem, nikt mi nie powiedział, o której godzinie mamy jutro zginąć.

— W takim razie, na miły Bóg, skąd pewność?

— Nie wiem, o której egzekucja się zacznie, nie wiem, o której się skończy. Wiem tylko, że będzie się toczyć jutro o dziewiątej rano. Z całej dwudziestki Jedynki ktoś dokładnie o tej godzinie straci głowę. Czy będzie pierwszy, czy ostatni, tego już nie mogę powiedzieć.

— No to chociaż tyle, kim będzie ten, czyja głowa zostanie oddzielona od reszty ciała o godzinie dziewiątej? Przecież przy całej swej proroczej mocy musi pan to wiedzieć!

— Istotnie, wiem to. To moja głowa o dziewiątej potoczy się spod ostrza gilotyny.

— Momencik, monsieur Duprat, przed chwilą pan rzekł, iż nigdy nie zniża się do żartów, czy jednak naprawdę pan sądzi, że pańskie ostatnie słowa potraktuję poważnie?

— Powtarzam: nigdy nie żartuję, dlatego też sądzę, że powinien pan uznać moje słowa za wiarygodne. Znam godzinę swojej jutrzejszej śmierci równie pewnie, jak fakt mojej dzisiejszej egzystencji.

— W jakiż jednak sposób? Drogi przyjacielu, czyżby ważył się pan powoływać na jakieś nadnaturalne objawienie teraz, pod koniec osiemnastego wieku, gdy zwycięsko trwa pochód Rozumu?

— Drogi Marginy, nie znajdzie pan dwóch osób, które nadnaturalność pojmują w ten sam sposób. Także ja i pan różnimy się pod tym względem, podobnie jak wcale nie to samo uważamy za wątpliwe i prawdziwe. Nie zamierzam się nad tym rozwodzić, w każdym razie jedno chcę powiedzieć wyraźnie: nie, nie odwołuję się do żadnego nadnaturalnego objawienia. Aczkolwiek zarazem obstaję przy tym, że nawet teraz, w epoce Rozumu, mam podstawy, by głosić to, co powiedziałem. Mój ojciec i brat stracili życie o dziewiątej rano, a bardzo stanowczo ich przestrzegano o grożącej im śmierci. Nie inaczej było ze mną poprzedniego wieczoru; zginę pod gilotyną, tak jak oni zmarli w swoich łóżkach, ale o dziewiątej właśnie.

— Ale chwileczkę, monsieur Duprat, czemu nigdy wcześniej o czymś takim nie słyszałem? Mniemałem, że jako starszy i — ośmielę się przypuścić — zaufany przyjaciel poznałem wszystkie pańskie sekrety...

— I właśnie poznaje pan ostatni z nich, aczkolwiek z wyjawieniem go czekałem do chwili, gdy moja śmierć potwierdzi słowa co do joty. No więc dobrze! Jest pan dziś równie złym biesiadnikiem jak ja, a skoro nasi towarzysze pogrążeni są w rozmowie, uda nam się z pewnością wymknąć bez zwracania niczyjej uwagi. W holu jest zaciszny ciemny kąt, możemy tam spokojnie przegadać nawet kilka godzin.

Duprat powstał od stołu i poprowadził za sobą Marginy'ego. Kiedy znaleźli się w umyślonym miejscu, Duprat rzekł:

— Zdaje się, Marginy, że jest pan jednym z tych, którym kazano uczestniczyć w egzekucji mojej i moich towarzyszy, aby w ten sposób odstraszyć wszystkich przeciwników jakobinów.

— Ach, najdroższy przyjacielu, to niestety prawda. Mam brać udział w tej rzezi, której w żaden sposób nie mogę zapobiec; po raz ostatni się pożegnamy u stóp szafotu. Należę do tych ofiar, które okrutnie oszczędzono, chociaż zapewne tylko na chwilę.

— Umrzemy jak męczennicy: niewinni, spokojni, nietracący nadziei. Kiedy jutro rano stanę naprzeciwko gilotyny, niech pan nasłuchuje, przyjacielu, dzwonów kościelnych, niech pan śledzi godzinę, spoglądając na mnie po raz ostatni. Aż do tego momentu niech się pan wstrzyma z osądem tego osobliwego rozdziału w mojej historii rodzinnej, który chcę panu właśnie przedstawić.

Marginy chwycił rękę przyjaciela i obiecał, że spełni jego prośbę, po czym Duprat zaczął opowieść:

— Znał pan mojego brata Alfreda, kiedy był młody, i na pewno dotarły do pana plotki o pewnych osobliwościach jego charakteru. Młodszy ode mnie o trzy lata, a od najmłodszego dzieciństwa zdradzał o wiele mniej niż ja dziecięcej swawolności i radości. Już jako

487

chłopczyk zwracał uwagę swoją powagą i zadumaniem, wykazywał niewielką skłonność do typowo chłopięcych zabaw i chłopięcych reakcji, w efekcie czego wszyscy (włącznie z moim ojcem) uważali, że musi mieć jakiś intelektualny defekt. Guwerner na próżno usiłował zainteresować czymkolwiek praktycznym tego nieuleczalnego marzyciela na jawie. Nie inaczej było, gdy zrezygnowawszy z formowania jego ducha, postanowiono przynajmniej uformować go cieleśnie. Nauczyciel szermierki załamywał ręce, zdesperowany nauczyciel tańca poddał się po trzech lekcjach. Widząc, jak próżne są usiłowania, by ktokolwiek czegokolwiek go nauczył, ojciec z konieczności uczynił cnotę i przystał na to, aby sam zajął się swoją nauką.

Ledwie zdano go na własne kierownictwo, a już ku powszechnemu zdumieniu okazało się, że całymi godzinami przesiaduje w bibliotece, czytając wszystkie rozprawy na temat astrologii, jakie tylko wpadły mu w ręce. Wzgardził wszelką użyteczną wiedzą na rzecz tej najbardziej pogardzanej z nauk: dawno już zarzuconego złudzenia, iż można cokolwiek wyczytać z układu gwiazd! Ojciec zaśmiewał się wniebogłosy z tej osobliwej pasji, której poświęcił się wreszcie jego nieudany syn, ale w niczym nie zamierzał przeszkadzać jego kaprysowi — ba, w następne urodziny z sarkastycznym uśmiechem sprezentował mu teleskop. Muszę tu panu przypomnieć, gdyż mogło to ulecieć z pańskiej pamięci, że ojciec był filozofem ze szkoły wolteriańskiej, sądził przeto, że szczytem ludzkiej mądrości jest szydzenie ze wszystkich entuzjastów i wątpienie we wszystkie prawdy. W fascynacji mojego brata widział tylko kolejny dowód słabości umysłu, marny kaprys, który nie potrwa dłużej niż kilka miesięcy. Ojciec nie miał żadnej wyrozumiałości dla właściwej Alfredowi tęsknoty za tym, co poetyckie i duchowe, ani dla poświęcania swego czasu i uwagi czemuś tak niepraktycznemu jak astrologia.

Ów kaprys — jak uparcie nazywał go ojciec — mojego brata trwał już dwanaście miesięcy, kiedy pojawił się pierwszy ciąg nadnaturalnych — jak ja bym je określił — wypadków, które wszystkie wiązały się z moim bratem. Tego, o czym teraz opowiem, byłem naocznym świadkiem.

Brat miał szesnaście lat, kiedy pewnego dnia pod nieobecność ojca wszedłem do jego gabinetu, gdzie zastałem Alfreda, który przez okno przyglądał się ogrodowi. Kiedy podszedłem do niego, uderzyło mnie to, jak nieobecny miał wyraz twarzy — co przede wszystkim dotyczyło oczu. Wiedziałem wprawdzie, że już wcześniej przydarzały mu się takie chwile, teraz jednak zdumiało mnie, że nie tylko się nie poruszył, kiedy wchodziłem, lecz także nawet jakby zupełnie tego nie zauważył. Wziąłem go za rękę i spytałem, czy dobrze się czuje. Ciało miał zimne, nie zareagował na mój dotyk ani głos. Niemal dokładnie w chwili, kiedy to spostrzegłem, również mój wzrok powędrował do ogrodu, gdzie zobaczyłem ojca kroczącego ścieżką, a obok niego — drugiego Alfreda! Drugiego, ale przecież dokładnie takiego samego jak ten, który stał obok mnie i którego rękę nadal trzymałem w swej dłoni!

Panicznie przerażony, z okrzykiem trwogi wypuściłem rękę brata. Na ten głos ów niby-posąg obok mnie zaczął ożywać. Spojrzał na ogród; widziana przed chwilą postać mojego brata znikła, natomiast ku swemu przerażeniu spostrzegłem, że ojciec rozgląda się dokoła za towarzyszem spaceru (widmem czy człowiekiem?).

Kiedy teraz zwróciłem się do Alfreda, ten, wyglądający jak najbardziej normalnie, uprzejmym jak zwykle głosem zapytał, czemu jestem taki blady. Udzieliłem jakiejś wykrętnej odpowiedzi, by z kolei samemu nagabnąć brata, od jak dawna jest w ojcowskim gabinecie.

— To sam powinieneś wiedzieć najlepiej — odparł ze śmiechem — bo przecież musiałeś tu być przede mną. Nie tak dawno temu byłem w ogrodzie z...

Nie dokończył, gdyż w tej samej chwili do pokoju wszedł ojciec.

— A, tutaj jesteś! — powiedział. — Czy można wiedzieć, dlaczego uznałeś za stosowne zniknąć tak nieoczekiwanie? Wystarczyło, że schyliłem się po kwiat, a ciebie już nie było! Jedno jest pewne: lepiej potrafisz bawić się w chowanego od swego brata. W jaki sposób udało ci się tak chyżo ukryć w krzakach, tego nie wiem. Jak mówię, to przecież chwila: zgiąć się, zerwać kwiat, ale kiedy się prostuję, po tobie już ani śladu!

Alfred nagle wpatrzył się we mnie badawczym wzrokiem, śmiertelnie pobladł, a potem bez słowa wybiegł z gabinetu.

— Możesz mi wytłumaczyć, o co w tym wszystkim chodzi? — zwrócił się do mnie niepomiernie zdziwiony ojciec.

Chwilę się wahałem, ale potem opowiedziałem mu, co widziałem. Wysłuchał mnie, wziął niuch tabaki — co zazwyczaj robił, imitując Woltera, kiedy zamierzał wygłosić sarkastyczną uwagę — a następnie rzekł:

— Jeden wizjoner w rodzinie całkowicie wystarczy. Pilnuj się, żebyś czasem nie został marną imitacją swego brata. Wyślij no za mną tego swego ducha! Udaję się do ogrodu i chcę tam zaraz zobaczyć Alfreda.

Nawet bardziej zjadliwa ironia nie zrobiłaby na mnie wrażenia, jeśli bowiem byłem czegoś pewien na tym świecie, to tego, że widziałem brata w gabinecie, ba, więcej — dotknąłem go, ale także widziałem w ogrodzie jego sobowtóra. Na tyle, na ile może w ogóle człowiek wiedzieć, iż jest przy zdrowych zmysłach, ja to wiedziałem. Nie zmieniało to jednak faktu, że sama myśl o tym zdarzeniu napełniała mnie przerażaniem, które pogłębiały jeszcze wspomnienia, iż dwu- czy trzykrotnie znajomi opowiadali, że widzieli na zewnątrz Artura, podczas gdy on bez żadnej wątpliwości przebywał w domu. Te zdarzenia — z których ojciec śmiał się w głos, a i mnie nauczył je traktować jako przykłady ludzkich złudzeń i łatwowierności — teraz powróciły jako przerażające potwierdzenie tego, czego doświadczyłem w ojcowskim gabinecie. Strasznie doskwierał mi fakt, że musiałem się z tym zdumiewającym zdarzeniem zmagać samotnie, wyszedłem więc poszukać Alfreda, aby z całą ostrożnością i delikatnością wypytać go o ten dziwny trans i o to, co poczuł, kiedy go z niego wybudziłem.

Był w swojej sypialni, bardzo blady i głęboko zamyślony. Ledwie wypowiedziałem pierwsze słowa o tym, co zaszło w gabinecie, wzdrygnął się gwałtownie i poprosił niezwykle gorąco, abym już nigdy, przenigdy nie wracał do tego momentu, jeśli tylko darzę go jakimkolwiek uczuciem. Nie mogłem nie posłuchać tej prośby, ale zagadka nie zamierzała bynajmniej na tym się zakończyć.

Dwa miesiące od tego wydarzenia postanowiliśmy udać się wspólnie do teatru. Ojciec bardzo nalegał, aby i Alfred pojechał z nami, inaczej bowiem z pewnością by nam nie towarzyszył, nie gustował bowiem w żadnych rozrywkach. Chcąc być posłuszny ojcu, udał się na górę, aby wdziać strój wieczorowy, a ponieważ pora była zimowa, musiał wziąć ze sobą świecę.

Bardzo długo czekaliśmy na niego w salonie, ojciec chciał już posłać na górę kogoś ze służby, aby mu przypomnieć, że czas upływa, gdy brat mój pojawił się ze świecą, którą zabrał był ze sobą, ale twarz miał upiornie odmienioną, a tego śmiertelnego grymasu nigdy nie zapomnę. Jutro z pewnością go zobaczę na szafocie!

Zanim ja czy ojciec zdążyliśmy cokolwiek powiedzieć, Alfred się odezwał:

— Z nagła zrobiło mi się bardzo niedobrze, ale już mi lepiej. Czy dalej chcecie, abym jechał z wami do teatru?

— Ależ skądże, kochany Alfredzie — odparł ojciec. — Trzeba natychmiast wezwać lekarza.

— Nie, proszę, żadnego lekarza, nic on tu nie pomoże. Mogę powiedzieć dlaczego, ale tylko na osobności tobie, ojcze.

Rodzic, najwyraźniej zaniepokojony, dał mi znak, abym wyszedł z pokoju. Musiałem spędzić na osobności dobre pół godziny, zżerany ciekawością, czego też może dotyczyć opowieść brata. Kiedy przywołano mnie z powrotem, Alfred był już spokojny, aczkolwiek bladość nie ustąpiła mu z twarzy, natomiast ojca nigdy jeszcze nie widziałem tak podenerwowanego. Na mój widok powstał z fotela i zostawił mnie sam na sam z bratem.

Zacząłem się dopytywać, a wtedy Alfred popatrzył na mnie przeciągle i rzekł:

— Obiecaj mi, że nie będziesz dopytywał o więcej, niż ojciec pozwolił mi wyjawić. Jest jego życzeniem, abym pewne rzeczy zachował tylko dla siebie.

493

— Kiedy z najwyższym ociąganiem złożyłem żądane przyrzecznie, Alfred ciągnął: — Poszedłem, jak wiesz, przebrać się na wyjście do teatru, ale wszędzie dokoła siebie wyczuwałem jakieś niezwykłe napięcie. Ledwie zostałem zupełnie sam, poczułem, jakby jakaś część życia ze mnie wyciekała. Prawie nie mogłem zaczerpnąć tchu, na czole wystąpiły mi wielkie krople potu, a następnie opadło mnie takie przerażenie, iż zupełnie nie mogłem nad nim zapanować. Znowu nawiedziły mnie widziadła matki, które nękały mnie po jej śmierci. Wstępowałem na schody powoli i mozolnie, nie śmiejąc obejrzeć się za siebie, słyszałem bowiem — tak, słyszałem! — jak coś się za mną posuwa. Znalazłszy się w pokoju i zamknąwszy za sobą drzwi, trochę odzyskałem panowanie nad sobą, wystarczyło jednak, że skierowałem się do szafy z ubraniem, by poczucie zagrożenia znowu spotężniało. Wyciągnąłem rękę, aby przekręcić klucz, wtedy jednak ze zgrozą spostrzegłem, że oba skrzydła drzwi wolno i cicho otwierają się same z siebie. W tymże momencie zgasła świeczka, a wnętrze szafy zdało mi się wielkim lustrem z lśniącym pośrodku jaskrawym światłem. Z niego wynurzyła się postać będąca moją kopią, a na piersi niosąca wielki zwój, z którego wyczytałem informację o mojej śmierci, a także wieści o losie ojca i jego potomków. Nie pytaj mnie jednak, jak brzmiały te informacje, gdyż tego właśnie obiecałem ci nie wyjawiać. Powiedzieć natomiast mogę tyle, że kiedy je odczytałem, wnętrze szafy pociemniało, a postać znikła.

Niepomny wcześniejszego przyrzeczenia, zacząłem nalegać na Alfreda, aby mi zdradził treść owych przepowiedni, on jednak ze smutnym uśmiechem oznajmił, że w ogóle nie zamierza rozmawiać na ten temat. Odszukałem więc ojca i jego zacząłem prosić o to, aby zdradził mi tajemnicę, on wszakże, jak zawsze sceptyczny, odparł, że jedna chora imaginacja w rodzinie zupełnie wystarczy i ani myśli pozwolić, abym i ja zaraził się duchową chorobą Alfreda. Całą resztę tego dnia i dzień następny spędziłem w stanie wielkiego wzburzenia, którego nic nie mogło ukoić. Ów fragmencik, którym podzielił się ze mną brat, nabrał dodatkowej wagi w połączeniu z tym, co zobaczyłem w gabinecie, a w czego efekcie robiłem wszystko, aby nawet na chwilę nie stracić Alfreda z oczu. Było bowiem coś takiego w jego wyglądzie — jakiś spokój, jakby nasączony radością — że spodziewałem się najgorszego.

Rankiem trzeciego dnia po zdarzeniu, o którym przed chwilą opowiedziałem, po niemal bezsennej nocy zbudziłem się bardzo wcześnie i poszedłem do sypialni Alfreda. Nie spał już i przywitał mnie z większą nawet niż zwykle radością. Kazał mi przysunąć fotel do łóżka, uzbroić się w pióro, atrament i papier, a następnie pisać pod jego dyktando. Jakież było moje przerażenie, kiedy okazało się, że bardzo żywa jest w nim myśl o śmierci. Podyktował mi, co po niej z jego niewielkiego dobytku mają otrzymać: ojciec, ja, najbliższa służba i dwóch serdecznych przyjaciół.

Kilkakrotnie pytałem, czy jest naprawdę przekonany, iż jego zgon zdaje się już rychły, co on zbywał odpowiedziami, że niebawem sam się przekonam, po czym natychmiast podejmował jakieś nieistotne tematy. Niewiele później chciał się zobaczyć z ojcem, który zjawił się w towarzystwie lekarza — od dwóch dni uprzedzonego, by był w pogotowiu. Widząc przed sobą rodziciela, Alfred chwycił go za rękę i zaczął gorąco prosić o wybaczenie wszystkich przykrości i rozczarowań, jakie mógł mu sprawić, następnie obrócił się do mnie stojącego po drugiej stronie łóżka, ujął moją dłoń i spytał, która jest godzina. Zegar stał na kominku, w takiej jednak pozycji, że nie mógł go dojrzeć z pościeli, odchyliłem się więc tak, by widzieć jego cyferblat, i odrzekłem, iż jest niemal dokładnie dziewiąta.

— Żegnajcie zatem — rzekł z całkowitym spokojem Alfred. — Na tym świecie już się nie zobaczymy!

W następnej chwili zegar zaczął wybijać godzinę, ja zaś poczułem, jak palce brata zaciskają się na moich, a potem wolno prostują i rozluźniają. Lekarz chwycił leżące na stole lusterko i przytknął bratu do ust, ale na szkle nie pojawiła się żadna mgiełka. Alfred zmarł dokładnie o godzinie dziewiątej rano.

Nie będę się rozwodził nad kolejnymi dniami; pan, który utracił siostrę, łatwo może się domyślić tego, jakie targały nami uczucia. Przemknę więc nad tymi dniami, aby zatrzymać się w momencie, gdyśmy już doszli na tyle do siebie, aby zacząć rozmawiać

ze sobą o naszej stracie. W rozmowie z ojcem powróciłem wtedy do wizji, jaką miał nasz drogi Alfred
w swojej sypialni, i przepowiedni zwisającej na szyi
widma, które ujrzał.

Nawet teraz ojciec nie wyrzekał się swego scepty-
cyzmu, chociaż odniosłem wrażenie, że obecnie bardziej trzyma się go ze strachu niż przekonania. Raz
jeszcze przypomniałem mu swoje doświadczenie
z jego gabinetu, potem zwróciłem uwagę na spokój
Alfreda i ścisłość, z jaką przewidział swoją śmierć.
Nic to nie pomogło: ojciec obstawał przy tym, że jego
młodszy syn, a mój brat zmarł z powodu rozstroju
nerwów (taką opinię wyraził doktor). W istocie jego
wyobraźnia była porażona chorobą od najwcześniej-
szego dzieciństwa, a jedyny rozsądny sposób, w jaki
możemy się odnieść do jego rzekomej wizji, to nigdy
więcej o niej nie mówić — nie tylko ze znajomymi,
lecz także między sobą.

Rozmowę tę toczyliśmy w gabinecie, był już wieczór. Ojciec wypowiadał ostatnie słowa, kiedy dostrzegłem, że nagle z niepokojem zaczyna się wpatrywać w przeciwległy róg pokoju. Spojrzałem w tym
samym kierunku i zobaczyłem, iż drzwi otworzyły się same, a przestrzeń za nimi była wypełniona
świetlistością, która pochłaniała wszystkie obecne
w holu przedmioty, a której nie mogę przyrównać
do żadnego znanego nam blasku dziennego czy też
nocnego. Wystraszony chwyciłem ojca za ramię
i szeptem spytałem, czy w okolicy drzwi dostrzegł
coś niezwykłego.

— Tak — odparł głosem jak mój ściszonym. — Widzę, albo przynajmniej tak mi się zdaje, jakieś dziwne światło. Kwestia, o której rozmawialiśmy, bardzo, jak widać, wpływa na nasze emocje. Ciągle jeszcze nie otrząsnęliśmy się z poniesionej straty i zmysły nas zwodzą. Patrzmy lepiej w kierunku ogrodu.

— Ale drzwi, ojcze, otwarte drzwi!

— Nie pierwsze to i nie ostatnie drzwi w naszym domu, które się niekiedy same otwierają.

— Czemu więc ich nie zamknąć?

— No właśnie, czemu? Zaraz sam to zrobię. — Rzekłszy to, ojciec powstał, zrobił kilka kroków, ale powrócił do biurka i powiedział, unikając moich uważnie w niego wpatrzonych oczu: — Wieczór taki ciepły, że w pokoju będzie chłodniej przy uchylonych drzwiach.

Kiedy to mówił, dziwnie pobladł na twarzy, a światło lśniło jeszcze kilka chwil, by potem raptem zgasnąć. Przez resztę wieczoru ojciec zachowywał się jak na niego bardzo dziwnie: był cichy i zamyślony, uskarżał się też na poczucie duszności i niepokoju, co składał na wpływ pogody. Nieoczekiwanie wcześnie oddalił się do siebie.

Zszedłszy następnego ranka na dół, ze zdumieniem stwierdziłem, iż służba zajęta jest przygotowaniami, które najczęściej towarzyszyły czyjemuś wyjazdowi, nagabnąłem więc o to kamerdynera zajętego dopinaniem kufra.

— Jaśnie pan zaraz ma ruszać do Lyonu, paniczu.

Natychmiast pobiegłem do pokoju ojca, którego zastałem przy czytaniu listu. Słysząc mnie wchodzącego, popatrzył z wyrazem najwyższego wzburzenia i desperacji na twarzy.

— Nie wiem, czy dzieje się to na jawie, czy też śnię, czy jestem ofiarą jakiegoś straszliwego złudzenia, czy też igraszką jakiejś jeszcze straszliwszej nadnaturalnej domeny — wyrzucił z siebie niezwykle podenerwowanym głosem. — Oto spełnia się jedna z przepowiedni, które miał Alfred wyczytać na owym zwoju, a które mi wyjawił. Przewidywał, że stracę znaczną część majątku, i oto trzymam właśnie w ręku list, który donosi, iż lyoński kupiec, któremu powierzyłem znaczną część swoich pieniędzy, zbankrutował. Czy może to być przedziwny, ale bagatelny ostatecznie zbieg okoliczności, czy też istotnie Alfredowi została objawiona przyszłość naszej rodziny? Bezzwłocznie udaję się do Lyonu, aby stwierdzić, jak się rzeczy mają, bo w końcu stoi za całą sprawą błędna informacja albo podstępna intryga. Ale jednak, gdy myślę, iż to właśnie przepowiedział mój nieżyjący syn, czuję zimny dreszcz!

— Światło, ojcze! — wykrzyknąłem. — To światło, któreśmy wczoraj widzieli!

— Sza! Dość o tym! Alfred oznajmił mi, że sprawdzenie się przepowiedni zostanie poprzedzone nadnaturalnym światłem, które on widział, ale ja zupełnie w to nie uwierzyłem i, mówiąc prawdę, nawet teraz staram się nie wierzyć. Nie jedyna to przepowiednia, były także inne, lecz ani o nich nie mówmy, ani nie myślmy, a przynajmniej się starajmy. Tak czy owak, jak powiadam, muszę jechać do Lyonu, żeby na miejscu stwierdzić, czy to wszystko prawda, a jeśli tak, to co jeszcze można uratować. List, list, nie, nie mogę ci go dać, muszę natychmiast jechać!

Z tymi słowami wybiegł z pokoju. Podążyłem za nim i chociaż odrobinę się sprzeciwiał, ostatecznie przystał na to, bym mu towarzyszył w podróży. W Lyonie okazało się, że list mówił prawdę. Właściwie przepadła cała fortuna ojca, a jedyne, co nam pozostało, to dochody z niewielkiego mająteczku, jaki mieliśmy po matce.

Po tym nieszczęściu ojciec bardzo podupadł na zdrowiu. Nigdy już nie wspominaliśmy o przepowiedniach Artura, chociaż jednak bałem się podejmować ten temat, to przecież widziałem, że kwestia ta dręczy go nie mniej niż strata dobytku. Wielokrotnie w ostatniej chwili się powstrzymywał, gdy już-już miał coś powiedzieć o moim bracie. Widziałem, że trapi go jakiś sekret, z którego nie chce mi się zwierzyć. Nie było sensu go namawiać; po bankructwie stał się bardzo nerwowy, ale może też nękały go właśnie te niepokoje, które trzymał tylko dla siebie. Moja sytuacja przedstawiała się zarazem smutno i nieznośnie: przeszłość była obciążona bólem i trwogą, przyszłość jawiła się w jeszcze ciemniejszych barwach, a jednocześnie ojcowski wyraźny zakaz nie pozwalał mi o wydarzeniach, które tak ciemną smugą położyły się na moim (i jego) życiu, rozmawiać z którymkolwiek z przyjaciół (z panem włącznie) — co mogłoby mi przynieść jeśli nawet nie radę, to przynajmniej współczucie.

Wróciliśmy do Paryża, sprzedaliśmy nasz tamtejszy dom i przenieśliśmy się do owej wspomnianej wcześniej niewielkiej posiadłości. Niewiele czasu upłynęło od naszych tam przenosin, kiedy ojciec nieroztropnie przemókł w silnej ulewie i w efekcie mocno się przeziębił. Lekarz ocenił, że to nic poważnego, tymczasem stan ojca nieustannie się pogarszał, w czym miały swój niewątpliwy udział jego tak różnorodne strapienia. Doktor ciągle robił nadzieje, ale co z tego, skoro kondycja chorego była coraz marniejsza — i to na tyle, że zdecydowałem się przenieść swe łóżko do jego sypialni, aby doglądać go nie tylko w dzień, lecz także w nocy.

Nadeszła noc, kiedy znużony zasnąłem, nie na tyle jednak głęboko, abym nie zbudził się na krzyk ojca. Siedział na łóżku, ze wzrokiem utkwionym w drzwiach, które dla lepszego obiegu powietrza zostawiono uchylone. Nie widziałem tam nic szczególnego, spytałem więc, o co chodzi. Wymruczał coś o moim synowskim przywiązaniu, a potem, bez żadnych wyjaśnień, poprosił, abym usiadł przy nim na łóżku i nie zostawiał go samego. Raz czy dwa miałem wrażenie, że majaczy, a wtedy wsuwał rękę pod poduszkę, jakby czegoś tam szukał. Z nastaniem ranka wydawał się jednak spokojny i w pełni sił umysłowych. Przyjechał lekarz, uznał, że stan chorego się polepszył, i przeszedł do gabinetu, aby wypisać nowe recepty.

W chwili gdy zostawił nas samych, ojciec słabą ręką chwycił mnie za ramię i z trudem wyszeptał:

— W nocy znowu widziałem nadnaturalne światło, tak więc spełnić się też musi druga przepowiednia: tego ranka umrę tak samo jak Alfred, o dziewiątej. — Urwał na chwilę, a potem dodał: — Pod poduszką jest zaklejona koperta; kiedy odejdę, otwórz ją i przeczytaj, a teraz idź zaraz do gabinetu i przynieś mi zegarek. Słyszałem, jak na wieży kościelnej wybijała ósma, chcę więc wiedzieć, ile jeszcze do dziewiątej. Szybko, szybko, nie zwlekaj!

Przerażony, poruszając się jak w transie, spełniłem ojcowską prośbę, ale ponieważ lekarz dalej siedział przy biurku w gabinecie, powtórzyłem mu, że ojciec jest pewien rychłej śmierci. Zażądałem więc, aby natychmiast go obejrzał.

— Proszę się nie martwić — odparł doktor. — Pański ojciec odrobinę majaczy, więc troszeczkę go oszukamy, co uspokoi go na czas, gdy lekarstwo zacznie już działać. Gdzie zegarek? — Podałem go. — Proszę spojrzeć, za dziesięć dziewiąta. Cofnę wskazówki o godzinę. O, zrobione. Teraz proszę zanieść zegarek, żeby pański ojciec na własne oczy zobaczył nieprawdziwy czas. Będzie już spokojnie spał, kiedy mała wskazówka ponownie zbliży się do dziewiątej.

Powróciłem do łoża ojca, który spojrzawszy tylko na cyferblat, mruknął:

— Spóźnia się, liczyłem dokładnie, już dawno temu na kościele wybiła ósma.

— Ależ kochany ojcze! — wykrzyknąłem. — Po prostu się pomyliłeś. Ja także liczyłem i było siedem uderzeń.

— Siedem? Tylko siedem?! — podchwycił z przejęciem. — A zatem godzina, jeszcze godzina życia!

Najwyraźniej uwierzył w moje słowa. Na przekór wszystkim przeszłym doświadczeniom wierzyłem, że nasza sztuczka się powiedzie, i zająłem miejsce u boku ojca.

Wszedł lekarz, ale ojciec w ogóle go nie zauważył, gdyż wzrok wpił w zegarek leżący między nami na kołdrze. Kiedy wskazówka minutowa była o kreskę od dwunastej, spojrzał na mnie, szepnął, ale jakby bez wielkiej wiary: „Jeszcze godzina życia" — i zamknął oczy. Wpatrywałem się z napięciem w zegarek, kiedy wskazał dokładnie fałszywą ósmą, zaś lekarz, który trzymał w palcach przegub ojca, zawołał:

— Wielki Boże! Puls ustał! Pański ojciec umarł dokładnie o dziewiątej!

Dopełnił się los, wobec którego bezsilne okazały się ludzkie fortele i ludzka wiedza. A ja zostałem na świecie sam!

Kiedy spuściliśmy do grobu trumnę ze zwłokami ojca, wróciłem do naszej niewielkiej siedziby i otworzyłem zalakowaną kopertę, którą znalazłem pod poduszką śmiertelnego łoża. Przypuszczałem wprawdzie, że odsłonią się przede mną koleje mojego losu, ale wyciągnąłem list bez drżenia i łez. Znalazłem się już po drugiej stronie rozpaczy: straciwszy w tak dramatyczny sposób młodszego brata i ojca, osiągnąłem stan, w którym mogłem spoglądać w oczy fatum ze spokojem i chłodem.

A oto tekst listu:

Kiedy twój rodzic i brat padli ofiarą ciążącego nad naszym rodem przeznaczenia, uznałem za rzecz właściwą, kochany synu, abyś dowiedział się, jak brzmi ostatnia, dotąd niespełniona przepowiednia. Dowiedz się zatem, że końcowa linijka tekstu odczytanego przez naszego kochanego Alfreda mówiła o tym, iż umrzesz tak jak my o godzinie dziewiątej rano, śmierć zaś będzie krwawa i brutalna. Data jej jednak nie została podana. Najdroższy synu! Nigdy się nie dowiesz, czym było dla mnie posiadanie tej straszliwej wiadomości, kiedy stopniowo potwierdzały się wcześniejsze przepowiednie. Nawet teraz, gdy kreślę te słowa, na przekór wszystkiemu żywię rozpaczliwą nadzieję, że przynajmniej to proroctwo się nie ziści, nawet jeśli prawdziwe okazały się poprzednie. Bądź ostrożny i rozważny, starannie planuj każde swoje posunięcie. Czyha nad Tobą straszliwe fatum, ale i nad nim jest jeszcze Moc, przed którą teraz duch twego brata i duch twego ojca modlą się o łaskę dla Ciebie. Pamiętaj o tym, gdy na serce kłaść Ci się będzie cień, a droga życia wydawać się będzie twarda i najeżona wybojami. Pamiętaj, że jest jeszcze inny, lepszy świat i tam się na koniec spotkamy. Bywaj!.

Gdy po raz pierwszy czytałem te linijki, ogarnęła mnie ponura, nieubłagana rezygnacja wschodnich fatalistów — i nigdy już potem właściwie mnie nie opuściła. Ona na przykład sprawia, że teraz w więzieniu czuję całkowity spokój. Spokojnie skłoniłem się przed losem, kiedy się o nim po raz pierwszy dowiedziałem, spokojnie kłonię się przed nim teraz, gdy czas mój niebawem ma się już dopełnić. Często dawał pan wyraz swojemu zdziwieniu, iż zawsze trzyma się mnie nieznający wprawdzie fanaberycznych wyskoków, ale też i nigdy nieodstępujący mnie smutek... Czy po tym, co pan usłyszał, dalej to pana dziwi?

Ale jeszcze na chwilę wrócę do przeszłości. Nie miałem wprawdzie nadziei na to, że uniknę losu brata i ojca, ale poznawszy swą przyszłość, żyłem spokojnie pośród innych, przed którymi wiedza ta jest zakryta. Jeśli nie liczyć pana i jeszcze jednego przyjaciela, nie utrzymywałem z nikim bliższych kontaktów; spacerowałem tylko po swym ogrodzie i najbliższej okolicy, wolny zaś czas poświęcałem na uparte studia — jedynie one bowiem mogły odwieść moją uwagę od przeszłości i tego, co mnie jeszcze czeka w przyszłości. Nie wiem, czy ktokolwiek pędził żywot bardziej spokojny i wyzbyty gwałtownych zdarzeń.

Sam pan wie, co mnie wyrwało z tej sennej, mógłby ktoś rzec, egzystencji. Wieści z Paryża dotarły także do mojej samotni i zburzyły mój pełen rezygnacji spokój. I ja wiedziałem o słabostkach i wybrykach naszego króla Ludwika, i ja słyszałem o Stanach Generalnych oraz początku rewolucji. Potężne i dramatyczne wydarzenia naszej epoki wszystkich zmusiły do tego, by swą prywatność poświęcić dla spraw publicznych, zaś politykę z konieczności — a nie z własnej woli — uczynić swą codziennością.

Zostałem wybrany na deputowanego — bardziej z racji nazwiska niż dokonań, które mogłyby zwrócić uwagę sąsiadów. Wyjechałem do Paryża, aby uczestniczyć w pracach parlamentu, ani przez chwilę nie przeczuwając, do jakich zbrodni i okrucieństw może doprowadzić nasza rewolucja, której początek tak był umiarkowany, i nie myśląc o tym, iż jest to właśnie pierwszy krok, który doprowadzi do przewidzianej mi śmierci krwawej i gwałtownej.

Czy wiele jeszcze muszę dodać? Dobrze pan wie, z jakim zapałem przyłączyłem się do stronnictwa żyrondystów; dobrze pan wie, jak padliśmy ofiarą zajadłych rozgrywek; dobrze pan wie, jaki jutro los czeka mnie i moich towarzyszy. Na koniec powtórzę więc to, co powiedziałem na początku: ze swym osądem całej tej opowieści niech się pan wstrzyma do chwili, gdy na własne oczy zobaczy pan jutrzejsze wydarzenia. Konsekwentnie rezygnując z komentarzy, przedstawiłem tylko przebieg wypadków, powstrzymując się od wyrażania opinii na temat ich znaczenia czy przypuszczeń co do ich mechanizmu. Może pan, oczywiście, uznać nas za rodzinę znerwicowanych wizjonerów, którzy ciągowi wydarzeń zaskakujących, ale nie niemożliwych, nadali wyjaśnienie zabobonnie odwołujące się do jakichś sił nadnaturalnych. Jeśli takie jest faktycznie pańskie przekonanie, nie zamierzam z nim polemizować, gdyż jutro będzie pan już myślał inaczej — bo też będzie pan odmienionym człowiekiem. Teraz tylko proszę, aby zapamiętał pan moje słowa: w nocy widziałem niezwykły blask, który dla Alfreda i ojca był zapowiedzią, mnie zaś informuje, że kiedykolwiek zacznie się egzekucja, w jakiejkolwiek kolejności będą kłaść głowy pod ostrzem gilotyny skazańcy — ja i tak życie zakończę wówczas, gdy zegar wybije dziewiątą!

* * *

Nastał ranek. Nawet śladu nie było po straceńczej wieczerzy w holu, gdy wyprowadzano przezeń dwudziestu jeden skazańców, aby załadować ich na wozy, które miały wszystkich przewieźć na szafot.

Niebo zdało się bezchmurne, a słońce ciepłe i promienne, kiedy żyrondyści wolno sunęli ulicami Paryża na miejsce kaźni. Duprat i Marginy znaleźli się, rzecz jasna, na innych wozach, oddzielnie bowiem jechali ci, którzy mieli zginąć, a oddzielnie ci, którzy na razie mieli być tylko świadkami. Melancholijna twarz Duprata miała wyraz niezwykłej godności; jego wzrok był spokojny i pewny, z policzków nie znikł rumieniec. Jakże inaczej wyglądało oblicze Marginy'ego: pociągnęła je bladość, która nie ominęła nawet warg. Straszliwa opowieść, której wysłuchał poprzedniego wieczoru, oraz przekonanie, że już niedługo może otrzymać finalne jej potwierdzenie, sprawiły, iż chyba po raz pierwszy w życiu tak bardzo nie potrafił zapanować nad sobą. Duprat miał rację; Marginy już teraz, gdy ranek dopiero się toczył ku swemu finałowi, był odmienionym człowiekiem.

Wozy zatrzymały się u podnóża szafotu, który już niebawem miał spłynąć krwią dwudziestu jeden ofiar. Skazańcy weszli po schodach i stanęli w rzędzie naprzeciw gilotyny. Więźniowie, którzy mieli być tylko świadkami, zostali na dole. Zanim Duprat postawił nogę na pierwszym stopniu, podał jeszcze rękę Marginy'emu, mówiąc:

— Do widzenia, żegnaj, przyjacielu. Odchodzę do brata i ojca. Pamiętaj o tym, co ci powiedziałem wczoraj wieczorem.

Z bezkrwistymi policzkami i szeroko otwartymi oczyma Marginy patrzył, jak Duprat zajmuje miejsce w środkowym z trzech rzędów, w jakie ustawiono skazańców. Rozpoczął się straszliwy spektakl mordowania. Po pierwszych siedmiu ofiarach zrobiono przerwę, aby usunąć korpusy i głowy.

Kiedy podjęto egzekucję, Duprat był trzeci w kolejności. Na chwilę stał wyprostowany naprzeciw gilotyny, odszukał wzrokiem przyjaciela, a potem uśmiechnięty, głosem jasnym i wyraźnym powiedział:

— Pamiętaj!

Marginy poczuł, że krew zamiera mu w żyłach, gdy widział, jak Duprat klęka. Także on sam padł na kolana i ukrył twarz w dłoniach, gdyż właśnie zegar na pobliskim kościele zaczął wydzwaniać godzinę, w co wplótł się bezlitosny świst stali.

— Która to biła, dziewiąta czy dziesiąta? — Jeden z jego towarzyszy spytał eskortującego ich żołnierza, który stał obok wozu.

Ten zaś spojrzał na zegarek i odrzekł:

— Dziewiąta!

DIABELSKIE OKULARY

1

Wspomnienia arktycznego podróżnika

— Powiada, sir Alfredzie, że koniec jego już bliski i bardzo chciałby pana zobaczyć.

— Zanim umrze, tak?

— Tak, sir.

Z przyczyn, które zostaną jeszcze przedstawione, nie miałem najmniejszej ochoty na to, by zajmować się czyimikolwiek sprawami, niemniej człowiek, który mnie informował, że „koniec jego bliski", miał prawo do szczególnych względów z mojej strony.

Był to stary wilk morski, Septimus Notman, który po raz pierwszy zobaczył wielką wodę, służąc mojemu ojcu, podówczas kapitanowi marynarki jego królewskiej mości. Septimus urodził się w naszym majątku jako syn leśniczego, chociaż jednak miał sześcioro rodzeństwa, to jako jedyny męski potomek osiągnął wiek dojrzały. Ojciec wielkodusznie zadbał o jego edukację, co dobrze powinno go przygotować do życia w wielkim świecie, gdyby nie należał do tych wagabundów, którzy niewielką wagę przykładają do wykształcenia. Ledwie tylko znalazł po temu okazję — znikł na wiele lat, podczas których, jak wieści donosiły, pływał na statkach handlowych. Gdy na koniec zjawił się w naszej posiadłości, był inwalidą, nawet bez pensa w kieszeni. Kaleką był także mój ojciec, dożywający swych dni. Nie warto teraz roztrząsać, czy powodowało nim współczucie dla podobnego doń nieszczęśnika, czy też raz jeszcze odezwała się jego wielkoduszność, w każdym razie oddał mu pod opiekę jedną z naszych bram parkowych, a na łożu śmierci polecił, bym teraz ja roztoczył nad nim pieczę. „Obawiam się, że to stary nicpoń — wyznał mi rodziciel — ktoś jednak musi się o niego zatroszczyć, jak długo jeszcze żyjem, a poza tobą, Alfredzie, nikt już tego nie uczyni". Trwał więc nadal Septimus przy bramie, gdy zaś przenosiliśmy się do domu w Londynie, a bramę zamykano, lądował w pokoiku nad nieużywaną stajnią. Nikt nie lubił Septimusa Notmana; ludzie szeptali między sobą, że jest wariatem, kłamcą, hipokrytą, wrednym nikczemnikiem i nieczułym brutalem. Zdarzali się tacy, którzy twierdzili, że w czasach swojej tułaczki był piratem, a gdy domagano się od nich dowodów, powiadali, iż ma na twarzy wypisaną zbrodnię. On jednak zupełnie się nie przejmował opiniami sąsiadów; żuł swój tytoń, popijał swój grog i mruczał pod nosem żeglarskie piosenki. Miał rację mój rodzic, że gdybym ja się nie zatroszczył o Septimusa, nikt inny by tego nie zrobił. A powiedzieć wam coś w tajemnicy? Dokładnie wprawdzie wypełniałem ojcowskie polecenie i chociaż Septimus był na swój grubiański sposób mi wdzięczny, także i ja go nie lubiłem.

Nie miałem więc łez w oczach, kiedy wszedłem do pokoiku nad stajnią, przyciągnąłem krzesło do jego łóżka i odkryłem dla niego prymkę tytoniu.

— No więc co takiego? — spytałem tak chłodno, jakby mi wysłał wiadomość, że się trochę przeziębił.

— Czas już na mnie — stęknął Septimus — ale zanim pożegnam się ze światem, muszę coś wyznać, a także zaproponować panu coś pożytecznego, sir Alfredzie. Pośród służby się mówi, że ma pan teraz problem z wyborem między dwiema damami, a jeśli śmierć odczeka tych kilka chwil, których mi potrzeba na ostatnie słowa, może to panu coś podszepnie, sir.

— Nie przesadzajcie, Septimus. Lekarz was widział?

— A co on może wiedzieć o mnie takiego, czego ja bym nie wiedział? Wszystkie te doktory...

— Dobrze, dobrze, niech wam będzie, ale czy w takim razie macie jakieś ostatnie życzenie, które mógłbym spełnić?

— Nie, sir.

— To może wezwać pastora?

Septimus Notman spojrzał na mnie tak prosto, jak potrafił, gdyż miał straszliwego zeza. Poza tym niedostatkiem był to barczysty mężczyzna o czerwonej twarzy okolonej siwą czupryną i bokobrodami, obdarzony chrapliwym, basowym głosem i największymi rękami, jakie kiedykolwiek widziałem. Jedną z tych ogromnych dłoni włożył pod poduszkę, zanim mi odpowiedział.

— Jeśli sądzi pan, sir, że pastor przyjdzie do człowieka, który ma tu pod poduszką Diabelskie Okulary, a wystarczy, że nałoży je na nos, żeby przejrzeć klechę przez ubranie, skórę, ciało, żeby wyraźnie jak w książce wyczytać, co mu drzemie w duszy, niech go pan tu sprowadzi, sir Alfredzie, niech go pan sprowadzi, proszę bardzo!

Pomyślałem, że to może się istotnie nie spodobać pastorowi, więc nie obstawałem przy swej propozycji. Jedyne, co mi w tej sytuacji jeszcze pozostało, to poprosić o pokazanie Diabelskich Okularów.

— Niech pan najpierw posłucha, jak wszedłem w ich posiadanie — powiedział Septimus.

— A długo to potrwa? — chciałem się upewnić.

— Długo i sprawi, że poczuje pan ciarki na skórze — brzmiała odpowiedź.

Pamiętając o obietnicy złożonej ojcu, rozsiadłem się, oddając swą cierpliwość i skórę na łaskę Septimusa, który jednak nie mógł zacząć tak od razu.

— Widzi pan ten biały dzban, sir? — zapytał, wskazując w kierunku umywalki.

— Chcecie wody?

— Chcę grogu. W dzbanku jest grog, a na kominku stoi kubek. Musi mnie coś podtrzymać przy życiu, sir Alfredzie, bo inaczej nie wydolę.

W dzbanie znajdowało się, lekko licząc, pół galonu rumu z wodą. Nalałem, aby go podtrzymać, czego może bym nie zrobił w przypadku każdego umierającego, ale kiedy chodzi o posiadacza Diabelskich

516

Okularów, z pewnością można sobie pozwolić na odstępstwo od reguł i pozwolić na to, by wykończenie grogu zbiegło się z końcem egzystencji.

— No, teraz jużem gotów — sapnął, wychyliwszy potężny łyk. — Ciekawe, jak pan myśli, co też ja porabiałem, kiedy zniknąłem wam wszystkim z oczu?

— Powiadają, że byliście piratem — odrzekłem.

— Jeszcze gorzej. Niech pan zgaduje dalej, sir.

Usiłowałem sam siebie przekonać, że może bywają łagodni piraci, dlatego moja następna sugestia brzmiała:

— Mordercą.

— Jeszcze gorzej. Niech pan próbuje, sir.

Poddałem się.

— Szybciej się z tym uporamy, kiedy powiecie mi sami — powiedziałem.

— Byłem ludożercą — rzekł Septimus bez najmniejszego skrępowania.

Była to może słabość z mojej strony, ale zerwałem się na równe nogi i skierowałem do drzwi.

— Niech pan chociaż posłucha, jak do tego doszło. Chyba zna pan, sir, powiedzenie, że okoliczności decydują o wszystkim?

Z porzekadłami się nie dyskutuje, wróciłem więc na miejsce. Byłem wówczas człowiekiem młodym i wrażliwym, co w tej konkretnie sytuacji przemawiało na moją niekorzyść. Na korzyść zaś przemawiało to, że miałem dość zahartowaną skórę.

— Uczestniczyłem wtedy — rozpoczął swoją opowieść Septimus — w arktycznej ekspedycji. Wszystko mi się teraz miesza w głowie, daty i szczegóły. Który był rok, tego nie pamiętam, podobnie jak próżno byłoby mnie pytać o szerokości i długości. Ale inne rzeczy całkiem jeszcze dobrze pamiętam. Wyprawiliśmy się, trzeba panu wiedzieć, sir, na saniach. Kończyła się już letnia pora na tych terenach, a my byliśmy coraz bliżej bieguna północnego. I dotarlibyśmy tam, niech pan w to nie wątpi, sir Alfredzie, gdyby trzech z naszych najlepszych ludzi nie zachorowało na szkorbut. Podporucznik, który nami dowodził, kazał zrobić popas, jak to mówią w wojsku, i powiada: „Skoro brakuje nam sił, mam obowiązek zawrócić wszystkich na statek. Niechże sobie biegun północny zostanie tam, gdzie jest, a my módlmy się o to, żeby tylko nie przybyło nam inwalidów. Pół godziny odpoczynku i robimy w tył zwrot". Wtedy stolarz, należący do najroztropniejszych z naszych ludzi, zameldował, że jedne z sań szwankują. „Ile czasu ci trzeba, żeby je naprawić?", pyta porucznik. „W porządnym klimacie — stolarz na to — dwie, trzy godziny, ale tutaj co najmniej dwa razy dłużej". No dobrze, może pan spytać, sir: a nie można bez sanek? Nie można, odpowiem, a wie pan czemu, sir? Z powodu chorych, których trzeba było wieźć. „Zwijaj się jak najszybciej — rozkazał porucznik — bo w naszej sytuacji czas to życie". Większość ludzi cieszyła się z odpoczynku i tylko dwóch szemrało, że nie idziemy dalej. Jednym był bosman, drugim ja. „Myślisz sobie może — rzekł porucznik do bosmana — że biegun jest zaraz za tym wzniesieniem?". Bosman, który był młody i pewny siebie, odparł: „Pewien nie jestem, sir, ale z chęcią bym spróbował, gdyby znalazł się jeszcze jeden śmiałek, aby mi towarzyszyć". I mówiąc to, popatrzył na mnie. Zupełnie mi się to nie podobało, by ktoś stawiał pod znakiem zapytania moją odwagę tylko z powodu jakiegoś kawałka ziemi do przejścia, nawet zamarzniętej, a poza tym i mnie pociągała myśl, żeby stanąć na biegunie północnym — toteż zgłosiłem się na ochotnika. Chcieliśmy tylko wziąć ze sobą kompas oraz trochę jedzenia i pomaszerować przed siebie kilka godzin, ale tak żeby wrócić, zanim cała kompania zbierze się do drogi powrotnej. Porucznik jednak nawet nie chciał o tym słyszeć. „Jestem odpowiedzialny za wszystkich swoich podkomendnych, nawet za takich wariatów jak wy. Macie siedzieć i nigdzie się nie ruszać". Cóż jednak począć, istotnie byliśmy wariatami. Kiedy wszyscy byli zajęci rozładowywaniem zepsutych sań, my chyłkiem wymknęliśmy się, aby spróbować swojej szansy i zostać zdobywcami bieguna północnego.

Tutaj Septimus urwał i wskazał na dzban z grogiem.

— Wysycha w gardle od gadania — wychrypiał.
— Niechże pan zechce trochę polać, sir.

Znowu więc napełniłem kubek i znowu Septimus Notman gracko go osuszył.

— Ruszyliśmy w kierunku północny zachód—

północ — ciągnął. — Po niejakiej chwili, widząc, że grunt nam sprzyja, poszliśmy już wprost na północ. Nie powiem panu, sir Alfredzie, jak długo szliśmy (żaden z nas nie miał zegarka), ale jedno mogę poprzysiąc. Kiedy gasł ostatni promyk arktycznego dnia, znaleźliśmy się na szczycie wzniesienia, skąd roziskrzyło się przed nami Morze Polarne! Nie, wcale nie cieśnina prowadząca do Kanału Kennedy'ego, którą, zdarzało się, błędnie za nie uznawano, lecz najprawdziwsze Morze Polarne! I co by pan zrobił na naszym miejscu, sir? Powiem panu w każdym razie, co my zrobiliśmy. Usiedliśmy na jakimś śnieżnym bloku i wyciągnęliśmy swoje suchary i swój grog. Mróz tam przecież, powie pan może, sir Alfredzie? Jeśli mnie pan nie wierzy, niech pan poszpera w książkach, a dowie się pan, że im dalej na północ w tej części świata, tym mniej chłodu się czuje i tym więcej otwartej wody się spotyka. Ot, niech pan zapyta kapitana M'Clure'a, na jakim to łożu spędził noc trzynastego października roku tysiąc osiemset pięćdziesiątego pierwszego. No dobrze, a jak pan sądzi, sir, co zrobiliśmy, pojadłszy i popiwszy? Zapaliliśmy fajki. A co potem? Ułożyliśmy się do smacznego snu na śniegu, mając za sobą kawał drogi. Co zaś nas czekało, kiedyśmy się obudzili? Ciemność, mżawka i mgła. Dzierżąc kompas, próbowałem ustalić, w jakim kierunku winniśmy teraz wracać, ale widziałem go nie lepiej niż ślepiec. Nic nie mieliśmy do skrzesania ognia z wyjątkiem mego pudełka zapałek, tyle że zasypiając, zostawiłem je obok siebie w śniegu i teraz żadna z nich zapalić się nie chciała. O jakiejkolwiek pomocy myśleć było nie sposób, bośmy się na dobrych osiem kilometrów oddalili od swoich towarzyszy, jakże więc wołać? I tak oto ja i bosman byliśmy samiuteńcy na polarnej pustyni.

Poczułem, jak rośnie moje zainteresowanie.

— Przypuszczam, że chociaż było ciemno, to jednak próbowaliście wrócić — powiedziałem.

— Szliśmy, dopóki nogi nie odmówiły nam posłuszeństwa — odparł Septimus. — A potem, chociaż nie miało to większego sensu, wydzieraliśmy się tak długo, aż zbrakło nam głosu. Następnie wygrzebaliśmy w śniegu jamę i skuliliśmy się w niej, czekając, aż nadejdzie światło.

— A czego wtedy się spodziewaliście?

— Ja już niczego się nie spodziewałem, sir Alfredzie, natomiast bosman, który zaczął odrobinę majaczyć, powtarzał, że porucznik na pewno wyśle ludzi, żeby nas odszukali, albo przynajmniej poczeka na nasz powrót. Ja dla siebie pozostawiłem myśl, że trudno się tego spodziewać, aby oficer, od którego zależy życie arktycznej wyprawy, miał łamać rozkazy i zaniedbywać swoje obowiązki tylko dlatego, że dwóch jej członków samowolnie się oddaliło. Idę o zakład, że kiedy mu doniesiono, iż nas nie ma, mruknął tylko: „No i dobrze!". Kiedy zrobiło się jasno, wyraźnie zobaczyliśmy swój szlak, więc ruszyliśmy z powrotem, ale, na Boga, nic już nie mieliśmy do jedzenia ani picia! Kiedy znowu zaczęło zmierzchać, byliśmy zupełnie bez sił. Pod osłoną jakiejś skały padliśmy bez ducha w śnieg. Bosman zmówił pacierz, a ja powiedziałem „Amen". Zrobiliśmy to w samą porę, gdyż im czarniejsza była noc, tym zimniej się robiło. Wtuliliśmy się w siebie najmocniej, jak potrafiliśmy, żeby jak najmniej tracić ciepła. Nie wiem, ile to trwało, natomiast z pewnością było jeszcze ciemno, choć oko wykol, kiedy usłyszałem, że bosman jakby ciężko westchnął — a potem nie było już żadnego jego oddechu. Rozpiąłem mu ubranie i przyłożyłem rękę do serca. Zmarł z zimna i wyczerpania, tyle było pewne. Także i ja rychło bym za nim pociągnął, gdyby nie przytomność umysłu.

— Waszego? A coście takiego zrobili?

— Zdarłem z niego każdy strzępek materiału i wszystkim tym się okryłem. A pan co się tak krzywi, sir Alfredzie, przecież bosmanowi zimniej już być nie mogło. Ja nawet powiem więcej, gdyby nie moja przytomność umysłu, jeszcze dzień by nie nastał, a on byłby już sztywny i twardy jak kamień. Na ile pozwoliły mi siły, których nie miałem za wiele, zagrzebałem go w śniegu. Cnota, jak powiadają, sir, jest dla samej siebie nagrodą. Dobry uczynek uratował mi życie.

— Jak to rozumiecie?

— No przecież powiedziałem: pochowałem go.

— I co z tego?

— Nie rozumie pan: dzięki temu, że nie zamarzł na kość, dawał się zjeść.

— Ty nędzniku!

— Niechże się pan sam wstawi w moje położenie, sir Alfredzie, a wtedy może przestanie mnie pan wyzywać. Wytrzymałem do chwili, kiedy z głodu zacząłem wręcz wariować. Wtedy zębami otworzyłem nóż, nim zacząłem odrzucać śnieg, aż wreszcie go poczułem i...

Nie mogłem tego dłużej słuchać.

— Dobrze, dobrze, jak to się skończyło? Dlaczego nie umarłeś tam na biegunie północnym?

— Bo ktoś mi pomógł się wydostać.

— Kto taki?

— Diabeł.

Septimus odsłonił swe stare pożółkłe zęby w okropnym uśmiechu. Nasunął mi się jedyny w tej sytuacji wniosek: klepki w beczce jego umysłu zaczynały się rozchodzić w obliczu śmierci. Tak czy siak, wszystko, co nie kazało mi słuchać o akcie kanibalizmu, było dobre, dlatego spytałem, jak też doszło do tego nadnaturalnego ratunku.

— Najpierw jeszcze trochę grogu — rzekł, zdało mi się, dość chwacko jak na swoją sytuację, ale zaraz się okazało, że moja ocena była niesłuszna. — Jak tylko o tym pomyślę, opada mnie groza.

Jego koniec był rychły, to nie ulegało wątpliwości. Bez grogu pewnie by i do tej chwili nie dociągnął.

— Nie powiem, sir Alfredzie, ile dni minęło, w każdym razie wiem jedno: była ciemność zupełna, ani krzyny światła. Im mroźniej się robiło, tym głębszą ryłem sobie jamę w śniegu, tak że w końcu straciłem orientację: dzień to czy noc, w każdym razie w pewnej chwili, pośród zupełnej ciszy, w kompletnej samotności — bo trupa nie liczę — usłyszałem spływający gdzieś z wysoka wesoły, nawet jakby trochę rozbawiony głos, który zapytał:

— No i jak tam, Septimusie Notmanie, dużo jeszcze zostało z imć bosmana? Czy za życia dbał o to, żeby się najadać?

— Ki diabeł...

Głos jednak nie dał mi dokończyć.

— No proszę, od razu trafiłeś w sedno, nie wszystkim się to zdarza. To właśnie ja we własnej osobie. Pora, żeby diabeł pomógł ci się z tego wykaraskać.

— Nie, nie, nie — odparłem. — Wolę już uświerknąć z mrozu, niż potem wieczyście skwierczeć w płomieniach.

— Nie entuzjazmuj się aż tak bardzo — on na to. — Na razie nic mi po tobie w mojej domenie. Trzeba ci się jeszcze potrudzić, żebyś dużo bardziej spaskudził swoje człowieczeństwo, zanim będziesz już dla mnie gotowy. Na razie proponuję, że cię doprowadzę do najbliższego osiedla. Tak, tak, Septimusie, bardzo jesteś w moim guście, więc bardzo chętnie ci pomogę.

— A czym sobie na tym zasłużyłem? — spytałem głosem, przyznam, trochę drżącym.

— Czym? Tym, że niezły z ciebie bydlak. Powiem ci szczerze, nienawidzę tych, którzy się nieustannie wdrapują coraz wyżej i wyżej, tęskniąc do tej swojej *wstrętnej nieśmiertelności. Ucieka mi taki, wymyka się, a ja nic na to nie mogę poradzić. Ale ty, ty, drogi przyjacielu, ty spadłeś do poziomu wygłodniałego wilka. Spałaszowałeś swojego towarzysza, a jeśliś nawet kiedykolwiek posiadał duszę, Septimusie, ta się z tobą rozstała wraz z pierwszym kęsem bosmana, któryś zeżarł. I co, myślisz, że takiego ślicznie zezwierzęcanego człeka zostawię, żeby mi zmarniał na biegunie północnym? Nie, mowy nie ma, przeniosę cię drogą dla mnie dostępną, bo dla mnie ciemność i dystans to żaden problem. Jak tam, gotów?*

— Może mi pan nie wierzyć, sir, ale nagle, bez żadnego mojego przyczynienia się do tego uniosłem się w górę.

— *Światła!* — zażądałem. — *Nie mogę podróżować w ciemności.*

— *Weź moje okulary* — czort na to — *a będziesz przez nie widział więcej, niż ci się należy. Wystarczy, że spojrzysz przez nie na swych bliźnich, a zobaczysz ich najtajniejsze myśli tak klarownie, jak ja to widzę, a jeśli zważyć na twą naturę, Septimusie, spodziewam się, iż dzięki tym okularom spadniesz na poziom znacznie poniżej wilka.*

— *A jak, powiedzmy, nie będę chciał widzieć, to mogę je wyrzucić?*

— *Wrócą do ciebie.*

— *A jak je stłukę?*

— *Złożą się na powrót.*

— *To jak się ich pozbyć?*

— *Daj je komuś innemu. A teraz: raz, dwa, trzy —
i jazda!*

— I znowu może mi pan nie uwierzyć, sir Alfredzie, ale straciłem przytomność. Ale… zaraz, teraz
też ją tracę… grog… Więcej grogu! No więc doszedłem do siebie w Upernavik z Diabelskimi Okularami
w kieszeni. Niech je pan weźmie, sir, i zobaczy, co też
się dzieje w sercach tych dwóch dam, a potem decyduje i działa zgodnie z tym. Ach! Słyszę go znowu, za
poduszką, tak jak wtedy, grzeczny i wesoły. Przyzywa
mnie, woła: „Chodź, kanibalu, chodź no do mnie!". Co
za okropna przyśpiewka, wstrętna. „Chodź, kanibalu,
chodź no do mnie!".

Te ostatnie słowa wypowiadał Septimus coraz
ciszej, by po ostatnim umrzeć, ale — uwierzycie? —
z uśmiechem na twarzy. Delirium to było czy łgarstwo… Trzymając okulary w ręku, byłem skłonny
sądzić, że łgarstwo. Normalne staromodne binokle
z wielkimi okrągłymi szkłami i rogowymi oprawka-
mi z żółwiej skorupy. Woń miały nieco zatęchłą, ale
nic w niej nie było z siarki. Ośmielę się mniemać,
że mam niejakie poczucie humoru, wypucowawszy
więc szkła, postanowiłem wypróbować Diabelskie
Okulary na obu damach i zobaczyć, jakie to będzie
miało konsekwencje.

2

Moje wspomnienia

A cóż to za dwie damy?

Obie młode, obie niezamężne. Mam nadzieję, iż wybaczone mi zostanie, że gwoli dyskrecji będę używał tylko ich imion. A zatem Zilla, lat siedemnaście, i Cecilia, lat dwadzieścia dwa.

Co mnie z nimi wiązało?

Byłem w tym samym wieku co Cecilia, która urodziwa, z dobrej rodziny, uboga, krzątała się wokół matki, wolne chwile urozmaicając jej lekturą. Oświadczyłem się jej i zostałem przyjęty. Drogi do ołtarza nie grodziły przeszkody materialne pomimo pustej sakwy mojej narzeczonej. Byłem jedynakiem i po śmierci ojca odziedziczyłem cały majątek, jeśli nie liczyć odpisu, jaki w testamencie poczynił dla matki, a co się tyczy pozycji towarzyskiej, Cecilia z pewnością nie stała niżej ode mnie, a jeśli już — to nawet odrobinę wyżej. Mówiąc inaczej, w oczach świata byliśmy dobraną parą. Niemniej była pewna przeszkoda, a także osoba nader zainteresowana tym, aby uczynić tę przeszkodę tak poważną, jak to tylko możliwe. Przeszkodę stanowiła Zilla, a ową osobą była moja matka. Zilla była córką jej starszego brata. Rodzice zmarli podczas pobytu w Indiach, a ją wysłano do Anglii, żeby tutaj chodziła do szkoły

527

pod opieką stryja. Nigdy jej nie widziałem ani nawet nie słyszałem o niej do chwili, kiedy dowiedziałem się, że przyjedzie do nas na Boże Narodzenie (w tym właśnie roku, kiedy zmarł Septimus Notman).

— Jej wuj nie ma nic przeciw temu — oznajmiła mi matka — a ja ją zobaczę z wielką radością. Jak się dowiaduję, to niesłychanie interesująca osoba, taka dobra i kochana, że w szkole nazywają ją Aniołem. Słowem nawet nie wspomnę o niewielkim majątku, jaki posiada, ani o wysokiej funkcji wojskowej, jaką pełnił jej ojciec, a mój brat, gdyż wiem, Alfredzie, iż nie przykładasz wagi do takich kwestii, natomiast nie zamierzam ukrywać, że byłabym niesłychanie szczęśliwa, gdybyś zakochał się w Zilli i ją poślubił!

Tymczasem ja trzy dni wcześniej złożyłem Cecilii propozycję matrymonialną, a ta — jak już wspomniałem — została przyjęta, chociaż rzecz całą miała zaakceptować matka. Uznałem, że teraz jest po temu najlepsza okazja, ledwie jednak skończyłem mówić to, co miałem do powiedzenia, matka wybuchła takim gniewem, jakiego nigdy wcześniej u niej nie widziałem. Była wściekła na Cecilię, a mną głęboko rozczarowana.

— Kobieta bez farthinga* przy duszy, w tym samym wieku co ty, podstępna na tyle, by swoją sytuację w naszym domu wykorzystać do tego, aby ci zawrócić w głowie! — krzyczała.

---

* Farthing — jedna czwarta pensa.

Nie wątpię, że jeszcze tego samego dnia zostałaby odprawiona, gdybym z całą stanowczością nie oznajmił, że w takim przypadku, w poczuciu ciążącej na mnie powinności, natychmiast Cecilię poślubię. Ponieważ matka dobrze znała mój temperament, na razie musiała się powstrzymać z decyzją o oddaleniu swej lektorki. Ta z kolei, dając piękny dowód szlachetności i dumy, oznajmiła, że dopóki moja matka nie wyrazi zgody, ona ani myśli zostać moją żoną. Siebie uważała za ofiarę losu, ja zaś byłem pewien, że jestem traktowany przez matkę w sposób oburzający, chociaż, powiedzmy to między sobą, moja postawa uczyniła jej życie nieznośnym, gdyż to ona musiała ustąpić. Zapadła decyzja, że ślub odbędzie się na wiosnę; Zillę czekało wielkie rozczarowanie, gdyż jej wizyta musiała zostać odwołana.

— Ona tak bardzo chciała cię poznać, biedaczka — powiedziała matka — ale w takiej sytuacji bałam się obstawać przy zaproszeniu. Taka jest świeża w swej młodości, tak niewinna, a zarazem tak przewyższa Cecilię jako osoba, że naprawdę nie wiem, do czego by doszło, gdybyś ją teraz zobaczył. Jesteś człowiekiem honoru, Alfredzie, i dlatego lepiej, abyście ty i Zilla pozostali sobie obcy, inaczej bowiem mógłbyś gorzko żałować swych niewczesnych zaręczyn.

Nie muszę chyba tłumaczyć, że po takich słowach wręcz umierałem z pragnienia, żeby zobaczyć Zillę, chociaż ani przez myśl mi nie przeszło, by nie dochować wierności Cecilii.

Taka więc była moja sytuacja tego pamiętnego dnia, kiedy zmarł Septimus Notman, czyniąc mnie właścicielem Diabelskich Okularów.

3

Egzamin okularowy

Pierwszą osobą, którą spotkałem po powrocie do domu, był kamerdyner Valerianus. Czekał na mnie z pokwitowaniem, że zgodnie z poleceniem uregulował rachunek w wysokości niemal stu funtów.

— Nie było żadnego rabatu? — spytałem, zerknąwszy na dokument.

— Nie, sir, rabatu udzielają tylko przy transakcjach gotówkowych.

Służył u nas od wielu lat, a odpowiedział mi głosem tak pewnym siebie, że poczułem nieodpartą ochotę, aby — zanim spojrzę przez Diabelskie Okulary na damy — wypróbować je najpierw na naszym wiernym pomocniku domowym.

— Obawiam się, że wzrok mi zaczyna słabować — powiedziałem i w ten łatwy sposób się usprawiedliwszy, nałożyłem na nos binokle i spojrzałem na kamerdynera.

Cały hol zawirował wokół mnie; daję słowo honoru, że blednę i trzęsę się nawet teraz, gdy piszę te słowa. Septimus Notman mówił prawdę!

W mgnieniu oka dojrzałem należące do naszego majordomusa serce w całej jego obmierzłości; myśl jego pochwyciłem, jakbym czytał w książce: „Czy jaśnie pan naprawdę sądzi, że oddam mu rabat w wysokości pięciu procent rachunku? Jeśli tak, straszna to niegodziwość, gdyż zawsze był to przywilej kamerdynera!".

Zdjąłem okulary i schowałem do kieszeni, po czym rzekłem Valerianusowi:

— Z przykrością muszę skonstatować, iż nie tylko złodziej z ciebie, lecz także kłamca. Masz w kieszeni pięć funtów bez szylinga lub dwóch, taki był bowiem opust na rachunku. Ureguluj wszystkie domowe sprawy, ponieważ cię zwalniam.

I co myślicie? Zaczął się wypierać, tłumaczyć? Nic podobnego! Dumnie się wyprostował i odrzekł:

— Jutro opuszczam ten dom, sir. Kiedy po dwudziestu pięciu latach służby zostaję nazwany złodziejem tylko za to, iż wziąłem to, co od lat było traktowane jako mój bonus, jest to dla mnie taka obraza, sir Alfredzie, że ścierpieć jej niepodobna.

Wyjął z butonierki chusteczkę, przytknął ją do lewego oka i się oddalił.

Prawdą jest, że służył u nas ćwierć wieku, prawdą jest, że oszukał mnie na pięć funtów, na dodatek wypierając się tego. Miał jednak Valerianus także pewne swoje zalety. Gdy byłem dzieckiem, często mnie woził na swoim kolanie i potajemnie częstował podkradzionym ze stołu winem zmieszanym z wodą.

Księgę piwniczną zawsze prowadził bardzo porządnie, a ze słów żony wynikało, iż był wzorowym mężem. Kiedy indziej pamiętałbym o tym wszystkim, poczułbym, że moja reakcja jest nazbyt pospieszna, opanowałbym się i go przeprosił. Teraz jednak nie miałem najlżejszych wyrzutów sumienia i ani przez chwilę nie wahałem się co do decyzji, by go odprawić. Cóż to za zmiana się we mnie dokonała?

Otworzyły się drzwi biblioteki i stanął w nich mój dawny kolega szkolny i studencki, Ashley Golding.

— Tak mi się właśnie zdawało, że słyszę w holu pański głos, Alfredzie. Czekam już ponad godzinę.

— Coś ważnego? — spytałem, mijając go i wchodząc do biblioteki.

— Dla pana to zupełna drobnostka — odparł skromnie.

Więcej nie było mi trzeba. Już kilka razy pożyczałem mu drobne sumy, które zawsze zwracał, prędzej lub później.

— Znowu mały kredycik? — zapytałem i uśmiechnąłem się przyjaźnie.

— Wstyd mi doprawdy, że znowu się panu naprzykrzam, Alfredzie. Czy jednak nie zechciałby mi pan pożyczyć pięćdziesięciu funtów...? Niech pan tylko spojrzy na ten list...

Zażartował, kiedy znienacka pojawiły się okulary, ale tym razem jego dowcip wcale mi się nie spodobał. Co to przed chwilą powiedział? „Wstyd mi doprawdy, że znowu się panu naprzykrzam". Naprawdę jednak pomyślał: „Kiedy się ma mleczną krowę, trzeba ją doić, żeby jej wymiona nie obrzmiały".

Zwróciłem mu list, w którym prawnik groził „krokami procesowymi", i powiedziałem najbardziej surowym tonem, na jaki potrafiłem się zdobyć:

— Ani myślę po raz kolejny wprawiać pana w stan zawstydzenia.

Wyglądał jak człowiek rażony gromem i dopiero po chwili wykrztusił:

— Czy pan żartuje, Alfredzie?

— A czy wyglądam na kogoś takiego?

Sięgnął po kapelusz i oznajmił:

— Jedno znajduję tylko wytłumaczenie pańskiego zachowania. Pański mózg nie może sprostać pańskiej sytuacji majątkowej; najwyraźniej pieniądze uderzyły panu do głowy. Żegnam.

W szkole i college'u doznałem od niego wiele drobnych przysług, był człowiekiem honorowym i dobrym przyjacielem. Nawet jeśli poczucie niedostatku napełniło go niesprawiedliwą wzgardą wobec ludzi majętnych, była to bez wątpienia wada (w stosunku do mnie na dodatek obciążona niewdzięcznością), gdzież jednak znajdzie się człowiek doskonały? I co dla mnie znaczy pięćdziesiąt funtów? Oto, co powinno mi było przyjść do głowy, zanim Ashley Golding dotarł do drzwi, ja jednak dałem mu wyjść, ciesząc się na dodatek, że pozbyłem się wreszcie kogoś, kto trzymał się mnie jedynie z uwagi na moje pieniądze.

Gotów już teraz do spotkania z damami, zadzwoniłem po służbę i spytałem, czy matka jest w domu. Tak, była w buduarze. A panna Cecilia? Również tam się znajdowała.

Kiedy tam wszedłem, zastałem gości właśnie zbierających się do wyjścia, więc egzamin okularowy musiałem odłożyć do chwili, gdyż już sobie pójdą. Zanim to jednak nastąpiło, pukanie do drzwi zapowiedziało kolejnych gości, chociaż na razie wszystko ograniczyło się do przedstawienia biletów wizytowych. Potrzeba mi było tylko dwóch minut, aby przypomnieć matce, że organicznie nie nadaję się do spełniania wymogów życia towarzyskiego i że moglibyśmy chyba chociaż przez pół godziny mieć dom rodzinny tylko dla siebie.

— Poinformuj, że nie ma cię w domu, matko — poradziłem.

Matka — wspaniała wiekowa dama z kunsztownie uczesanymi siwymi włosami i w piękne ułożonej sukni ze szkarłatnego jedwabiu — spojrzała na Cecilię, która siedziała po drugiej stronie kominka: wysoka, piękna, poruszająca się wolno, ale z gracją, obdarzona wielkimi brązowymi oczyma, lśniącymi czarnymi włosami i mleczną cerą, a odziana w suknię bursztynowej barwy.

— Nie możesz myśleć tylko o sobie — skarciła mnie rodzicielka. — Zapominasz o Cecilii, która bardzo sobie ceni dobrane towarzystwo.

Cecilia spojrzała na matkę ze swego rodzaju apatycznym zdziwieniem.

— Ja? Ależ pani się myli! Nie znoszę życia towarzyskiego z jego sztucznymi konwenansami.

Matka uśmiechnęła się, potrząsnęła dzwonkiem i oznajmiła służącej:

— Nie ma mnie w domu.

Wydobyłem okulary, które obie panie powitały zgodnym okrzykiem zgrozy na ich brzydotę. Zrzuciłem całą winę na mego „okulistę" i czekałem, co się teraz rozegra między matką a Cecilią. Ponieważ pierwsza zabrała głos matka, więc spojrzałem na nią.

(Przytaczam najpierw jej słowa, a potem w nawiasie myśli).

— Nie znosisz życia towarzyskiego, moja droga? Musiałaś zatem zmienić zdanie bardzo niedawno. („Będzie kłamać w żywe oczy, byle tylko zyskać uznanie w oczach Alfreda. Cóż to za fałszywa istota!").

(Takiej samej zasady trzymam się przy wypowiedziach Cecylii).

— Proszę mi wybaczyć, wielmożna pani, nie zmieniłam jednak zdania, tylko wcześniej lękałam się dać mu wyraz. Mam nadzieję, że nie czuje się pani urażona, iż czynię to teraz. („Nie wyobraża sobie życia bez plotek, ale zwala to na mnie. Cóż za obłudna istota!").

Co pomyślałem o matce, tego nie śmiem tutaj wyznać, natomiast jeśli chodzi o Cecilię, to powiem tyle, iż bardziej niż kiedykolwiek zapragnąłem ujrzeć Zillę, „szkolnego Anioła".

Z zamyślenia wyrwał mnie głos matki.

— Zdejmijże te wstrętne okulary, Alfredzie, albo

pozwól nam ujrzeć naszych gości. Jeśli twierdzisz, że coś jest nie w porządku z twoim wzrokiem, na pewno wiesz, co mówisz, natomiast jedno ci radzę: zmień okulistę.

Spełniłem to życzenie tym chętniej, iż sam zaczynałem się lękać tych binokli. Panie zaś dalej prowadziły konwersację.

— Tak czy owak, to bardzo osobliwe wyznanie, moja droga — ciągnęła matka. — Bardzom ciekawa, co taka młoda osoba jak ty może mieć przeciw życiu towarzyskiemu.

— Powoduje mną to tylko, iż bardzo pragnę się doskonalić. Gdybym bieglej mówiła w obcych językach i czuła się mniej nieporadną amatorką, kiedy zasiadam do akwareli, może uważałaby mnie wielmożna pani za bardziej godną małżeństwa z sir Alfredem. Tymczasem ilekroć chcę zasiąść do książki czy chwycić za pędzel, na przeszkodzie staje życie towarzyskie i jego obowiązki. W Londynie nie mam czasu dla siebie samej i nie będę ukrywać, że takie lekkomyślne życie nie jest mi w smak.

Słowa te bardzo mi się spodobały (przypominam, że okulary spoczywały już w kieszeni), kiedy więc matka spojrzała na mnie, powiedziałem:

— Jak najbardziej zgadzam się z panną Cecilią. W Londynie od rana do wieczora nie ma nawet mowy o tym, żebyśmy znaleźli tylko dla siebie choćby pięć minut. — Kolejne pukanie do drzwi od ulicy donośnie wsparło moje słowa. — Ba, strach nawet wyjrzeć przez okno, aby czasem towarzystwo nie zerknęło w tym samym momencie w górę i nie dostrzegło, że jednak jesteśmy w domu.

Matka uśmiechnęła się i z przesadnym westchnieniem oznajmiła:

— Bardzo z was dziwna para młodych ludzi... — Tu urwała, gdyż najwyraźniej przyszła jej do głowy jakaś myśl, która domagała się dokładniejszego rozważenia. Gdyby w tym momencie nie wpatrywała się we mnie uważnie, najpewniej wyciągnąłbym z kieszeni okulary. — Tak zupełnie się zgadzacie w tym, iż życie towarzyskie w Londynie jest całkowicie nieznośne, że jako dobra matka i spolegliwa opiekunka powinnam chyba coś zrobić, aby sprostać waszym gustom. Uskarżasz się, Alfredzie, że nigdy pięciu minut nie możesz spędzić sam na sam z Cecilią, ty z kolei, Cecilio, ubolewasz, że nieustannie coś ci przeszkadza w dążeniu do większej doskonałości. Dlatego też chciałam zaproponować, abyście całe trzy miesiące mieli tylko dla siebie. Moglibyśmy zimę spędzić w Long Fallas.

W Long Fallas mieliśmy wiejską posiadłość. Polować nie było na co, ale można było sobie postrzelać; najbliższą większą miejscowością ze stacją kolejową było Timbercombe, a najbliższym sąsiadem młody i nader rygorystyczny pastor, o którym po wsi krążyła plotka, że tylko patrzeć, jak zagłodzi się na śmierć. Bez chwili wahania odrzuciłem matczyną propozycję, Cecilia zaś nader pokornie ją zaakceptowała.

Była to pierwsza poważniejsza różnica zdań między nami i nawet bez okularów mogłem spostrzec, że matka uznała to za dobry znak. Przystała na nasz wiosenny ślub, ale nie zmieniła zdania co do tego, że właściwą dla mnie żoną byłaby anielska Zilla.

— No nic, moi drodzy, rozstrzygnijcie to między sobą — powiedziała matka i wstała z fotela, a Cecilia natychmiast do niej podskoczyła, w każdej chwili gotowa do pomocy.

Ledwie zobaczyłem ich zwrócone ku mnie plecy, natychmiast sięgnąłem po straszliwe okulary. Czy jest w anatomii coś takiego jak tylny obraz serca? Jest bez wątpienia, jeśli masz na oczach Diabelskie Okulary. Oto jak mi się zaprezentowały matczyne prywatne odczucia: „Jeśli po zimie w Long Fallas nie będą mieć siebie zupełnie dosyć, uznam, że nic nie wiem o ludzkiej naturze. Ale jestem pewna, że ostatecznie mój Alfred poślubi Zillę". Natomiast myśli Cecilii tak oto wyglądały: „Matka Alfreda chce oczywiście, bym powiedziała »Nie«, ale rozczaruję ją, nawet jeśli będzie to tak nieprzyjemne".

„Nawet jeśli będzie to tak nieprzyjemne" wcale nie zabrzmiało dla mnie miło, gdyż najwyraźniej i mnie dotyczyło. Przewrotny pomysł matki, aby wystawić na próbę naszą cierpliwość do siebie, nieoczekiwanie dla mnie zdał się teraz nader rozumnym posunięciem. Na odosobnieniu w Long Fallas łatwo z pewnością ustalę, czy Cecilia chce wyjść za mnie dla moich pieniędzy, czy dla mnie samego. Schowałem okulary i nic wówczas nie powiedziałem, kiedy jednak matka weszła do salonu przebrana już, aby wyjść na obiad, zaskoczyłem ją deklaracją, że nie mam nic przeciwko wyjazdowi do Long Fallas. Także i Cecilia zmieniła strój. Nigdy nie wyglądała bardziej uroczo i pociągająco niż wtedy, gdy dowiedziała się, że zmieniłem decyzję.

— Ależ cudowny czas nas czeka! — powiedziała z uśmiechem tak promiennym, jakby jej słowa były absolutnie szczere.

Obie panie wyszły na przyjęcie; byłem w bibliotece, gdy wróciły. Usłyszawszy, jak powóz zatrzymuje się przed wejściem, wyszedłem do holu i nagle znieruchomiałem, gdy usłyszałem męski głos:

— Bardzo dziękuję, stąd już mam całkiem niedaleko do domu.

Na to odpowiedziała moja matka:

— Dam jeszcze panu znać, sir Johnie, jeśli wyjedziemy na wieś. Czy odwiedzi pan nas wtedy?

— Z najwyższą przyjemnością. Do widzenia, panno Cecilio.

Nie mogło być wątpliwości, jakim tonem zostały wypowiedziane ostatnie cztery słowa: pełne były niesłychanej czułości. Wycofałem się do biblioteki.

Tam zastała mnie matka, której towarzyszyła Cecilia.

— Mamy pewien kłopot — oznajmiła rodzicielka. — Cecilia nie chce jechać do Long Fellas.

Zapytałem czemu, na co nie patrząc na mnie, Cecilia odpowiedziała krótko:

— Zmieniłam zdanie.

Odwróciła się, aby pomóc matce wyzwolić się od futra, a ja natychmiast skonsultowałem się z okularami, odpowiedź jednak brzmiała dość tajemniczo: „Do Timbercombe jedzie sir John".

Króciutkie śledztwo natychmiast rozjaśniło nieco sprawę. Sir John, jeden z uczestników proszonego obiadu, przywitał się z Cecilią w sposób wskazujący na to, że nie widzą się bynajmniej po raz pierwszy. Matka wyraziła życzenie, aby go jej przedstawiono, a gdy to już się stało, zrobił na niej tak dobre wrażenie, iż zaprosiła go do swego powozu — zwłaszcza że w trakcie rozmowy dowiedziała się, iż sir John chce odwiedzić krewnych mieszkających w Timbercombe. Kolejna króciutka konsultacja z okularami dopełniła całej kwestii. Sir John ongiś bez powodzenia oświadczył się Cecylii, a nadal pałając do niej miłością, czekał tylko na odpowiednią okazję, aby próbę ponowić. Całkiem zrozumiałe wydawało się teraz znakomite wrażenie, jakie wywarł na mojej matce.

Wahając się, czy dać odrzuconemu konkurentowi taką sposobność, Cecylia bardziej bała się sir Johna czy siebie samej? Okulary podpowiedziały, że z rozmysłem unikała odpowiedzi na to pytanie, nawet w myślach.

W takiej sytuacji próba, jaką będzie posępne zimowisko w Long Fellas, wydała mi się bardziej pociągająca niż kiedykolwiek wcześniej. Na własną rękę Cecilia może skutecznie utrzymywać pozory i oszukiwać innych ludzi (chociaż nie uczucia). Jeśli się okaże, że to ja jestem wybrańcem, będzie mi droższa niż kiedykolwiek przedtem, jeżeli zaś wyjdzie na to, że nie (a będę miał do dyspozycji dowód bardziej stosowny do ujawnienia niż Diabelskie Okulary), nie będę się ani chwili wahał przed tym, by zerwać zaręczyny.

— Takie zmiany postanowienia nie zawsze są dobre, droga panno Cecilio — powiedziałem. — Bardzo proszę, aby zrobiła mi pani tę przysługę i pojechała jednak do Long Fellas, jeśli zaś na miejscu stwierdzimy, że to nieznośne miejsce, niezwłocznie wrócimy do Londynu.

Cecilia spojrzała na mnie z wahaniem, potem pytająco na moją matkę, by wreszcie w czarowny swój sposób przyjąć propozycję zimy w Long Fellas. Im bardziej w cichości ducha różniły się od siebie, tym bardziej wydawały się ze sobą zgodne.

Opuściliśmy stolicę dopiero trzy dni później. Wystarczy powiedzieć, że samo pakowanie było nie lada problemem, a matka na dodatek jeszcze przed naszym wyjazdem zapragnęła odwiedzić swoją bratanicę, co, naturalnie, zachowała w sekrecie przed Cecilią. Nawet jednak kiedy znaleźliśmy się sam na sam, spytana o Zillę matka wzniosła oczy ku niebu i odrzekła:

— Absolutnie czarująca!

4

Egzamin w Long Fellas

Byliśmy tam już tydzień i gdybyśmy mogli sobie powiedzieć prawdę, zgodnie byśmy zawołali: „Wracajmy do Londynu!".

Jak dotąd sir John nie dał znaku życia. Okulary doniosły mi, że przyjechał do Timbercombe i że Cecilia napisała do niego list, natomiast, o dziwo, nie ujawniły jego treści. Zdążyła już zapomnieć, czy też binokle miały jakiś ukryty, nieujawniony dotąd defekt?

Zbliżały się święta Bożego Narodzenia. Pogoda niemal bez ustanku była mglista i deszczowa. Cecilię zaczynały nużyć jej ukochane intelektualne rozrywki. Moja matka, ze swą niemal nadludzką cierpliwością, czekała, co też się wydarzy. Ponieważ ja nie znajdowałem w domu najmniejszej rzeczy, która mogłaby mnie zainteresować, zacząłem się ciekawić regionami zewnętrznymi wobec kręgu rodzinnego. Mówiąc mniej ogródkowo, odkryłem, że pracuje u nas w Long Fellas miła szwaczka, panna Peskey. Kiedy więc nikt tego nie widział, u jej boku szukałem jakiegoś urozmaicenia.

Niechaj jednak nie oburzają się ludzie z zasadami. Z mojej strony stanowiło to tylko niewinny flirt, a miła szwaczka stanowczo wzbraniała się przed dawaniem mi jakichkolwiek zachęt. Owa panna Peskey była nader młodą dziewczyną, ale panowała nad sobą jak dorosła kobieta. Owszem, pozwalała mi obejrzeć swoją kształtną figurkę, łagodne niebieskie oczy i lśniące złote włosy, zaraz jednak stanowczo się domagała, abym jej nie odwodził od pracy. Gdy nastawałem, aby pozwoliła mi zostać odrobinę dłużej, podnosiła się skromnie i mówiła: „Na przekór swej woli będę musiała się oddać pod opiekę gospodyni domu". Pewnego razu chwyciłem ją za rękę; wyrwała dłoń i przykładając chusteczkę do oczu, spytała: „Czy naprawdę godzi się dżentelmenowi postponować bezbronną dziewczynę?". Inaczej mówiąc, panna Peskey skutecznie uniemożliwiała mi najdrobniejsze choćby zwycięstwa. Przez cały pierwszy tydzień ani razu nie miałem okazji zerknąć na nią przez Diabelskie Okulary.

Ledwie zaczął się drugi tydzień, a pogoda tak się poprawiła, iż mógłby ktoś rzec, że w środku zimy zawitała do nas wiosna.

Razem z Cecilią wybraliśmy się na przejażdżkę konną. Jako że po powrocie nie miałem nic lepszego do roboty, odprowadziłem konie do boksów, co naturalnie bardzo uraziło stajennego, który uznał, iż mu nie dowierzam. Wracając stamtąd, mijałem okna parterowe na tyłach domu, gdzie miała swe miejsce do pracy panna Peskey. Znajdowałem się co prawda w pewnej odległości, nie na tyle jednak wielkiej, abym nie widział, co się dzieje w pokoju. Miła szwaczka nie była sama; towarzyszyła jej moja matka. Bez wątpienia rozmawiały, chociaż jednak słowa nie mogły dotrzeć do moich uszu — nic mnie to jednak nie martwiło, jeśli bowiem mogłem spojrzeć na kobiety przez moje przenikliwe okulary, widziałem ich myśli, zanim na wargach przemieniły się w słowa.

— No więc jak, moja droga, wyrobiłaś już sobie na jego temat opinię? — zapytała matka.

— Nie całkiem jeszcze — odrzekła dziewczyna.

— Bardzo jesteś wstrzemięźliwa w swoich ocenach. Długo to może potrwać?

— Proszę jeszcze o dwa dni, wielmożna pani. Na pewno sir John mi dopomoże.

— Jesteś pewna, że zjawi się u nas?

— Tak słyszałam.

— A jak udało ci się to załatwić?

— Za wybaczeniem wielmożnej pani, na razie wolałabym nie odpowiadać na to pytanie.

W drzwiach stanęła gospodyni i odwołała matkę w jakichś domowych sprawach. Kiedy ta szła do drzwi, zdążyłem jeszcze odczytać jej myśl: „To doprawy niezwykłe, że tyle pomysłowości może się znaleźć u tak młodej dziewczyny".

Panna Peskey, zostawiona sama, uśmiechała się do siebie, trzymając na kolanach robótkę. Kiedy zwróciłem na nią binokle, dokonałem odkrycia, które wprawiło mnie w stan osłupienia. Powiedzmy to wprost: czarująca szwaczka oszukiwała nas wszystkich (z wyjątkiem tylko mojej matki) co do swego zajęcia i nazwiska. Otóż panna Peskey była ni mniej, ni więcej moją stryjeczną siostrą Zillą, „szkolnym Aniołem"!

Chciałbym tu oddać sprawiedliwość matce. Owszem, winna była zgody na podstęp, ale niczego więcej — gdyż pomysł i jego realizacja były wyłącznym dziełem siedemnastoletniej panny Zilli!

Podążyłem za ciągiem jej myśli, które stanowiły konsekwencję pytań matki. Aby uzasadnić dalsze moje postępowanie, muszę tu w skrócie przedstawić efekt mej „okularowej" obserwacji. Czy słyszeliście kiedy o „głodowniczkach"*? Czy słyszeliście o dziewczętach „mesmerycznych"? Czy słyszeliście (bądź raczej czytaliście, gdyż o sprawach takich najczęściej donoszą gazety) o dziewczętach, które wysuwały najokropniejsze oskarżenia wobec zupełnie niewinnych mężczyzn? Jeśli tak, to z pewnością nie będziecie oskarżać okularów o to, iż ujawniły rzeczy niemożliwe.

A oto zapis myśli panny Zilli w kolejności, w jakiej mi się odsłaniały.

Pierwsza: „Nie należę do zupełnie ubogich, z pewnością jednak chciałabym wejść do jakiejś naprawdę zamożnej rodziny i dać sobie wreszcie spokój ze

---

* „Głodowniczki" (ang. *fasting girls*) — sławne w wiktoriańskiej Anglii w drugiej połowie XIX wieku młode dziewczęta, które miały przez bardzo długi, liczony w miesiącach czas obywać się bez jedzenia, a także dysponować nadnaturalnymi zdolnościami, na przykład jasnowidzenia — przyp. tłum.

szkołą. A o szanownym Alfredzie wieść głosi, iż ma dochody rzędu piętnastu tysięcy funtów rocznie. Czy panna do towarzystwa jego matki ma złowić tę tłustą rybkę bez żadnego oporu? Nie, jak długo ja mam coś do powiedzenia!".

Myśl druga: „Ależ naiwni są starzy ludzie! Jego matka odwiedza mnie i zaprasza do Long Fellas, abym konkurowała z całą tą Cecilią. Mężczyźni tymczasem są takimi głupcami, że wprawdzie ma on się wyraźnie ku mnie, ale starczy, by tamta uderzyła w płacz, a już go ma usidlonego. Dlatego zamiast trzymać się reguł fair play, zasugerowałam sposób, który podsunęła mi czytana niedawno sztuka. Matka na to: »Dobrze, ale rozumiem, że nie posuniesz się do niczego, co nie przystoi młodej damie? Proszę bardzo, jeśli chcesz, zdobądź go tak, jak panna Hardcastle zdobyła pana Marlowa w *She Stoops to Conquer**, ale nie rób niczego takiego, co mogłoby zszargać twoje imię«. Co za prostolinijność, mój Boże. Do jakiejże szkoły chodziła ona za młodu?".

Myśl trzecia: „I cóż to za szczęście, że pokojówka panny Cecilii jest taka leniwa, a miejsce dla szwaczki znajduje się przy stole służby! Służąca bardzo się skarżyła, że musi wstać przed szóstą rano, aby pojechać dyliżansem razem ze służącym, który załatwia domowe sprawunki w Timbercombe. A po co? Aby

---

* Tytuł sztuki Olivera Goldsmitha (1728-1774) wystawionej po raz pierwszy w roku 1773 — przyp. tłum.

notkę od swej pani zawieźć sir Johnowi i czekać na odpowiedź. Co więc robi miła szwaczka, gdy słyszy takie utyskiwania? »Ja i tak zawsze budzę się przed wschodem słońca, toteż z chęcią cię wyręczę i przywiozę odpowiedź«".

Myśl czwarta: „A szczęście jeszcze większe może mieć niebieskie oczy i złote włosy! Sir John był mną urzeczony i nawet przez chwilę myślałam, czy nie mógłby zastąpić Alfreda. Na szczęście zapytałam o niego prostoduszną matuleńkę. Jest tylko marnym baronetem, nawet nie warto zaprzątać sobie nim głowy. I cóż z tego, że będę *milady*, skoro bez odpowiedniego majątku. Okropne! Tak czy siak, na wszystko miałam baczenie i dlatego spostrzegłam, że sir John, czytając list, odrobinę się skrzywił. »Mam nadzieję, sir, że żadne to złe wiadomości?«, a on na to: »Twoja pani — bo miał mnie, rzecz jasna, za służącą panny Cecilii — nie pozwala mi odwiedzić siebie w Long Fellas«. Ależ to hipokrytka, pomyślałam w duchu o mojej rzekomej chlebodawczyni, a sir Johnowi pokornie zasugerowałam, aby nie tracił nadziei. Umówiliśmy się, że ma się jutro zjawić w Long Fellas i wpół do drugiej czekać w zaroślach. Gdyby padał deszcz lub śnieg, spróbuje najbliższego ładnego dnia, a wtedy biedna szwaczka poprosi o pół dnia wychodnego, zapraszając zarazem pannę Cecilię do wspólnego spaceru, który podejmą oczywiście we właściwym kierunku. Na pożegnanie sir John dał mi dwa suwereny i jednego całusa. Wszystkie trzy podarunki przyjęłam ze stosowną uniżonością. Nie wrzuci biedny baronet suwerenów w błoto, gdyż w ogrodzie spotka panią swego serca. A ja będę miała swoją tłustą rybkę!".

Myśl piąta: „Ależ to obrzydliwa robota! Dobrze chociaż, że trzeba się mozolić tylko z jedną igłą, a nie z dwoma szydełkami, ale jakże wykoślawia to palce! Trudno, muszę oddawać się swemu zajęciu, inaczej bowiem jako leniucha oczerni mnie najbardziej wredna osoba na świecie, czyli gospodyni Long Fellas!".

Zabrała się do szycia, a ja Diabelskie Okulary schowałem do kieszeni.

Nie sądzę, bym to podejrzewał, gdy Septimus Notman dawał mi swój piekielny dar — teraz jednak wiem, że miał on na mnie znaczny wpływ. Zachowałem zimny spokój w sytuacji, która przed otrzymaniem binokli wprawiałaby mnie we wściekłość i oburzenie: matka i jej intrygi, Cecilia i jej tajemny zalotnik — w jakiejże ja tkwiłem sieci podstępów i kłamstw! A jakąż niebiańską przyjemność odczuwałem, gotując się do starcia z tymi wszystkimi fałszywcami! Metoda natychmiast sama mi się nasunęła. Wystarczy, że sam wezmę matkę na spacer w umówioną część ogrodu, a demaskacja będzie całkowita i ostateczna. Tego wieczoru z wielkim niepokojem przyglądałem się barometrowi; najbardziej w tej chwili pragnąłem dobrej pogody nazajutrz.

5

Prawda w krzewach

Następnego dnia świeciło piękne słońce, a balsamiczne powietrze zapraszało wszystkich do wyjścia na spacer. Tego ranka nie robiłem użytku z Diabelskich Okularów; postanowiłem trzymać je w kieszeni, do chwili gdy będzie już po egzaminie w ogrodzie. Jaki kierował mną motyw? Ni mniej, ni więcej strach, strach przed dokonaniem kolejnych odkryć, co mogłoby pozbawić mnie panowania nad sobą, a od niego zależało powodzenie całego przedsięwzięcia.

Obiadowaliśmy o pierwszej. Czy Cecilia i Zilla doszły do porozumienia w sprawie spaceru? Aby to sprawdzić, zapytałem tę pierwszą, czy nie wybrałaby się na konną przejażdżkę. Odmówiła, miała szkic do skończenia. Mądrej głowie dość dwie słowie.

— Cecilia skarży się, że ostatnio odnosisz się do niej nader chłodno — oznajmiła matka, kiedy zostaliśmy sami.

W myślach natychmiast mi stanął list Cecilii do sir Johna. Czyż jakikolwiek mężczyzna podchwyciłby tak łatwo sugestię Zilli, aby nie traktować z całkowitą powagą słów autorki listu, gdyby skądinąd nie miał po temu podstaw? Nie wdając się w żadne dywagacje, odpowiedziałem matce krótko:

— Także i jej stosunek do mnie się zmienił.

Matka była najwyraźniej zachwycona sugestią, że pojawiły się między nami jakieś nieporozumienia.

— No tak — powiedziała. — Z pewnością, jeśli chodzi o słodycz charakteru, nie dorównuje Zilli.

Niełatwo było przyjąć te słowa spokojnie, ale sprostałem wyzwaniu.

— Pójdziesz, mamo, ze mną na spacer po okolicy?

Zgodziła się tak łatwo, iż być może zawstydziłbym się siebie samego — gdyby nie demaskujące okulary, które tkwiły w kieszeni. Ledwie uzgodniliśmy, że wyruszymy o drugiej, kiedy rozległo się pukanie do drzwi. Anielska szwaczka pojawiła się z prośbą o kilka godzin wolnego. Matka wprost spłonęła rumieńcem. Poprzednia generacja nigdy się nie wyzbędzie starych nawyków.

— A o co chodzi?

— Chciałabym, wielmożna pani, zrobić zakupy w miasteczku.

— Oczywiście.

A zatem następna przeszkoda pokonana. Teraz do ogrodu, w pobliże krzewów.

— Pospiesz się, mamo — powiedziałem — bo najlepsza część dnia przejdzie nam koło nosa. I o jednym pamiętaj, weź jak najgrubsze buty.

Po jednej stronie krzewów był ogród, po drugiej — drewniany płot. Wzdłuż niego biegła ścieżka, która następnie wykręcała w bramę i kierowała się w stronę do budynków dla służby. I to właśnie miejsce sobie umyśliłem. Mogliśmy stamtąd wszystko świetnie słyszeć, chociaż widok mógł być ograniczony. Zaleciłem matce grube buty, gdyż dzięki nim zostanie stłumiony odgłos kroków w trawie.

Nie wykluczam, iż matka dałaby wyraz zdziwieniu, że taką wybieram trasę, gdybym zawczasu jej nie uprzedził ściszonym głosem:

— Nie odzywaj się ani słowem, tylko słuchaj. Mam swój powód, aby cię tu przyprowadzić.

Ledwie to wyszeptałem, usłyszałem po drugiej stronie krzaków głosy Cecilii i szwaczki.

— Zaczekaj no chwilę — odezwała się Cecilia. — Wyjaśnij mi to dokładniej, zanim pójdę dalej. Jak to się stało, że zamiast mojej pokojówki to ty doręczyłaś list sir Johnowi?

— Zrobiłam jej przysługę, wielmożna panienko. Czuła się nie najlepiej i nie bardzo chciała jechać do Timbercombe, a że mnie zabrakło dobrych igieł, których nigdzie tu nie dostanę, więc skorzystałam z okazji, żeby się dostać do miasta.

Nastała cisza. Cecilia, jak przypuszczam, namyślała się, a matka z kolei jakby odrobinę pobladła.

— W odpowiedzi sir Johna na mój list nie znajduję niczego, co nosiłoby posmak grubiańskości. Zawsze miałam go za dżentelmena, a żaden dżentelmen nie ośmieliłby mi się narzucać wtedy, kiedy mu tego zabroniłam. Skąd zatem wiesz, że zakaz ten chce usłyszeć z moich ust?

— Nawet w dżentelmenach, wielmożna panienko,

uczucie bierze czasami górę. Sir John był tak przygnębiony, że...

Cecilia wpadła jej w słowo.

— Nie było w moim liście niczego, co dałoby mu do tego powód.

— A jednak był przygnębiony. Już zakleiwszy kopertę, zamruczał: „Nie, nie, na Boga, muszę ją przecież zobaczyć". A potem mówi do mnie, żebym wyszła dziś z panienką na spacer, a wtedy on gdzieś tutaj panienkę zaskoczy. Tak szaleńczo jest w panience zakochany, że zupełnie nad sobą nie panuje. Strasznie się naprawdę boję, co się z nim stanie, jak mu panienka jakoś tej swojej odmowy nie złagodzi. Doprawdy nie rozumiem, że można tak okrutnie traktować takiego szykownego dżentelmena.

Cecilia natychmiast obruszyła się na poufałość, którą były nasączone te słowa.

— Swoją opinię najlepiej zachowaj dla siebie — fuknęła. — Możesz już wracać!

— A czy nie lepiej będzie, panienko, żeby najpierw zobaczył mnie z panienką sir John?

— Nie! Dość już żeście się sobie naprzyglądali!

Znowu nastąpiła pauza, przy której matka, blada i drżąca, chwyciła mnie za ramię, ja natomiast biłem się z myślami. Czy Cecilia była istotą tak przewrotną, czy też istotnie tak prawdomówną i niewinną, jak wynikało to z jej dotychczasowych słów? Odległy odgłos kopyt końskich zapowiedział nam, że zbliżał się krytyczny moment. Jeszcze chwila i dźwięki umilkły, a moment później głos Cecilii rozbrzmiał o kawałek od nas. Podeszliśmy odrobinę; oto zaczynała się rozmowa, która miała przesądzić o mojej przyszłości.

— Nie, sir Johnie, najpierw muszę uzyskać odpowiedź na moje pytanie. Czy było cokolwiek w moim liście bądź w moim londyńskim zachowaniu, co by usprawiedliwiało pańskie poczynania?

— Jedno jest tylko usprawiedliwienie, ale ono uzasadnia wszystko, Cecilio: miłość!

— Proszę się do mnie nie zwracać tak poufale. I proszę o dokładniejszą odpowiedź.

— Czyż nie masz, pani, litości dla człowieka, który umiera z miłości do ciebie? Czyż we mnie i w moim tytule nie znajdzie się doprawdy niczego, czym można by zrównoważyć ów trudny do wyjaśnienia wpływ, który pchnął panią do niewczesnych zaręczyn? Czymże mogła owa osoba zaskarbić sobie pani przychylność, panno Cecilio? Nawet jego najlepsi przyjaciele mogą na jego korzyść rzec tylko tyle, iż to poczciwy głupek. Nie winię pani, nierzadko się zdarza, iż niewiasty pospiesznie dają słowo, a potem szlachetne ich serce nie pozwala im się z tego wycofać. Ale niechże będzie pani sprawiedliwa wobec samej siebie, panno Cecilio, a nie jakiejś tam wyimaginowanej powinności. Niechże pani pozwoli przemówić w sobie prawdziwej swojej naturze i zanim będzie za późno, stanie się aniołem, który uszczęśliwi dwa żywoty!

— Czy już pan skończył, sir Johnie? — Szorstki

ton głosu Cecilli nie pozostawiał wątpliwości co do jej intencji; elokwencja w jednej chwili opuściła baroneta. — Zanim cokolwiek powiem dalej — ciągnęła — muszę pewną rzecz sprostować. Otóż dziewczyna, która dostarczyła panu mój list, nie jest moją służącą, jak mógł pan przypuścić. To obca mi osoba, którą podejrzewam o fałszywość i o to, że stara się przy tym załatwić jakiś własny interes. Powiem szczerze, że trudno mi z personą o pańskim statusie pogodzić to, iż daje mi pan odpowiedź, która ma zrodzić do pana ufność, a potem stara się w taki oto sposób mnie zaskoczyć. Owej pośredniczce, jak mniemam, nie brak tupetu, by sama panu podszepnęła taki właśnie fortel. Czy mam rację? Domagam się od pana, sir Johnie, odpowiedzi tak szczerej, jak tego wymaga pański tytuł. Mam zatem rację?

— Tak, panno Cecilio. Ale błagam, niechże pani tylko nie gardzi mną z tego powodu! Pokusa, by ujrzeć panią raz jeszcze...

— Szczerość za szczerość, sir Johnie. Zupełnie pan się myli, sądząc, że mogłabym zerwać swoje zaręczyny. Mężczyzna, którego oczernił przed panem jego fałszywy przyjaciel, jest jedynym, którego kocham i którego chcę poślubić. I proszę przyjąć do wiadomości, że nawet gdyby stracił jutro cały swój majątek, ja pojutrze bym go poślubiła, jeśliby tylko tego chciał. Czy muszę mówić więcej? Czy też z delikatnością dżentelmena zechce mnie pan już opuścić?

Nie pamiętam, czy sir John odpowiedział coś

przed odejściem, czy nie, natomiast wiem, że odszedł. Nie pytajcie mnie, co czułem, nie pytajcie mnie, co czuła matka. Niechaj zmieni się scena, opowieść zaś podjęta zostanie kilka godzin później.

6

Koniec Diabelskich Okularów

Zadawałem sobie pytanie, które ośmielę się tutaj powtórzyć: co zawdzięczam Diabelskim Okularom?

Po pierwsze, dzięki nim dojrzałem wszystkie wady otaczających mnie ludzi, ale żadnej zalety. Po drugie, stwierdziłem dzięki nim, że jeśli chcemy zgodnie i szczęśliwie współżyć ze swymi bliźnimi, winniśmy zwracać uwagę przede wszystkim na ich dobre, a nie złe strony. Doszedłszy do tych konkluzji, uznałem, że muszę zaufać swej niewspomaganej niczym pojętności, aby ustalić, jak ma się do dwóch najdroższych mi osób — matki i Cecilii — to, czego piekielne utensylium właśnie nie ukazywało.

Zacząłem od Cecilii, gdyż matce trzeba było dać czas, aby ochłonęła z dużego szoku, jaki przeżyła.

W rozmowie z Cecilią nie mogłem, rzecz jasna, wyjawić, co widziałem przez Diabelskie Okulary ani co słyszałem po drugiej stronie płotu. Niejaką oziębłość w moim postępowaniu przypisałem swej niechęci do samego imienia „sir Johna", teraz zaś gorąco ją prosiłem, aby mi wybaczyła tę chwilę braku zaufania do niej. Coś z mojego stropienia, iż nieco ją okłamuję, musiało się pokazać w moich oczach, gdyż kiedy tak siedzieliśmy razem na sofie, zarzuciła mi ręce na szyję i ucałowała mnie pierwsza, nie czekając na inicjatywę z mojej strony.

— Niezbyt się afiszuję ze swoimi uczuciami — powiedziała cicho — więc pewnie nie zorientowałeś się, Alfredzie, ile dla mnie znaczysz. Widzisz, mój drogi, kiedy spotkaliśmy się z sir Johnem na tym obiedzie, nawet przez chwilkę nie traktowałam go poważnie, bo ty byłeś i jesteś dla mnie najważniejszy. Gdyby twoja matka nie dotknęła mnie swoją wyraźną wątpliwością, czy można mi ufać, kiedy znajdę się nieopodal Timbercombe, nigdy bym nie przystała na propozycję wyjazdu do Long Fellas. Jak pewnie pamiętasz, zaprosiła sir Johna, aby złożył nam konną wizytę, dlatego też napisałam mu, że jestem z tobą po słowie, a jeśli zjawi się u nas, nic nie zmusi mnie do tego, abym go zobaczyła. Miałam wszystkie podstawy ku temu, by sądzić, że nie tylko zrozumie, lecz także uszanuje moje motywy...

Tutaj urwała, a na jej piękną twarz wypełzł rumieniec. Nie pozwoliłem jej opowiadać o tym, co wydarzyło się w ogrodzie. Jeśli niezbyt dobrze to pamiętacie, powróćcie do poprzednich partii, a zobaczycie, jak kompletnie zmyliły mnie Diabelskie Okulary, nie ukazując głębszych i szlachetniejszych motywów postępowania Cecilii. Były znakomite, gdy chodziło o ukazanie wad i przywar, natomiast dokumentnie zataiły prawdziwe względy, które się skryły pod powierzchownymi myślami mojej matki i mojej narzeczonej.

— Wracamy jutro do Londynu? — zapytałem.

— A tak ci już ciąży tu moje towarzystwo, Alfredzie?

— Jeśli mi coś ciąży, aniele, to tylko wyczekiwanie na wiosnę. Gotów jestem mieszkać z tobą, gdziekolwiek zechcesz, jeśli tylko przystaniesz na tę zmianę, w której efekcie staniesz się moją żoną. Zgodzisz się, Cecilio?

— Jeśli mnie o to spyta twoja matka. Tylko jej nie ponaglaj.

Do tego ostatniego życzenia nie zastosowałem się jednak. Po tym wszystkim, co usłyszeliśmy zaczajeni za płotem, mogłem bez żadnej dodatkowej pomocy na tyle wejrzeć w serce matki, aby być pewnym jej opinii. Nie tylko była jak najbardziej chętna, by natychmiast „spytać" Cecilię, lecz także na dodatek była gotowa wyznać, jak dalece zwiodła ją naturalna skłonność do bratanicy. Ponieważ ani myślałem ujawniać swego sekretu, więc tak samo nie chciałem słuchać wyznań matki, jak było to w przypadku Cecilii. Czyż bez żadnych opowieści sam nie wiedziałem, jak dziecinnie proste było dla kogoś takiego jak Zilla omamić i zwieść moją matkę? Spytałem jedynie, czy „szwaczka" nadal jeszcze przebywa w Long Fellas, na co usłyszałem: „Właśnie teraz jest na stacji kolejowej i nigdy już nie zjawi się w żadnym z moich domów".

Kilka słów zamieniwszy na osobności z zawiadowcą stacji w Timbercombe, dowiedziałem się, że już następnego dnia po wydarzeniu w ogrodzie sir John pożegnał się ze swym miejscowym przyjacielem, a czekając na pociąg do Londynu, natknął się na Zillę, która usadowiła się wraz z nim w wagonie dla palących. I oto w chwili, gdy zawiadowca miał już dawać maszyniście sygnał do odjazdu, rozsierdzony sir John, z twarzą pełną niesmaku, przesiadł się do innego wagonu. Jak widać, Zilla uznała baroneta za ostatnią deskę ratunku, jednak i ta wyślizgnęła się jej z palców. Czy była to dla niej ciężka porażka? Wątpię, sporo jeszcze miała czasu przed sobą, a należała do tych osób, które zawsze postarają się, aby z największym dla siebie pożytkiem wykorzystać każdą nadarzającą się sytuację. Toteż bez specjalnego zdziwienia zobaczyłem w gazecie zapowiedź jej ślubu z wielkim królem żelaza, którego majątek wart był tak wiele milionów, iż z niewielkim ich uszczupleniem jeszcze przed ślubem nabył szlachecki tytuł. Brawo, Zillo! Nawet gdybym wcześniej nie spojrzał na ciebie przez Diabelskie Okulary, nie musiałbym się wiele wysilać, aby dociec twych najgłębszych motywów.

Na kilka dni przed ślubem zostałem zaproszony do przyjaciela na obiad, w którym uczestniczył też sir John. Śmieszne i dziecinne byłoby opuszczanie pokoju; ograniczyłem się więc do tego, iż poprosiłem na boku przyjaciela, aby nie wyjawiał mojego nazwiska. W ramach tejże samej prośby otrzymałem miejsce obok baroneta, który po dziś dzień nie wie, kto był jego sąsiadem przy stole.

Miesiąc miodowy spędziliśmy z Cecilią nie za granicą, lecz w Long Fellas. Nawet zimową porą miejsce to znaleźliśmy przyjemnym, a wręcz uroczym.

Czy wziąłem ze sobą Diabelskie Okulary?

Nie.

Czy je wyrzuciłem albo roztrzaskałem na kawałki?

Również nie. Pamiętałem, co powiedział mi Septimus Notman. Pozbyć się ich można tylko w jeden sposób: przekazując je komuś innemu.

Komuż więc je dałem?

Nie zapomniałem tego, co powiedział o mnie mój niedoszły rywal. Wręczyłem Diabelskie Okulary sir Johnowi.

7

Wydawca do czytelnika

Przypuszczam, że trafi się niejeden czytelnik, któremu będą się cisnąć na usta liczne pytania. I to już wszystko? Żadnego wyjaśnienia nadnaturalnego aspektu tych zdarzeń? Jak się ten tekst dostał w ręce wydawcy? Bez żadnego podpisu czy adresu?

No więc adres był. Ale nie zamierzam go zdradzać.

A gdyby — powiedzmy, gdyż niczego w ten sposób nie przesądzam — był to adres sugerujący dom dla umysłowo chorych? Jaka by wtedy była wasza opinia?

Nie ukrywam, iż podejrzewając was o nader krytyczne zapędy, niniejszym życzę wszystkim dobrej nocy.

SPIS TREŚCI